実務詳説
特許関係訴訟
【第4版】

髙部 眞規子
makiko takabe

一般社団法人 金融財政事情研究会

■第4版はしがき

　平成23年1月に『実務詳説特許関係訴訟』の初版を出版し、10年余りの間に、『実務詳説著作権訴訟』、『実務詳説商標関係訴訟』、『実務詳説不正競争訴訟』と実務詳説シリーズの4部作が揃った。特許関係訴訟については、平成24年11月に第2版、平成28年8月に第3版を刊行して、5年余りが経過した。その間、私自身は、知的財産高等裁判所で部総括や所長を務め、知的財産権訴訟の裁判実務をいかに充実させるかに腐心してきた。

　この5年余りの間、法改正や判例の動きという視点でみると、大きな変化があった。

　まず、平成30年改正では書類提出命令において証拠調べの必要性の有無の判断にインカメラ手続を行い専門委員の関与を認めることや、令和元年改正では査証制度が新しく設けられるなど、証拠収集手続が充実した。また、シートカッター事件最高裁判決は、特許権侵害訴訟において訂正の再抗弁を主張しなかった場合には、事実審の口頭弁論終結後に訂正審決が確定しても、それを理由に事実審の判断を争うことは許されないとして、ダブルトラック下における特許訴訟において、適時主張の重要性を明らかにした。

　また、実体法の分野でも、我が国で均等侵害の要件を確立したボールスプライン軸受事件から20年近くたって、マキサカルシトール事件知財高裁大合議判決が均等の第1要件及び第5要件に関して判示し、その上告審でも第5要件について重要な判断が示された。無効理由として最も多く登場する進歩性についても、ピリミジン誘導体事件知財高裁大合議判決が判断手法や引用発明の認定の在り方を示し、アレルギー性眼疾患眼科用処方物事件最高裁判決が、用途発明に関する予測できない顕著な効果の検討手法について判示した。

　さらに、令和になると、損害論の分野でも、二酸化炭素含有粘性組成物事件及び美容器事件の2件の知財高裁大合議判決において、特許法102条

1項から3項までの損害額の算定方法について明確化され、また、特許法102条について20年ぶりに法改正が行われた。

　私は、令和3年9月に、40年余りの裁判官生活に終止符を打ったが、知的財産高等裁判所の勤務を離れた後も、執務の合間をぬって、知的財産権訴訟の研究を続け、第3版刊行後の重要な最高裁判例や知財高裁の裁判例を取り入れ、最新の訴訟実務を解説することとした。知的財産戦略本部の知的財産推進計画にも、知的財産権訴訟に関する紛争解決の在り方について、さまざまな問題提起がなされ、知財をめぐる関心が高いことを実感している。

　本書は、東京地裁で8年、知財高裁で9年半、最高裁調査官室で5年、合計22年半にわたって知的財産権訴訟を担当し、事件を通じて研究したことや、実務に役立つと思われるポイントをまとめてみたものである。知的財産権訴訟を担当する裁判官、弁護士、弁理士のほか、企業担当者の方々や司法修習生や法科大学院生に、『実務詳説著作権訴訟』、『実務詳説商標関係訴訟』及び『実務詳説不正競争訴訟』と併せて参照していただければ、幸いである。

　出版に当たっては、裁判所の後輩から温かいご支援をいただき、また、金融財政事情研究会の柴田翔太郎氏に、格別の厚情を賜ったことに感謝したい。

令和3年　清秋

髙部　眞規子

■第3版はしがき

　平成23年1月に『実務詳説特許関係訴訟』を出版し、その後、『実務詳説著作権訴訟』、『実務詳説商標関係訴訟』と、知的財産権訴訟の3部作が完成した。『実務詳説特許関係訴訟』については、初版刊行後に極めて重要な法改正があったため、平成24年11月に第2版を出版して、3年半が経過した。その後、知財高裁を離れた時期もあって、第3版の刊行までに、時間を要してしまった。

　その間、最高裁判所では、例えば、平成27年には、プロダクト・バイ・プロセス・クレームに関するプラバスタチンナトリウム事件判決や、延長登録の要件に関する重要な判決が言い渡され、特許庁の審査実務の変更をももたらした。のみならず、外国判決の承認執行に必要な間接管轄についての眉トリートメント事件最高裁判決は、渉外要素を含む特許関係訴訟において、グローバルな紛争をいかに解決すべきかについて、大きな影響を与えると思われる。

　また、知的財産高等裁判所でも、世界各国で訴訟が提起されたアップルサムスン事件を初めとして、次々に大合議（特別部）の判決が言い渡されている。均等の要件をめぐるマキサカルシトール事件大合議判決や、損害論における特許法102条2項の適用要件についてのごみ貯蔵機器事件大合議判決は、今後の特許権侵害訴訟において、当事者の主張立証にも大きく影響するものと考えられる。

　私は、平成27年6月に、再び知的財産高等裁判所に勤務するようになったが、執務の合間をぬって、第2版刊行後の重要な最高裁判例や知財高裁の裁判例を取り入れ、最新の訴訟実務を解説することとした。知的財産戦略本部の知的財産推進計画にも、知的財産訴訟に関する紛争解決の在り方について、さまざまな問題提起がなされ、知財をめぐる関心が高いことを実感している。

　本書は、東京地裁で8年、知財高裁で5年、最高裁調査官室で5年、合

計18年余りにわたって知的財産権訴訟を担当し、事件を通じて研究したことや、実務に役立つと思われるポイントをまとめてみたものである。知的財産権訴訟を担当する裁判官、弁護士、弁理士のほか、企業担当者の方々や司法修習生や法科大学院生に、『実務詳説著作権訴訟』、『実務詳説商標関係訴訟』とともに、3部作という位置付けで利用していただければ、幸いである。

　出版に当たっては、裁判所の先輩や後輩から温かいご支援をいただき、また、金融財政事情研究会の大塚昭之氏、柴田翔太郎氏に、格別の厚情を賜ったことに感謝したい。

　平成28年　夏

髙部　眞規子

■第2版はしがき

　初めての単行本『実務詳説　特許関係訴訟』を刊行して、1年半が過ぎた。幸い、知的財産権訴訟を担当する裁判官、弁護士、弁理士の方々や、企業の知財関係者等からも、好評を得ることができた。

　特許法は、平成10年からの10年間、毎年のように改正が行われてきたが、大きな改正事項を含む平成23年改正（平成23年法律第63号）が、初版刊行後に行われ、本年4月1日から施行されるに至った。現行法施行から50年が経過した平成23年改正は、最新の理論や産業界の要請を踏まえ、特許法が抱えていた難問の多くを大胆に解決した画期的改正であると評価されており、制度の根幹に関わる重要な事項を含む改正である。

　初版の原稿をまとめている際には、どのような形で立法化されるか、法文の規定ぶりも、政令の骨格もはっきりしない部分が多かったが、その後の立法を反映して、今後の実務の在り方が議論されているところから、第2版を刊行することとした。

　特許の有効無効については、侵害訴訟の被告側が特許無効の抗弁として主張できるのみならず、特許庁における特許無効審判でも争えるというダブルチャンスを有している上、特許庁と裁判所の判断齟齬が招く法的不安定が、大きな問題となっていた。平成23年改正により、侵害訴訟の判決確定後に無効審決が確定しても、侵害訴訟の当事者は、再審や損害賠償訴訟において無効審決の確定を主張できないという規定が新設された。これにより、いわば後出しによる特許無効審判を封じ、我が国の特許権侵害訴訟の紛争解決機能が強化されることになる。もっとも、その法文、特に政令には、正確な解釈が欠かせない。

　また、真の権利者でない者の出願に係るいわゆる冒認出願や共同出願違反の場合に、真の権利者に特許権の移転請求権を認める制度が創設され、真の発明者の保護が拡充されることになった。さらに、ライセンシーが特許権の譲受人から権利行使を受けるリスクがあることから、登録が対抗要

件とされていた従前の制度を改め、「売買は賃貸借を破る」という民法上の大原則を変更する、通常実施権の当然対抗といった制度も新設された。いずれも、産業界の要望を受け、諸外国の制度との調和を図るべく新たな制度が導入されたものであり、新しい制度の下での実務の指針が必要である。

　上記のほか、訂正の制度についても大きな改正がされたことを踏まえ、第2版では、平成23年改正後の特許法の下での特許訴訟の実務を詳説することとした。このため、侵害訴訟及び審決取消訴訟という類型のほか、新たに、「契約関係訴訟及び登録関係訴訟」という章を設けて、ライセンス契約に関係する訴訟や、冒認による移転登録訴訟についても、解説することとした。

　さらに、グローバル化の中にあって、特に渉外的要素を含む特許権侵害訴訟にとって、極めて重要な意義を有する民事訴訟法の改正（平成23年法律第36号）も、紆余曲折を経て、平成23年に成立し、改正特許法と同じ本年4月1日から施行されている。第2版においては、国際裁判管轄を定める民事訴訟法の改正についても、触れることができた。

　第2版の刊行に当たっても、知的財産高等裁判所の先輩、同僚裁判官から、温かいご支援をいただき、また、金融財政事情研究会の大塚昭之氏に、校正等において大変お世話になった。ここに感謝の意を表したい。

平成24年　盛夏

髙部　眞規子

■はしがき

　この10年来、知的財産権が熱い視線を浴び、知的財産権を取り巻く環境は大きく変化し、企業の戦略のみならず、国家の戦略にも影響を与える状況になった。毎年のように重要な法改正がされ、また、実務に影響を与える判決も次々と言い渡されている。

　裁判所においては、知的財産権事件が増加するのに対応し、東京地裁の知的財産権部が1か部から4か部に、大阪地裁の知的財産権部が1か部から2か部に増え、担当する裁判官やスタッフの数も、随分増えてきた。平成17年4月には、知的財産高等裁判所設置法に基づき、知財高裁も誕生した。

　企業においても知的財産権の重要性が認識され、担当する部署の地位も高まるとともに、知的財産権事件を取扱う弁護士の数も格段に増加した。

　私は、平成6年から10年まで及び平成15年から19年まで、東京地方裁判所知的財産権部（民事第29部、第47部）に所属し、従来議論されていないような新規なテーマを含む、極めて多数の知的財産権事件を担当することができた。また、平成10年から15年まで、最高裁判所調査官室において、知的財産権事件を集中的に扱い、キルビー特許事件や円谷プロダクション事件、FM信号復調装置事件、江差追分事件、中古ゲームソフト事件等、重要な事件に関与する機会に恵まれた。さらに、2年間の東京地方裁判所民事通常部の勤務を経て、平成21年からは、知的財産高等裁判所（第4部）において、知的財産権事件の控訴事件及び審決取消訴訟を担当し、知的財産法制の立法に際して審議会において実務家としての意見を述べる立場にもなった。

　このような中で、最高裁判所判例解説を執筆したり、さまざまなテーマについての論文を発表する機会もあったが、知的財産高等裁判所第4部の滝澤孝臣部総括判事から、従来知的財産権訴訟について検討してきた事項をまとめてみてはどうかとのご示唆をいただいたこともあり、この度、単

行本として出版する運びとなった。

　本書は、広範な知的財産権訴訟のうち、まず、質量ともに、中心的な地位を占める特許関係訴訟として、特許権侵害訴訟の手続的論点、実体法的論点、渉外的論点及び審決取消訴訟について、裁判実務を念頭に置きながら、理論的考察に努めたものである。

　裁判官としてさまざまな事件を通じて研究した事項を、自分に与えられた仕事の合間を見てまとめたものであり、まだまだ検討不十分な部分もあり、また、ひとりよがりの部分もあることを危惧しながらも、任官30年を機に、1つの区切りとして、本書を出版する次第である。

　新たに知的財産権事件を担当する裁判官や、実務家である弁護士・弁理士、将来知的財産権事件を扱う司法修習生や法科大学院生、企業の知的財産部や法務部の担当者にも、特許関係訴訟の実務と理論の理解の一助となれば幸いである。

　滝澤部長はもとより、知的財産高等裁判所の先輩・同僚裁判官、（社）金融財政事情研究会の大塚昭之氏に心から感謝申し上げる。

　　平成22年　錦秋

　　　　　　　　　　　　　　　　　　　　　　　　　髙部　眞規子

目　次

第4版はしがき
第3版はしがき
第2版はしがき
はしがき
文献の表記

序　章

1　知的財産権訴訟 ………………………………………………… 1
2　特許関係訴訟の種類と特色 …………………………………… 6
3　本書の構成 ……………………………………………………… 9

第1章　特許権侵害訴訟の手続的論点

I　訴訟手続の概要

1　裁　判　所 ……………………………………………………… 12
2　手続の進行 ……………………………………………………… 14
3　訴状の記載例 …………………………………………………… 16
4　答弁書の記載例 ………………………………………………… 21
5　上訴審における手続 …………………………………………… 24

II　請求の趣旨

1　訴　訟　物 ……………………………………………………… 27
2　請求の趣旨 ……………………………………………………… 28
3　発明の種類 ……………………………………………………… 30
4　請求の内容 ……………………………………………………… 36

III　対象製品の特定と証拠収集手続

1　対象製品の特定の意義 ………………………………………… 46
2　文章による特定と商品名及び型式番号による特定 ………… 49

3　対象製品の特定の実践的課題 …………………………………… 54
　　　4　特許法における書類提出命令 …………………………………… 58
　　　5　査　　証 ……………………………………………………………… 70

　Ⅳ　秘密保護手続
　　　1　訴訟記録の閲覧制限 ……………………………………………… 80
　　　2　秘密保持命令 ……………………………………………………… 83
　　　3　公開停止 …………………………………………………………… 104
　　　4　営業秘密を含む証拠の提出 ……………………………………… 107

　Ⅴ　判決と和解
　　　1　侵害訴訟の判決 …………………………………………………… 111
　　　2　侵害訴訟における和解 …………………………………………… 115
　　　3　仮　処　分 ………………………………………………………… 122

　Ⅵ　専門委員と技術説明会
　　　1　専門委員制度の導入まで ………………………………………… 128
　　　2　専門委員制度の概要 ……………………………………………… 131
　　　3　具体的事件における専門委員の関与 …………………………… 134

第2章　特許権侵害訴訟の実体法的論点

　Ⅰ　侵害訴訟の当事者
　　　1　侵害訴訟の原告となるべき者 …………………………………… 142
　　　2　侵害訴訟の被告となるべき者（侵害の主体）………………… 144

　Ⅱ　要件事実
　　　1　特許権侵害訴訟における要件事実の概略 ……………………… 154
　　　2　特許権者側の請求原因事実 ……………………………………… 157
　　　3　相手方の抗弁事実（特許権侵害を否定する事実）…………… 166

　Ⅲ　技術的範囲の属否
　　　1　クレーム解釈の意義 ……………………………………………… 185

2 文言侵害 186
  3 間接侵害 193
  4 均等論 199
  5 特許無効の抗弁とクレーム解釈 212
  6 特殊なクレームの解釈 215

IV 無効論

  1 特許法104条の3の新設まで 223
  2 特許法104条の3の新設 228
  3 特許無効の抗弁と無効審判請求との関係 232
  4 訂正の対抗主張 237
  5 無効主張及び訂正主張の適時提出 240
  6 侵害訴訟判決確定後の審決確定と特許法104条の4 244

V 特許権の効力の制限

  1 試験又は研究のためにする特許発明の実施 267
  2 消尽 274
  3 先使用権 279
  4 延長登録に係る特許権の効力 281
  5 権利の濫用 283

VI 損害論

  1 損害論の審理 285
  2 特許法102条1項 287
  3 特許法102条2項 297
  4 特許法102条3項 304
  5 積極的財産損害 305
  6 複数の権利者による損害賠償請求 306
  7 複数の侵害者に対する損害賠償請求 309
  8 計算鑑定 311

第3章　国際化と特許関係訴訟

I　国際裁判管轄

1　特許権に関する訴えの裁判管轄 ……………………………… 322
2　特許権の有効性・登録に関する訴えの国際裁判管轄 …… 325
3　特許権侵害訴訟の国際裁判管轄 ……………………………… 326
4　外国判決の承認執行と間接管轄 ……………………………… 340

II　準　拠　法

1　差止請求の準拠法 ……………………………………………… 345
2　特許権侵害を理由とする損害賠償請求の準拠法 ………… 350
3　特許無効の抗弁の準拠法 ……………………………………… 351
4　職務発明の対価請求の準拠法 ………………………………… 352

III　国境を越えた特許権侵害

1　複数主体による侵害 …………………………………………… 355
2　属地主義の原則 ………………………………………………… 356
3　国境を越えた侵害関与者の責任 ……………………………… 358
4　今後の課題 ……………………………………………………… 363

第4章　審決取消訴訟の実務

I　訴訟手続の概要

1　審決取消訴訟の種類 …………………………………………… 366
2　手続の進行 ……………………………………………………… 366
3　訴状及び答弁書の記載例 ……………………………………… 369
4　上訴審における手続 …………………………………………… 375

II　裁判所及び当事者

1　裁　判　所 ……………………………………………………… 376
2　訴訟の性質と要件 ……………………………………………… 376
3　権利が共有に係る場合の審判手続 …………………………… 378

4　共有に係る権利と審決取消訴訟 379
　　　5　審判請求人が複数の場合 385
　　　6　承継の場合 386

Ⅲ　取消事由
　　　1　手続上の瑕疵 388
　　　2　審決取消訴訟の審理範囲 394

Ⅳ　拒絶理由・無効理由
　　　1　発明該当性 406
　　　2　新規性 412
　　　3　進歩性 419
　　　4　記載要件 430
　　　5　冒認と共同出願違反 436
　　　6　補正要件 445
　　　7　訂正要件 447

Ⅴ　判決の効力
　　　1　既判力 456
　　　2　形成力 457
　　　3　拘束力 458
　　　4　特許法167条 462

第5章　契約関係訴訟及び登録関係訴訟

Ⅰ　契約関係訴訟
　　　1　実施権設定契約をめぐる訴訟 468
　　　2　特許権の共有をめぐる訴訟 474
　　　3　売買契約をめぐる訴訟 476

Ⅱ　冒認による移転登録
　　　1　冒認を理由とする移転制度の立法趣旨 477
　　　2　平成23年改正法の内容 480

3 特許権の移転登録訴訟	**485**
4 仮 処 分	**491**
5 特許権設定登録前の救済	**493**

事項索引	**500**
判例索引	**504**

文献の表記

本文中で表記する各文献の略称は、以下によります。

相澤英孝『バイオテクノロジーと特許法』
　◆相澤英孝『バイオテクノロジーと特許法』（弘文堂・平成6年）
『秋吉喜寿』
　◆秋吉稔弘先生喜寿記念『知的財産権―その形成と保護』（新日本法規出版・平成14年）
『伊東古稀』
　◆伊東乾教授古稀記念『民事訴訟の理論と実践』（慶応通信・平成3年）
伊藤眞『民事訴訟法〔第7版〕』
　◆伊藤眞『民事訴訟法〔第7版〕』（有斐閣・令和2年）
『鴻古稀』
　◆鴻常夫先生古稀記念『現代企業立法の軌跡と展望』（商事法務研究会・平成7年）
『大場喜寿』
　◆大場正成先生喜寿記念『特許侵害裁判の潮流』（発明協会・平成14年）
尾崎英男『日本企業のための米国特許紛争対応ガイドブック』
　◆尾崎英男『日本企業のための米国特許紛争対応ガイドブック』（日本機械輸出組合・平成3年）
織田季明ほか『新特許法詳解〔増訂〕』
　◆織田季明＝石川義雄『新特許法詳解〔増訂〕』（日本発明新聞社・昭和47年）
『片山還暦』
　◆片山英二先生還暦記念『知的財産法の新しい流れ』（青林書院・平成22年）
『片山古稀』
　◆片山英二先生古稀記念『ビジネスローの新しい流れ』（青林書院・令和2年）
『兼子還暦（中）』
　◆兼子博士還暦記念『裁判法の諸問題（中）』（有斐閣・昭和44年）
兼子一ほか『工業所有権法〔改訂版〕』
　◆兼子一＝染野義信『工業所有権法〔改訂版〕』（日本評論社・昭和43年）
木棚照一『国際工業所有権法の研究』
　◆木棚照一『国際工業所有権法の研究』（日本評論社・平成元年）
木棚照一『国際知的財産法』
　◆木棚照一『国際知的財産法』（日本評論社・平成21年）
木棚照一ほか『国際私法概論〔第4版〕』
　◆木棚照一＝松岡博＝渡辺惺之『国際私法概論〔第4版〕』（有斐閣・平成17年）
『基本法コンメンタール国際私法』
　◆木棚照一＝松岡博編『基本法コンメンタール国際私法』（日本評論社・平成6年）
『基本法コンメンタール民事訴訟法(1)〔第3版〕』
　◆小室直人＝賀集唱編『基本法コンメンタール民事訴訟法(1)〔第3版追補版〕』（日本評論社・平成24年）

清瀬一郎『特許法原理』
　　　←清瀬一郎『特許法原理』(東京俊光社・昭和60年)
『クレーム解釈論』
　　　←日本弁理士会中央知的財産研究所編『クレーム解釈論』(判例タイムズ社・平成17年)
現代裁判法大系『知的財産権』
　　　←清永利亮＝設樂隆一編『知的財産権』現代裁判法大系26巻(新日本法規出版・平成11年)
『工業所有権関係民事事件の処理に関する諸問題』
　　　←司法研修所編『工業所有権関係民事事件の処理に関する諸問題』(法曹会・平成7年)
『工業所有権法逐条解説〔第19版〕』
　　　←特許庁編『工業所有権法逐条解説〔第19版〕』(発明協会・平成24年)
『講座新民事訴訟法Ⅰ』
　　　←竹下守夫編集代表『講座新民事訴訟法Ⅰ』(弘文堂・平成10年)
河野俊行編『知的財産権と渉外民事訴訟』
　　　←河野俊行編『知的財産権と渉外民事訴訟』(弘文堂・平成22年)
『国際私法講座3』
　　　←国際法学会編『国際私法講座3巻』(有斐閣・昭和39年)
『国際私法の争点〔新版〕』
　　　←澤木敬郎＝怵場準一編『国際私法の争点〔新版〕』(有斐閣・平成8年)
近藤昌昭ほか『知的財産関係二法／労働審判法』
　　　←近藤昌昭＝齊藤友嘉『知的財産関係二法／労働審判法』(商事法務・平成16年)
『コンメンタール民事訴訟法(1)〔第2版〕』
　　　←菊井維夫＝村松俊夫原著・秋山幹男ほか『コンメンタール民事訴訟法(1)〔第2版〕』(日本評論社・平成18年)
『斉藤退職』
　　　←斉藤博先生御退職記念『現代社会と著作権法』(弘文堂・平成20年)
裁判実務シリーズ『特許訴訟の実務』
　　　←髙部眞規子編『特許訴訟の実務』裁判実務シリーズ2(商事法務・平成24年)
裁判実務大系『工業所有権訴訟法』
　　　←牧野利秋編『工業所有権訴訟法』裁判実務大系9巻(青林書院・昭和60年)
裁判実務大系『渉外訴訟法』
　　　←元木伸＝細川清編『渉外訴訟法』裁判実務大系10巻(青林書院・平成元年)
裁判実務大系『知的財産関係訴訟法』
　　　←斉藤博＝牧野利秋編『知的財産関係訴訟法』裁判実務大系27巻(青林書院・平成9年)
佐藤達文ほか編『一問一答平成23年民事訴訟法等改正』
　　　←佐藤達文＝小林康彦編『一問一答平成23年民事訴訟法等改正』(商事法務・平成24年)
澤木敬郎ほか編『国際民事訴訟法の理論』
　　　←澤木敬郎＝青山善充編『国際民事訴訟法の理論』(有斐閣・昭和62年)
渋谷達紀『知的財産法講義Ⅰ〔第2版〕』
　　　←渋谷達紀『知的財産法講義Ⅰ〔第2版〕―特許法・実用新案法・種苗法』(有斐閣・平成18年)

新裁判実務大系『知的財産関係訴訟法』
　　　←牧野利秋＝飯村敏明編『知的財産関係訴訟法』新・裁判実務大系4巻（青林書院・平成13年）
新実務民訴講座『行政訴訟Ⅱ』
　　　←鈴木忠一＝三ヶ月章監修『行政訴訟Ⅱ』新・実務民事訴訟講座10巻（日本評論社・昭和58年）
新実務民訴講座『国際民事訴訟・会社訴訟』
　　　←鈴木忠一＝三ヶ月章監修『国際民事訴訟・会社訴訟』新・実務民事訴訟講座7巻（日本評論社・昭和57年）
『新注解特許法（下）』
　　　←中山信弘＝小泉直樹編『新・注解特許法（下）』（青林書院・平成23年）
『新堂古稀』
　　　←新堂幸司先生古稀祝賀『民事訴訟理論の新たな構築』（有斐閣・平成13年）
瀬木比呂志『民事保全法〔第3版〕』
　　　←瀬木比呂志『民事保全法〔第3版〕』（判例タイムズ社・平成21年）
ソフトウェア情報センターほか編著『ビジネス方法特許と権利行使』
　　　←ソフトウェア情報センター＝三木茂編著『ビジネス方法特許と権利行使―仮想事例による日米欧の理論と実際』（日本評論社・平成12年）
『大コンメンタール刑法(1)〔第2版〕』
　　　←大塚仁＝河上和雄＝佐藤文哉＝古田佑紀編『大コンメンタール刑法(1)〔第2版〕』（青林書院・平成16年）
高林龍『標準特許法〔第5版〕』
　　　←高林龍『標準特許法〔第5版〕』（有斐閣・平成26年）
高林龍ほか『現代知的財産法講座Ⅱ』
　　　←高林龍＝三村量一＝竹中俊子編集代表『現代知的財産法講座Ⅱ』（日本評論社・平成24年）
瀧川叡一『特許訴訟手続論考』
　　　←瀧川叡一『特許訴訟手続論考』（信山社・平成3年）
『田倉古稀』
　　　←田倉整先生古稀記念『知的財産をめぐる諸問題』（発明協会・平成8年）
『竹田傘寿』
　　　←竹田稔先生傘寿記念『知財立国の発展へ』（発明推進協会・平成25年）
竹田稔『知的財産権訴訟要論〔第6版〕』
　　　←竹田稔『知的財産権訴訟要論―特許・意匠・商標編〔第6版〕』（発明推進協会・平成24年）
竹田稔『特許審決取消訴訟の実務』
　　　←竹田稔『特許審決取消訴訟の実務』（発明協会・昭和63年）
竹田稔ほか編『特許審決取消訴訟の実務と法理』
　　　←竹田稔＝永井紀昭編『特許審決取消訴訟の実務と法理』（発明協会・平成15年）
田村善之『市場・自由・知的財産』
　　　←田村善之『市場・自由・知的財産』（有斐閣・平成15年）

田村善之『商標法概説〔第 2 版〕』
　　　←田村善之『商標法概説〔第 2 版〕』（弘文堂・平成12年）
田村善之『知的財産権と損害賠償〔新版〕』
　　　←田村善之『知的財産権と損害賠償〔新版〕』（弘文堂・平成16年）
田村善之『知的財産法〔第 5 版〕』
　　　←田村善之『知的財産法〔第 5 版〕』（有斐閣・平成22年）
知的財産研究所『国際私法上の知的財産権をめぐる諸問題に関する調査研究報告書』
　　　←『国際私法上の知的財産権をめぐる諸問題に関する調査研究報告書』（知的財産研究所・平成16年）
知的財産研究所『審判制度に関する今後の諸課題の調査研究報告書』
　　　←『審判制度に関する今後の諸課題の調査研究報告書』（知的財産研究所・平成19年）
知的財産研究所『知的財産紛争を巡る国際的な諸課題に関する調査研究報告書』
　　　←『知的財産紛争を巡る国際的な諸課題に関する調査研究報告書』（知的財産研究所・平成14年）
知的財産研究所『特許クレーム解釈に関する調査研究報告書』
　　　←『特許クレーム解釈に関する調査研究報告書』（知的財産研究所・平成14年）
知的財産裁判実務研究会編『知的財産訴訟の実務』
　　　←知的財産裁判実務研究会編『知的財産訴訟の実務』（法曹会・平成22年）
『知的財産訴訟実務大系Ⅰ』『知的財産訴訟実務大系Ⅱ』
　　　←牧野利秋＝飯村敏明＝髙部眞規子＝小松陽一郎＝伊原友己編『知的財産訴訟実務大系Ⅰ〈特許法・実用新案法(1)〉、Ⅱ〈特許法・実用新案法(2)、意匠法、商標法、不正競争防止法〉』（青林書院・平成26年）
『注解商標法（下）〔新版〕』
　　　←小野昌延編『注解商標法（下）〔新版〕』（青林書院・平成 6 年）
『注解特許法（上）〔第 3 版〕』
　　　←中山信弘編『注解特許法（上）〔第 3 版〕』（青林書院・平成12年）
『注解民事訴訟法(5)〔第 2 版〕』
　　　←斎藤秀夫ほか編『注解民事訴訟法(5)〔第 2 版〕』（第一法規出版・平成 3 年）
『注解民事訴訟法Ⅱ』
　　　←三宅省三ほか編集代表『注解民事訴訟法Ⅱ』（青林書院・平成12年）
『注釈刑法(1)』
　　　←団藤重光編『注釈刑法(1)』（有斐閣・昭和39年）
『注釈民事訴訟法(1)』
　　　←新堂幸司＝小島武司編『注釈民事訴訟法(1)』（有斐閣・平成 3 年）
『注釈民法⒆』
　　　←加藤一郎編『注釈民法⒆』（有斐閣・昭和40年）
著作権研究所研究叢書『寄与侵害・間接侵害に関する研究』
　　　←寄与侵害・間接侵害委員会編『寄与侵害・間接侵害に関する研究』著作権研究所研究叢書(4)（著作権情報センター・平成13年）
塚原朋一編著『事例と解説　民事裁判の主文』
　　　←塚原朋一編著『事例と解説　民事裁判の主文』（新日本法規出版・平成18年）

『東京地裁保全研究会編『書式　民事保全の実務〔全訂五版〕』
　　◆東京地裁保全研究会編『書式　民事保全の実務〔全訂五版〕―申立てから執行終了までの書式と理論』(民事法研究会・平成22年)
『特許権侵害訴訟の審理の迅速化に関する研究』
　　◆司法研修所編『特許権侵害訴訟の審理の迅速化に関する研究』(法曹会・平成15年)
豊崎光衛『工業所有権法〔新版増補〕』
　　◆豊崎光衛『工業所有権法〔新版増補〕』(有斐閣・昭和55年)
『中村古稀』
　　◆中村英郎教授古稀祝賀『民事訴訟法学の新たな展開』(成文堂・平成8年)
『中山還暦』
　　◆中山信弘先生還暦記念論文集『知的財産法の理論と現代的課題』(弘文堂・平成17年)
『中山古稀』
　　◆中山信弘先生古稀記念論文集『はばたき―21世紀の知的財産法』(弘文堂・平成27年)
中山信弘『特許法〔第3版〕』
　　◆中山信弘『特許法〔第3版〕』(弘文堂・平成28年)
日本公認会計士協会編『知的財産紛争の損害額計算実務』
　　◆日本公認会計士協会編『知的財産紛争の損害額計算実務』(第一法規・平成16年)
日本弁理士会中央知的財産研究所編『クレーム解釈をめぐる諸問題』
　　◆日本弁理士会中央知的財産研究所編『クレーム解釈をめぐる諸問題』(商事法務・平成22年)
『原井古稀』
　　◆原井龍一郎先生古稀祝賀『改革期の民事手続法』(法律文化社・平成12年)
原井龍一郎ほか編著『実務民事保全法〔3訂版〕』
　　◆原井龍一郎＝河合伸一編著『実務民事保全法〔3訂版〕』(商事法務・平成23年)
『原退官（上）』
　　◆原増司判事退官記念『工業所有権の基本的課題（上）』(有斐閣・昭和46年)
『平成10年改正・工業所有権法の解説』
　　◆特許庁総務部総務課工業所有権制度改正審議室編『平成10年改正　工業所有権法の解説』(発明協会・平成10年)
『平成18年改正・産業財産権法の解説』
　　◆特許庁総務部総務課制度改正審議室編『平成18年意匠法等の一部改正　産業財産権法の解説』(発明協会・平成18年)
ヘンリー幸田『米国特許法逐条解説〔第4版〕』
　　◆ヘンリー幸田『米国特許法逐条解説〔第4版〕』(発明協会・平成13年)
『牧野退官』
　　◆牧野利秋判事退官記念『知的財産法と現代社会』(信山社・平成11年)
松岡博編『現代国際取引法講義』
　　◆松岡博編『現代国際取引法講義』(法律文化社・平成8年)
松本重敏『特許発明の保護範囲〔新版〕』
　　◆松本重敏『特許発明の保護範囲―その理論と実際〔新版〕』(有斐閣・平成12年)

光石士郎『特許法詳説〔新版〕』
　　　　◆光石士郎『特許法詳説〔新版〕』(ぎょうせい・昭和51年)
南博方ほか編『条解行政事件訴訟法〔第3版補正版〕』
　　　　◆南博方＝高橋滋編『条解行政事件訴訟法〔第3版補正版〕』(弘文堂・平成21年)
『三宅喜寿』
　　　　◆三宅正雄先生喜寿記念『特許争訟の諸問題』(発明協会・昭和61年)
三宅省三ほか編『新民訴大系―理論と実務―1』
　　　　◆三宅省三＝塩崎勤－小林秀之編集『新民事訴訟法大系―理論と実務―第1巻』(青林書院・平成9年)
民事弁護と裁判実務『知的財産権』
　　　　◆西田美昭＝熊倉禎男＝青柳昤子編『知的財産権』民事弁護と裁判実務8巻(ぎょうせい・平成10年)
『武藤喜寿』
　　　　◆武藤春光先生喜寿記念『法曹養成と裁判実務』(新日本法規出版・平成18年)
『村林傘寿』
　　　　◆村林隆一先生傘寿記念『知的財産権侵害訴訟の今日的課題』(青林書院・平成23年)
山田鐐一『国際私法〔第3版〕』
　　　　◆山田鐐一『国際私法〔第3版〕』(有斐閣・平成16年)
リーガル・プログレッシブ・シリーズ『知的財産関係訴訟』
　　　　◆飯村敏明＝設樂隆一編著『知的財産関係訴訟』リーガル・プログレッシブ・シリーズ(3)(青林書院・平成20年)
『理論と実務1』『理論と実務2』
　　　　◆牧野利秋＝飯村敏明＝三村量一＝末吉亙＝大野聖二編『知的財産法の理論と実務第1巻〔特許法Ⅰ〕、第2巻〔特許法Ⅱ〕』(新日本法規出版・平成19年)

判例誌等の略称

本文中で表記する主な判例誌等の略称は、以下によります。

民集	←最高裁判所民事判例集
刑集	←最高裁判所刑事判例集
裁判集民事	←最高裁判所裁判集民事
民録	←大審院民事判決録
刑録	←大審院刑事判決録
知的裁集	←知的財産関係民事・行政裁判例集
下民集	←下級裁判所民事裁判例集
行裁例集	←行政事件裁判例集
無体裁集	←無体財産権関係民事・行政裁判例集
判タ	←判例タイムズ
判時	←判例時報
ジュリ	←ジュリスト
金判	←金融・商事判例
民訴雑誌	←民事訴訟雑誌
リマークス	←私法判例リマークス
学会年報	←日本工業所有権法学会編日本工業所有権法学会年報
関大法学研究叢書	←関西大学法学研究所研究叢書

* 公刊物に登載のなかった事件には事件番号を付しました。
　事件番号を付した裁判例は、裁判所ウェブサイトに掲載されています。

序　章

1　知的財産権訴訟

(1)　知的財産権とは

　「知的財産」とは、発明、考案、植物の新品種、意匠、著作物その他の人間の創造的活動により生み出されるもの（発見又は解明がされた自然の法則又は現象であって、産業上の利用可能性があるものを含む。）、商標、商号その他事業活動に用いられる商品又は役務を表示するもの及び営業秘密その他の事業活動に有用な技術上又は営業上の情報をいい（知的財産基本法2条1項）、「知的財産権」とは、特許権、実用新案権、育成者権、意匠権、著作権、商標権その他の知的財産に関して法令により定められた権利又は法律上保護される利益に係る権利をいう（同条2項）。

(2)　知財高裁の設立

　ア　知的財産高等裁判所は、平成17年4月に設立された。その設置のために必要な事項を定めた知的財産高等裁判所設置法（平成16年法律第119号）によれば、我が国の経済社会における知的財産の活用の進展に伴い、知的財産の保護に関し司法の果たすべき役割がより重要になることにかんがみ、知的財産に関する事件についての裁判の一層の充実及び迅速化を図るため、知的財産に関する事件を専門的に取り扱う知的財産高等裁判所を設置したものである（同法1条）。

　知的財産高等裁判所は、設立16年を経過し、知的財産に関する訴訟の充実と迅速化に努め、知的財産紛争の質の高い迅速な解決を実現し、いわば安定期に入っている。知的財産高等裁判所には、裁判官15名、裁判所調査官11名のほか、事務局が配置され、知的財産に関する事件を取り扱ってい

イ　知財高裁のほか、知的財産権事件を取り扱う専門部としては、東京地方裁判所に4か部（民事第29部、民事第46部、民事第47部、民事第40部）、大阪地方裁判所に2か部（第21民事部、第26民事部）あり、大阪高等裁判所にも集中部が1か部（第8民事部）ある。

(3) 知的財産権訴訟の種類

知的財産高等裁判所の取り扱う事件は、大きく2種類に分かれる（知的財産高等裁判所設置法2条）。

ア　知的財産に関する事件（特許権・実用新案権・意匠権・商標権・回路配置利用権・著作権・育成者権・不正競争防止法に関する事件）についての控訴事件

イ　特許庁のした審決及び決定に対する取消請求事件

上記アの中心は、侵害訴訟やライセンス契約をめぐる訴訟等の民事事件、イの中心は審決取消訴訟等の行政事件である。

(4) 管轄と審級

上記(3)アの知的財産に関する事件のうち、技術的専門性の高い特許権等に関する訴え（特許権・実用新案権・回路配置利用権・プログラムの著作物についての著作者の権利に関する訴え。以下「技術型知財訴訟」ともいう。）は、東京地方裁判所及び大阪地方裁判所の専属管轄とされ（民事訴訟法6条1項）、それ以外の知的財産に関する事件（意匠権・商標権・プログラムの著作物以外の著作者の権利・出版権・著作隣接権・育成者権に関する訴え及び不正競争による営業上の利益の侵害に係る訴え。以下「非技術型知財訴訟」ともいう。）は、両裁判所が競合管轄を有することとなった（同法6条の2）。

その審級は、以下のとおりである。

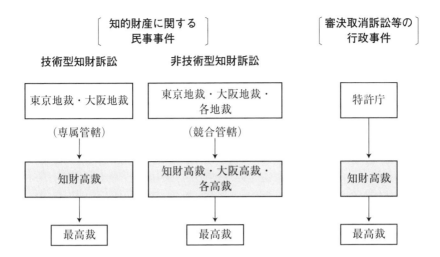

(5) 知財高裁発足以降の事件の取扱状況

　ア　前記(3)アの知的財産に関する民事事件の控訴事件の新受件数は、年間約100件前後で推移していたところ、平成25年頃から増加し、平成26年には138件であったが、その後減少し、平成30年以降は100件を下回っている。その平均審理期間は、令和2年には約9か月となっている。

　イ　前記(3)イの審決取消訴訟等の行政事件の新受件数は、年間約500件前後で推移していたが、平成25年頃から急激に減少し、平成30年以降は200件を下回っている。その平均審理期間は、令和2年には約9か月となっている。

　ウ　前記(4)の技術型知財訴訟の控訴事件については、3名の裁判官から構成される合議体に限らず、5名の裁判官の合議体で審理及び裁判をすることができる（民事訴訟法310条の2）。また、前記(3)イの審決取消訴訟等の行政事件のうち、特許権及び実用新案権に関するものについても、5人の裁判官の合議体で審理及び裁判をすることができる（特許法182条の2、実用新案法47条2項）。

このいわゆる大合議の制度は、専門的知識を有する多数の裁判官の知識・経験を踏まえ、事実審レベルでの判断の統一を図り、最高裁の判断まで待つことなく一定の信頼性のあるルールを確立し、判決の予測可能性を担保するために設けられた制度である。従前、大合議事件として判決に至ったのは、以下のとおりである。

　(ア)　知財高判平成17・9・30判時1904号47頁〔一太郎事件〕

　「情報処理装置及び情報処理方法」に関する特許権侵害訴訟である。控訴審で初めて提出された無効理由が時機に後れたものであるか否か、方法特許に係る間接侵害の要件等が主たる争点となった。

　(イ)　知財高判平成17・11・11判時1911号48頁〔パラメータ特許事件〕

　「偏光フィルムの製造法」に係る特許出願の拒絶査定不服審判請求についてされた不成立審決の取消訴訟である。特性値を現す2つの技術的な変数（パラメータ）を用いた一定の数式により示される範囲で特定した物を構成要件とする特許出願について、平成6年改正前の特許法36条5項1号のいわゆるサポート要件に適合するか否かが争点になった。

　(ウ)　知財高判平成18・1・31判時1922号30頁〔インクカートリッジ事件〕

　「液体収納容器、該容器の製造方法等」に関する特許権侵害訴訟である。特許発明の実施品であるインクジェットプリンター用の使用済みインクタンクにインクを再充填して製品化されたリサイクル品について、特許権が消尽したか否かが争点となった。

　(エ)　知財高判平成20・5・30判時2009号47頁〔ソルダーレジスト・除くクレーム事件〕

　「感光性熱硬化性樹脂組成物及びソルダーレジストパターン形成方法」に係る特許無効審判請求についてされた請求不成立審決の取消訴訟である。明細書の訂正についていわゆる除くクレームとする訂正が、明細書又は図面に記載した事項の範囲内においてするものといえるか否かが争点となった。

(オ) 知財高判平成24・1・27判時2144号51頁〔プラバスタチンナトリウム事件〕

「プラバスタチンラクトン及びエピプラバスタチンを実質的に含まないプラバスタチンナトリウム、並びにそれを含む組成物」に係る特許権侵害訴訟である。物の発明において、特許請求の範囲に製造方法が記載されている場合のクレームである「プロダクト・バイ・プロセス・クレーム」の技術的範囲の確定におけるクレーム解釈の場面及び特許無効の抗弁における要旨認定の場面について、物同一説によるか製法限定説によるか等が、主たる争点となった。

(カ) 知財高判平成25・2・1判タ1388号77頁〔ごみ貯蔵機器事件〕

「ごみ貯蔵機器」に関する特許権侵害訴訟である。英国法人である特許権者が、販売店契約を締結した日本法人に対し、英国で製造した特許発明に係る製品を販売（輸出）しているという事案において、特許法102条2項が適用できるか否かが争点となった。

(キ) 知財高判平成26・5・16判時2224号146頁〔アップルサムスン事件〕

「移動通信システムにおける予め設定された長さインジケータを用いてパケットデータを送受信する方法及び装置」に関する特許権侵害による損害賠償請求権の不存在確認請求訴訟である。標準規格に必須となる特許権について、いわゆるFRAND宣言がされた場合の当該特許権による損害賠償請求が権利の濫用に当たるか否かが争点となった。

(ク) 知財高判平成26・5・30判時2232号3頁〔ベバシズマブ事件〕

「血管内皮細胞増殖因子アンタゴニスト」に係る特許権の存続期間延長登録の出願の拒絶査定不服審判請求についてされた請求不成立審決の取消訴訟である。先行の薬事法の承認処分との関係で医薬品の用法、用量が異なる承認について、特許法67条の3第1項1号の定める拒絶要件があるか否かが争点となった。

(ケ) 知財高判平成28・3・25判時2306号87頁〔マキサカルシトール事件〕

「ビタミンDおよびステロイド誘導体の合成用中間体およびその製造方

法」に関する特許権侵害訴訟である。主として均等侵害の第1要件の判断手法及び出願時同効材に関する第5要件の成否が争点となった。

(コ)　知財高判平成29・1・20判時2361号73頁〔オキサリプラティヌム事件〕

「オキサリプラティヌムの医薬的に安定な製剤」に関する特許権侵害訴訟である。医薬品の成分を対象とする物の特許発明の場合に、存続期間が延長された特許権の効力がどの範囲で及ぶかが争点となった。

(サ)　知財高判平成30・4・13判時2427号91頁〔ピリミジン誘導体事件〕

「ピリミジン誘導体」に係る特許無効審判請求についてされた請求不成立審決の取消訴訟である。特許権の存続期間の経過により、訴えの利益が失われるか、進歩性の有無を判断するにあたっての引用発明の認定が争点となった。

(シ)　知財高判令和元・6・7判時2430号34頁〔二酸化炭素含有粘性組成物事件〕

「二酸化炭素含有粘性組成物」に関する特許権侵害訴訟である。特許権侵害による特許法102条2項所定の損害額の算定方法及び同条3項所定の損害額の算定方法が問題となった。

(ス)　知財高判令和2・2・28判時2464号61頁〔美容器事件〕

「美容器」に関する特許権侵害訴訟である。特許権侵害による特許法102条1項所定の損害額の算定方法が問題となった。

2　特許関係訴訟の種類と特色

(1)　特許関係訴訟の種類

知的財産権訴訟のうち、量的にも質的にも大きな地位を占めるのが、特許関係訴訟である。その中でも、侵害訴訟及び審決取消訴訟が中心ではあるが、そのほか、職務発明対価請求訴訟、登録関係訴訟や契約をめぐる訴訟等がある。

ア　侵害訴訟の種類

　特許権侵害訴訟の典型は、特許権者又は専用実施権者が原告となって、当該特許権を侵害する者又は侵害するおそれがある者を被告として、侵害行為の差止めを請求する訴訟である（特許法100条1項）。また、特許権者又は専用実施権者は、差止請求とともに廃棄除却その他の侵害の予防に必要な行為を請求することができるし（同条2項）、業務上の信用を回復するのに必要な措置を請求することもできる（同法106条）。特許権者又は専用実施権者の特許権を侵害した者に対する金銭請求は、損害賠償請求権（民法709条）、不当利得返還請求権（民法703条）又は補償金請求権（特許法65条）である場合もある。そのような訴訟を総称して「特許権侵害訴訟」と呼んでいる。

　特許権侵害訴訟には、権利者側から侵害者側に向けられた上記訴訟のほか、これとは逆向きの、差止請求権不存在確認訴訟等もあるが、以下、前者を中心に論じることとする。

イ　審決取消訴訟

　特許出願については、特許庁で審査され、拒絶査定がされると、その査定に対する不服審判請求をすることができ（特許法121条）、その審決に対して、訴えを提起することができる（同法178条1項）。これを「査定系の審決取消訴訟」という。ほかに、特許異議申立て（同法113条）について特許を取り消すべき旨の決定に対する訴えや、訂正審判請求（同法126条）が成り立たないとした審決に対する訴えもある。

　また、特許権が付与された後も、特許無効審判の請求（同法123条）についての審決に対しては、請求が成り立たないとした審決についても、特許を無効にする旨の審決についても、訴えを提起することができる（同法178条1項）。これを「当事者系の審決取消訴訟」という。ほかに、延長登録無効審判請求（同法125条の2）の審決に対する訴えもある。

　さらに、審決のほか、審判及び再審の却下の決定に対する訴えがある（同法178条1項）。

ウ　職務発明対価請求訴訟

　従業者が、使用者に特許を受ける権利を承継させた場合の相当の対価の支払を請求する訴訟である（平成27年改正前の特許法35条3項）。オリンパス事件を契機に急増したが、最近は、件数の上では多くない。

　エ　契約関係訴訟

　特許権の実施契約をめぐっては、ライセンス料の請求訴訟のほか、債務不履行による損害賠償請求訴訟等がある。

　オ　登録関係訴訟

　特許権の移転、専用実施権の設定・移転・変更・消滅、特許権又は専用実施権を目的とする質権の設定・移転・変更・消滅等は、登録が効力要件とされている（特許法98条）。特許権に関するこれらの登録請求訴訟には、契約に基づくものがあるほか、冒認や共同出願違反等、帰属をめぐる訴訟も散見される。

(2) 特　　色

　特許関係訴訟は、専門技術的な要素が強く、そのため、特許権に関する訴えについては、専属管轄となっている（民事訴訟法6条、特許法178条1項）。

　我が国で設定登録された特許権は、我が国においてのみ効力を有するものにすぎないが、企業活動のグローバル化に伴って、特許権侵害訴訟は、国際的な係争に発展する。そのため、訴訟の場面でも、国際的な観点からの検討も欠かせない。

　もう1つの特色は、特許権という権利の成立及び有効無効の判断には、特許庁の審決が第1次的な判断を行い、第1審が東京高等裁判所という司法判断を受けること、しかも、審決の確定は、遡及的・対世的な効力を有するものである点である。このことが、特許権侵害訴訟という民事訴訟のあり方にも影響を与える。

3　本書の構成

　本書は、多様な知的財産権訴訟のうち、質量ともに中心的な特許関係訴訟のうちから、特にその中心的な存在というべき、特許権侵害訴訟及び審決取消訴訟を主たる対象として解説することにした。第1章から第3章においては、特許権侵害訴訟の手続的論点・実体的論点及び国際化との関係を説明し、第4章において、審決取消訴訟を概説し、第5章において、契約関係訴訟及び登録関係訴訟について概説するものである。

　なお、特許権侵害訴訟といえども、扱う対象に技術的な争点を含むものの通常の民事訴訟の中の1類型であり、審決取消訴訟についても、行政訴訟の一種であって、決して特別な訴訟ではないことに留意すべきである。

第1章

特許権侵害訴訟の手続的論点

I〔訴訟手続の概要〕

1 裁判所

(1) 専属管轄

　特許権侵害訴訟を含む特許権等に関する訴えは、東京・名古屋・仙台又は札幌高等裁判所の管轄区域内に所在する裁判所が管轄権を有すべき場合には、東京地方裁判所の、大阪・広島・福岡又は高松高等裁判所の管轄区域内に所在する裁判所が管轄権を有すべき場合には、大阪地方裁判所の管轄に専属する。また、その控訴は、東京高等裁判所に専属する（民事訴訟法6条）。

　このように特に「特許権、実用新案権、回路配置利用権又はプログラムの著作物についての著作者の権利に関する訴え」の管轄について特別の規定が設けられた趣旨は、これらの訴訟は専門技術的要素が強いので、専門的処理体制の整った裁判所で審理判断することが相当であるというところにある[1]。

(2) 特許権に関する訴えの意義

　ア　民事訴訟法6条1項が規定する「特許権…に関する訴え」に当たるかどうかについては、訴え提起の時を標準として（民事訴訟法15条）、抽象的な事件類型によって判断されるべきである[2]。

1　『コンメンタール民事訴訟法(1)〔第2版〕』138頁、『基本法コンメンタール民事訴訟法(1)〔第3版〕』43頁〔加藤新太郎〕、小野瀬厚ほか「民事訴訟法等の一部を改正する法律の概要（3・完）」NBL771号62頁
2　塚原朋一「知財高裁元年—その1年間の実績の回顧と今後の展望」金判1236号7頁

イ　そして、同条1項は、「特許権…に基づく訴え」ではなく、「特許権…に関する訴え」と規定していることから、特許権の侵害を理由とする差止請求訴訟や損害賠償請求訴訟、職務発明の対価の支払を求める訴訟などのような特許権に基づく訴えに限らず、特許権に関係する訴訟を広く含むものである。特許権侵害訴訟のほか、特許権又はそれに準じる特許法上の権利の存否、帰属等に関わる訴えのように、特許権と密接に関連する訴えの場合には、その審理判断に専門技術的知識が必要とされる可能性が類型的に存在するという一般的性質から、民事訴訟法6条にいう「特許権に関する訴え」に含まれる（大阪地決平成11・9・21判時1785号78頁）。また、「特許権に関する訴え」には、特許権の専用実施権や通常実施権の設定契約に関する訴訟（知財高判平成21・1・29判タ1291号286頁）、特許権の実施契約に基づく実施料支払請求訴訟、特許権の移転登録請求訴訟のようなものも含まれると解されている[3]。

ウ　また、民事訴訟法6条3項によれば、特許権等に関する訴えの控訴裁判所は東京高裁（知財高裁）である。特許権に関する仮処分事件についての保全抗告事件の管轄裁判所も、東京高裁（知財高裁）である（知財高決平成20・9・29判タ1290号296頁）。

(3) 損害又は遅滞を避けるための移送

　これらの特許権に関する訴えであっても、具体的な事件の内容や争点の状況等の個別具体的な事情次第では、審理判断のために専門技術的知識や特段のノウハウが必要とされない場合も考えられる。

　そのようにして東京地裁又は大阪地裁に提起された特許権に関する訴えについて、「専門技術的事項を欠くことその他の事情により著しい損害又は遅滞を避けるため必要があると認めるとき」は、訴訟を本来管轄を有す

---

[3] 『基本法コンメンタール民事訴訟法(1)〔第3版〕』43頁〔加藤新太郎〕、塚原朋一「知財高裁元年―その1年間の実績の回顧と今後の展望」金判1236号7頁、リーガル・プログレッシブ・シリーズ『知的財産関係訴訟』7頁〔設樂隆一ほか〕

る裁判所に移送することができる（民事訴訟法20条の2第1項）。

　もっとも、民事訴訟法6条1項にいう「特許権に関する訴え」を余りに広く解釈するときは、専門技術的事項を欠くような事案においても、専属管轄違反ということで、絶対的上告理由を構成することになる（民事訴訟法312条1項3号）。したがって、これから訴えを提起するという場面の行為規範としては、まず、東京地裁及び大阪地裁という専属管轄裁判所に提起すべきであるということはできるが、専門技術的事項を欠いた訴えが東京地裁又は大阪地裁以外の裁判所に提起され、第1審で移送されることなく、既に手続が全て終了した後に、その手続が適法であったか否かを判断する場面の評価規範としては、控訴審において職権でこれを取り消して第1審に移送したり（知財高判平成21・1・29判タ1291号286頁）、あるいは上告審で破棄差戻しをすることについては、慎重であるべきであろう。

2　手続の進行

(1)　手続の概略

　ア　侵害訴訟は、原告が裁判所に訴状（後記記載例参照）を提出することによって開始する（民事訴訟法133条）。訴状審査の上第1回口頭弁論期日が指定され、被告に訴状、答弁書催告状及び呼出状が送達される（同法137～139条）。

　第1回口頭弁論期日には、原告の訴状と被告の答弁書を陳述し、基本的書証（特許権の登録原簿、特許公報、被告製品の概要を示すパンフレット等）を提出して、争点整理のため弁論準備手続又は書面による準備手続に付される。なお、外国語の証拠には訳文を添付する必要がある。

　通常は、裁判長と主任裁判官の2名が受命裁判官となって弁論準備手続を主宰する。弁論準備手続期日は、数回にわたり、双方が主張立証を準備する。後述のとおり、計画的審理が行われていることが特色である。専門委員が関与する期日に技術説明会が行われることもある。詳細は、第1章

Ⅵを参照されたい。

　差止請求のみの場合は、争点が整理できた段階で、弁論準備手続を終結し、第2回口頭弁論期日において弁論を終結して判決言渡しに至るか、又は和解勧告により和解期日が設けられることがある。

　損害賠償請求を含む場合は、侵害の成否に関する争点が整理できた段階で、裁判所が損害論に入るか否かを含め検討し、損害論に入らない場合は、中間判決に至る可能性もあるとした上で上記と同様の手続になる。また、損害論に入る場合は、弁論準備手続期日において、裁判所の心証を一定程度開示した上、損害論の争点整理手続に入るか、又は和解勧告がされ、以後上記と同様の手続になる。

　第1審で半数近くの事件が和解により終了していることも、侵害訴訟の特色であろう。

　イ　手続の概略は、以下のとおりである。

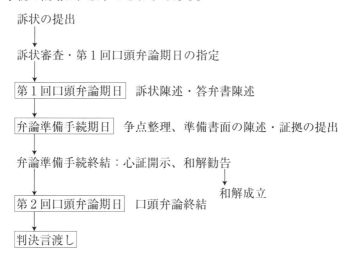

(2) 審理の特徴

　ア　二段階審理

　侵害訴訟の争点整理手続には、大きく分けて侵害論と損害論の2つのス

テージがある。

　第1ステージの侵害論は、①充足論と②無効論その他の抗弁の成否を含む。①の充足論は、被告の製造販売している製品（対象製品）又は被告の使用している方法（対象方法）が、原告の特許発明の技術的範囲に属するか否かという点であり、対象製品又は対象方法がどのようなものかという、特定論も含まれる。②の無効論は、当該特許が無効にされるべきか否かである。特定論の詳細は後記第1章Ⅲ、充足論の詳細は後記第2章Ⅲ、無効論の詳細は後記第2章Ⅳに述べる。

　第2ステージは、損害賠償請求等の金銭請求が含まれている場合における損害論である。詳細は、後記第2章Ⅵに述べる。

　差止めのみの事案では、第1ステージのみで終了するが、損害賠償請求が含まれる事案では、第2ステージの損害論に入るか否かが大きな分かれ目である。中間判決によることがあるなど、侵害論と損害論の審理が峻別され二段階審理となっているところが、特許関係訴訟の大きな特徴である。

　イ　第三者意見募集制度

　令和3年改正により、特許権侵害訴訟において、広く一般に対し、当該事件に関する特許法の適用その他の必要な事項について意見の提出を求めることができるようになった（特許法105条の2の11）。アメリカ合衆国のアミカス・ブリーフ制度を参考にしたものであり、社会的影響の大きい事件等において活用されることが期待される。

3　訴状の記載例

訴　　　状（注①）

令和〇〇年〇月〇日

東京地方裁判所民事部　御中

原告訴訟代理人弁護士　　甲野一郎　㊞
原告補佐人弁理士　　　　乙野二郎　㊞

〒100-0011　東京都千代田区霞が関1丁目1番4号
　　　　　　　　原　　　　　告　　　株式会社A
　　　　　　　　同代表者代表取締役　　丙野　三郎
〒100-8963　東京都千代田区霞が関2丁目1番1号　弁護士ビル101
　　　　　　　甲野法律事務所（送達場所）
　　　　　　　　　　　電　　話　03-3581-5411
　　　　　　　　　　　ファックス　03-3581-5411
　　　　　　　　同訴訟代理人弁護士　　甲野　一郎
　　　　　　　　同補佐人弁理士　　　　乙野　二郎
〒100-8963　東京都中央区銀座4丁目1番1号
　　　　　　　　被　　　　　告　　　株式会社B
　　　　　　　　同代表者代表取締役　　丁野　四郎

特許権に基づく差止等請求事件
　　訴訟物の価格(注②)　　　1億円
　　貼用印紙額　　　　　　32万円

　　　　　　　　　　　請求の趣旨
1　被告は、別紙目録1記載の抽出液及びこれを有効成分とする同目録2記載の製剤を製造するに際し、別紙目録3記載の方法を使用してはならない。(注③)
2　被告は、原告に対し、5000万円及びこれに対する訴状送達の日の翌日から支払済みまで年3分の割合による金員を支払え。
3　訴訟費用は被告の負担とする。
4　この判決第2項は、仮に執行することができる。

　　　　　　　　　　　請求の原因
1　原告の特許権
　(1)　本件特許権
　　　原告は、発明の名称を「生理活性物質測定法」とする特許権（特許番号第1725747号。平成30年9月8日出願、令和2年1月19日設定登録。以下「本件特許権」といい、その請求項1記載の特許発明を「本件発明」という。）を有している。

(2) 特許請求の範囲の記載

　　本件特許出願の願書に添付された明細書（以下「本件明細書」という。）の特許請求の範囲第1項の記載は、「動物血漿、血液凝固第XII因子活性化剤、電解質、被検物質、から成る溶液を混合反応させ、次いで該反応におけるカリクレインの生成を停止させるために、生成したカリクレイン活性には実質的に無影響で活性型血液凝固第XII因子活性のみを特異的に阻害する阻害剤をカリクレイン生成と反応時間の間に実質的に直線的な関係が成立する時間内に加え、生成したカリクレインを定量することを特徴とする被検物質のカリクレイン生成阻害能測定法。」である。

(3) 構成要件の分説

　　本件発明の構成要件は、以下のとおり分説することができる（以下、順に「構成要件A」などという。）。

A　動物血漿、血液凝固第XII因子活性化剤、電解質、被検物質、から成る溶液を混合反応させ、

B　次いで該反応におけるカリクレインの生成を停止させるために、生成したカリクレイン活性には実質的に無影響で活性型血液凝固第XII因子活性のみを特異的に阻害する阻害剤をカリクレイン生成と反応時間の間に実質的に直線的な関係が成立する時間内に加え、

C　生成したカリクレインを定量する

D　ことを特徴とする被検物質のカリクレイン生成阻害能測定法

2　被告の行為

(1) 被告は、別紙目録1記載の抽出液（以下「被告抽出液」という。）及びこれを有効成分とする同目録2記載の製剤（商品名「ローズモルゲン注」。以下「被告製剤」という。被告抽出液及び被告製剤を併せて、以下「被告医薬品」という。）につき薬事法に基づく製造承認を受け、被告医薬品を製造販売している。また、被告製剤については健康保険法に基づく薬価基準への収載が行われている。

　　被告は、被告医薬品を製造するに際し、品質規格の検定のために、カリクレイン様物質産生阻害活性の確認試験として、別紙目録3記載の方法（以下「被告方法」という。）を使用している。(注④)

(2) 被告方法の内容

　　被告方法の具体的な内容は別紙目録3記載のとおりであり、これは以下のとおり分説することができる。

a　ワクシニアウイルス接種家兎炎症皮膚組織抽出液を被検物質として、これに塩化ナトリウム等及びヒト血漿を加え、次いでこれにカオリン懸濁液等の血液凝固第XII因子活性化剤を加えて反応させた後、
  b　LBTI等の活性型血液凝固第XII因子に対する特異的阻害剤をカリクレイン生成と反応時間の間に実質的に直線的な関係が成立する時間内に加えてカリクレインの生成を停止させ、
  c　生成したカリクレインを合成基質を用いて定量する
  d　前記被検物質のカリクレイン産生阻害能測定方法。
3　被告方法の構成要件充足性
 (1)　被告方法aの「ヒト血漿」は構成要件Aの「動物血漿」に該当し、被告方法aの「塩化ナトリウム」は構成要件Aの「電解質」に該当するから、被告方法aは構成要件Aを充足する。
 (2)　被告方法bの「LBTI」は構成要件Bの「生成したカリクレイン活性には実質的に無影響で活性型血液凝固第XII因子活性のみを特異的に阻害する阻害剤」に該当するから、被告方法bは構成要件Bを充足する。
 (3)　被告方法cは、構成要件Cを充足する。
 (4)　被告方法dは、構成要件Dを充足する。
 (5)　よって、被告方法は、本件発明の技術的範囲に属する。
4　損　　害
 (1)　被告は、令和3年1月から、被告方法を使用して被告医薬品を製造販売している。
 (2)　被告医薬品の令和3年8月までの販売額は、5億円を下らない。特許法102条3項の原告が受けるべき金銭の額は、その10％に当たる5000万円を下らない。
5　結　　論
　　　よって、原告は、被告に対し、①本件特許権に基づき、被告方法の使用の差止めを求めるとともに、②不法行為による損害賠償請求権に基づき、5000万円及びこれに対する不法行為の後である訴状送達の日の翌日から支払済みまで民法所定年3分の割合による遅延損害金の支払を求める。

　　　　　　　証拠方法(注⑤)
　　甲第1号証（特許登録原簿）
　　甲第2号証（特許公報）

　　　　甲第3号証（被告製剤の能書）

　　　　　　　添付書類
　　　訴状副本　　　　　　　　1通
　　　訴訟委任状　　　　　　　1通
　　　資格証明書　　　　　　　2通
　　　甲第1ないし3号証（写し）　各1通

（別紙）（注⑥）
　目録1
　ワクシニアウイルス接種家兎炎症皮膚組織抽出液

　目録2
　商品名「ローズモルゲン注」（ワクシニアウイルス接種家兎炎症皮膚組織抽出液を有効成分とする製剤）

　目録3
　別紙目録1記載のワクシニアウイルス接種家兎炎症皮膚組織抽出液を被検物質として、これに塩化ナトリウム等の電解質及びヒト血漿を加え、次いでこれにカオリン懸濁液等の血液凝固第XII因子活性化剤を加えて反応させた後、リマ豆トリプシンインヒビター等の活性型血液凝固第XII因子に対する特異的阻害剤をカリクレイン生成と反応時間の間に実質的に直線的な関係が成立する時間内に加えてカリクレインの生成を停止させ、生成したカリクレインを合成基質を用いて定量する前記被検物質のカリクレイン産生阻害能測定方法。

注①　最二小判平成11・7・16民集53巻6号957頁〔生理活性物質測定法事件〕をモデルに作成した。
注②　差止請求の訴訟物の価格は、以下の計算式のいずれかによる。廃棄請求を差止請求に併合しても、差止請求の訴額のみによる。損害賠償請求は合算される。裁判所は、必要に応じて訴額計算書の提出を求める。
　1）原告の訴え提起時の年間売上減少額×原告の訴え提起時の利益率×権利の残存年数×1／8
　2）被告の訴え提起時の年間売上推定額×被告の訴え提起時の推定利益率×権利の残存年数×1／8

3) 年間実施料相当額×権利の残存年数－中間利息
注③　実際の事件では、方法の差止めではなく、医薬品の製造販売の差止め、廃棄、薬事法の製造販売承認申請の取下げ、薬価収載の取下げ等を請求していた。判決では、方法の発明であるにもかかわらず、その効力を物を生産する方法の発明と同視した点において、原告の請求は棄却すべきものとされている。この点の詳細は、第1章Ⅱ（請求の趣旨）を参照されたい。
注④　実際には、被告の工場内で行われている方法を主張立証することは容易ではない。被告の営業秘密に属することもあり、秘密を保持しつつ、主張立証を容易化するための方策が必要である。この点の詳細は、第1章Ⅲ（対象製品の特定と証拠収集手続）を参照されたい。
注⑤　基本的書証は、訴状に添付する。最低限、原告が特許権者（又は専用実施権者）であることを証する特許登録原簿、特許発明の内容を証する特許公報（明細書）、被告製品の内容を証するパンフレットや写真等は、不可欠である。なお、別途、証拠証明書も提出する扱いである。
注⑥　最近のプラクティスでは、製品名及び型番で特定する方法が使われている。執行の場面でも、損害論の主張立証の場面でも、構成の文章による特定より製品名及び型番の特定の方が優れている。もっとも、単純方法の発明の場合は、製品名や型番といった概念になじまない。この点の詳細は、第1章Ⅲ（対象製品の特定と証拠収集手続）を参照されたい。

4　答弁書の記載例

令和○○年(ワ)第12345号
　原告　株式会社A
　被告　株式会社B

答　弁　書

令和○○年○月○日

東京地方裁判所民事第47部　御中

　　　　　　　　　　　　被告訴訟代理人弁護士　　甲山一郎　㊞
　　　　　　　　　　　　被告補佐人弁理士　　　　乙山二郎　㊞

〒100-8963　東京都千代田区霞が関2丁目1番1号　弁護士ビル201
　　　　　甲山法律事務所（送達場所）
　　　　　　　　電　　話　03-3581-5411
　　　　　　　　ファックス　03-3581-5411
　　　　　被告訴訟代理人弁護士　　　甲山一郎
　　　　　被告補佐人弁理士　　　　　乙山二郎

第1　請求の趣旨に対する答弁
　1　原告の請求をいずれも棄却する。
　2　訴訟費用は原告の負担とする。
　との判決を求める。

第2　請求の原因に対する認否
　1　請求の原因1は認める。
　2　同2のうち、(1)の第1段落は認め、第2段落は否認する。同2の(2)は否認する。
　3　同3のうち、(1)(3)(4)は認め、その余は争う。
　4　同4は否認する。

第3　被告の主張(注①)
　1　被告方法について(注②)
　　被告は、被告医薬品を製造するに際し、品質規格の検定のために、カリクレイン様物質産生阻害活性の確認試験を行っているが、その方法は、別紙方法目録に記載したとおりのものである（乙1）。
　2　技術的範囲への属否について
　　前記1のとおり、被告の使用している方法は、構成要件Bを充足しないから、原告の特許発明の技術的範囲に属さない。
　3　特許無効の抗弁
　　原告の本件特許には、以下の無効理由があり、特許無効審判により無効にされるべきものである（特許法104条の3）。
(1)　進歩性欠如
　　本件特許発明は、乙2に記載された発明から容易に想到することができる。
ア　本件特許出願前の刊行物（乙2）には、以下の記載がある。
　　【請求項1】……
　　【0001】……
　　【0005】……
　　【図7】……
イ　よって、乙2には、以下の発明が記載されているということができる。
　　……

ウ　本件特許発明の○○は乙2発明の△△に、本件特許発明の○○○は乙2発明の△△△に対応する。
　エ　よって、本件特許発明と乙2発明とは、○○、○○○の点において一致し、両者は、次の2点において相違する。
　a　相違点1：本件特許発明では××であるのに対し、乙2発明ではそれが不明な点
　b　相違点2：本件特許発明では×××であるのに対し、乙2発明ではそれが不明な点
　オ　相違点1に係る本件特許発明の構成については、乙3に記載された発明により、当業者が容易に想到することができる。相違点2に係る本件特許発明の構成については、乙4・5に記載された周知技術により、当業者が容易に想到することができる。
　カ　よって、本件特許発明は、乙2ないし5に記載された発明に基づき、容易に想到することができるものであり、特許無効審判により無効にされるべきものである。
(2)　サポート要件違反
　　　……

添付書類

訴訟委任状　　　　　　　1通
乙第1ないし5号証　　　各1通

(別紙)
方法目録

注①　被告の主張は、第1回準備書面に記載されることも多いが、できるだけ早い時期に争点を明確にするのが望ましい。
注②　被告の実施態様については、原告の主張を否認する場合に、自己の行為の具体的態様を明らかにする必要がある（特許法104条の2）。

5　上訴審における手続

(1)　控　訴　審

ア　控訴の提起

第1審判決に不服のある者は、判決の送達を受けた日から2週間以内に控訴することができる(民事訴訟法285条)。控訴状は、第1審裁判所に、知的財産高等裁判所を宛先として提出しなければならず、当事者及び法定代理人、第1審判決の表示及びその判決に対し控訴をする旨の記載が必要である(同法286条)。

控訴期間(判決書の送達を受けた日から2週間)が経過した場合等不適法なものであって、その不備を補正することができないことが明らかな場合は、第1審裁判所が、控訴却下の決定をしなければならない(同法287条)。控訴状の必要的記載事項が記載されていない場合や、手数料を納付しない場合は、補正命令が出されるが、その期間内に補正しない場合には、控訴審の裁判長が、命令をもって、控訴状を却下する(同法288条、137条)。それ以外にも、控訴が不適法で不備を補正できない場合は、控訴裁判所が、口頭弁論を経ることなく、判決をもって控訴を却下することができる(同法290条)。以上は、通常の民事訴訟における控訴と同様である。

イ　控訴審における審理

(ア)　特許権侵害訴訟の控訴審においては、第1審において、充実した主張立証が行われているところから、一部の例外を除いて、1、2回の口頭弁論によって審理が終結することが多い。

(イ)　時機に後れた攻撃防御方法に当たるか否かは、第1審の訴訟経過も併せて判断されることから、例えば、文言侵害が否定された場合の均等論の主張や、無効の抗弁が認められた場合の訂正の再抗弁、無効の抗弁が排斥された場合の新たな無効主張等をする予定のある控訴人は、そのような新主張を追加することを控訴状に骨子とともに記載し、控訴理由書に詳細を記載するくらいの準備が必要であろう。

例えば、知財高判平成27・11・12（平成27年(ネ)第10076号）〔円テーブル装置事件〕では、控訴審における控訴人の均等論に係る主張は、控訴理由を記載した書面に記載されており、被控訴人も認否反論を行い、既に提出済みの証拠に基づいて判断可能なものであり、控訴審第1回口頭弁論期日において口頭弁論を終結したという事案においては、上記主張が、「訴訟の完結を遅延させる」（民事訴訟法157条1項）ものとまでは認められず、したがって、時機に後れたものとして却下すべきものとはいえないとされたのに対し、知財高判平成27・10・8（平成26年(ネ)第10111号）〔粉粒体の混合方法事件〕では、控訴審において新たに均等侵害を主張したことに関し、均等侵害に係る主張は、控訴状にも控訴理由書にも記載されておらず、主張の予告もなかったこと、第1回口頭弁論期日の5日前に初めてその主張の骨子が記載されたことなど、本件審理の経過に照らし、控訴人の均等侵害に係る主張は、時機に後れたものといわざるを得ないとされた。

(ウ) 控訴審の裁判長は、当事者の意見を聴いて、攻撃防御方法の提出等の期間を定めることができ、その期間経過後には説明義務が課される（同法301条）。

なお、控訴審においては、控訴人の不服の限度において審理判断がされる（同法296条、304条）。

(2) 上 告 審

控訴審判決に不服がある者は、判決の送達を受けた日から2週間以内に上告又は上告受理の申立てをすることができる（民事訴訟法313条、285条）。上告状は、原審（知財高裁）に最高裁判所を宛先として提出しなければならず、上告状の必要的記載事項等も、控訴の場合と同様である（同法313条）。上告理由書は、上告提起通知書の送達を受けた日から50日以内に提出しなければならない（民事訴訟規則194条）。

なお、上告は、民事訴訟法312条所定の絶対的上告理由がある場合でなければならない。したがって、上告状にも上告理由書にも同条所定の絶対

的上告理由が記載されていなければ、不適法であり、原審却下を免れない（民事訴訟法316条）。

　上告受理の申立ては、逆に、民事訴訟法312条所定の絶対的上告理由をもって理由とすることができず、法令の解釈に関する重要な事項を含むものでなければ上告が受理されることは考えられない（同法318条）。なお、法令違反を主張する場合には、当該法令の条項又は内容を、判例相反を主張する場合には、最高裁判例や控訴裁判所である高等裁判所の裁判例を、具体的に摘示しなければならない（民事訴訟規則191条、192条、199条）。審決取消訴訟に関する高等裁判所の裁判例は、判例相反の根拠にはならない。

II 〔請求の趣旨〕

1 訴訟物

(1) 差止請求の訴訟物

　特許権侵害訴訟のうち差止請求訴訟は、被告が現に行っている、あるいは将来行うであろう、対象製品の製造販売等の行為が原告の特許権を侵害するものであることを理由として、被告に対し、当該特許権に基づき、対象製品の製造販売等の行為をしないという不作為を求める給付請求訴訟である（特許法100条1項）。

　差止請求の訴訟物については、被告の実施する態様又は類型化された侵害態様ごとに訴訟物が分断されるという見解[4]と、侵害態様いかんにかかわらず、訴訟物は1個であるとする見解がある[5]。

　また、訴訟物は、特許権ごとであって、請求項ごとにあるわけではないとされている。知財高判平成28・12・8（平成28年(ネ)第10031号）〔オキサリプラチン溶液組成物事件〕は、特許権に基づく差止請求等に係る請求原因として、同一の特許に係る別の請求項に係る発明を追加することは、訴えの追加的変更には当たらず、攻撃防御方法を追加するものと解している。

　特許権侵害訴訟のうち、差止請求の訴訟物については、「原告の特許権に基づく、被告の実施行為についての差止請求権の存否」であると解すべきであろう。そして、侵害態様（被告の実施行為の態様が製造なのか、輸入なのか）によってさらに細かく区別することはしないにしても、差止請求

---

[4] 花岡巖「侵害物件、侵害方法の特定」裁判実務大系『工業所有権訴訟法』67頁
[5] 牧野利秋「特許権侵害差止訴訟の訴訟物」『原退官（上）』577頁、飯村敏明「侵害訴訟の訴訟物と請求の趣旨」民事弁護と裁判実務『知的財産権』223頁

については、1つの特許権と1つの対象製品（又は対象方法）の関係で訴訟物が画されるものと解される。東京地判平成17・11・1 判タ1216号291頁〔電話番号リストのクリーニング装置事件〕は、特許権侵害訴訟において対象製品を特定するのは、訴訟物を明らかにして、審理の対象及び判決の効力が及ぶ範囲を確定する意義を有するものであり、また、特許権侵害訴訟のうち差止請求においては当事者、特許権及び対象製品が同一である限り、訴訟物としては同一のものと解するのが相当であると判示した。

(2) 損害賠償請求の訴訟物

特許権侵害訴訟のうち損害賠償請求訴訟は、被告が過去に原告の特許権を侵害する行為をしたことによる損害賠償（民法709条）として、被告に対し、金員の支払を求める給付請求である。したがって、判決の主文ないし請求の趣旨としては、金額が特定されていれば足りる。

損害賠償請求の訴訟物は、「不法行為に基づく損害賠償請求権」であり、当事者、特許権、対象製品（又は対象方法）の要素に加えて損害賠償の対象期間によって、訴訟物が画されると解すべきであろう。

2 請求の趣旨

(1) 差止請求・廃棄請求

特許権に基づく差止・廃棄請求の請求の趣旨は、発明のカテゴリーに応じて異なる。なお、いかなる目録を付けるべきかについての詳細は、後記第1章Ⅲを参照されたい。

　ア　物の発明の場合

> 被告は、別紙目録記載の製品を生産し、譲渡してはならない。
> 被告は、前項記載の製品を廃棄せよ。

イ　方法の発明の場合

> 被告は、別紙目録記載の方法を使用してはならない。

ウ　物を生産する方法の発明の場合

> 被告は、別紙方法目録記載の方法を使用してはならない。
> 被告は、別紙方法目録記載の方法により生産した別紙物件目録記載の製品を使用し、譲渡してはならない。
> 被告は、前項記載の製品を廃棄せよ。

(2) 損害賠償請求・信用回復措置請求

　損害賠償請求その他の請求の趣旨は、通常の民事訴訟と変わるところはない。

ア　損害賠償請求

> 被告は、原告に対し、○○円及びこれに対する○年○月○日から支払済みまで年○分の割合による金員を支払え。

イ　信用回復措置請求（特許法106条）

> 被告は、別紙１記載の要領をもって、別紙２記載の広告をせよ。
> （別紙１）広告の要領
> （別紙２）広告文

(3) **債務不存在確認請求**

特許権者を被告とする消極的確認訴訟の場合の請求の趣旨は、以下のとおりである。

ア　差止請求権の場合

> 原告の別紙物件目録記載の製品の製造販売行為について、被告が原告に対し、特許第○○号に基づく差止請求権を有しないことを確認する。

イ　損害賠償請求権の場合

> 原告の別紙物件目録記載の製品の製造販売行為について、被告が原告に対し、特許第○○号特許権の侵害を理由とする損害賠償請求権を有しないことを確認する。

3　発明の種類

(1) **物の発明と方法の発明**

ア　発明とは、「自然法則を利用した技術的思想の創作のうち高度のもの」と定義されている（特許法2条1項）。発明は、「物の発明」と「方法の発明」に大別され、方法の発明は、「物を生産する方法の発明」と「その他の方法の発明」（「非生産方法」ともいうが、以下「単純方法」という。）に分類される（特許法2条3項）。

旧特許法（大正10年法律第96号）35条1項においては、「方法の特許発明にありてはその方法を使用しその方法によりて製作したる物を使用・販売又は拡布する権利を専有する」旨規定されていた。そこには、単純方法の

発明についての規定はなかったが、大判昭和18・4・28民集22巻9号315頁は、「ある具体的装置を使用して工業的効果を生ぜしめ得べき自然力利用の思想にして新規のものなる以上たとい物の製作方法にあらざるものといえどもなお旧特許法35条1項の方法の発明として特許を受くることを得べきものとす。」と判示し、単純方法の発明が認知された。

　イ　現行特許法（昭和34年法律第121号）2条3項は、「物の発明」「（単純）方法の発明」「物を生産する方法の発明」を規定しながら、それぞれの発明がどのような概念を持つものであるか具体的な定義規定を置いていない。

　具体的には、物の発明は、例えば、機械・化学物質・微生物・食品・遺伝子・動植物等の有体物の発明をいい、平成14年改正により、プログラムその他電子計算機による処理の用に供する情報であってプログラムに準ずるものを含むことが明文によって明らかになった（特許法2条3項1号、4項）。また、単純方法の発明の例としては、自動車エンジンの燃費向上方法・映像信号の伝達方法・不安定な化学物質の貯蔵方法・化学物質を用いた殺菌方法・通信方法や測量方法・電気や熱等のエネルギーの発生方法が挙げられている。さらに、物を生産する方法の発明の例としては、化学物質の効率的な生産方法・微生物を培養することによる抗生物質の製法・合金を一体成形することによる眼鏡枠の製法等が挙げられている[6]。

　ウ　ドイツでは、特許法の明文に発明の種類についての定義規定はないものの、製造方法の発明についての特許権の効力は、その方法により生産された物に及ぶことが規定されている。我が国と同様に、発明が物の特許（Sachpatent）と方法の特許（Verfahrenspatent）とに分類され、時間的要素の存在が方法の特徴であると解されている。そして、方法の発明は、製造方法の発明と作業方法の発明に分けられ、前者は、基礎的要素に作用して生産物を生ぜしめ又は物理現象を生ぜしめる技術的作用であり、後者は、作業工程を完成せしめる技術的作用であってその際操作を受ける目的物に

---

[6]　渋谷達紀『知的財産法講義Ⅰ〔第2版〕』2頁、『注解特許法（上）〔第3版〕』35頁〔中山信弘〕

変化を生ぜしめることを目的としないものとされているという。我が国の単純方法の発明は、ドイツにおける作業方法の発明に相当するものと解される。

アメリカ合衆国では、特許法101条は、特許されるべき発明を「any new and useful process, machine, manufacture, or composition of matter, or any new and useful improvement thereof（新規かつ有用なプロセス、機械、製品、組成物、又はそれらの新規かつ有用な改良）」と規定し、100条(b)は、「the term "process" means process, art, or method, and includes a new use of a known process, machine, manufacture, or composition of matter, or material.（プロセスとは、プロセス、技法、又は方法を意味し、公知のプロセス、機械、製品、組成物、又は材料の新規な応用を含む。）」と規定している。そして、プロセスの発明は、出発材料に変化を生じさせ、物理的又は化学的に異なる特性を有する状態に至るための連続したステップを意味するとされている[7]。

(2) 発明の種類

ア　発明の種類とそれによる相違

特許法は、それぞれの発明がどのような概念を持つものであるか具体的な定義規定を置いていないが、むしろ、発明の種類によって特許権の効力を異ならしめることの必要性に基づき、便宜このような区分がされたといわれている[8]。

発明の種類によって特許権の効力の範囲が異なるため、差止めの対象となる行為や侵害の予防に必要な行為が異なり、侵害訴訟において主文に影響する重要な問題があるほか、物の発明と方法の発明で侵害とみなす行為（間接侵害）の態様が異なること（特許法101条）など、種々の相違点がある。

7　ヘンリー幸田『米国特許法逐条解説〔第4版〕』50頁
8　織田季明ほか『新特許法詳解〔増訂〕』74頁

イ　発明の種類の区別の仕方

　当該発明が物の発明か、単純方法の発明か又は物を生産する方法の発明かは、明らかである場合が多いと思われるが、時に区分が明確ではない場合もあろう。発明のカテゴリーについても、特許発明の技術的範囲と同様に、まず特許請求の範囲の記載により判断し、特許請求の範囲に記載された用語は、明細書の発明の詳細な説明等の記載や図面を考慮して、解釈すべきであろう。

　最二小判平成11・7・16民集53巻6号957頁〔生理活性物質測定法事件〕は、「方法の発明と物を生産する方法の発明のいずれの発明に該当するかは、まず、願書に添付した明細書の特許請求の範囲の記載に基づいて判定すべきものである。」と判示した。「願書に添付した明細書の特許請求の範囲の記載に基づいて」という文言から想起されるのは、特許出願に係る発明の要旨の認定は特段の事情のない限り特許請求の範囲の記載に基づいてされるべきであるとした最二小判平成3・3・8民集45巻3号123頁〔リパーゼ事件〕、特許発明の技術的範囲は願書に添付した特許請求の範囲の記載に基づいて定めなければならず、願書に添付した明細書の記載及び図面を考慮して、特許請求の範囲に記載された用語の意義を解釈するものとする特許法70条1、2項の規定である。前掲最二小判平成11・7・16が、方法の発明と物を生産する方法の発明のいずれの発明に該当するかは、まず、願書に添付した明細書の特許請求の範囲の記載に基づいて判定すべきものであるとする趣旨は、特許法70条1、2項の規定と同旨をいうものであると思われる。なお、物の発明か方法の発明かを判断するに当たっては、特許請求の範囲の記載の語句にとらわれることなく、発明の実体的な内容に基づいて判断すべきであるとする見解もあるが[9]、それも、願書に添付した明細書の記載及び図面を考慮して、特許請求の範囲に記載された用語の意義を解釈するものとした特許法70条2項と同趣旨をいうものと解されよ

9　織田季明ほか『新特許法詳解〔増訂〕』74頁

う。

　ウ　単純方法の発明と物を生産する方法の発明の区別

　単純方法の発明を認知した大判昭和18・4・28民集22巻9号315頁は、方法の発明に、物の生産方法の発明と生産を伴わない単なる使用方法の発明の2種があるとした上、後者は、「物自体を何ら変更することなく単にその物を使用するに止まりこれにより生産を伴わない使用方法の発明」であると判示している。

　一般には、「物の発明」と「方法の発明」とは、次のように区別されている。すなわち、「物の発明」とは、技術的思想が物の形として具現化されたもので、経時的要素のない発明であるのに対し、「方法の発明」とは、経時的な発明であり、その構成中に時間的な要素を包含することを必須とするものであるとし、一定の目的に向けられた系列的に関連のある数個の行為又は現象によって成立するものというのである。そして、物を生産する方法とは、その方法を遂行した結果生じた物が使用販売の対象となり得るものであり（特許法2条3項3号参照）、単純方法とは、生産物を伴わず、操作を受ける目的物に変化を生ぜしめることを目的としない方法をいうなどと説明されている[10]。

　前掲最二小判平成11・7・16〔生理活性物質測定法事件〕においては、発明の名称を「生理活性物質測定法」とし、特許出願の願書に添付された明細書の特許請求の範囲第1項の記載が、「動物血漿、血液凝固第XII因子活性化剤、電解質、被検物質、から成る溶液を混合反応させ、次いで該反応におけるカリクレインの生成を停止させるために、生成したカリクレイン活性には実質的に無影響で活性型血液凝固第XII因子活性のみを特異的に阻害する阻害剤をカリクレイン生成と反応時間の間に実質的に直線的な関係が成立する時間内に加え、生成したカリクレインを定量することを特徴とする被検物質のカリクレイン生成阻害能測定法。」とされたカリクレイン

10　中山信弘『特許法〔第3版〕』111頁、島宗正見「物と方法」『原退官（上）』136頁、髙部眞規子「判解」最高裁判所判例解説民事篇〔平成11年度〕〔21〕事件

生成阻害能の測定法に関する発明について、これが物を生産する方法の発明ではなく、方法の発明であることは明らかであると判断されている。上記発明は、カリクレイン生成阻害能の「測定法」についての発明であって、単純方法の発明の典型例ということができる。生産物を伴わず、確認の対象となる目的物（被検物質である抽出液、製剤）に変化を生ぜしめることはないことからしても、単純方法の発明に該当し、物を生産する方法の発明とはいえない。

　また、従前は、「方法とは、一定の目的に向けられた系列的に関連のある数個の行為又は現象によって成立するもので、必然的に経時的な要素を包含するものと解すべきであるから（方法の逐次性）、経時的な要素を欠く発明は、方法の発明ということはできない。」と判示し、名称を「放射作用を遮断する方法」、特許請求の範囲を「鉛硝子を以て造った硝子短繊維の展綿又は氈版を用いて、所要被護体を覆装することを特徴とする放射作用の遮断方法」とする発明につき、経時的な要素を欠き、方法の発明とすることはできないと判断した裁判例もあったが（東京高判昭和32・5・21行裁例集8巻8号1463頁〔放射作用の遮断方法事件〕）、プログラムが物の発明とされてからは、必ずしも経時的要素だけで、物の発明と方法の発明を区別できなくなり、使用以外に生産・流通が観念できるものが物の発明で、それ以外は方法の発明であるとの指摘もある[11]。

　エ　プロダクト・バイ・プロセス・クレーム

　物の発明についての特許に係る特許請求の範囲においては、通常、当該物についてその構造又は特性を明記して直接特定することになる。物の具体的内容、性質等によっては、出願時において当該物の構造又は特性を解析することが技術的に不可能であったり、特許出願の性質上、迅速性等を必要とすることにかんがみて、特定する作業を行うことに著しく過大な経済的支出や時間を要するなど、出願人にこのような特定を要求することが

---

[11]　中山信弘『特許法〔第3版〕』112頁

およそ実際的でない場合もあり得るところであるから、物の発明についての特許に係る特許請求の範囲にその物の製造方法を記載することを一切認めないとすべきではない。

物の発明についての特許に係る特許請求の範囲にその物の製造方法が記載されている、いわゆる「プロダクト・バイ・プロセス・クレーム」の場合であっても、その特許発明の技術的範囲は、当該製造方法により製造された物と構造、特性等が同一である物として確定される（最二小判平成27・6・5民集69巻4号700頁〔プラバスタチンナトリウム事件〕）。同判決は、特許が物の発明についてされていることを重視し、物の発明の場合には、その特許権の効力は、当該物と構造、特性等が同一である物であれば、その製造方法にかかわらず及ぶこととなることを理由としている。

4　請求の内容

(1) 特許権の効力

特許権者は、自己の特許権を侵害する者に対し、その侵害の停止を請求することができる（特許法100条1項）。特許権者は、業として特許発明の実施をする権利を専有するから（同法68条本文）、第三者が業として特許発明を実施すれば特許権を侵害することになる。換言すれば、特許権の侵害とは、特許権者が専有する「業として特許発明の実施をする権利」を第三者が権原なく行うこと、すなわち第三者の「業として特許発明の実施をする」行為である。

そして、ここでいう「実施」とは、同法2条3項各号において定められているとおりである。したがって、特許権の効力（同法68条）の範囲は、特許発明の種類によって異なる[12]。

12　髙部眞規子「物の発明と方法の発明」『理論と実務1』35頁

(2) 物の発明の場合

　物の発明についての特許権者は、その物を生産し、使用し、譲渡し、貸し渡し、輸出若しくは輸入し、又はその譲渡若しくは貸渡しの申出（譲渡又は貸渡しのための展示を含む。）をする権利を専有する（特許法2条3項1号）。

ア　生　　産

　「生産」とは、原料や材料等の出発物質に何らかの手段を講じて、その化学的、物理的な性質、形状等を変化させて新たな物を得ることをいう（東京地判平成15・11・26（平成13年(ワ)第3764号）〔AMP事件〕）。物の製造のみならず、加工や部品の交換であっても、製品の属性、特許発明の内容、加工及び部品の交換の態様、取引の実情等も総合考慮して、生産に当たるとされる場合がある。すなわち、インクジェットプリンタ用の使用済みインクタンク本体を利用してその内部を洗浄しこれに新たにインクを注入するなどの工程を経て製品化されたインクタンクは、構造上再充てんが予定されていないインクタンク本体をインクの補充が可能となるように変形させ、特許発明の本質的部分に係る構成を欠くに至ったものにつきこれを再び充足させて当該特許発明の作用効果を新たに発揮させる、加工前の製品と同一性を欠く特許製品の新たな製造に当たる（最一小判平成19・11・8民集61巻8号2989頁〔インクカートリッジ事件〕）。また、裁判例には、オフセット輪転機の版胴に対して、金属（版胴）の表面を一定方向に研磨することで連続的な髪の毛のように細かい線の傷をつけるヘアライン加工は、版胴の表面粗さを6.0μm≦Rmax≦100μmに調整する特許発明に係る版胴を新たに作り出す行為であるとして、特許法2条3項1号の「生産」に当たるとしたもの（知財高判平成27・11・19判タ1425号179頁〔オフセット輪転機版胴事件〕）、使用（回転円板の回転）に伴う摩耗によって突出部を失い、共回り、目詰まり防止の効果を喪失した被告装置について、固定リング及び板状部材を交換することにより、新たに表面側の突出部、側面側の突出部を

設ける行為は、生海苔異物分離除去装置に係る特許発明の共回りを防止する防止手段を備えた「共回り防止装置」を新たに作り出す行為として、特許法2条3項1号の「生産」に該当するとしたもの（知財高判平成27・11・12判時2287号91頁〔生海苔の共回り防止装置事件〕）がある。

　　イ　使　用

「使用」とは、発明の目的を達するような方法で当該物を用いることをいう（大阪地判平成18・7・20判時1968号164頁〔台車固定装置事件〕）。

　　ウ　譲渡・貸渡し

「譲渡」とは、有償又は無償で当該物の所有権を移転することをいう。法律上は請負と評価される行為であっても、対価を得て製造・納入する行為を含む[13]。

「貸渡し」とは、有償又は無償で貸与することをいう。

　　エ　輸入・輸出

「輸入」とは、外国から本邦に到着した貨物又は輸出の許可を受けた貨物を本邦に搬入することをいう。

輸入とは、国外から国内に物を搬入する行為をいうが、輸入の時期については、①製品を船舶から陸揚げし、又は航空機から取り下ろした時点とする陸揚説、②製品が領海内又は領空内に搬入された時点とする領海説、③製品が保税地域等税関の実力的管理支配が及んでいる地域を経由する場合は通関線を突破した時点とする通関線突破説等が考えられる[14]。覚醒剤等の薬物の輸入の場合は、陸揚説が採用されている（最一小判昭和58・9・29刑集37巻7号1110頁、最三小決平成13・11・14刑集55巻6号763頁参照）。知的財産侵害物品については、携行・郵送・密輸はもちろん、保税地域への搬入も輸入に該当する（関税法109条の2第2項）。

「輸出」とは、輸入とは逆に、国内から国外に物を搬出する行為をいう。国境を越えて取引される事例の増加にかんがみ、輸出の前段階で国内で行

13　中山信弘『特許法〔第3版〕』325頁
14　朝山芳史「判解」最高裁判所判例解説刑事篇〔平成13年度〕〔11〕事件

われる模倣品の製造や譲渡が捕捉できなければ差止めが困難な場合があるため、国内の製造や譲渡の段階で差止めできない場合であっても、輸出者が判明した場合には、輸出の段階で差止め等の措置を講じることができるようにする目的で、平成18年改正により、実施行為の一態様に追加された。立法時において、輸出は国内で行われる行為であり、我が国の産業財産権の効力を直接的に海外における行為に及ぼすものではなく、属地主義の原則には反しないと説明されている[15]。なお、侵害品の通過には、①外国から到着した貨物が単に我が国の領域を通過する場合、②我が国を仕向地としない貨物が荷繰りの都合上いったん我が国で陸揚げされた後に当初の仕向地に向けて運送される場合、③我が国を仕向地として保税地域に置かれた貨物が必要に応じ改装仕分けが行われた後、通関されることなく、我が国を積み出し国として外国に向けて送り出される場合があるが、③は輸出に当たるとされている[16]。

オ　譲渡又は貸渡しの申出

「譲渡又は貸渡しの申出」は、TRIPS協定との関係で、平成6年改正により実施行為に追加されたものである。TRIPS協定28条の販売の申出（offering for sale）は、販売のための展示・カタログによる勧誘・パンフレットの配布等を含む概念である。裁判例の中には、ウエブサイトを開設して対象製品を掲載し、販売に係る問合せフォームを作成することが可能であるなどの事情の下で、申出の発信行為又はその受領という譲渡の申出に係る行為を認めたものもある（知財高判平成22・9・15判タ1340号265頁。ただし、国際裁判管轄の有無が問題になった事案である。）。

カ　したがって、特許権者は、被告の行為に対応して、例えば「被告は、別紙物件目録記載の装置を製造販売してはならない。」との請求をすることができる。なお、別紙物件目録の記載方法についての詳細は、後記第1章Ⅲを参照されたい。

---

[15] 『工業所有権法逐条解説〔第19版〕』14頁
[16] 『平成18年改正・産業財産権法の解説』111頁

(3) 単純方法の発明の場合

ア　単純方法の発明についての特許権者は、その方法を使用する権利を専有する（特許法2条3項2号）。すなわち、単純方法の発明の場合はその方法を使用する行為が実施行為であるから、単純方法の発明に係る特許権者は、業として特許発明の方法を使用する者に対し、当該方法の使用差止めを請求することができる。

したがって、単純方法の特許発明に基づく差止請求の趣旨（主文）は、「被告は、別紙目録記載の方法を使用してはならない。」となるのであって、単純方法の発明の特許権者が、特許発明の方法を用いて生産した物の製造販売等の差止めを請求することは、許されない（最二小判平成11・7・16民集53巻6号957頁〔生理活性物質測定法事件〕）。

イ　ところで、原油を精製する方法Aに係る特許権に基づき、「被告は、原油を精製してはならない」というように、方法を限定しないで不作為命令を発することもできるという見解もある[17]。この見解は、Bという行為（原油の精製）をするのに必ず特許方法Aを使用せざるを得ないという1対1の対応関係があることを前提にしていると解される。被告はBという行為をするのに特許方法Aの技術的範囲に属する方法a（A＝a）を使用していると認定することができる場合、「Bをしてはならない」という差止めを認めれば、結果として方法aを使用することができなくなる。

しかし、現実には、Bという行為（原油の精製）そのものは新規なものでないことがほとんどであり、Bという行為をするのに方法aのほか、特許方法たる方法Aとは異なる方法y（A≠y）もあり得る場合に、上記のような差止めは、方法yにより原油を精製することをも禁じる結果となり、過剰差止めを認める結果となりかねない。

この点につき、物を生産する方法の発明についてと同様、被告が方法y

---

[17]　三村量一「対象製品、対象方法の特定」新裁判実務大系『知的財産関係訴訟法』93頁、同「対象製品、対象方法の特定について」『理論と実務2』49頁も同旨

を用いていれば請求異議訴訟を提起すればよいとの見解も考えられる。しかし、「特許発明Ａの技術的範囲に属する方法ａを使用してＢという行為をすること」は禁じられるべきであり、「特許発明Ａの技術的範囲に属さない方法ｙを使用してＢという行為をすること」は許されるから、上記見解によれば、請求異議訴訟における主文は、結局「方法ａを使用してＢという行為をすることの差止め」以外の部分の執行力を排除することになろうか。また、そもそも、確定判決についての請求異議事由は、口頭弁論の終結後に生じたものに限るから（民事執行法35条2項）、上記見解によれば、被告は、基準時後に方法ｙを用いてＢという行為をするようになったこと（方法の変更）を主張立証しなければ請求異議事由として救済される余地はない。

　結局のところ、方法と行為について1対1の対応関係がある場合であっても、単純方法の場合には、特許方法を使用してはならないということの結果として、当該行為ができなくなるという関係があるにすぎないと解される。被告が、基準時前に方法ａのみならず、方法ａ以外の方法を使用している場合には、当初から「被告は、方法ａを使用してはならない。」という主文を認める方がより直截ではなかろうか。

　ウ　いずれにせよ、単純方法の発明にあっては、実施行為は発明に係る方法の使用に限られる。物の生産の差止めに比べて方法の使用の差止めは実効性が乏しいとしても、特許権者が単純方法の発明として出願し権利を取得した以上、やむを得ないのではなかろうか。

(4) 物を生産する方法の発明の場合

　物を生産する方法の発明についての特許権者は、その方法を使用する権利のほかに、その方法により生産した物を使用し、譲渡し、貸し渡し、輸出若しくは輸入し、又はその譲渡若しくは貸渡しの申出をする権利を専有する（特許法2条1項3号）。実施行為の概念に対応して、特許権者は、方法の使用差止めのほかに、その方法により生産した物の使用、販売、宣伝

広告等の行為の差止めを請求することができる。

　この場合に、物のみを特定して、物の生産の差止めを請求することが認められるという見解もある[18]。確かに、「方法Aにより物Cを生産すること」を内容とする特許発明について、被告が特許方法Aの技術的範囲に属する方法a（A＝a）により物Cを生産しており、物Cを生産する方法が唯一A（すなわちa）であるという1対1の関係がある場合、端的にこのような請求を認めてもよい場合もあるようにも思われる。物Cが特許出願前に日本国内で公然知られた物ではないときは、方法Aにより生産した物と推定されるから（特許法104条）、推定を覆すことができないために請求が認容されるときは、物Cの生産を差し止めることが可能であろう。

　しかしながら、物を生産する方法の発明の場合、特許法104条の場合を除き、通常は生産される物Cに新規性はなく、生産方法Aの部分にこそ新規性があるという場合が多いと思われる。そして、公知の生産方法y（A≠y）によって物Cを生産することは、特許発明の実施には当たらない。仮に物Cの生産の差止請求を認容すると、公知の方法yにより物Cを生産することをも禁ずることになる。事実審の口頭弁論終結時において被告が方法Aの技術的範囲に属する方法aにより物Cを生産していることが認定された場合に、基準時後に技術的範囲に属さない方法yに変更したときは、請求異議によって排除すればよいという考え方もある。もっとも、その場合、判決全部を執行不許とするのか、「方法aにより物Cを生産すること」については執行力を残すのか、問題が残るようにも思われ、物Cの生産自体の差止めは、被告が他の方法を用いてその物の製造をする可能性がないことまで立証できた場合等、例外的な場合にのみ認められるべきであろう[19]。

18　牧野利秋「特許権侵害差止訴訟の訴訟物」『原退官（上）』577頁、久保田譲「新規物質の製法の推定」同517頁、飯村敏明「侵害訴訟の訴訟物と請求の趣旨」民事弁護と裁判実務『知的財産権』223頁

(5) 廃棄請求

　特許法100条2項は、差止請求権を行使するに際し、侵害の行為を組成した物（物を生産する方法の特許発明にあっては、侵害の行為により生じた物を含む。）の廃棄、侵害の行為に供した設備の除却その他の侵害の予防に必要な行為を請求することができる旨規定する。なお、この請求は、上記条項の法文上明らかなように、差止請求に付帯してしなければならず、独立して請求することはできない。

　同法100条2項にいう「侵害の行為を組成した物」とは、侵害行為の必然的内容をなす物をいい、刑法19条1項1号の「犯罪行為を組成した物」にたとえられる。具体的には、物の発明にあってはその物、単純方法の発明にあってはその方法を直接実現する道具や装置、物を生産する方法の発明にあってはその方法により生産された物等である。

　また、「侵害の行為に供した設備」とは、侵害行為の便宜に供した物をいい、刑法19条1項2号の「犯罪行為の用に供し、又は供しようとした物」にたとえられる。具体的には、物の発明に係る構成を実現するための金型・機械等の設備、単純方法の発明にあってはその方法に供する道具、物を生産する方法の発明にあってはその製造装置等である。

　廃棄請求等の対象物は、いかなる物がそれに該当するか客観的に識別できるように特定されなければならない。差止請求の対象と同一の製品であれば、同様の別紙物件目録を用いることができる。差止請求の対象と同一ではなく、その半製品についての廃棄を請求する例が見られる。その場合は、まず、半製品とは何かを定義する必要があり、定義なくして、執行は行えない。定義の例として、「半製品（別紙目録記載の構造を備えているが製品として完成するに至っていないもの）」が挙げられる。

19　沖中康人「知的財産権侵害訴訟の請求の趣旨及び主文」新裁判実務大系『知的財産関係訴訟法』44頁、吉原省三「特許権侵害による差止請求訴訟の要件事実」『原退官（上）』606頁

なお、廃棄請求について、「被告が所有する」といった限定は不要である。被告が所有する物であることを認定した上で、廃棄請求が認容される上、被告の所有を限定すると、執行機関に所有の有無を認定させることになってしまうからである。また、「被告が占有する」といった限定も不要である。強制執行の場面で被告が占有していない物は対象とならないからである[20]。

(6) 侵害の予防に必要な行為の請求

最二小判平成11・7・16民集53巻6号957頁〔生理活性物質測定法事件〕は、特許法100条2項にいう「侵害の予防に必要な行為」は、特許発明の内容、現に行われ又は将来行われるおそれがある侵害行為の態様、特許権者が行使する差止請求権の具体的内容等に照らし、差止請求権の行使を実効あらしめるものであって、かつ、差止請求権の実現のために必要な範囲内のものであることを要するとした。

「侵害の予防に必要な行為」とは、特許法100条2項の規定が侵害組成物の廃棄と侵害供用設備の除却を例示しているところからすれば、差止請求権の行使を実効あらしめるものであって、かつ、それが差止請求権の実現のために必要な範囲内のものであることを要するものと解するのが相当である。すなわち、差止めの実効性と必要性の総合判断による。そして、その判断は、①特許発明の内容、②現に行われ又は将来行われるおそれがある侵害行為の態様及び③特許権者が行使する差止請求権の具体的内容等に照らしてなされるべきものであろう[21]。

方法の発明に係る特許権を侵害する行為が医薬品の品質規格の検定のための確認試験において当該方法を使用する行為であって、侵害差止請求としては当該方法の使用の差止めを請求することができるにとどまるという事情の下においては、上記医薬品の廃棄及びこれについての薬価基準収載

---

20 山田知司「特許権侵害差止訴訟等における判決の主文及び執行について」『理論と実務2』159頁
21 髙部眞規子「判解」最高裁判所判例解説民事篇〔平成11年度〕〔21〕事件

申請の取下げは、差止請求権の実現のために必要な範囲を超えるものであって、特許法100条2項にいう「侵害の予防に必要な行為」に当たらない（最二小判平成11・7・16民集53巻6号957頁〔生理活性物質測定法事件〕）。

　また、知財高判平成27・11・12判時2287号91頁〔生海苔の共回り防止装置事件〕は、被告装置に対して、点検、整備、修理を行う行為の差止めは許されないとした。被告装置に対する固定リング又は板状部材の交換が侵害に当たり、それに先立って、被告装置に対する、点検、整備、修理が行われるのが通常であったとしても、固定リング又は板状部材の交換の差止請求権の行使を実効あらしめるために、上記交換の差止めに加え、異物分離除去機能の維持、発揮のために行われる行為をおよそ差し止めるというのは、差止請求権の実現のために必要な範囲を超える過大な請求であることを理由としている。

III 〔対象製品の特定と証拠収集手続〕

1 対象製品の特定の意義

(1) 特 定 論

　知的財産権侵害訴訟においては、原告は、自己の有する権利を特定した上、被告の侵害行為の態様を主張立証する必要がある。特に特許権侵害訴訟においては、特許発明の内容が特許請求の範囲（クレーム）として、文言によって表現されているため、特許権侵害の有無を判断するには、被告が製造し又は販売する製品（以下「対象製品」という。）ないしは被告が使用する方法（以下「対象方法」という。）とを対比して、対象製品や対象方法をいかに文言によって表現するかが重要となる。

　しかも、特許発明は、技術的思想の創作であるから（特許法2条1項）、クレームは、抽象化して表現されている。これに対し、対象製品・対象方法は、現に存在する具体的な物ないし方法であり、ある技術的思想が具体的に実施されているものであって、特許発明とは次元を異にする。

　対象製品・対象方法の特定をどのように行うかが、特許権侵害訴訟における争点になることについては、古くから指摘され、理論的にも実践的にも工夫しなければ、訴訟の長期化を招くことが指摘されていた[22]。

　従前、特許権侵害訴訟の対象製品の特定は、その構成を図面及び文章で表現する目録の形式によって行っており、被告製品の特定に相当の時間を要していた。

---

[22] 古関敏正「特許侵害訴訟における対象物件の特定」『兼子還暦（中）』453頁、西田美昭「特許権侵害訴訟における差止対象の特定の審理の実情と展望」『牧野退官』395頁、水野武「対象物件の特定」民事弁護と裁判実務『知的財産権』131頁

近時、対象製品を商品名・型式番号によって特定し、請求原因事実として、その具体的構成を主張するという訴訟実務に変わってきている。

(2) 差止請求・廃棄請求の場合

　対象製品の特定が審判の対象を画するという観点からは、特許権侵害訴訟における訴訟物が問題となる。

　特許権侵害訴訟のうち、差止請求の訴訟物については、前記Ⅱの1のとおり、「原告の特許権に基づく、被告の実施行為についての差止請求権の存否」であると解すべきであろう。そして、侵害態様（被告の実施行為の態様が製造なのか、輸入なのか）によってさらに細かく区別することはしないにしても、差止請求については、1つの特許権と1つの対象製品（又は対象方法。以下同じ）の関係で訴訟物が画されるものと解される。特許権侵害訴訟において対象製品を特定するのは、訴訟物を明らかにして、審理の対象及び判決の効力が及ぶ範囲を確定する意義を有するものであり、また、特許権侵害訴訟のうち差止請求においては当事者、特許権及び対象製品が同一である限り、訴訟物としては同一のものと解される（東京地判平成17・11・1判タ1216号291頁〔電話番号リストのクリーニング装置事件〕）。

　特許権侵害訴訟のうち差止請求訴訟は、被告が現に行っている、あるいは将来行うであろう、対象製品の製造販売（又は対象方法の使用）等の行為が原告の特許権を侵害するものであることを理由として、被告に対し、当該特許権に基づき、対象製品の製造販売（又は対象方法の使用）等の行為をしないという不作為を求める給付請求訴訟である（特許法100条1項）。その認容判決は、間接強制（民事執行法172条）によって実現されるものであり、被告のいかなる行為が不作為義務違反となるのかが、判決主文において明確にされている必要があり、また、既判力の及ぶ範囲を確定する観点からも、差し止めるべき行為が具体的に明らかにされなければならない。訴えの提起の際も、このような差止めの対象となる行為が、訴状の請求の趣旨において特定される必要がある。

また、特許権者は、差止請求をするに際し、侵害の行為を組成した物の廃棄等を請求することができるが（特許法100条2項）、その認容判決は、代替執行（民法414条、民事執行法171条）によって実現される。

　差止請求訴訟の判決主文ないし請求の趣旨については、差止めの対象となる製品を物件目録（方法の場合は方法目録）として判決や訴状の末尾に添付した上、これを引用して差し止めるべき行為の具体的態様を示すのが一般的である。したがって、差止請求及び廃棄請求においては、差し止められるべき行為の具体的な態様を記載する必要があり、ことに対象製品そのものが判決主文ないし請求の趣旨の内容を構成しているため、その行為態様や製品の特定が不可欠となる。

(3) 損害賠償請求の場合

　特許権侵害訴訟のうち損害賠償請求訴訟は、被告が過去に原告の特許権を侵害する行為をしたことによる損害賠償（民法709条）として、被告に対し、金員の支払を求める給付請求である。したがって、判決の主文ないし請求の趣旨としては、金額が特定されていれば足りる。

　損害賠償請求の訴訟物については、当事者、特許権、対象製品の要素に加えて損害賠償の対象期間によって、訴訟物が画されると解すべきであろう。

　審判の対象について見れば、被告がいかなる行為によって原告の特許権を侵害したか及びそれがいつからいつまでのことであるかによって、決定される。すなわち、原告の特許権と被告の行為（対象製品）及び損害賠償の期間の関係によって、審判の対象ないし既判力が画される。請求原因においては、原告の特許発明の構成要件と対象製品の構成とを対比する作業が必要であり、その前提としても、被告がした行為の態様や対象製品が特定されなければならない。

　そこで、損害賠償請求においても、一般に、差止請求で用いられるのと同様の物件目録を用いて、行為態様や対象製品の特定が行われている。

⑷ **特定の意義**

　特許権に基づく差止請求訴訟において、相手方の侵害の行為を組成した物又は方法を特定して主張することは、差止請求の対象として、審判の対象ないし訴訟物を特定することにより判決の既判力の客観的範囲を画定し、執行の対象を特定するために必要であるとともに、当該物又は方法が特許発明の技術的範囲に属するか否かを対比することにより、特許権侵害の成否を判断するために必要である（東京地判平成17・2・25判タ1196号193頁〔コンテンツ中継サービス装置事件〕）。

　このように、対象製品を特定することについては、以下の3つの意義があることになる[23]。

(a)　審判の対象（訴訟物）を明らかにすること
(b)　判決の効力（既判力の範囲、強制執行の対象）を明らかにすること
(c)　特許発明の構成要件との対比のための主張・立証

2　文章による特定と商品名及び型式番号による特定

⑴　従前の実務と特定論長期化の原因

ア　従前の実務

　平成10年ころまでの訴訟実務においては、原告が、被告の製造販売する製品の技術的構成を、特許請求の範囲に対応する形式の文章で記載し、これを物件目録とするプラクティスが行われていた。そして、このように記載された物件目録に対し、原告と被告が記載内容の訂正を重ね、裁判所も間に入って当事者双方の意見を調整し、最終的に当事者間に物件目録の記載内容について合意を成立させ、その上で侵害論を始めるという訴訟運営が行われてきた。

---

[23] 髙部眞規子「対象製品・対象方法の特定」リーガル・プログレッシブ・シリーズ『知的財産関係訴訟』65頁

イ　特定論長期化の原因

従前、特許権侵害訴訟の対象製品の特定に、相当の時間を要していた。その要因としては、さまざまなものがあるが、次の諸点が指摘されていた。すなわち、①当事者や訴訟代理人において、差止対象の特定という行為の訴訟上の意味を十分に理解していない場合、②原告代理人が対象製品を入手しておらず調査不十分であるなど、準備不足の場合、③差止対象物の形状の表現に争いがある場合、④文言による表現が困難な場合、⑤具体的製品か、上位概念かが問題となる場合、⑥原告が立ち入れない被告の工場内等で行われるなど、対象製品や対象方法の認識に困難を伴う場合等が挙げられる[24]。

(2) 文章による特定のメリットと問題点

ア　物件目録に構成を文章で記載する方法のメリット

被告が対象製品の構成を争う場合、原告の特許発明の構成要件との対比に関しても自らの主張する構成を前提として非侵害の主張をすることがあり、このような場合は、侵害論についての議論がかみ合わず、すれ違いとなってしまう。これに対して、対象製品の技術的構成を文章で記載した物件目録を作成し、侵害論に先立って物件目録の記載について合意を成立させるという従前の実務によれば、侵害論について、双方の議論がかみ合ったものになる点で、有益である。

また、物件目録の記載が合意され、対象製品の構成に争いがなくなれば、原告にとっては、侵害論に必要な対象製品の構成についての立証が不要となるし、被告にとっても、対象製品の構成が不正確なまま侵害論の判断がされる事態を回避することができる。

イ　文章による特定の問題点

文章で構成を表現した物件目録の記載内容について当事者間で合意がで

---

[24]　西田美昭「特許権侵害訴訟における差止対象の特定の審理の実情と展望」『牧野退官』395頁

きれば、前記のとおりメリットがあるが、合意ができない場合には、前記のような長期化の問題があるほか、原告としては、対象製品の構成を証拠によって立証しなければならないし、侵害論における議論がかみ合わないままとなるおそれもある。

また、裁判所が、原告の主張する対象製品の構成とは異なる認定をした場合には、差止請求においては物件目録が請求の趣旨の内容を構成しているために、弁論主義との関係で問題があるとか、損害賠償請求の場合にも、訴訟の審理の途中で、原告が物件目録の記載を訂正した場合、理論上は別個の製品を対象とした訴えの変更に当たるか否か、そして、当初の訴え提起による時効中断の効果が及ぶか否か等の点について問題が生じる可能性もあるなどという指摘があった。

以上の指摘に対しては、実質的に見て同一の範囲であれば訴えの変更に当たらないし時効の中断も認めると解する余地はあるが、原告の差止請求が認容された場合であっても、文章で記載された対象製品については、執行機関が目的物を特定することが困難であるとすると、強制執行手続において差止認容判決の実効性が期待できないことになる。事実審口頭弁論終結後に物件目録に記載された構成の一部がわずかでも変更された場合には、もはや判決の効力が及ばなくなるといった不都合もあるとの指摘もある[25]。

(3) 近時の実務

そこで、特定論が長期化していたことへの反省と、訴訟の迅速処理の観点から、商品名及び型式番号のみを記載した物件目録の導入等について検討され、特定論について新しいプラクティスが提言された[26]。これらの提言の後、対象製品の特定ないし物件目録の記載方法に関しての実務の運用が大きく変化した。

---

[25] 三村量一「特許侵害訴訟における被告製品の特定と実務上の留意点」『牧野退官』19頁

そこでは、対象製品の技術的構成を文章で説明した物件目録を用いていた従来の訴訟実務を変更し、記載内容について合意が形成できない場合などには、商品名及び型式番号のみを記載した物件目録を積極的に導入し、物件目録によって示された被告製品の構成及びこれと原告の特許発明との対比については、「請求原因」として主張、立証するようにすべきであり、それが迅速審理の実現に資するとされている[27]。

現在の訴訟実務においては、対象製品の商品名及び型式番号のみを記載した物件目録を用いることが主流になっている。

(4) 商品名及び型式番号による特定のメリットと問題点

ア 商品名及び型式番号のみを記載した物件目録のメリット

対象製品の商品名及び型式番号のみを記載した物件目録を用いると、差止請求の審判の対象や既判力の範囲ないしは執行の対象が明確である。また、損害賠償請求の損害論においても、対象製品の製造、販売の事実の有無や過去の販売数量等について、被告から早期に具体的かつ詳細な認否を引き出すことができて、便利である。

迅速審理の観点からは、商品名及び型式番号のみを記載した物件目録を用いることが望ましい。もっとも、そのような場合であっても、特許権者の側が侵害論における請求原因として、特許発明の特許請求の範囲の記載と対比できるよう、対象製品の構成を、文章によって表現することにより主張立証すべきことは変わりがない。

イ 商品名及び型式番号のみを記載した物件目録の問題点

他方、対象製品の商品名及び型式番号のみを記載した物件目録を用いると、事実審口頭弁論終結後に商品名又は型式番号が変更されてしまえば、

---

[26] 三村量一「対象商品、対象方法の特定」新裁判実務大系『知的財産関係訴訟法』84頁、『特許権侵害訴訟の審理の迅速化に関する研究』48頁、東京地方裁判所知的財産権訴訟検討委員会「知的財産権侵害訴訟の運営に関する提言」判タ1042号7頁、飯村敏明「侵害訴訟の訴訟物と請求の趣旨」民事弁護と裁判実務『知的財産権』235頁

[27] 『特許権侵害訴訟の審理の迅速化に関する研究』48頁

もはやその製造、販売等を差し止めることができなくなるという不都合が指摘されていた。しかしながら、実際には、現実に商取引を行っている場合に、商品名又は型式番号を変更することは、必ずしも容易なことではない。また、仮に商品名又は型式番号が変更されて同一の製品が製造販売されている場合には、商品名及び型式番号によって特定された前訴の判決の既判力や執行力を及ぼすことはできないが、特許権者としては、改めて新たな商品名及び型式番号の製品について差止めの仮処分を申し立て、その構成が従来のものと何ら変わりがないことを疎明することなどによって、速やかに差止めの仮処分命令を得ることも可能である。

また、対象製品の商品名及び型式番号のみを記載した物件目録を用いると、被告が事実審口頭弁論終結後に同じ商品名又は型式番号等を用いて異なった構成の製品を製造、販売する場合に、差止認容判決の効力が及ぶことについての不都合も指摘されている。しかし、被告としては、以後同じ商品名及び型式番号等を用いないように対応するのが望ましい。また、仮に判決理由中で特許権侵害と認定された特定の商品名及び型式番号の対象製品の構成が、基準時後に特許権を侵害しないものに変更されたというのであれば、請求異議訴訟を提起して、その執行を免れることも可能と解すべきであろう。

従前の文章による特定で指摘されていたように、充足論の主張の攻防がかみあわないこともないわけではないが、そのような場合には、原告としては、原告主張の構成が立証された場合の充足論のみならず、これが立証されず被告主張どおりと認定される場合の充足論を、仮定的にでも主張しておくようにすることが望ましい。

(5) 併用型についての考え方

対象製品について、商品名、型式番号のみならず、構成を文章によって表現したものを並記した物件目録が用いられた例もある。このような場合には、2つの解釈が可能である。1つは、商品名と型式番号は単に具体例

として並記しているにすぎないと解釈することである。また、もう1つ、そのような構成を備えているもののうち、当該商品名、型式番号のものに対象を限定する趣旨とも解せられないではない。併用型を用いる場合には、例示の趣旨なのか、限定の趣旨なのか、そのいずれであるかを、物件目録の記載中に、明記しておく必要があろう。そうしておかないと、後に判決の既判力や執行力がどこまで及ぶのか紛争になることも考えられる（東京地判平成17・11・1判タ1216号291頁〔電話番号リストのクリーニング装置事件〕参照）。

3　対象製品の特定の実践的課題

(1) 特定の在り方

　侵害訴訟の実務において、審判の対象や判決の効力（既判力及び執行力）という観点（前記1(4)の(a)、(b)）からすれば、対象製品について商品名、型式番号で特定するのが明確であろう。しかしながら、その場合であっても、特許権者側は、対比のための主張立証として（前記1(4)の(c)）、対象製品の構成を特許請求の範囲の構成要件に対応する形式の文章で主張し、特許発明の構成要件と対比する必要がある。

　したがって、例えば、請求の趣旨については、訴状の別紙に添付する「物件目録」としては、商品名及び型式番号を記載するにとどめ、これを引用することが多い。他方、請求原因の中で対象製品の構成を主張する必要があるが、その場合には、例えば、「別紙物件目録記載の製品（以下「対象製品」という。）の構成は、別紙「物件説明書」記載のとおりである。」といった主張をし、「物件説明書」を別途作成して添付し、その中に対象製品の構成を、特許発明の各構成要件と対応した形で文章で説明し、図面も用いて記載することが考えられる。このような主張をすれば、被告においても、物件説明書のどの部分を争うのか、自己の具体的態様を明示しやすいと解される。

　また、商品名、型式番号が多岐にわたり、これを摘示していても単に代

表例・具体例として並記しているにすぎない場合があることは前記のとおりである。また、方法の発明に対応する対象方法については、物の場合と異なり商品名や型式番号が存在するわけではないから、文章で記載するしかない。このような場合には、対象製品の構成や対象方法を文章によって表現し、その記載内容について合意を成立させることが有用であることは、現在においても変わりはない。

(2) 留意点

このように、対象製品の構成や対象方法に関する記載内容についての留意点としては、従前の特定論に長期化を要していたことへの反省から、次のような事項が指摘できる。

ア 特定の程度

対象製品又は対象方法の特定については、社会通念上差止めの対象として他と区別できる程度に具体的に特定されることを要するとともに、原告の特許発明の技術的範囲に属するか否かを判断するために特許発明の構成と対比できるように具体的に記載されることを要し、かつそれをもって足りる[28]（大阪地判昭和62・11・25無体裁集19巻3号434頁）。具体的というのは、明細書の実施例レベルの特定をいうものとされている。

なお、対象製品や対象方法の特定の方法には、訴訟物についての処分権主義が妥当し、形式的に製品名の表記の仕方が異なったとしても、特許発明との関係で同一の製品を対象とするものと認められる限り、対象製品としては同一のものと評価することができる（東京地判平成17・11・1判タ1216号291頁〔電話番号リストのクリーニング装置事件〕）。

イ 記載の内容

対象製品や対象方法の特定が特許発明の技術的範囲に属するか否かの審理に当たって必要であることからすれば、特許発明の構成に対応する技術

---

[28] 竹田稔『知的財産権訴訟要論〔第6版〕』291頁

的な特徴を過不足なく記載すべきである。

　もっとも、主要な争点となっている部分については、対象製品の特徴を具体的に表現すべきである。すなわち、被告が原告の主張では対象製品の構成の記載が不十分であるとして、構成についての記載の付加を求め、そのために争いがなくならないという場合もあるところ、前記のとおり、対象製品の特定が原告の特許発明の構成要件との対比判断のため必要であるという観点からすれば、原告の特許発明の構成要件との対比が可能となる程度に具体的に記載する必要がある。したがって、被告が主張する付加に係る構成部分の有無によって、侵害か非侵害かの結論が左右される旨主張する場合には、付加した上で、侵害か非侵害かを判断すべきことになる。

　他方、争いのない部分や対象製品の構成のうち特許発明の構成要件に対応しない部分については、記載を簡略化することも可能である。すなわち、被告製品の構成についての記載の一部に争いがある場合に、その部分が対比の判断の上では無関係な場合には、争いをなくすためにその構成部分を物件説明書から削除することが可能である。逆に、侵害か非侵害かの結論に実質的に影響を与えるような構成部分を削除すると、結果として、物件目録中に、特許権侵害に当たる製品と特許権侵害に当たらない製品とが混在することになり、混乱を招くことになる。

　争いのある構成部分については、原告において請求原因として主張し、当該構成部分について被告が否認している場合には、立証の問題として解決すべきであろう。

　　ウ　特許請求の範囲の引写しの可否

　特許請求の範囲の記載を引き写した特定の方法については、これが許されるという見解[29]と、許されないとする見解[30]がある。

　理論的には、特許請求の範囲の記載を引き写した内容のものの製造販売

29　花岡巌「侵害物件、侵害方法の特定」裁判実務大系『工業所有権訴訟法』67頁
30　古関敏正「特許侵害訴訟における対象物件の特定」『兼子還暦（中）』458頁、飯村敏明「侵害訴訟の訴訟物と請求の趣旨」民事弁護と裁判実務『知的財産権』235頁

や使用を禁止したとしても、それは、原告の特許権を侵害してはならないという同義語反復的な請求をしているにすぎず、無意味なものといわざるを得ない。実際的にも、特許請求の範囲と対象製品の構成が同一では、対比の作業に意味を有しないことになる。よって、このような対象製品の特定がされた場合には、具体的な表現に訂正を求めることになる。

　なお、対象製品をいかに特定すべきかという観点からすると、上記のとおり、行為規範としては、特許請求の範囲の引写しはするべきではないということになるが、評価規範としては、実際に引写しの物件目録によって訴訟を提起した場合であっても、このような訴訟提起が直ちに違法になるとはいえない。東京地判平成17・2・25判タ1196号193頁〔コンテンツ中継サービス装置事件〕は、特許請求の範囲の引写しによる物件目録を用いて訴訟を提起したことが不法行為に当たるとして損害賠償を請求した事案において、訴訟における相手方の防御活動の観点からみると、いかなる物又は方法が対象とされているのかが、社会通念上他と区別することができる程度に具体的に特定されていることを要するとした上、本件において差止請求の対象は、社会通念上他と区別することができ、これがいかなる物又は方法を指すのかについては、少なくとも相手方にとっては容易に理解することができるものであったから、原告による対象物件の特定が違法であるということはできないと判断した。

　エ　用語の選択

　対象製品の構成を文章で説明する際、部材を指示するための名称や、使用する用語の選択が必要となるが、どのような名称や用語を使用するかについて争われることがある。その場合は、対象製品の具体的構成を社会的事実として一義的に認識できるような用語により、技術的色彩を捨象した中立的な表現を工夫すべきである。また、対象製品を表す図面を作成して、被告が現実に製造、販売している製品の特定に活用すべきである。

　このように、対象製品の構成を文章で説明した物件目録には、原告の特許発明の構成要件との対比が可能となる程度に具体的に記載することが求

められるが、他方、対比に関係のないものについて記載する必要はない。構成の一部分について合意が得られない場合であっても、それが構成要件との対比に関係がないということが明らかになれば、その部分を物件目録の記載から削除した上で争いがなくなるということもあり得る。また、物件説明書に使用する用語の選択に争いがある場合であっても、その用語が当事者が侵害論において争点にする意図がない構成に係るものであることが明らかになれば、その用語の選択、使用についての争いが解消されるということもあり得よう。

4　特許法における書類提出命令

(1)　証拠収集手続の強化

　特許権侵害訴訟では、原告は、被告製品又は被告方法が原告の特許発明の技術的範囲に属することを主張立証すべきである。しかし、特許権侵害訴訟、特に被告の製造販売する製品が注文生産に係る製品で第三者の工場内に設置されている場合や、製造方法の発明等に関する事件で被疑侵害者の工場内の製造ラインが問題になる場合など、証拠が被疑侵害者側に偏在し、構造的に侵害立証が困難であるといった特殊性がある。しかも、当該証拠には、被疑侵害者の営業秘密が含まれていることも少なくない。

　特許法は、特許権が無体の財産権であって侵害されやすく、証拠が被告側に偏在するために、原告において被告製品又は被告方法を立証することは必ずしも容易ではないことに鑑み、まず、被告製品又は被告方法について、被告に具体的態様の明示義務を課しており（特許法104条の2本文）、一定の役割を果たしている。もっとも、被告が明らかにすることができない相当の理由があるときは、この限りでないとされているため（同条ただし書）、営業秘密等を理由に、被告が常にこの義務を果たすとは限らない。

　証拠収集制度の拡充を1つの目的とした平成8年の民事訴訟法改正においては、文書提出命令制度が大きく見直された。また、上記改正による許

可抗告制度の導入により、近時文書提出命令に関する重要な最高裁判例が次々に出され、実務に指針を与えている。

　特許法をはじめとする知的財産権法においては、知的財産権の保護の観点から、侵害行為や損害の立証を容易化すべく民事訴訟法の特則が置かれ、通常の民事訴訟より証拠が提出される場合が拡大されている。特許法においては、特許権者側が証拠を収集するための特別の規定が置かれ、近時の法改正によりこれが強化されてきている。書類提出命令及び査証命令がそれである。

(2) 書類提出命令申立書の記載例

```
基本事件　令和○○年(ワ)第12345号
　原告　株式会社A
　被告　株式会社B
                    文書提出命令申立書
                                            令和○○年○月○日
東京地方裁判所民事第47部　御中
            申立人（原告）        株式会社A
            同訴訟代理人弁護士    甲野一郎　㊞
            同補佐人弁理士        乙野二郎　㊞
            相手方（被告）        株式会社B


　申立人は、以下のとおり文書提出命令を申し立てる。

1　文書の表示
　　被告が令和3年1月1日から令和3年8月31日までの間に、別紙物件目録記載の製品を販売したことに関し、出荷台帳、売上げ台帳その他売上げ数量及び売上げ金額が記載された文書又は磁気ディスクからプリントアウトしたもの

2　文書の趣旨
　　上記文書は、特許権侵害による損害の立証に必要な計算のために必要
```

な書類であり、被告が令和3年1月1日から令和3年8月31日までの間に販売した、別紙物件目録記載の製品の売上げ数量及び売上げ金額が記載されている。

3　文書の所持者
　　相手方（被告）

4　証明すべき事実(注①)
　　被告が令和3年1月1日から令和3年8月31日までの間に、別紙物件目録記載の製品を、単価1万円で、少なくとも5000個販売した事実

5　文書の提出義務の原因
　　民事訴訟法220条、特許法105条1項

（別紙）
　物件目録
　型番「LTA400WT－L01」の液晶モジュールを搭載した型番「LN19R71B」の19型液晶モニター

注①　相手方が文書提出命令に従わないときは、裁判所は申立人が立証しようとした事実に関する主張を真実と認めることができる（民事訴訟法224条）。

(3) 書類提出命令の判断枠組み

ア　書類提出命令の要件

特許法105条は、裁判所が特許権等侵害訴訟において、当事者の申立てに基づき、侵害行為の立証又は損害額の計算のために必要な書類の提出を命ずることができる旨を定めるとともに、書類の所持者が書類提出を拒むことについて「正当な理由」があるときは、この限りでない旨を規定している。特許権侵害訴訟において、当該侵害行為の立証又は侵害行為による損害の計算のための書類の提出につき、民事訴訟法220条の特則を置き、権利者の侵害行為及び損害額立証の困難さを解消し、より実効性のあるものとしている。

特許法105条の規定を条文に即して表現すれば、(a)「侵害行為の立証又は侵害行為による損害の計算のための必要性」が認められれば、(b)「正当な理由」のない限り、書類の提出を命じることができる。したがって、書類の提出を求める権利者側で、上記(a)の事情を主張疎明し、書類の所持者側で、上記(b)の事情を主張疎明して、裁判所がこれを判断することになる。

イ　証拠調べの必要性

上記(a)の「侵害行為の立証又は侵害行為による損害の計算のための必要性」については、さらに、（a－1）「侵害行為の立証の必要性」の場面と、（a－2）「侵害行為による損害の計算の必要性」の場面の、2つに分類される。ここでは、当該書類を取り調べる必要性の有無、程度すなわち証拠としての重要性や代替証拠の有無、さらには真実発見・裁判促進という司法の利益をも考慮することになる。

上記（a－1）の「侵害行為の立証」のための必要性の場面では、例えば、被告の工場内で行われている製造方法が原告の特許発明の技術的範囲に属するものであることを立証するため、製造方法が記載された仕様書等が対象になる。そのような書類には、原告の特許発明との関係の記載のほか、さまざまな被告のノウハウが含まれていることがある。そのため、そこでは、特に探索的ないし模索的な申立てを排除するという観点をこの必要性の判断に加えるべきであり、その意味では、権利者側は侵害であることを合理的に疑わせるだけの手がかりとなる疎明を尽くす必要があろう。そのように解さなければ、目的物が相手方の支配下にあり、これを入手する途がないというだけで相手方にその開示を強制できることになり、特許権者に対し、目的物が侵害品であることの可能性の調査すらすることなく訴訟を提起し、その後相手方に提出を求め、相手方がこれに応じなければ目的物が侵害品である事実の擬制効果を受けることになり、模索的濫訴を許す結果となりかねない。

また、相手方が書類提出命令に従わないときは、裁判所は、当該書類の記載に関する申立人の主張を真実と認めることができる（民事訴訟法224条）

ことにも照らし、証拠調べの必要性があるというためには、侵害行為があったことについての合理的疑いが一応認められることが必要である（知財高判平成28・3・28判タ1428号53頁〔通信網の作動方法事件〕、東京地決平成27・7・27判時2280号120頁〔新日鉄ポスコ事件〕、大阪地判昭和59・4・26無体裁集16巻1号248頁〔合成樹脂射出成型用型事件〕）。

なお、上記（a－2）の「侵害行為による損害の計算」のための必要性の場面では、侵害品の売上げ等が記載された被告の会計帳簿等が対象になる。特許権侵害訴訟では侵害立証が尽くされ、侵害の心証が開示された上で、初めて損害論の審理に入るという、いわゆる二段階審理によっているところ、既に侵害の心証で損害論に入っていることを考慮すれば、損害の計算という訴訟追行上の必要性が高い場合が多い。

　ウ　正当な理由

　㋐　前記のとおり、提出義務が免除されるのは、提出拒絶に「正当な理由」がある場合である。

営業秘密に当たることから直ちに「正当な理由」があるとはいえないと解するのが多数である[31]（東京高決平成9・5・20判時1601号143頁）。

従前から、「正当な理由」の有無は、「開示することにより書類の所持人が受ける不利益」と、「書類が提出されないことにより書類提出命令の申立人が受ける不利益」とを比較衡量して判断されている（利益衡量説）。

　㋑　侵害立証の場面

「正当な理由」については、上記（a－1）の「侵害行為の立証」のための書類提出命令の場合は、未だ侵害の事実の有無が認定されていない段階で発令されるものであり、被告が工場内で行っている製造の詳細な条件等、当該企業にとって存亡に関わる秘密もあり得る。その秘密とされる程度が高ければ、開示によって所持者の側に看過し難い不利益が生ずるおそれがあると認められることもあり得よう。

---

[31]　雨宮正彦「損害(6)─書類の提出」裁判実務大系『工業所有権訴訟法』382頁、『注解特許法（上）〔第3版〕』1181頁〔青柳昤子〕

もっとも、当事者に主張立証を尽くさせるために創設された秘密保持命令制度の下では、制度創設前に比べると、結果として、文書提出命令を発令する場合が拡大することが予想される。具体的には、秘密保持命令制度の導入により、開示された営業秘密を刑事罰の担保の下に保持することができるようになったことから、提出による所持人の不利益を従前より小さく押さえることができるようになった。よって、侵害行為の立証のために必要であると認められれば、秘密保持命令の下で開示することによって所持者の側に看過し難い不利益が生ずるおそれがあると認められない限り、「正当な理由」があるとはいえないとして、書類提出命令が発令されることになろう。また、開示後、当事者間で訴訟に提出する書類の範囲を合意するなどした上で、書類の所持人が、任意に提出することもあり得ると思われ、提出される書類の範囲は、従前より広がるものと思われる[32]。

　(ウ)　損害立証の場面

　他方、上記(a-2)の「侵害行為による損害の計算」のための書類提出命令の場合は、侵害行為の立証の場合ほど高度な秘密がある場合は少ないと思われる。「侵害行為による損害の計算」のための書類提出命令の規定は、民事訴訟法が平成8年改正で書類の提出の一般義務化を規定する以前から存在するものであり、その意味で当時としては大きな意義のある規定であったと思われるが、現行法の下で正当な理由を考えつくのは難しい。侵害行為とは別の商品の売上げ等が記載されている部分があるのであれば、侵害品に関する部分のみの一部提出(民事訴訟法223条1項ただし書)によることも可能だからである。

(4) インカメラ手続

ア　改正に至る経緯

　従前は、書類提出命令の申立ての対象とされた書類について、その保持

---

[32] 髙部眞規子「知的財産権訴訟における秘密保護手続の現状と課題」ジュリ1317号187頁

者において提出を拒む正当な理由があるかどうかを判断するため必要があると認めるときのみ、インカメラ手続が認められており、書類所持者からの説明を受けた上で、裁判所において当該書類を閲読した結果により書類提出命令を発令するかどうかを決定していた（東京高決平成10・7・16金判1055号39頁〔ナブトピン注事件〕、知財高判平成28・3・28判タ1428号53頁〔通信網の作動方法事件〕）。

このため、従前、侵害の立証のための必要性が認められて実際に書類提出命令が発令された事案は多くなく、侵害の立証段階における必要性の要件が高いハードルとなっているとの指摘もある[33]。書類提出命令を却下する場合の理由として多いのは、「証拠調べの必要性がない」というもので、このような理由による却下決定に対しては、独立して抗告が許されないこともあって、申立人の納得も得られにくかったものと推測される。

そこで、正当な理由の有無についてのみならず、書類提出の必要性の有無についての判断のためにも、裁判所がインカメラ手続により当該書類を見ることを可能にする制度を導入することが有用ではないかとの議論がされた[34]。そして、侵害の立証の必要性の場面でもインカメラ制度を導入することにより、裁判所が書類提出の必要性を申立書の主張のみから判断しづらい場合に、当事者に書類をいったん提示させ、インカメラ手続で実際に書類を見て必要性を判断することができるようになる。

イ　平成30年改正

このような状況で、特許権侵害訴訟における特許権者と被疑侵害者との立証のバランスを図るため、裁判所が被疑侵害者から証拠を提出させる手続を強化すべきであるとされ、平成30年改正により、証拠収集手続を強化する措置が講じられた。同改正により、書類提出命令及び検証物提示命令

---

[33] 一般財団法人知的財産研究所「知財訴訟における諸問題に関する法制度面からの調査研究報告書」（平成28年2月）22頁
[34] 産業構造審議会知的財産分科会特許制度小委員会「第四次産業革命等への対応のための知的財産制度の見直しについて」（平成30年2月）

の制度に関し、書類の提出の必要性の有無についての判断のために、裁判所がインカメラ手続により、当該書類を見ることを可能にする制度が導入されるとともに、民事訴訟制度の枠組に沿った形で公正中立な第三者の技術専門家が証拠収集手続に関与する制度が導入された。

これにより、インカメラの範囲が拡大され、前記(b)の「正当な理由」があるかどうかの判断のみならず、書類が前記(a)の「侵害行為の立証又は侵害行為による損害の計算のための必要性」の有無を裁判所が判断する際にも用いることができることとなり（特許法105条2項）、裁判所は、実際の書類等を実見した上でその必要性を判断できるようになり、紛争の実情に即した、より適切な書類提出命令の活用が可能になる。また、裁判所調査官のみならず、裁判所が必要であると判断したときに、当事者の同意を得た上で、専門委員をインカメラ手続に関与させることができることとなり（同条4項）、技術の高度化・専門化を受けて、秘密保持義務を有する中立的な専門委員がインカメラ手続に関与し、裁判所の判断を補助することが可能になった。

なお、インカメラ手続は、事実認定のための審理の一環として行われるもので、法律審で行うことはできず、インカメラ審理に基づく認定は、法律審では、特段の事情のない限り争えない（最三小決平成20・11・25民集62巻10号2507頁）。

(5) 書類提出命令の審理

平成30年改正後の書類提出命令の申立てに係る審理は、以下のようになる。

ア 申立て

特許権侵害訴訟において、原告が被告方法の具体的構成について主張したところ、被告がこれを争い、具体的態様の明示義務による被告の主張によっても、技術的範囲に属するか否かが明らかでない場合、原告が、例えば被告の製造方法における仕様書等について、書類提出命令を申し立てる。

原告は、当該書類が侵害行為の立証等に必要であることを主張疎明する必要があり、被告は、製造条件に営業秘密が含まれ、その開示によって所持者の側に看過し難い不利益が生ずるおそれがあるとして提出を拒むことについて「正当な理由」がある旨主張疎明する必要がある。

イ 審　理

(ア) インカメラ手続

裁判所は、書類が侵害行為の立証等に必要であるかどうか及び正当な理由があるかどうかの判断に必要があると認めるときは、インカメラ手続により、書類を所持者に提示させることができる。インカメラ手続では、何人もその提示された書類の開示を求めることができないが（特許法105条2項）、裁判所は、インカメラに当たって、裁判所調査官とともに書類の提示を受けるのみならず（民事訴訟法92条の8第1号ハ参照）、専門委員に対し、書類を開示して、説明を聴くことができる（特許法105条4項）[35]。

なお、インカメラ手続において、当該書類が侵害行為の立証等のための必要性がある書類に該当するか、又は正当な理由があるかどうかについて、相手方当事者の意見を聴くことが必要であると認めるときは、原告側の当事者及び代理人等に対し、当該書類を開示して意見を聴くことができる（同条3項）。

(イ) インカメラ審理における秘密保持命令

書類提出命令の対象とされている書類に記載された構造や方法が原告特許発明の技術的範囲に属するものかどうかが裁判所において一見しても明らかでなく、その点について双方当事者にさらに主張や疎明を尽くさせることが必要な事案においては、侵害の立証の必要性又は正当な理由がある

---

[35] 相手方当事者に開示することなく、裁判所と専門委員のみに開示した場合、当該専門委員からどのようにして説明を聴くのが適切かは、今後の運用上の課題である。すなわち、専門委員の説明は、書面により又は口頭弁論若しくは弁論準備手続の期日において口頭でさせなければならないところ（民事訴訟法92条の2第1項）、その説明に被告の営業秘密が含まれる場合に、相手方当事者の立会権や意見を述べる機会をどうするか、という困難な問題がある。

かどうかについてインカメラに係る書類を原告側にも開示してその意見を聴くことが必要である（特許法105条3項）。このような場合に、専門委員の説明も有益である。

　原告側にも書類を開示する場合は、秘密保持命令の下で原告訴訟代理人等に当該書類を開示し、その意見を聴いた上で、書類提出命令の発令の可否を判断するという方法をとるのが相当であろう。この場合、書類提出の許否を決定するに当たって実質的な攻撃防御を行うのに必要な、インカメラの過程で書類を解析できる最少人数の者とすべきである。訴訟代理人だけで書類及び被告の説明の分析ができるなら代理人のみで足りるし、それが不可能でも名宛人はミニマムの人数の者とすべきである。

　インカメラ審理の結果、裁判所が、侵害行為の立証に必要でない（非侵害である）と判断し、又は、開示することにより書類の所持人が受ける不利益と、書類が提出されないことにより申立人が受ける不利益とを比較衡量して「正当な理由」ありと判断した場合は、書類提出命令の申立ては却下すべきである。インカメラにより秘密保持命令の下で開示された場合は、それにより知り得た情報は提出されない書類となる。その書類の情報は、秘密保持命令によって保護され、秘密保持命令を受けた名宛人たる原告担当者は、第三者に漏洩してはならない。

　逆に、インカメラ審理の結果、裁判所が、侵害行為の立証に必要であり、かつ、開示することにより書類の所持人が受ける不利益と、書類が提出されないことにより申立人が受ける不利益とを比較衡量して「正当な理由」なしと判断した場合は、書類提出命令を発令する。これにより、当該書類の提出を受けて、これを証拠として取り調べることになる。正当な理由と営業秘密に当たることとは必ずしも常にリンクするわけではないから、書類の提出が命じられた場合であっても、秘密が保持され続けるべき場合はある。その際、インカメラ審理における書類の開示の際に発令される秘密保持命令の名宛人となっていない者にも、提出命令に従った書類の開示が必要である場合には、再度その者を名宛人として追加するための秘密保持

Ⅲ　対象製品の特定と証拠収集手続

命令を申し立てることが必要である。

　(ウ)　インカメラ審理における専門的知見

　前記のとおり、裁判所は、インカメラ審理において、従前は、裁判所調査官とともに書類を閲読し、被告の説明を聴いていたところであるが、専門委員から説明を聴くことによって（特許法105条4項）、より公正中立な判断が可能になると思われる。インカメラ手続に専門委員を関与させることについては、当事者の手続保障の観点も踏まえ、当事者の同意が要件とされており、具体的な関与の在り方について更なる検討が必要である。

　ウ　提出の許否の判断

　審理の結果、裁判所が、(a)「侵害行為の立証又は侵害行為による損害の計算のための必要性」が認められ、かつ、(b)「正当な理由」がないと認めた場合に、書類提出命令を発令することになる。なお、(a)「侵害行為の立証又は侵害行為による損害の計算のための必要性」の判断と(b)「正当な理由」の判断は、密接に関連する部分もあり、インカメラ手続を含め、並行して審理することが多いと思われる[36]。

　エ　インカメラ審理による心証と書類提出命令

　裁判所がインカメラ手続において書類を閲読した結果、抱いた心証[37]との関係では、以下のようになると思われる。

---

[36] 佐伯昌彦「平成30年改正特許法等の概要」NBL1126号22頁には、必要性の判断においてインカメラ手続を行い、必要性ありと判断した場合に初めて正当な理由の判断を行い、別途インカメラ手続を行うかのような図が記載されている。従前のインカメラ手続は、書類の提出の必要性があると判断された後に、書類の所持者が書類提出を拒むことについての「正当な理由」の有無に関する判断についてのみ行われるが、改正後は、インカメラ手続の実施においても、両者を並行して判断するものと解される。

[37] インカメラ手続によって裁判所が書類を閲読したとしても、当該手続は証拠の採否を決するための手続にすぎず、証拠調べそのものではない。したがって、必要性判断におけるインカメラ手続の導入は、裁判所の心証形成に影響を与えるものではない。なお、刑事事件においては、例えば被告人の自白調書の任意性の審査のためにこれを提示させたとしても（刑事訴訟規則192条）、裁判官がそれによって実体に関する心証形成をすることは許されないこととされているところ、これと同様に、提出義務の判断のために文書を閲読したからといって、実体に関する心証形成をしないということは、可能なことである。

(ア) 被告方法が特許発明と異なると認められる場合

インカメラ手続で提示された書類を裁判所が検討した結果、被告が、原告の特許発明と明らかに異なる構造ないし方法を用いていると認められる場合、従前は、提出を拒む「正当な理由」があると解釈されて、書類提出命令の申立てが却下されていた。すなわち、非侵害であることが明らかなことを示す被告方法に係る書類を原告に開示すると、これにより、書類の所持人（被告）は、営業秘密を含む書類を相手方に開示するという不利益がある。これに対し、当該書類が提出されたとしても、その書類は原告の特許発明と明らかに異なる構造ないし方法が用いられているという証拠であって、これが提出されても原告の請求は棄却される運命にあるから、これが提出されないため被告の侵害行為を立証できないこととなったとしても、これにより書類提出命令の申立人（原告）が受ける訴訟上の不利益はないから、提出を拒む「正当な理由」があると解釈されていた。しかし、改正後は、この場合、むしろ、「侵害行為の立証に必要がない」という、より直接的な理由により書類提出命令が却下されることになるのではなかろうか。

なお、従前、このような場合には、書類提出命令の申立人（原告）側の担当者に当該書類を開示しないまま、書類提出命令の申立てが却下されていた。この点について、原告の納得を得るという観点からは、実務の運用上は、当該書類の秘密の核心をなす部分を黒塗りするなどした写しを作成して、これを書証として任意に提出し、秘密保持契約を締結するなどした上で原告訴訟代理人に当該書証を開示して確認させるという方法もあり得る。営業秘密の保護と相手方の納得という観点からは、上記の方法の方が、円滑な訴訟進行が図れるように思われる。

(イ) 被告が原告の特許発明を実施していると認められる場合

提出された書類を裁判所が検討した結果、(ア)とは逆に、明らかに原告の特許発明に属する構造ないし方法を被告が用いていることが認められる場合には、侵害行為の立証のための必要性が認められる。このような場合、

被告の営業秘密性がこれを大きく上回るものでない限り、通常、被告が提出を拒む正当な理由は乏しい。その場合には、書類提出命令が発せられることになる。

5 査　　証

(1) 査証制度の新設

　査証制度は、当事者の申立てを受けて、裁判所が中立的な専門家に対して証拠の収集を命じ、専門家が被疑侵害者が侵害物品を製造している工場等に立ち入り、証拠となるべき書類等に関する質問や提示要求をするほか、製造機械の作動、計測、実験等を行い、その結果を報告書としてまとめて裁判所に提出し、これを利用する新たな証拠収集手続であり、令和元年改正により新設された制度である。

(2) 査証命令申立書の記載例

　　基本事件　　令和○年(ワ)第12345号　特許権侵害差止等請求事件
　　　原告　　株式会社A
　　　被告　　株式会社B

　　　　　　　　　　　　　査証命令申立書(注①)

　　　　　　　　　　　　　　　　　　　　　　　　　　令和○年○月○日
　　東京地方裁判所民事第47部　御中

　　　　　　　　申立人（原告）　　　　株式会社A
　　　　　　　　同訴訟代理人弁護士　　甲野　一郎　㊞
　　　　　　　　相手方（被告）　　　　株式会社B

　　　　　　　　　　　　　申立ての趣旨
　　査証人に対し、相手方が所持又は管理する別紙査証物件目録記載の書類等について、別紙措置目録記載の措置に係る査証を命ずる。

申立ての理由(注②)
1 基本事件の概要
　本件の基本事件は、申立人が原告となり、相手方を被告として、相手方による基本事件訴状別紙物件目録1記載の医薬品（以下「相手方製品」という。）の製造販売等の行為が申立人の特許権（以下「本件特許権」といい、その特許発明を以下「本件発明」という。）を侵害すると主張して、本件特許権に基づき、その差止め等を求める事案である。
2 立証されるべき事実(注③)
(1) 本件発明の構成要件は、以下のとおり分説することができる。
　A 動物血漿、血液凝固第XII因子活性化剤、電解質、被検物質、から成る溶液を混合反応させ、
　B 次いで該反応におけるカリクレインの生成を停止させるために、生成したカリクレイン活性には実質的に無影響で活性型血液凝固第XII因子活性のみを特異的に阻害する阻害剤をカリクレイン生成と反応時間の間に実質的に直線的な関係が成立する時間内に加え、
　C 生成したカリクレインを定量する
　D ことを特徴とする被検物質のカリクレイン生成阻害能測定法
(2) 相手方が、相手方製品を製造するに際し、品質規格の検定のために、カリクレイン様物質産生阻害活性の確認試験を行っていることは当事者間に争いがないが、そこで使用している方法について、申立人は、基本事件訴状別紙目録3記載の方法（以下「相手方方法①」という。）を使用していると主張し、相手方は、これを否認して、基本事件答弁書別紙方法目録記載の方法（以下「相手方方法②」という。）を使用していると主張する。
　カリクレイン様物質産生阻害活性の確認試験を行う際に使用している相手方方法②は、相手方方法①と異なり、LBTI等の活性型血液凝固第XII因子に対する特異的阻害剤を使用していないというもので、構成要件Bの充足性が基本事件の争点となっている。
　本申立ては、構成要件Bの立証のため、査証人による査証を求めるものである。
3 査証の対象及び査証に係る措置等
(1) 査証の対象とすべき書類等及び所在地（特許法105条の2第2項2号）
　査証の対象とすべき書類等及び所在地は、別紙査証物件目録記載の

とおりである。
(2) 査証の申立てに係る措置の内容（特許法による査証の手続等に関する規則1条1項、2項）

　本件の査証においては、相手方製品の製造工程中、カリクレイン様物質産生阻害活性の確認試験において、LBTI等の活性型血液凝固第Ⅻ因子に対する特異的阻害剤を使用していることを明らかにする必要があることから、査証人がとるべき措置の内容としては、別紙措置目録記載のとおり、①相手方製品の製造ライン及び附属設備一式の確認及び作動、②相手方製品の製造工程における確認試験に関連するマニュアル、作業工程表及びこれに関連する書類等（電磁的記録も含む。）の確認が必要である。

(3) 立証事実及び査証により得られる証拠との関係（特許法105条の2第2項3号）

　立証事実は、相手方方法が構成要件Bを充足することである。相手方方法は、別紙査証物件目録記載の住所に所在する相手方工場で使用されており、相手方方法①を使用していることは、同工場における相手方製品の製造ライン及び附属設備一式の確認及び作動、並びに同工場内で使用・保管されている製造工程に関連するマニュアル、作業工程表及びこれに関連する書類等を確認することにより立証することが可能である。

4　査証命令発令の要件

(1) 必要性及び補充性（特許法105条の2第2項4号）

　構成要件Bの立証のためには、相手方工場において相手方製品の製造ライン及び附属設備一式の確認及び作動、並びに同工場内で使用・保管されている製造工程に関連するマニュアル、作業工程表及びこれに関連する書類等を確認することが必要である。

　本件特許は方法の特許であり、相手方製品を解析することによって特定することはできず、専門的知見を有する査証人が相手方製品を製造している工場において、製造ラインの作動状況や製造工程に関連するマニュアル等を直接確認するほかない。また、相手方のウェブサイト上の記載や一般的な技術常識に照らしても、相手方方法は明らかではないので、申立人が、査証手続以外の手段により、必要とされる証拠を収集することは困難である。

　したがって、本件申立ては、必要性及び補充性の要件を充足する。

(2) 蓋然性（同条2項1号）

本件発明の構成要件A～Dのうち、相手方方法が構成要件A、C及びDを充足することについては争いがなく、その余の構成要件Bは本件査証によって立証しようとする事実である。

したがって、本件においては、本件特許権を相手方が侵害したと疑うに足りる相当な理由があるということができる。

(3) 相当性（同条1項ただし書）

相手方代理人によると、本件査証は、工場内の機器の配置や作動状況等を確認し、又はマニュアルや製造工程表等を収集・確認することで足りるとのことであり、そうであれば、本件発明に係る技術分野に通じた弁護士、弁理士等であれば、通常は、相手方工場に対する1回の立入検査によって、それほど時間がかからずに目的を達成することが見込まれ、相手方に不相当な負担を課すことはない。

5 結語

よって、申立ての趣旨記載の裁判を求め、本件申立てに及ぶ次第である。

（別紙）

　　　　　査証物件目録(注④)
1　相手方工場（○○県○○市○○番地）所在の基本事件訴状別紙2記載の相手方製品の製造ライン及び附属設備一式
2　前項の製品の製造工程における確認試験に関連するマニュアル、作業工程表及びこれに関連する書類等（電磁的記録を含む。）

　　　　　措置目録(注⑤)
1　別紙査証物件目録記載1の製造ライン及び附属設備一式の確認及び作動
2　同目録記載2の書類等の確認

注①　最二小判平成11・7・16民集53巻6号957頁〔生理活性物質測定法事件〕をモデルに作成した。
注②　必要的記載事項のほか、相当性の要件に関する事情、査証を実施する専門家に関する要望事項（専門分野、職種等）、査証の具体的な実施方法の提案（特に、装置の実験等の措置を求める場合にはその手順、方法等に関する事項）などを記載することが考えられる。
注③　特許法105条の2第2項3号。

注④ 査証の対象とすべき書類等を特定するに足りる事項及び書類等の所在地の記載内容については、査証人が査証を行うべき場所と対象を認識できる程度に特定できれば足りる。
注⑤ 査証人が行うべき措置の内容の記載に当たっては、査証を求める事項（査証人が相手方の書類等について調査して明らかにすべき事項）を記載する必要がある（特許法による査証の手続等に関する規則1条2項）。

(3) 査証命令発令までの手続

ア　事前準備

対象製品を市場から購入することが困難である場合等においては、いきなり査証命令を申し立てるのではなく、まずは、任意の証拠開示が可能かどうかについて、裁判所と両当事者間で協議をすることが考えられる。

裁判所が査証の必要性を適切に判断し、査証の実効性を高めるためには、相手方の意見を聴くことが重要になることから、査証の命令の発令のためには、相手方の意見を聴取することが必要である（特許法105条の2の2第1項）。また、裁判所は、口頭弁論若しくは弁論準備手続の期日、書面による準備手続又は進行協議期日において、査証の実施に必要な事項につき、当事者、査証人及び執行官（援助命令が発出された場合）と協議をすることができる（特許法による査証の手続等に関する規則4条）。査証人が査証を円滑に実施し、適切な査証報告書を作成するためには、事前に査証の具体的な実施方法、順序などについて協議するなどの事前準備をすることが重要である。申立人側が、査証人に対して留意点や要望を伝えることがあり得る。

また、補充性の要件が必要であることから、被告の装置の作動状況や製造方法の確認等について相手方の受ける不利益を最小限とする方法について協議して、具体的な方法について両当事者の同意を得ることが望まれる。さらに、両当事者から査証を実施する専門家についての要望を聴取したり、査証の実施方法について協議を行ったりすることも考えられる。

イ　査証命令の発令

査証命令の要件は、以下のとおりである。

㋐ 必 要 性

第1の要件は、立証されるべき事実の有無を判断するため、相手方が所持し、又は管理する書類又は装置その他の物（書類等）について、確認、作動、計測、実験その他の措置をとることによる証拠の収集が必要であると認められる場合であることである。

㋑ 蓋 然 性

第2の要件は、特許権又は専用実施権を侵害したことを疑うに足りる相当な理由があると認められることである。査証が被疑侵害者にとって負担の大きいものであることを考慮すると、具体的には、当事者から任意に提出され又は書類提出命令の結果得られた書類等の証拠によって、特許権等の侵害の高い可能性が認められるが、侵害を立証するためには査証によってさらに証拠を得る必要がある場合に、査証命令が発令されることが想定される。

㋒ 補 充 性

第3の要件は、申立人が自ら又は他の手段によっては、当該証拠の収集を行うことができないと見込まれることである。査証は、専門家が製造現場等に赴き現地調査を行うものであり、相手方に一定の負担を課するものであることから、査証命令の発令要件として、補充性を規定している。具体的には、申立人自らの収集、相手方の任意提出、裁判所の書類提出命令等によって容易に証拠を収集できる場合は、補充性要件を満たさない。もっとも、必ずしも書類提出命令等の手続を経た後でなければならないというものではなく、他の手段では十分な証拠を収集することができないと見込まれ、かつ、査証によって、より直截的かつ効率的に証拠を収集できれば、補充性要件を満たすものと考えられる。

㋓ 相 当 性

第4の要件は、当該証拠の収集に要すべき時間又は査証を受けるべき当事者の負担が不相当なものとなることその他の事情により、相当でないと認められないことである。

査証は被疑侵害者に大きな負担を課すものであり、また、濫用のおそれも懸念されることから、具体的には、①工場のラインが長期間停止されることなど証拠の収集に要すべき時間が不相当なものとなる場合、②過去の書類を大量に提示することを求めるなど査証を受けるべき当事者の負担が不相当なものとなる場合、③その他請求の内容や証拠の必要性等を考慮して、裁判所が査証をすることが相当でないと判断する場合などには、査証の申立てを却下することができる。なお、条文の体裁上、相当性要件については、相手方が主張しなければならない。

　裁判所が査証命令をした後に、相当性を欠くと認められるに至ったときは、職権により、査証命令を取り消すことができる（特許法105条の2第3項）。

　　ウ　査証人の選任

　査証人は裁判所が指定する（特許法105条の2の2第2項）。査証手続を実施する主体となる査証人は、相手方の工場等に立ち入り、対象となる装置や書類の確認等をすることになるところ、裁判所は、事案の内容や性質、査証手続に係る専門分野、立証事実に応じ、弁護士、弁理士、学識経験者等から適任と考えられる候補者を選び、両当事者に利害関係の有無について照会し、利害関係のない中立公正な第三者を指定する。

(4)　査証の実施

　　ア　査証人の権限

　査証人は、査証をするに際し、査証の対象とすべき書類等が所在する査証を受ける当事者の工場、事務所その他の場所に立ち入り、又は査証を受ける当事者に対し、質問をし、若しくは書類等の提示を求めることができるほか、装置の作動、計測、実験その他査証のために必要な措置として裁判所の許可を受けた措置をとることができる（特許法102条の2の4第2項）。上記のうち、「装置の作動」としては、被疑侵害物品を製造する機械を実際に作動させること、「計測」としては、被疑侵害工程における中間生成

物の形状、硬度、濃度、光度、臭気を測定すること、「実験」としては、被疑侵害工程における中間生成物の成分分析、安全性試験などが考えられる。

　イ　当事者の査証協力義務

　査証の際は、査証を受ける当事者の代理人や担当者等が査証人に対して適宜説明を行い、これに対して、査証人が、必要に応じ、質問をし、関係する書類等の提示を求める。特許権侵害訴訟における証拠の偏在という特殊性や、特許権保護の必要性に鑑み、新たに査証を受ける当事者に対する協力義務を課し（同条4項）、査証を受ける当事者が、正当な理由なく査証に応じないときは、裁判所は、立証されるべき事実に関する申立人の主張を真実と認めることができる（同法105条の2の5）。民事訴訟法上の文書提出義務（民事訴訟法220条）及び制裁としての真実擬制（同法224条1項）等と同趣旨の規定である。

　ウ　執行官の援助

　裁判所は、査証を受ける者の反対が強く、査証人のみでは円滑に査証をすることが困難な場合など、円滑に査証をするために必要と認められるときは、当事者の申立てにより、執行官に対し、査証人が査証をするに際して必要な援助をすることを命ずることができる（特許法105条の2の2第3項）。

(5) 査証報告書

　ア　報告書提出後の手続

　査証人が査証報告書を裁判所に提出した後、裁判所は、査証を受けた当事者に当該報告書の写しを送達し（特許法105条の2の6第1項）、送達後2週間以内に不開示申立てがない場合には、査証の申立人は査証報告書の閲覧等をすることができる（同法105条の2の7第1項）。

　査証を受けた当事者が、査証報告書の全部又は一部について、営業秘密が記載されているなどの理由から、その不開示を求める場合には、査証報

告書の写しの送達を受けた日から2週間以内に、査証報告書の全部又は一部を査証申立人に開示しない旨の申立てをすることができる（同法105条の2の6第2項）。査証報告書の不開示手続は、証拠調べのための準備である査証の一部と位置付けられる。

　イ　不開示申立て

　査証を受けた当事者が不開示申立てをする場合には報告書のうち不開示とすることを求める部分を精査した上で、その範囲を特定することが必要である（特許法による査証の手続等に関する規則7条1項）。不開示申立書には、開示しないことについての正当な理由を記載することが必要であり（同規則7条3項）、営業秘密に該当すると主張する理由等を記載すべきである。もっとも、申立書が特許権者側に送付されることに鑑みると、その記載は、査証報告書の内容の詳細や営業秘密を開示しない程度の抽象的なものにとどめておく必要がある。不開示申立書の送付を受けた査証申立人は、同申立てについて意見があるときは、同申立書に対する意見を記載した書面を裁判所に提出する（同規則7条5項）。

　ウ　正当な理由の判断

　裁判所は、正当な理由があると認めるときは、査証申立書の全部又は一部を申立人に開示しない旨の決定をする（特許法105条の2の6第3項）。査証報告書の全部又は一部を申立人に開示しない正当な理由の判断は、侵害立証のための必要性と営業秘密保護の必要性とを比較衡量して判断されよう。したがって、侵害立証のために有用であっても、これ以外の証拠により侵害立証が可能である場合は、正当な理由があると判断され、開示しないことになろう。

　裁判所は、「正当な理由」があるかどうかの判断に当たり、査証報告書の全部又は一部を開示して意見を聴くことが必要である場合には、当事者、使用人その他の従業者等、訴訟代理人、補佐人又は専門委員に対して、その報告書の全部又は一部を開示することができる（特許法105条の2の6第4項本文）。これらの者に意見を聴くことができるとすることが、裁判所

の適当な判断や当事者にとって納得感のある審理を行う上で望ましいとされたものであり、意見聴取手続による営業秘密漏洩の危険は、秘密保持命令によって防止することができる。ただし、訴訟代理人を除く、当事者等、補佐人又は専門委員に対して開示する場合には、あらかじめ査証を受けた当事者の同意を得ることが必要である（同項ただし書）。

　エ　不開示決定

　査証報告書の一部を開示しないこととする決定が確定したときは、不開示申立てをした当事者は、遅滞なく、査証報告書の写しから当該決定に係る不開示部分を除いた文書を作成し、裁判所に提出する（同規則7条6項本文）。ただし、不開示決定に係る不開示部分と不開示申立ての際に提出した査証報告書の不開示部分が同一である場合は、改めて提出することは不要である（同規則7条6項ただし書）。

　不開示申立てを却下する決定、査証報告書の全部を開示しないこととする決定、同報告書の一部を開示しないこととする決定のいずれに対しても、即時抗告をすることができる（特許法105条の2の6第5項）。

　オ　報告書の証拠化

　査証報告書は、これを特許法105条の2の7第1項に従って閲覧・謄写等した上で、改めて書証として提出することにより、証拠となる。一部不開示のときは、不開示部分をマスキングした査証報告書が書証となる。

IV 〔秘密保護手続〕

1 訴訟記録の閲覧制限

(1) 営業秘密保護の必要性

　証拠収集制度の拡充を１つの目的とした平成８年の民事訴訟法改正においては、文書提出命令制度が大きく見直された。また、上記改正による許可抗告制度の導入により、近時文書提出命令に関する重要な最高裁判例が次々に出され、実務に指針を与えている。

　特許法をはじめとする知的財産権法においては、知的財産権の保護の観点から、侵害行為や損害の立証を容易化すべく民事訴訟法の特則が置かれ、通常の民事訴訟より証拠が提出される場合が拡大されている。他方、知的財産権訴訟において提出されるべき証拠には、営業上又は技術上のノウハウなど営業秘密が含まれる場合が多々ある。営業秘密は、その秘密性ゆえに価値が存在するものであって、公開の法廷で訴訟手続を行うことによりその秘密性が失われるのでは、営業秘密としての価値が喪失してしまう。

　このように、知的財産権訴訟においては、通常の民事訴訟以上に、立証の容易化ないし真実発見の要請と営業秘密の保護の要請の両者をいかに調整するかが課題となる。

(2) 訴訟記録の閲覧等の制限

ア 民事訴訟法上の閲覧制限

　民事訴訟法（平成８年法律第109号）の立法過程で、法務省民事局参事官室が平成３年12月に発表した検討事項では、訴訟記録の閲覧制限のほか、訴訟審理を非公開とすることができる場合を明確にすること、非公開とす

る場合にさらに必要があるときは、当事者等に対しその期日において知った秘密の保持を命ずることができること等が挙げられていた。秘密保護手続の導入については、検討の上、結局、訴訟記録の閲覧等の制限の制度（民事訴訟法92条）のみが設けられた[31]。

　民事訴訟法91条は、何人も訴訟記録の閲覧を請求することができる旨を定めるが、同法92条１項は、その例外として、訴訟記録に営業秘密が記載されている場合には、準備書面ないし書証における秘密の記載部分について、閲覧若しくは謄写、その正本、謄本若しくは抄本の交付又はその複製ができる者を当事者に限ることができるという、訴訟記録の閲覧等の制限の規定を設けた。

　知的財産権訴訟においては、訴訟記録の閲覧等の制限は、しばしば利用されているが、これは、第三者に訴訟記録を閲覧謄写させないというにとどまり、相手方当事者との関係では、そのような保護を求めることができない。その意味で、閲覧等の制限は、秘密に係る情報を秘密性を損なうことなく訴訟資料として提出させやすくすることによって、真実に基づく裁判の実現により近づくことになるという観点からは、訴訟における秘密保護のための重要な一歩ではあるが、これのみでは訴訟手続の場面において当事者の営業秘密を保護するためには不十分であるとして、訴訟における相手方当事者の攻撃防御のための実質的な手続保障を確保しつつ、相手方当事者との関係で秘密を保持する制度を設けることができないか、という指摘が従前からされていたものである[32]。

---

[31] 『注解民事訴訟法Ⅱ』262頁〔森脇純夫〕、佐上善和「秘密保護と訴訟記録の閲覧の制限」『講座新民事訴訟法Ⅰ』339頁

[32] 森脇純夫「秘密保護のための訴訟記録の閲覧等の制限」三宅省三ほか編『新民訴大系―理論と実務―１』253頁

イ　閲覧制限申立書の記載例

基本事件　令和○○年(ワ)第12345号
　原告　株式会社A
　被告　株式会社B

訴訟記録閲覧制限申立書(注①)

令和○○年○月○日

東京地方裁判所民事第47部　御中

　　　　　　申立人（被告）　　　株式会社B
　　　　　　同訴訟代理人弁護士　甲山五郎　㊞
　　　　　　同補佐人弁理士　　　乙山六郎　㊞

貼用印紙額　500円(注②)

申立ての趣旨

　本件記録中の別紙目録記載の書類について、閲覧、謄写、その正本、謄本若しくは抄本の交付又はその複製の請求ができる者を本件訴訟当事者に限る。

申立ての理由

1　営業秘密該当性

　　本件記録中の別紙目録記載1の書類（以下「本件書類」という。）に記載された情報（以下「本件情報」という。）は、以下のとおり、申立人の保有する営業秘密に該当する。

⑴　本件書類には、申立人製品に関する技術上の情報が記載されている。

⑵　申立人は、本件書類を、申立人の社員カード保持者のみが入室できるスペース内において、管理職である薬事業務責任者の机近くに設置された鍵付きのロッカーの内部に施錠して保管しており、本件書類を閲覧できるのは、鍵を管理している当該薬事業務責任者のほか、申立人の取締役以上の役職の者に限られる。よって、本件書類は、客観的に秘密として管理されているということができる。

⑶　申立人は、本件書類を対外的に公表したことはない。したがって、本件情報は、公然と知られていないものである。

⑷　本件書類には、申立人製品の製造方法等に関する情報が記載されており、申立人にとって極めて重要な技術上の情報である。

(5) 以上によれば、本件情報は、不正競争防止法2条6項に規定する営業秘密である。
(6) 別紙目録記載2にも、本件情報が記載されている。
2 閲覧制限の必要性について
　本件情報が、訴訟記録の閲覧等によって外部に知られるところとなると、競業他社によって容易に申立人製品と同等の価格及び効能の製品が市場に出されることになり、申立人の将来にわたる営業上の損失ははかりしれない。
3 以上の次第で、主文のとおりの決定を求める。

疎明方法

疎甲1　陳述書(注③)

(別紙) 目録(注④)
1　乙第3号証の3頁1行から5頁5行までの記載部分
2　令和3年5月10日付被告準備書面3頁1行から末行まで

注①　訴訟記録の閲覧制限の申立てがあったことにより、その申立ての裁判が確定するまで、第三者は秘密記載部分の閲覧の請求をすることができない（民事訴訟法92条2項）。
注②　民事訴訟費用等に関する法律別表第1の17イ。
注③　閲覧制限の対象文書が不正競争防止法2条6項所定の営業秘密に当たることの疎明は、厳格には行われない場合もあるが、最低限陳述書程度は提出すべきであろう。
注④　閲覧制限の対象が準備書面や書証の一部である場合には、閲覧制限部分を黒塗りした写しを併せて提出する。

2　秘密保持命令

(1) 立法趣旨

　ア　平成16年改正により、特許法等に秘密保持命令（特許法105条の4〜6等）についての規定が設けられた。
　特許権侵害訴訟においては、侵害行為が被告の工場内で行われている方法である場合など、侵害行為の有無を立証するための証拠が当事者の一方

（上記の場合は被告）に偏って存在することがままあるが、他方、この証拠に営業秘密が含まれている場合、これを提出することにより営業秘密が公知になってしまい、営業秘密の要件を欠くことになる。このように、知的財産権訴訟においては、さまざまな場面で営業秘密に係る事項についての主張立証が必要となるが、当事者が訴訟手続を通じて相手方や第三者に当該秘密の内容が知られることを懸念することなどから、従前、営業秘密を含む書類等は、これを収集する側にも提出する側にも困難が伴い、裁判所がこれらの事項に関する証拠の提出を受けて審理を行うことには、障害があった。

特許権又は専用実施権の侵害に係る訴訟において、提出を予定している準備書面や証拠の内容に営業秘密が含まれる場合には、当該営業秘密を保有する当事者が、相手方当事者によりこれを訴訟の追行の目的以外の目的で使用され、又は第三者に開示されることによって、これに基づく事業活動に支障を生ずるおそれがあることを危惧して、当該営業秘密を訴訟に顕出することを差し控え、十分な主張立証を尽くすことができないという事態が生じ得る。特許法が、秘密保持命令の制度（同法105条の4～6、200条の2、201条）を設け、刑罰による制裁を伴う秘密保持命令により、当該営業秘密を当該訴訟の追行の目的以外の目的で使用すること及び同命令を受けた者以外の者に開示することを禁ずることができるとしている趣旨は、上記のような事態を回避するためである（最三小決平成21・1・27民集63巻1号271頁〔液晶テレビ事件〕）。

以上のように、秘密保持命令の趣旨は、特許権侵害訴訟等において、営業秘密を含む準備書面や証拠について、当該訴訟の追行の目的以外の目的への使用や、訴訟関係人以外の者への開示を禁止することにより、営業秘密を訴訟手続に顕出することを容易にし、営業秘密の保護及び侵害行為の立証の容易化を図り、審理の充実を図るものであり、営業秘密が絡む知的財産の保護に前進を与える制度である[33]。なお、この命令に違反した場合については、両罰規定を伴う刑事罰の規定が置かれ（特許法200条の2、201

条)、その実効性が担保されている。

　イ　実務上、秘密保持命令は、特許権等の侵害訴訟において特許発明(主として方法特許)との対比のため又は先使用権の抗弁の主張等の場面で適用が検討される。すなわち、①具体的態様の明示義務(特許法104条の2)により、被告が自己の製造する製品の構造や実施する方法の内容を任意に証拠として提出する場合等に適用される。また、ほかに、②書類提出命令(同法105条1項本文)に従い、被告が書類を提出する場合、③営業秘密が記載された書類について書類提出命令の申立てがされ、その書類について証拠調べの必要性又は正当な理由があるかどうかをインカメラ手続で判断する場合(同法105条3項)、④当事者尋問、証人尋問を行うに際し、公開停止を検討すべき陳述要領記載文書を提出する場合(同法105条の7第4項)にも、文書の保持者側から申し立てられることになる。

　ウ　なお、秘密保持命令は、仮処分手続においても、申し立てることができる(最三小決平成21・1・27民集63巻1号271頁〔液晶テレビ事件〕)。

(2) 秘密保持命令申立て事件の当事者

　ア　申　立　人

　特許法105条の4第1項柱書等は、申立人を「当事者」とだけ規定し、特に限定をしていないようにも見える。しかし、同項の「当事者」が営業秘密を保有する「その当事者」を受けていることからすれば、「当事者」は、営業秘密の保有者と解するのが相当である。また、秘密を保持している当事者の相手方当事者が含まれるとすると、同法105条の6等の規定が全く無意味となってしまうことや、秘密保持命令は飽くまで営業秘密の保持者の利益を保護するものであり、それゆえに秘密保持命令違反の罪も親告罪とされていること(特許法200条の2第2項等)などからも、訴訟の相手方当

33　牧野利秋ほか「座談会　知的財産高等裁判所設置法及び裁判所法等の一部を改正する法律について」知財管理55巻4号478頁〔小田真治発言〕、三村量一＝山田知司「知的財産権訴訟における秘密保持命令の運用について」判タ1170号5頁

事者が秘密保持命令を申し立てることはできないと解される。

　原告側の代理人Ａと担当者Ｂ及びＣを名宛人として被告が保有する営業秘密について秘密保持命令が発令された場合に、原告代表者Ｄも秘密保持命令を受けたいときであっても、本来相手方たる原告のサイドで手を挙げられないシステムである[34]。もっとも、原告代表者Ｄが閲覧請求をした場合には、同法105条の6の通知がされて、Ｄにも秘密保持命令を申し立てるかＤにも閲覧を許すかの二者択一になり、原告側がキャスティングボートを握ることになるとの指摘もある[35]。

　イ　秘密保持命令を受けるべき者（名宛人）

　秘密保持命令の名宛人は、「当事者等、訴訟代理人又は補佐人」である（特許法105条の4第1項）。「当事者等」については、特許法105条3項に定義があり、「当事者（法人である場合は代表者）・当事者の代理人（訴訟代理人・補佐人を除く）・使用人その他の従業者」とされている。

　秘密保持命令の名宛人については、あらかじめ進行協議期日ないし準備手続期日において、被告において開示を予定している製品の構造ないし方法の内容との関係で、原告側のどの範囲の者が知ることが最小限必要かを、原告側の意見を聴いて、調整しておく必要がある[36]。すなわち、秘密保持命令の下で営業秘密の開示を受けると、その後の研究開発等に支障が出る場合があるので、段階的に秘密保持命令を活用しながら、コンタミネーションなどビジネスへの影響を最小限に抑えるために最適な名宛人の人的範囲を模索することになろう。このようにして原告側のどの範囲の者に開示するかについて双方当事者の間で合意された者を対象とした秘密保持命令の申立てをさせる運用を行うこととなる。

---

[34]　牧野利秋ほか「座談会　知的財産高等裁判所設置法及び裁判所法等の一部を改正する法律について」知財管理55巻4号478頁〔飯村敏明発言〕

[35]　牧野利秋ほか「座談会　知的財産高等裁判所設置法及び裁判所法等の一部を改正する法律について」知財管理55巻4号485頁〔小田真治発言〕

[36]　篠原勝美ほか「知財高裁・東京地裁知財部と日弁連知的財産制度委員会との意見交換会（平成18年度）」判タ1240号6頁〔高部眞規子発言〕

秘密保持命令の名宛人として「後に特定する者」というような抽象的な記載をした場合は、申立書に名宛人の記載をすることが法律上の要請であることに照らし不適法であるし、迅速に秘密保持命令を発令することができない。

第三者の私的鑑定人（大学教授等）が委託契約を締結した場合は、委託の範囲内で事実行為を行う代理人に当たるという見解がある[37]。このような者が秘密保持命令を受けた上で秘密を漏洩すれば、当事者すなわち原告会社が両罰規定(特許法201条)により責任を問われることになる。したがって、私的鑑定人を秘密保持命令の名宛人とするためには、当事者である原告会社との間に一定の指揮従属関係が必要であると解される。

後発的に、原告訴訟代理人や補佐人が辞任したり、法務部所属の従業員が異動ないし退職したなどの理由により、当初の段階で秘密保持命令の名宛人となった者が途中から当該訴訟に関与することがなくなった場合には、これらの者は、原則としてそれ以降に被告から提出される営業秘密について新たに発令される秘密保持命令の名宛人となることはないと考えられる。もっとも、秘密保持命令が取り消されない限りこれらの者は引き続き秘密保持の義務を負う。逆に、訴訟の途中から追加選任された訴訟代理人や人事異動等により新たに担当となった従業員については、既に提出された準備書面や取り調べられた証拠により他の原告側担当者が秘密保持命令の下で開示を受けている事項について、追加的な名宛人として秘密保持命令を受けることにより、当該事項を知ることが可能となる。

ウ　相手方当事者の地位

基本事件における相手方当事者は、秘密保持命令申立て事件の当事者たる地位にはつかない。あたかも第三者に対する文書提出命令申立て事件における相手方当事者に類似する。しかし、前記のとおり、だれを名宛人とするか、当該秘密が訴訟手続に提出されるか事実上大きな利害関係を有す

---

[37] 牧野利秋ほか「座談会　知的財産高等裁判所設置法及び裁判所法等の一部を改正する法律について」知財管理55巻4号488頁〔小田真治発言・吉村真幸発言〕

る。

(3) 秘密保持命令の手続の概要

ア　事前協議

秘密保持命令は、発令をめぐって紛糾し、訴訟手続が無用に遅延するおそれがあるから、秘密保持命令の対象となる秘密の特定や、命令を受けるべき者の範囲について、申立て前の事前協議を行うことにより裁判所と双方の訴訟代理人の間で十分に検討することが不可欠となる[38]。

イ　秘密保持命令申立書の記載例

```
基本事件　令和〇〇年(ワ)第12345号
　原告　株式会社Ａ
　被告　株式会社Ｂ
                秘密保持命令申立書(注①)
                                    令和〇〇年〇月〇日
東京地方裁判所民事第47部　御中
　〒100-8963　東京都中央区銀座４丁目１番１号
              申立人（被告）            株式会社Ｂ
              同訴訟代理人弁護士         甲山五郎　㊞
              同補佐人弁理士             乙山六郎　㊞
　〒100-8963　東京都千代田区霞が関２丁目１番１号　弁護士ビル101
              甲野法律事務所（送達場所）
              相手方                    甲野一郎(注②)
　〒100-8963　東京都千代田区霞が関１丁目１番４号(注③)
              相手方                    丙山七郎

貼用印紙額　500円(注④)


                        申立ての趣旨
相手方らは、別紙目録記載の営業秘密を、基本事件の追行の目的以外の
```

38　高部眞規子「秘密保持命令Q&A」知財ぷりずむ40号20頁

目的で使用し、又は本決定と同内容の命令を受けた者以外の者に開示してはならない。(注⑤)

申立ての理由

1　当事者等

　本件の基本事件(令和○○年(ワ)第12345号)は、株式会社Ａが原告となり、申立人を被告として、申立人による医薬品(基本事件訴状別紙物件目録１記載の医薬品(以下「申立人製品」という。))の製造販売等が基本事件原告の特許権を侵害すると主張して、特許権に基づき、その差止め等を求める事件である。相手方らは、基本事件原告の訴訟代理人弁護士及び知的財産部長である。

2　営業秘密該当性

⑴　申立人は、基本事件において、申立人製品が基本事件原告の特許発明の技術的範囲に属さないことを立証するため、別紙目録記載の乙第50号証ないし乙第53号証(以下「本件審査資料」という。)を証拠として提出することを予定している。

　本件審査資料は、申立人製品の医薬品、医療機器等の品質、有効性及び安全性の確保等に関する法律(平成25年法律第84号による改正前の薬事法。以下、単に「薬事法」という。)所定の輸入承認申請書の添付資料として、厚生労働省及び独立行政法人医薬品医療機器総合機構(以下「機構」という。)に提出されたものである。これらのうち別紙目録記載の部分(以下「本件情報」という。)は、以下のとおり、申立人の保有する営業秘密に該当する。

⑵　乙第50号証ないし乙第53号証の内容

　申立人製品は、基本事件原告が薬事法上の承認を受けた基本事件訴状別紙物件目録２記載の医薬品の後発医薬品として輸入承認されたものであるところ、乙第50号証は物理的化学的観点から、乙第51号証は酵素化学的観点から、乙第52号証は毒性学的観点から、乙第53号証は免疫化学的観点から、基本事件原告の医薬品と申立人製品の同等性を検証するための資料であり、本件審査資料は、基本事件原告の医薬品と申立人製品との同等性を検証するため、それぞれ特定の試験項目及び試験方法を選択した上で試験を実施し、その試験データが両製品においてそれぞれ一致することを示すため、①試験項目及び試験方法、②その実施結果である試験データ及びその検討結果、③使用機器、そ

の操作法及び試験実施者等に関する情報等、申立人製品に関する技術上の情報が記載されている。
(3) 本件審査資料の管理状況
ア　申立人は、申立人の社員カード保持者のみが入室できるスペース内において、管理職である薬事業務責任者の机近くに設置された鍵付きのロッカーの内部に本件審査資料を施錠して保管している。本件審査資料を閲覧する場合には、鍵を管理している当該薬事業務責任者の了解を要する。
イ　申立人の全ての社員は、申立人就業規則3条に基づいて、本件審査資料を含む企業秘密の保持に係る誓約書を申立人に提出している。
ウ　本件審査資料は、厚生労働省においても保有されているものであるが、その職員には、守秘義務がある（国家公務員法100条1項）。なお、厚生労働大臣は、薬事法14条所定の承認のための審査を機構に行わせることができるが、機構のいずれの職員にも守秘義務が課され、その性質上一般には公開されていないものである。
エ　よって、本件審査資料は、客観的に秘密として管理されているということができる。
(4) 非公知性について
　　申立人は、本件情報を対外的に公表したことはなく、守秘義務のある申立人の社員並びに厚生労働省及び機構の職員以外の者がこれを取得又は保有したことはない。
　　したがって、本件情報は、公然と知られていないものである。
(5) 有用性について
　　本件審査資料には、①試験項目及び試験方法、②その実施結果である試験データ及びその検討結果、③使用機器、その操作法及び試験実施者等に関する情報が記載されているところ、いずれも、申立人製品の内容及び規格を直接規定する情報であるから、申立人製品の製造開発を行う申立人にとって極めて重要な技術上の情報である。
　　よって、本件情報は、いずれも営業秘密として保護の対象とするに足りる事業活動に有用な技術上の情報である。
(6) 以上によれば、本件情報は、不正競争防止法2条6項に規定する営業秘密であり、基本事件において取り調べられるべき乙第50号証ないし乙第53号証中の本件情報の内容には、申立人の保有する営業秘密が含まれるから、特許法105条の4第1項1号の要件に該当する。

3 使用開示の制限の必要性について

　本件情報は、申立人製品の内容及び規格を規定するものその他申立人製品の輸入承認等の許可を得るために必要なものであって、後発医薬品メーカーその他同業他社による同種製剤の製造販売又はその承認等の許可を容易にする情報であると認められる。しかも、申立人製品のような生物由来の後発医薬品については、これに関するノウハウを有する会社が極めて少なく、実際にも、基本事件原告の医薬品の後発医薬品の販売は、申立人の外には行っていない。

　そうすると、本件情報が本件訴訟の追行の目的以外の目的で使用され又は開示されることにより、申立人において他の後発医薬品メーカー等との間の競争上の地位が害されるなど申立人の事業活動に支障を生ずるおそれがあり、これを防止するため当該営業秘密の使用又は開示を制限する必要がある。

　よって、特許法105条の4第1項2号の要件に該当する。

4 除外事由について

　相手方らが、本件秘密保持命令の申立ての時までに、準備書面の閲読又は証拠の取調べ若しくは開示以外の方法により、本件情報を取得し、又は保有していた事情は認められない。

　よって、特許法105条の4第1項柱書ただし書に該当しない。

5 以上の次第で、主文のとおりの決定を求める。

　　　　　　疎明方法

疎甲1　陳述書

疎甲2　誓約書

(別紙) 目録(注⑥)

1 乙第50号証 (申立人製品の物理的化学的同等性に関する資料) の3頁1行から5頁5行までの記載部分

2 乙第51号証 (申立人製品の酵素化学的同等性に関する資料) の表1ないし3、図4

3 乙第52号証 (申立人製品の毒性学的同等性に関する資料) の目次を除く部分

4 乙第53号証 (申立人製品の免疫化学的同等性に関する資料) の表1ないし6

注①　東京地決平成18・9・15判タ1250号300頁の事案を参考に作成した。
注②　名宛人を誰にするかは、事前協議において決定する取扱いである。
注③　刑事罰の対象となる関係上、弁護士・弁理士以外の名宛人については、本来、会社内という就業場所ではなく、名宛人個人の住所を記載する必要がある。住民票の添付が求められることもある。
注④　民事訴訟費用等に関する法律別表第1の17ホ。
注⑤　申立書には、当該命令の対象となる営業秘密を特定しなければならず、これが営業秘密に当たるか否かが判断の対象となり、その目的外使用が刑事罰の対象となるから、これを特定する必要があるが、営業秘密そのものを記載するのでなく、準備書面や書証における記載箇所を形式的に引用する形で営業秘密を特定することが望ましい（例えば、「令和3年1月20日付け被告第2準備書面3頁1行から5頁5行までに記載された秘密」「乙第50号証の3頁1行から5頁5行までに記載された秘密」など）。
注⑥　営業秘密が記載された文書を申立書に添付すると、申立書副本の送達によって相手方に営業秘密が知られてしまうおそれがあるため、これらの営業秘密記載文書は、正式な添付資料にしない扱いである。なお、営業秘密の記載された文書のうち、できるだけ営業秘密記載部分のみを抽出して特定するようにする。

　ウ　手続の概略

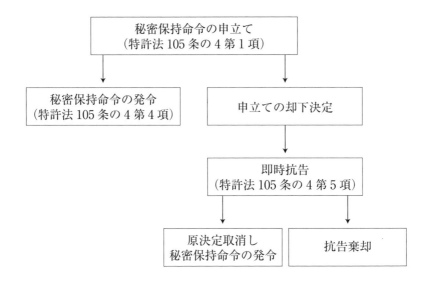

(4) 発令の要件

　秘密保持命令の発令の要件は、特許法105条の4第1項に規定されている。

　　ア　準備書面の記載又は証拠の内容に当事者の保有する営業秘密が含まれていること

　上記要件について、対象となるのは、「準備書面に記載され」、又は「証拠の内容に含まれる」営業秘密であるから、訴状に記載された事項については秘密保持命令の対象とならない。また、「当事者の保有する」営業秘密でなければならず、訴訟当事者以外の第三者の秘密は含まれない。

　「営業秘密が含まれている」とは、不正競争防止法2条6項所定の営業秘密であることを要する。すなわち、①秘密管理性、②有用性、③非公知性が要件となる。同法2条1項4号以下の不正競争行為が問題となった事案において、営業秘密該当性の判断をするに当たっては、上記3要件を厳格に解釈してきており、これが肯定された裁判例は、従来比較的少数にとどまっていた。これに対し、民事訴訟法92条1項2号の訴訟記録の閲覧等の制限の判断に当たっては、同じ「営業秘密」という文言でありながら、実務上これをゆるやかに解釈する運用が行われていたように思われる。しかし、秘密保持命令は、刑事罰をも伴うものであり、その要件の該当性の判断は、閲覧等の制限の場合に比べて厳格に行う必要があるものと思われる。

　なお、一定時期以降に秘密性の要件を欠くことが当初から予定されている事項（被告において特許出願済みの技術や学術雑誌に掲載予定の技術、モーターショーの時期に発表予定の新車のデザインなど）であれば、名宛人が秘密保持義務を負う期間の終期を明記した形で秘密保持命令の発令を行うことも、運用として考えられる。

　秘密保持命令の発令の要件は、当事者の保有する営業秘密が準備書面に記載され又は証拠の内容に含まれていることであるから、将来にわたって

営業秘密であり続けるかどうかは、判断の対象とはなっておらず、申立ての審理の時点において営業秘密と判断されれば、秘密保持命令が発令され、その効力が将来にわたって存続することが予定されており、取消しの理由が要件を欠くに至ったことと規定されていること（特許法105条の5第1項等）からすれば、発令後に、営業秘密でなくなった場合には、原則として取消しの手続において対応すべきであるとも考えられる。

　他方、一定時期以降、営業秘密でなくなることが明白な場合にまで、取消しの手続を経る必要があるというのは、う遠であり、実際、特許権に基づく差止請求訴訟において、終期が明確な場合にはそのような終期を設ける主文（知財高判平成27・11・5（平成26年(ネ)第10082号）〔4H型単結晶炭化珪素の製造方法事件〕）も許容されるものと解されることとパラレルに考えて、秘密保持命令の主文において終期を定めることができるとも考えられる。しかし、この考え方に対しては、主文に記載した時点以降は一部却下したことになるのか、また、取消しの手続においても一部取消しがあり得ることになるが、立法時、そのようなことは想定されていなかったのではないか、との指摘もあり得よう。

　　イ　当該営業秘密が当該訴訟の追行の目的以外の目的で使用され、又は開示されることにより、当該営業秘密に基づく事業活動に支障を生ずるおそれがあり、これを防止するため当該営業秘密の使用又は開示を制限する必要があること

　上記要件のうち、「訴訟の追行の目的以外の目的で使用されることにより、当該営業秘密に基づく事業活動に支障を生ずるおそれがある」場合としては、営業秘密を自社工場内で使用し、不特定多数の者がその営業秘密を知り得る状態に置くことにより、その営業秘密の秘密管理性が失われる場合、営業秘密を利用して生産活動を行っていてその営業秘密が訴訟を通じて明らかになると、当該企業が持っている優位性が失われてしまう場合等が挙げられる。訴訟追行目的を除外しているのは、秘密保持命令制度ができたことで、そのような危険性が低くなった上、正当行為といえるから

である。

　また、「当該営業秘密が開示されることにより、当該営業秘密に基づく事業活動に支障を生ずるおそれがある」場合とは、開示により、営業秘密の要件を欠き、その価値が著しく損なわれる場合をいう。

　　ウ　秘密保持命令申立ての時までに秘密保持命令の名宛人が当該準備書面の閲読又は証拠の取調べ若しくは開示以外の方法で当該営業秘密を取得し保有していたものでないこと

　上記要件（1項柱書ただし書参照）について、準備書面の閲読又は証拠の取調べ若しくは開示以外の方法で既に知っていた場合には、当該営業秘密の保護は、その知るに至った法律関係の規律するところであって、営業秘密を訴訟手続に顕出することを容易にすることと無関係であるため、除外された。すなわち、秘密保持命令は訴訟手続において開示された営業秘密の保護を目的とするものであり、訴訟手続とは関わりなく当事者が取得した営業秘密は、そのような目的と無関係だからである。

　したがって、自己の営業秘密を相手方が不正に取得して使用していることなどを理由として使用の差止め等を求める不正競争防止法に基づく訴訟においては、原告の営業秘密を秘密保持命令の対象とすることはできない。すなわち、営業秘密の不正取得、不正使用等を理由として差止めないし損害賠償を求める訴訟においては、原告は、訴訟提起前に被告が既に原告の営業秘密を取得し、あるいはその開示を受けていることを前提として、当該訴訟を提起しているものであるから、原告の営業秘密が秘密保持命令の対象となることはない。秘密保持命令は、訴訟手続において開示された営業秘密の保護を目的として導入されたものであり、訴訟提起前に既に訴訟手続と無関係に当事者において取得した営業秘密は、その対象外であるからである。仮に、上記のような秘密について、訴訟手続の中で被告に対して第三者への開示を禁止する命令を設けるならば、当該訴訟において原告が求めている請求（差止請求）そのものを審理に先立って実現することになり、原告に対して満足的仮処分を超える保護を与える結果となる。また、

営業秘密の侵害を主張する事案では、既に相手方が当該営業秘密を知っていることが前提となっていることもあり、このような点から、秘密保持命令は、訴訟外で当事者に取得される営業秘密を対象としないこととされたものである。

(5) 秘密保持命令の裁判

　ア　秘密保持命令の主文

　決定書の主文は、「相手方らは、別紙営業秘密目録記載の営業秘密を、本件訴訟の追行の目的以外の目的で使用し、又は本決定と同内容の命令を受けた者以外の者に開示してはならない」とし、別紙目録として「令和3年8月1日付け被告準備書面2頁1行から4頁8行までの部分」「乙第7号証の3頁1行から5頁5行までの部分」「被告○○工場工場長A作成に係る令和3年8月1日付け製造指図書」などとする。

　なお、決定書への営業秘密記載書類添付の要否については両論ある[39]。東京地決平成18・9・15判タ1250号300頁は、営業秘密記載書類を添付していない。

　イ　名宛人となっていない当事者からの閲覧等の請求

　秘密保持命令が発令された場合における当事者からの訴訟記録の閲覧謄写については、特許法等は、格別の規定（民事保全法5条ただし書参照）を有していないことから、民事訴訟法91条及び92条が適用される。秘密保持命令の名宛人となっていない原告本人（又は代表者。以下同じ。）は、名宛人から開示を受けることはできないが、民事訴訟法上の閲覧謄写の請求をすることは、少なくとも文理上は可能である。特許法105条の6は、閲覧等の制限の決定があっても、秘密保持命令の名宛人となっていない原告本人が当該秘密の記載部分を含む準備書面ないし書証の閲覧等の請求をすることができることを前提に、このような閲覧等の請求があった場合には、

---

[39]　高部眞規子「秘密保持命令Q&A」知財ぷりずむ40号26頁

裁判所書記官は、請求から2週間の間は原告本人に閲覧等をさせないで、その間に当該請求があったことを被告に通知し、当該請求をした原告本人を名宛人として同内容の秘密保持命令の申立ての契機とする趣旨であるといわれている。

　しかし、被告が営業秘密が記載された準備書面ないし書証を提出する際には、あらかじめ裁判所と当事者双方が協議を行い、秘密保持命令の対象とする秘密の特定及び命令の名宛人となるべき者の範囲について合意をした上で、秘密保持命令の発令がされるという運用が行われることを前提とすれば、裁判所と当事者の間においては、秘密保持命令の名宛人となっていない原告本人ないし代表者は訴訟記録の閲覧等を請求しないことが当然の了解事項となっている。したがって、原告訴訟代理人としては、このような事前の合意に従って、原告本人に記録の閲覧等の請求をさせないようにする義務を負担している。この点を明確にするため、事前協議の際に、名宛人以外の者の閲覧謄写請求を制約することを遵守する旨の上申書を提出させたり当事者間の訴訟上の合意をさせたりする運用も考えられる。それにもかかわらず、事前の合意に反して、秘密保持命令の名宛人となっていない原告本人が訴訟記録の閲覧等の請求を通じて当該秘密を自ら知ろうとする行為は、閲覧請求権の濫用とも評価されるべきものである。

　ウ　発令の効果

　秘密保持命令の名宛人となった者は、命令の対象となった秘密を、当該訴訟の追行の目的以外の目的で使用し、又は同内容の秘密保持命令を受けた者以外の者に開示してはならない。「営業秘密」が準備書面や書証の記載箇所を形式的に特定して引用する方法によって特定された場合であっても、その命令によって禁止されるのは、当該準備書面や書証に記載された情報の開示等であって、当該準備書面や書証の記載部分そのものを開示することだけが禁止されるというものではない。したがって、秘密保持命令が発令された後、秘密保持命令の対象とされる秘密と同一の事項を主張する準備書面が提出された場合には、当然にその準備書面の記載部分を開

示することも禁止される。効果は秘密保持命令が取り消されるまで続くから、原告訴訟代理人及び補佐人の辞任や従業員の人事異動ないし退職などの理由により、秘密保持命令の名宛人となった者が途中から当該訴訟に関与しなくなった場合には、これらの者は、その後に被告から開示される事項について発令される秘密保持命令の名宛人とはならないが、既に開示を受けた事項については、発令されている秘密保持命令が取り消されるまで、当該事項については引き続き守秘義務を負うことになる。これに違反すると、刑事罰が科される（特許法200条の2、201条）。

営業秘密の開示を受けた者は、今後それを流用したり開示したりすると疑われ、技術開発ができなくなる。開発に当たる技術者は、訴訟終了後にも開発が制約され、名宛人になるのを躊躇するおそれがあるとの指摘もある[40]。

エ 発令後の留意点

秘密保持命令が発令されると、申立人は、基本事件において営業秘密が記載された書類を提出することになるが、その場合は、訴訟記録の閲覧等の制限を同時に申し立てる必要がある。秘密の漏洩を防止するためには、以後の書面でも、営業秘密そのものの記載を避けるべきである（発令後に閲覧制限を申し立てることなく陳述した書面に記載されていたこと等を理由に秘密保持命令を取り消した事例として、大阪地決平成20・12・25判タ1287号220頁がある。）。

相手方当事者も、命令の対象となっている秘密の記載された被告準備書面における主張について反論し、又は命令の対象となっている秘密に係る書証について、その記載内容を論評する内容の準備書面等を作成する場合には、営業秘密をそのまま記載することがないよう、同様に注意が必要である。

---

[40] 問題点を指摘するものとして、牧野知彦「秘密保持命令及び秘密保持命令取消決定の実務上の問題点」AIPPI 55巻9号606頁

したがって、双方当事者ともに、準備書面においては、例えば「令和3年8月1日付け被告準備書面2頁1行から4頁8行までに記載された秘密（以下「本件秘密情報」という。）」といった形式で、主張を展開する必要がある。

その余の名宛人たる原告側担当者も、秘密保持命令の対象となった秘密の記載された準備書面ないし書証の交付を受けた場合（決定書に添付されている場合はもとより、添付されていなくても、相手方から検討のため営業秘密文書の写しの貸与を受けた場合）は、秘密保持命令を受けていない従業員等の目に触れないように留意して保管しなければならない。

原告訴訟代理人（及び補佐人）や担当従業員が秘密保持命令の名宛人となっている場合に、原告本人又は代表者が同内容の命令の名宛人となっていないときには、名宛人は、当該準備書面ないし書証に記載されている秘密について、これを原告本人又は代表者に伝えることはできない。

オ　却下決定

特許法105条の4第1項所定の要件が認められないときは、申立てを却下する旨の決定がされる。

申立人において、却下決定を争わないまま、提出予定であった準備書面ないし書証の提出をしないという対応をする選択肢のあることに照らせば、却下決定の決定書から被告が秘密保持命令申立ての対象とした事項が原告や第三者に明らかになることは、相当と思われない。そうすると却下決定の決定書には秘密が記載された準備書面ないし書証の写しを添付しない運用が相当と思われる。他方、即時抗告審において原審における営業秘密と同一の準備書面ないし証拠を対象としているか否かが問題になる場合も考えられないではない。このような点に照らすと、後日のために申立ての対象となる営業秘密記載文書について、例えば公証役場で確定日付をとっておくといった運用も考えられる。

決定書には準備書面ないし書証の写しの添付はされないが、理由中で営業秘密記載文書を特定する必要がある。すなわち、理由中で、申立ての内容として当該準備書面ないし書証を特定した上で秘密保持命令の申立てが

あったことを記載し、主文で却下する旨の形式となろう。

却下決定を受けた申立人の対応としては、却下決定そのものを抗告によって争うという方法のほかに、提出しようとしていた書面や証拠の提出をしないという方法がある。

いったん提出予定として秘密保持命令の申立てをした準備書面ないし書証については、撤回を許さず、あくまでも提出させるという運用も考えられるが、そのような運用の下では、被告側が秘密保持命令の申立ての却下をおそれて、製品の構造や方法の内容の開示に消極的になることが懸念される。被告に対して、一般的な萎縮効果を与えることを避け、秘密保持命令の下での開示を活用していくためには、撤回を認めるべきである。

そうすると、申立人は、提出予定であった準備書面ないし書証の提出をしないという対応をすることも可能である。その場合、原告において、被告に対して被告製品の構成等について積極的に明らかにすることを求め（特許法104条の2）、当該書証について文書提出命令を申し立てる（同法105条1項）などの訴訟行為を行うこととなる。営業秘密に該当しないという判断がされているので、文書提出命令を阻止できる正当な理由が認められない場合が多いと思われる。

カ 不服申立方法

秘密保持命令が発令された場合の不服申立方法は、名宛人が取消しを申し立てることとなる。第三者に対する文書提出命令の場合と同様、基本事件の相手方当事者に取消しの申立権はないものと解する（最一小決平成12・12・14民集54巻9号2743頁）。

秘密保持命令の申立てが却下された場合には、申立人としては、これに対して即時抗告をすることができる（同法105条の4第5項）。

(6) 秘密保持命令の取消し

ア 取消しの要件

秘密保持命令に対しては、(a)発令の要件を欠いていたことを理由とする

取消しの申立て（発令要件についての裁判所の判断に対する不服申立て）と、(b)事後的に要件を欠くに至ったことを理由とする取消しの申立て（事情変更による取消申立て）の双方が考えられる。

したがって、取消しの要件としては、(a)発令の要件を欠いていたこと又は(b)事後的に要件を欠くに至ったことである。

秘密保持命令が発令されている特許侵害訴訟において、被告製品ないし被告方法が原告の特許権を侵害するという第1審判決がされたとしても、直ちに秘密保持命令の取消しをすべきことにはならない。控訴審での審理において被告の営業秘密の漏洩を防止する必要があるからである。特許権侵害を認める判決が確定した場合には、通常は、被告製品や被告方法は原告の特許発明の技術的範囲に属するものであって、独自のノウハウとしての有用性が認められないとして、秘密保持命令の取消しがされることになろう。しかし、被告製品や被告方法が原告の特許発明の技術的範囲に属するものであっても、独自の技術要素を付加したものであって、利用発明に該当するような場合には、被告敗訴の判決が確定した後も秘密保持命令が取り消されず、名宛人たる原告側担当者において引き続き秘密保持義務を負うこともあろう。

イ　申立ての単位

複数の営業秘密について秘密保持命令が申し立てられた場合、営業秘密ごとに結論が異なる可能性があるから、営業秘密ごとに申し立てるべきである。

同一内容の秘密保持命令が複数の者を名宛人として発令されている場合には、原則として、これらの者が全員で命令の取消しを申し立てるべきであるが、何らかの事情により、名宛人のうちの一部の者のみからの申立てにより取消決定がされて確定したとしても、他の名宛人との関係では秘密保持命令は依然として有効に存在していることになる（名宛人の一部の者の取消請求を認めた事例として、大阪地決平成20・12・25判タ1287号220頁がある。）。しかし、この場合には、特許法105条の4第1項に規定する秘密保持命令

の要件が欠けている旨の判断が裁判所により既にされており、また、当該秘密は取消決定を得た当該名宛人を通じて第三者が知り得る状況になっているのであるから、残りの名宛人との関係でも、秘密保持命令を維持すべき実質的な理由はもはや存在しない。

　特許法105条の5第5項は、秘密保持命令を受けた複数の名宛人のうちのある者について秘密保持命令の取消決定がされた場合に、他の名宛人に対してその旨を通知すべきことを規定しているから、通知を受けた他の名宛人としては、自己に対する秘密保持命令の取消しを申し立てることにより、秘密保持命令による義務を免れることができる。

　ウ　要件と主張疎明責任

　特許法105条の5第1項は、「同法105条の4第1項に規定する要件を欠くこと又はこれを欠くに至ったこと」を理由として、秘密保持命令の取消しの申立てをすることができると規定している。同一の要件について、同法105条の4第1項と同法105条の5第1項とでそれぞれ逆方向から規定しており、加えて、同条が「欠くこと又はこれを欠くに至ったことを理由として」、秘密保持命令の取消しを申し立てることができるとしていることからすれば、同条の規定ぶりのみから、疎明責任の分配が一義的に定まるということはできない。

　そして、営業秘密該当性については、通常、秘密保持命令を申し立てた営業秘密の保持者が最もよく疎明活動を行うことができるのであり、発令時に、その疎明を行っているから、当事者間の公平の観点から秘密保持命令の申立人が行うべきである。したがって、上記ア(a)の発令の要件を欠いていたことを理由とする場合には、名宛人において発令要件の不存在について反証の程度まで立証をすれば、秘密保持命令の申立人（被告）において要件の存在を立証しなければならないと解される。

　「欠くに至ったこと」の疎明責任については、民事訴訟法92条3項と同様の規定振りであり、同条項の解釈として閲覧等制限の申立てをした者が改めて閲覧等制限の要件が現在も存在することを疎明すべきとされている

ことからすれば、これと同様に、秘密保持命令の申立人が現在も秘密保持命令の要件があることを疎明すべきであるとも考えられる。しかし、「欠くに至ったこと」は発令時以後の事情変更の事実であるから、それは自己に有利な法律効果の発生を求める秘密保持命令の名宛人が疎明すべきと解するのが当事者間の公平に資するであろう。よって、上記ア(b)の事後的に要件を欠くに至ったことを理由とする場合には、事後的に要件が消滅したこと（例えば、秘密性を喪失した、有用性を喪失したなど）を名宛人において立証すべきである。

また、同条同項柱書ただし書の要件は、条文の構成等から秘密保持命令の名宛人が、疎明責任を負うと解される。

エ 手続の概略

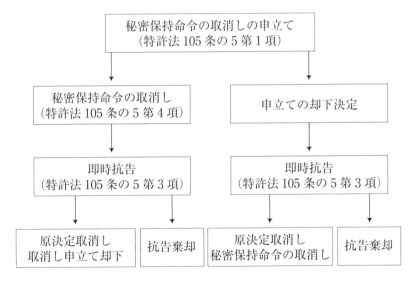

オ 審理と決定

取消申立事件の相手方（秘密保持命令の申立人）に送達し、審尋で意見を述べさせ、取消しの要件があると認めれば、秘密保持命令を取り消す旨の決定をする。

取消決定は、これを送達し（特許法105条の5第2項）、確定しなければ効

力を生じない（同条4項）。また、この場合、他の名宛人に対し通知しなければならない（同条5項）。同条5項の趣旨は、一部の名宛人に対し秘密保持命令が取り消されると、他の名宛人は以後従前は適法であったその者への開示が不適法になるという重大な効果を生ずるというもので、当該者からの漏洩の危険も増大するから、当該者への秘密の開示を防止するためであるとされている[41]。

　カ　不服申立方法

秘密保持命令の取消決定に対しても、却下決定に対しても、即時抗告ができる（特許法105条の5第3項）。

3　公開停止

(1) 立法趣旨

憲法82条は、裁判公開の原則を定めるとともに、「公の秩序又は善良の風俗を害する虞がある」場合には、例外的に審理を非公開とすることを認めている。

憲法の規定する裁判の公開は、それ自体が目的ではなく、裁判を一般に公開することによって裁判が公正に行われることを制度として保障したものである（最大判平成元・3・8民集43巻2号89頁）。そうすると、営業秘密との関係で裁判の公開を困難とする真にやむを得ない事情があり、かつ、裁判を公開することによってかえって適正な裁判が行われなくなるといういわば極限的な場合についてまで、憲法が裁判の公開を求めていると解することはできず、このような場合が「公の秩序又は善良の風俗を害する虞がある」場合に該当するとされている。

営業秘密の保護のために営業秘密に関する訴訟の審理を非公開とすることができるか否かについては、従前から、諸説があった。従来、「公の秩

---

[41] 牧野利秋ほか「座談会　知的財産高等裁判所設置法及び裁判所法等の一部を改正する法律について」知財管理55巻4号480頁〔小田真治発言〕

序…を害する虞がある」という概念について、公の秩序によって排除される対象の性質との関係で相対的に決定されるべきであるとした上、財産権として承認された営業秘密について公開審理を行うことは、営業秘密という財産権の保障を害することになるとして、営業秘密に関する当事者尋問等が「公の秩序…を害する虞がある」と認められる場合には、その尋問の全部又は一部を非公開とすることができるものと理解されていた。もっとも、「公の秩序…を害する虞がある」場合という要件は、必ずしも明確ではないため、特許権若しくは実用新案権の侵害に係る訴訟又は不正競争による営業上の利益の侵害に係る訴訟について、憲法の認める範囲内で、公開停止の要件及び手続を法律で明確化する必要性が認識されたことから、営業秘密に関する当事者尋問等の公開停止に関する法律上の規定が設けられた[42]。

現行民事訴訟法改正の際に検討された上で、法定することが見送られた項目が、特許法等において実現されたものである。

(2) 公開停止決定の要件 (特許法105条の7第1項)

ア　特許権又は専用実施権の侵害に係る訴訟における当事者等が、当事者本人若しくは法定代理人又は証人として尋問を受ける場合であること

上記要件における「当事者等」とは、当事者（法人である場合にあっては、その代表者）又は当事者の代理人（訴訟代理人及び補佐人を除く。）、使用人その他の従業者をいう（特許法105条3項）。

---

[42] 近藤昌昭「知的財産高等裁判所設置法及び裁判所法等の一部を改正する法律について」知財ぷりずむ24号1頁

イ　上記当事者等が陳述する事項が、特許権又は専用実施権の侵害の有無についての判断の基礎となる事項であって当事者の保有する営業秘密に該当するものであること

　上記要件は、公開停止の規定の適用を、特許権又は専用実施権の侵害の立証に関する尋問に限定するものである。もっとも、特許権の侵害の立証は、通常書証や検証によって行われており、人証による事例は極めて少ない。わずかに考え得る態様としては、先使用の抗弁の立証に当たり、被告方法について陳述する場合や、冒認又は共同出願違反を理由とする無効の抗弁の立証に当たり、発明の過程について陳述する場合くらいであろうか。損害額の立証に関する尋問や、必要性が指摘されている職務発明の対価請求訴訟には、現行法の下では同条の適用はなく、これらの場合には、憲法82条及び裁判所法70条の一般規定によることになる。

　　ウ　当事者等が公開の法廷で当該事項について陳述をすることにより当該営業秘密に基づく当事者の事業活動に著しい支障を生ずることが明らかであることから当該事項について十分な陳述をすることができないと認められること

　上記要件における「著しい支障」及び「十分な陳述」という評価的な要件については、公開停止が裁判の公開を定める憲法82条の例外であることに照らし、これを厳格に解釈すべきであろう。したがって、営業秘密との関係で裁判の公開を困難とする真にやむを得ない事情があり、公開によってかえって適正な裁判が行われなくなるという場合をいうものと解される。上記「支障」は著しいもので生ずることが明らかでなければならないから、秘密保持命令の場合の要件（支障を生ずるおそれ）より程度が高い必要がある。

　　エ　当該陳述を欠くことにより他の証拠のみによっては当該事項を判断の基礎とすべき特許権又は専用実施権の侵害の有無についての適正な裁判をすることができないと認められること

　上記要件は、当事者尋問等の結果が、侵害の有無を認定するに当たって、

必要不可欠であり、他の証拠による代替性のない証拠であることを意味するものと解することができる。書類提出命令に係る特許法105条1項の必要性より程度が高いものであると解される。

4　営業秘密を含む証拠の提出

(1) 提出の在り方

　営業秘密に当たることのみをもって文書の提出を拒絶する正当な理由には当たらないとすると、営業秘密を含む文書についても提出命令が発令される場合があることになる。文書提出命令に基づいて文書が提出される場合であっても、営業秘密が不必要に開示されることを避けることが必要である。従前、それは裁判所の訴訟指揮により適切に措置すべき事柄であるとして、提出された文書の閲覧謄写の方法等を訴訟指揮に基づき決定した事例もある（東京高決平成9・5・20判時1601号143頁、東京地決平成9・7・22判タ961号277頁）。もっとも、インカメラ手続が創設された後においては、インカメラ審理により保護すべき営業秘密の存在を認めて訴訟指揮をする場合でも、当該営業秘密部分に限って訴訟指揮をすべきであるとの指摘もある[43]。

　また、文書の一部に営業秘密が含まれている場合（例えば、侵害品の売上げの立証に必要な売上元帳に、侵害品以外の製品の販売先・卸値や販売数量が記載されている場合等）には、その部分を除いて提出を命じることが可能である（民事訴訟法223条1項ただし書、最一小決平成13・2・22判時1742号89頁）。

　そして、秘密保持命令制度が創設された現在、その要件を充足するのであれば、その発令も検討することになる。

43　『注解特許法（上）〔第3版〕』1195頁〔青柳昤子〕

(2) 秘密保持の手法

ア　営業秘密を含む証拠を提出することにより真実を発見するという要請と営業秘密の保護の要請を調整することは、極めて難しい問題であるが、知的財産権訴訟においては、民事訴訟法を一歩進めて、営業秘密を保護しつつこれを訴訟手続に顕出することを容易にし、立証の容易化及び審理の充実を図るためのさまざまな手続的メニューが用意されたことになる。

イ　実務的には、例えば、被告の主張事実を裏付ける証拠に営業秘密が含まれる場合、さまざまな手法が考えられる。すなわち、被告の具体的主張がされた後、これを裏付ける証拠を任意に又は書類提出命令に従って提出する場合に、以下の運用が考えられる。

①　秘密保持命令を発令して原告側でその開示を受ける者を制限することが考えられる。

②　営業秘密が不必要に開示されることを避けるため、提出された書類の閲覧謄写の方法を裁判所の訴訟指揮に基づき決定する（東京高決平成9・5・20判時1601号143頁、東京地決平成9・7・22判タ961号277頁）ことが考えられる。

③　証拠のうち営業秘密に当たる部分を黒塗り（マスク）するなどして、一部のみ抄本の形式で提出することもできるが、その場合も、③－1）インカメラ審理の際に秘密保持命令を発令し、開示を受けた名宛人が黒塗りの部分に本来提出すべき必要な部分が含まれていないことを確認して、上記部分のみを任意に提出することで合意したり、③－2）任意に提出した後に、黒塗りの部分に本来提出すべき必要な部分が含まれていないことを秘密保持契約を締結するなどして原告が訴訟代理人限りで確認することが考えられる。

④　原告代理人が、秘密保持契約[44]の下において又は誓約書を提出した

---

[44] 秘密保持契約の合意の内容として、『新注解特許法（下）』1881頁〔大野聖二＝井上義隆〕

上で被告の主張を裏付ける証拠を確認して、被告の主張を認め、これを争いのない事実とすれば、当該証拠を訴訟手続に提出することすら不要となる。営業秘密に係る証拠の内容を当事者本人に知らせず、訴訟代理人のみに限り当該証拠を開示するという当事者間の契約も、弁論主義の下における証拠契約として効力を認めてよいと思われる。

　具体的事案において、秘密の内容や程度及び当事者双方の利益状況等を総合的に判断した上、最も適切な方法を選択して、審理を充実させることが望まれる。

　ウ　もっとも、秘密保持命令は、その名宛人となった当事者等に対して、当該訴訟の追行に限られない広い範囲において刑事罰の威嚇の下で行動の制約を課すことになることもあってか、訴訟代理人弁護士限りの開示であっても、弁護士としては責任を負いきれないという意見もあるというし、企業においても、下手に相手方の営業秘密にアクセスすると、自己の独自の技術と相手方の営業秘密が混じり合ってコンタミネーションを生じ、その後仕事にならないという[45]。そのためか、秘密保持命令制度創設後も利用件数は極めて少ない。また、知的財産権訴訟においては、当事者尋問をする機会自体が稀であるため、公開停止の利用事例もない。

　エ　しかしながら、営業秘密を保護する前記のような制度が存在することの意義は極めて大きいものである。すなわち、最終的にはこのような手段を用いることができることを拠り所として、任意に書類を提出するなど、立証活動を促進して審理の充実を図る効果がある。営業秘密を保護しつつ、真実発見ひいては適正な裁判の実現を目指していくことが可能となった。立証の容易化及び審理の充実を図るために用意されたさまざまな手続的メニューの中から、具体的事案において、秘密の内容や程度及び当事者双方の利益状況等を総合的に判断した上、最も適切な方法を選択して、審理を充実させることができるよう、訴訟運営が行われることが望ま

---

[45]　伊藤眞ほか「座談会　司法制度改革における知的財産訴訟の充実・迅速化を図るための法改正について」判タ1162号7頁〔末吉亙発言〕

れる[46]。

---

[46] 髙部眞規子「知的財産権訴訟における文書の提出―民事訴訟法との交錯―」『知財年報2006（別冊NBL116号）』285頁

Ⅴ 〔判決と和解〕

1 侵害訴訟の判決

(1) 判決の効力

ア 既判力

　侵害訴訟の判決には、既判力が認められる。既判力（民事訴訟法114条）とは、訴訟物に関する確定した終局判決の内容である判断の通用力あるいは拘束力をいうものと解されており、両当事者が終局判決中の訴訟物に関する判断を争うことは許されず、他の裁判所もその判断に拘束されなければならない[47]。

　差止請求訴訟の訴訟物は、原告の特許権に基づく、被告の実施行為（対象製品の製造販売行為等）についての差止請求権の存否であり、損害賠償請求訴訟の訴訟物は、一定期間内の被告の実施行為による特許権侵害に基づく損害賠償請求権であるから、判決が確定すると、その判断は、既判力によって、以後、当事者間の法律関係を律する基準となり、後訴で同一事項が問題となった場合には、当事者はこれと矛盾する主張をすることができないし、裁判所も矛盾する判断をすることができなくなる。

　既判力そのものではないが、特許権侵害に基づく差止等請求訴訟において、構成要件解釈等に関する主張立証が、先行する訴訟における判断との関係で、訴訟上の信義則により制限される場合がある。

　権利の行使は信義に従い誠実にこれをしなければならず（民法1条2項）、民事訴訟においても、当事者は、信義に従い誠実に民事訴訟を追行しなけ

---

[47] 伊藤眞『民事訴訟法〔第7版〕』545頁

ればならない(民事訴訟法2条)。後訴の請求又は後訴における主張が前訴のそれの蒸し返しにすぎない場合、後訴の請求又は後訴における主張は信義則に照らして許されないと解される。そして、かように後訴の請求又は後訴における主張が信義則に照らして許されないか否かは、前訴及び後訴の各内容、当事者の訴訟活動、前訴において当事者がなし得たと認められる訴訟活動、後訴の提起又は後訴における主張をするに至った経緯、訴訟により当事者が達成しようとした目的、訴訟をめぐる当事者双方の利害状況、当事者間の公平、前訴確定判決による紛争解決に対する当事者の期待の合理性、裁判所の審理の重複、時間の経過などの諸事情を考慮して、後訴の提起又は後訴における主張を認めることが正義に反する結果を生じさせることになるか否かで決すべきである(最一小判昭和51・9・30民集30巻8号799頁、最一小判昭和52・3・24裁判集民事120号299頁、最二小判平成10・6・12民集52巻4号1147頁)。

　例えば、東京地判平成17・11・1判タ1216号291頁〔電話番号リストのクリーニング装置事件〕は、先行する特許権侵害による損害賠償請求訴訟において敗訴した特許権者が、その損害賠償請求と同一の対象製品、同一の権利に基づいて損害の対象期間を異にする損害賠償請求訴訟を提起したことについて、争点が概ね共通である上、特許権者が前訴において訴訟活動を充分になし得なかった事由は存しないこと、前訴確定判決によって紛争が解決し、前訴装置と構成が同一の装置の製造譲渡行為は特許権を侵害するものでなく、差止めも損害賠償も請求されることはないものと考える被告の期待は、合理的であり、前訴と同一の争点について審理を繰り返すことによる裁判所及び被告の負担は軽視できず、原告の本訴における請求を認めないと当事者間の公平を害するような事情もないとして、後訴が訴訟上の信義則に反するとした。また、知財高判平成25・12・19判タ1419号179頁〔ヒト疾患に対するモデル動物事件〕は、前訴の特許権侵害による差止等請求訴訟において、前訴ヌードマウスの使用の差止めを求め、構成要件Bを文言充足しないことを理由として敗訴した特許権者が、本件の特許権侵害によ

る損害賠償等請求訴訟において、前訴において判示された構成要件Bの文言解釈を争うことは、訴訟上の信義則により許されないとした。

　イ　執　行　力

　差止請求や損害賠償請求を認容した確定判決及び仮執行宣言付判決には、執行力がある。執行力とは、給付判決等において掲げられる給付義務の実現を執行機関に対して求める地位の付与を意味する（民事執行法22条）[48]。

　差止めを認める判決は、被告に対象とされた実施行為をしてはならないという不作為義務を課する判決である。不作為義務の執行は、間接強制（民事執行法172条）による。間接強制決定をするには、債務者がその不作為義務に違反するおそれがあることを立証すれば足り、債務者が現にその不作為義務に違反していることを立証する必要はない（最二小決平成17・12・9民集59巻10号2889頁）。

　廃棄請求を認める判決については、不作為義務の義務違反があった場合の結果の除去と同様、代替執行による（民事執行法171条）。代替執行は、債権者が執行裁判所に対し、債務者の費用で、債務者がした行為の結果たる侵害物の除去をすることを第三者に実施させることを債権者に授権する授権決定の申立てをすることによって行う。執行レベルでは特に廃棄の対象が客観的に識別できるように特定することが必要であり、半製品の廃棄を命じる場合にも、それが何か定義しておくこと（例えば、「半製品（別紙目録の構成を備えているが製品として完成していないもの）」といった形式によること）が不可欠である。

　損害賠償請求を認容する判決は、金銭執行の対象となる。

(2)　中間判決

　ア　中間判決の意義

　裁判所は、独立した攻撃防御方法その他中間の争いや、請求の原因及び

---

[48]　伊藤眞『民事訴訟法〔第7版〕』613頁

数額について争いがある場合におけるその原因について、裁判をするのに熟したときは、中間判決をすることができる（民事訴訟法245条）。知的財産権訴訟においては、侵害論と損害論とを峻別して審理される二段階審理が採用されていることからも、例えば、特許権侵害に当たるといえるか否かや、対象製品が特許発明の技術的範囲に属するか否かといった点について、中間判決をする例がある[49]（東京地判平成14・9・19判時1802号30頁、知財高判平成21・6・29判時2077号123頁〔中空ゴルフクラブヘッド事件〕、知財高判平成23・9・7判時2144号121頁〔切餅事件〕）。

イ　中間判決のメリット

例えば被告の行為が特許権侵害に当たるという中間判決をした場合は、受訴裁判所は中間判決の主文に拘束されるから、被告において侵害論を蒸し返す主張が無意味となるため、損害論の主張立証に集中することができ、訴訟の遅延を防ぐことができる。

また、中間判決後、侵害論の蒸し返しを防ぎつつ、和解勧告をすることにより、当事者の交渉を促進する機能もある。

さらに、損害論の審理の途中で合議体の構成に変更があった場合にも、中間判決がされていれば、その判断を承継することができる。

ウ　中間判決の留意点

中間判決によって、かえって、特に不利益な判断を受けた当事者の側が態度を硬化させる場合もあり、硬直的な手続となってその後の審理に弊害を与える場合もあるとの指摘があるから[50]、事案を見た上で、中間判決をすべきである。

また、商標権侵害訴訟において専用権の範囲に属する旨の中間判決以降に当該商標登録の無効審決が確定したという事案（東京地判平成15・12・26

---

[49] 中間判決一般につき、松岡千帆＝吉川泉「中間判決―その現状と課題」判タ1157号49頁

[50] 日本弁護士連合会知的財産制度委員会「知的財産権訴訟の最近の実務の動向―東京地裁知的財産権部との意見交換（平成16年度）」判タ1179号67頁

(平成8年(ワ)第14026号))があることにかんがみると、中間判決の主文としては、「被告の行為が特許権を侵害する」というものより、「対象製品が特許発明の技術的範囲に属する」とする方が抵触を防止する意味でも有効であろう(知財高判平成23・9・7判時2144号121頁〔切餅事件〕)。

2 侵害訴訟における和解

(1) 和解による解決

　侵害訴訟の半数近くが和解により終局している。

　訴訟上の和解とは、訴訟係属中に、当事者双方が、権利又は法律関係についての互いの主張を譲歩し、それに関する一定内容の実体法上の合意と、訴訟終了についての訴訟法上の合意を行うことをいう。

　民事訴訟は、一般に和解により解決が可能であるが、その中で、例えば、当事者間に感情的な対立が激しい場合には、和解は困難な場合が多い。知的財産権訴訟の中でも、特許権侵害訴訟は、会社同士の、ビジネスとしての紛争であり、合理的な解決を志向する場合が多く、しかも、長期間の訴訟状態の継続よりも、迅速な解決が望まれる分野であることから、和解になじむ訴訟類型といえよう。

　和解は、判決になれば敗訴するリスクの高い当事者にとって、よりメリットが大きいが、勝訴見込みの当事者にとっても、判決よりメリットがある場合も多い。また、グローバル化に伴って、対応特許や関連する特許権について、外国でも紛争が生じているケースもあるが、それらの紛争を一挙に解決することも可能である。

(2) 特許権者側に有利な心証が得られた場合

ア 被告側のメリット

　原告である特許権者が勝訴する旨の心証が得られた場合、敗訴判決によって、差止めや損害賠償を命じられる被告側にとって、和解のメリット

は大きい。現に製造販売を行っている商品の製造販売の禁止が命じられることにより、ビジネスに大きな打撃を受けるだけではなく、当該商品の取引先も特許権侵害を行っていることになり、迷惑をかけるほか、消費者からも、侵害者という評価を受け企業イメージにダメージが生じることになりかねない。また、判決に比べ、和解であれば、設計変更を行う時間的余裕も生まれるし、設計変更後の商品については特許権を侵害するものではないとの確認を受けることも不可能ではない。さらに、損害賠償の額や支払方法において相手方の譲歩を引き出すことが可能であるし、取引先へも特許権侵害を喧伝されないような約定を締結することも可能である。

イ 原告側のメリット

勝訴判決を受ける側の原告特許権者としても、侵害論終了後の損害論で時間を費やすことがあるから、和解により、迅速な解決に悖る事態を避けられる。また、第1審で侵害の心証を得られた場合であっても、新たな特許無効の抗弁が提出されたり、別個の特許無効審判を請求されたりすると、結論自体が変更される可能性も否定できないところ、原告の特許に関し有効性を争わないとの条項を入れる和解により、そのようなリスクを回避することができる。さらに、被告も納得した上で和解が成立することから、任意の履行が期待できるし、将来の設計変更等についても、きめ細かい約束を取り付けることが可能である。

ウ 和解条項の例

特許権者側が有利な心証を得られた場合の和解条項としては、例えば、以下のような条項によることが考えられる。

和解条項
1 被告は、別紙物件目録1記載の機械を製造販売しない。
2 被告は、令和3年12月28日限り、その本店及び工場(○○市△△町1番1号所在)に存する別紙物件目録1記載の機械を廃棄する。
3 原告は、被告が、令和4年1月1日以降、別紙物件目録2記載の機

械を製造販売することに異議を述べない。
4 被告は、別紙特許権目録記載の特許（以下「本件特許」という。）に関する無効2015－11223号無効審判請求を取り下げ、原告は、これを承諾する。その後、被告は、知的財産高等裁判所令和3年（行ケ）第10000号審決取消請求事件を取り下げ、原告はこれに同意する。
5 被告は、本件特許の有効性を争わず、今後、自ら又は第三者をして本件特許の無効審判を請求しない。
6 被告は、原告に対し、本件和解金として、1000万円の支払義務があることを認め、令和3年12月28日限り、原告代理人甲野一郎名義の預金口座（○○銀行△△支店普通1234567）に振り込む方法により支払う。被告は、原告に対し、本件特許を無効にする旨の審決が確定した場合であっても、上記和解金の返還、その他一切の金銭上の請求をしない。
7 原告及び被告は、本件和解の成立の事実を除き、本件和解条項の内容を第三者に開示しない。ただし、法令により職務上の守秘義務を負う者に対して開示する場合、法令により第三者に開示することを義務付けられた場合は、この限りではない。
8 原告は、その余の請求を放棄する。
9 原告と被告との間には、本件に関し、本和解条項に定めるもののほか、他に何らの債権債務のないことを相互に確認する。
10 訴訟費用は各自の負担とする。

（別紙）
　物件目録1

　物件目録2

　特許権目録

（注1）第1項は、物件目録1の機械についての製造販売禁止を約する不作為を内容とする給付条項である。差止めに代えてライセンスを受ける場合には、例えば、「原告は、被告に対し、本件特許権につき、以下の約定で通常実施権を設定する。契約内容の詳細は、別紙契約書記載に従う。
　　ア　地域的範囲　　全国

イ　期　　間　　存続期間満了まで
　　ウ　実　施　料　1000万円。令和3年12月28日限り一括払。
　　エ　特　　約　　別紙契約書のとおり。」
といった条項による。
（注2）第2項は、物件目録1の機械の廃棄を約した作為を内容とする給付条項である。被告がこれに違反したときは、授権決定を得て代替執行を行う（民事執行法171条）。物件目録の特定については、第1章Ⅲに論じたとおりである。和解の場合は、廃棄の対象となる製品の個数を確認した上、廃棄を依頼した業者が作成した廃棄証明書を交付する方法により、確認することが多い。
（注3）第3項は、物件目録2への設計変更を認める確認条項である。
（注4）第4項は、無効審判請求の取下げであり、実際に特許庁に取下書を提出する必要がある。無効審判請求において答弁書の提出があった後は、相手方の承諾が必要である（特許法155条2項）。なお、無効審決がされている場合に、審決取消訴訟を審判請求の取下げより前に取り下げると、無効審決が確定してしまうことに、注意が必要である。すなわち、無効審決が出され、その審決取消訴訟係属中の和解の場合は、まず、先に無効審判請求を取り下げ、その後に審決取消訴訟の訴えを取り下げるという順序に留意する必要がある。
（注5）第5項は、不争条項であり、特許権侵害訴訟における和解条項には、多く見られる。なお、特許権者が被告の別の製品を対象として侵害訴訟を提起し、又は仮処分を申し立てる場合に、無効審判請求ができないことを懸念する場合に、第5項に代えて、
「被告は、原告が本件特許権に基づき、被告に対し侵害訴訟を提起し、又は仮処分を申し立てた場合を除き、自ら又は第三者をして本件特許の無効審判を請求しない。」
とすることもあり得る。もっとも、第5項の約定をしたときであっても、別の製品を対象として後訴が提起された場合の特許無効の抗弁は主張可能と解したい。
（注6）第6項は、和解金の給付義務の確認条項と給付条項である。なお、第4、5項により、被告側からの無効審判請求はされないことが合意されているが、原被告とは無関係の第三者からの無効審判請求により無効審決がされた場合であっても、念のため返還義務がないことを特に明示することも考えられる。平成23年改正による特許法104条の4では、侵害訴訟の確定判決後に無効審決等が確定した場合には再審請求や損害賠償等ができないようになったが、確定判決が対象とされたため、和解の際には、和解成立後に第三者の無効審判請求に基づく無効審決等が確定したとしても、和解金の返還請求をしない旨、確認的に和解条項に入れた方が紛争の予防に役立つものと思われる[51]。
（注7）第7項は、秘密条項であり、知的財産権訴訟の和解は、和解内容が今後の当事者の営業活動等に関わることも多く、和解の内容について、秘密条項を設けるケースもある。取引先との関係で和解条項の一部について秘密にすることを求める場合があるのに対し、上場企業の開示義務との関係で、公表しなければならない場合もある。もっとも、秘密条項とするか否か、どの範囲で秘密にするかで最終段階で紛糾することがあるから、和解勧試の早期の時期に条件提示しておくこ

51　髙部眞規子「平成23年特許法改正後の裁判実務」L&T53号20頁

(注8) 第8項は、差止請求及び損害賠償請求の一部につき、請求権を放棄したものである。
(注9) 第9項は、清算条項であり、和解成立の時点で、当事者間に和解条項に示す内容の権利義務以外の債権債務が存在しないことを確認し、法律関係を明瞭にするための条項である。
(注10) 第10項は、訴訟費用の負担条項である（民事訴訟法68条）。

(3) 特許権者側に不利な心証が得られた場合

ア　原告側のメリット

　特許権者側が不利な場合には、和解が成立しにくいといわれることもあるが、必ずしもそうとはいえない。

　原告である特許権者側に不利な心証のうち、特に、特許法104条の3により、特許が無効にされるべきであるとの判断が予想される場合には、原告は、判決理由中でそのような理由を記載されるデメリットを回避し、特許権を有効に存続させるためにも、和解のメリットがある。なお、被告の特許無効の抗弁に対抗するため特許請求の範囲の減縮を目的とする訂正を請求している場合であっても、和解の内容次第で、減縮前のクレームのまま、特許権を維持することが可能である。また、将来の権利不行使と引き換えに、被告に権利の有効性を争わないとの約束を取り付けることも可能である。

イ　被告側のメリット

　勝訴判決を受ける側の被告としても、差止めを求められている製品が自由に製造販売でき、損害賠償を支払わなくてもよいのであれば、和解するメリットはあるはずである。侵害訴訟で被告側として訴訟が係属し続けることは、ビジネス上メリットがあるとはいえないし、控訴審・上告審と訴訟が続くことによって、訴訟費用がかさむ可能性もある。また、第1審の心証が例えば特許請求の範囲に属さないというものであっても、控訴審で均等論が主張され、結論が逆転する場合や、無効の抗弁に対して訂正の対

抗主張が容れられて結論が逆転する場合もないとはいえないから、和解により早期に紛争を解決するメリットはあると思われる。

　ウ　和解条項の例

　特許権者が不利な心証の場合の和解条項としては、例えば、以下のような条項によることが考えられる。

和解条項

1　原告は、被告に対し、別紙特許権目録記載の特許権（以下「本件特許」という。）を行使しない。
2　被告は、本件特許に関する無効2015－11223号無効審判請求を取り下げ、原告は、これを承諾する。
3　被告は、本件特許の有効性を争わず、今後、自ら又は第三者をして本件特許の無効審判を請求しない。
4　原告及び被告は、和解成立の事実を除き、本件和解条項の内容を第三者に告知しない。
5　原告は、その余の請求を放棄する。
6　原告と被告との間には、本件に関し、本和解条項に定めるもののほか、他に何らの債権債務のないことを相互に確認する。
7　訴訟費用は各自の負担とする。

（別紙）特許権目録

---

(4) 訴訟上の和解の効力

　ア　訴訟終了効

　和解が成立し、調書に記載すると、確定判決と同一の効力があるから（民事訴訟法267条）、訴訟は終了する。

　イ　執　行　力

　訴訟上の和解の内容として、具体的な給付義務を定めた場合には、債務名義となり執行力を有する（民事執行法22条7号）。それゆえに和解の給付義務の内容が執行機関により明確に判定される程度に特定されている必要

がある。

　ウ　既判力

　訴訟上の和解が既判力を有するか否かについては、無制限肯定説、制限的肯定説、否定説と学説は分かれている。

　判例も、最大判昭和33・3・5民集12巻3号381頁は既判力を肯定することを前提としているが、最一小判昭和33・6・14民集12巻9号1492頁は、要素の錯誤により訴訟上の和解が無効になる場合があることを認めている。最一小判平成27・11・30民集69巻7号2154頁も、訴訟上の和解の無効を主張する者は、当該和解が無効であることの確認を求める訴えを提起することができると判示している。なお、訴訟上の和解が成立したことによって訴訟が終了したことを宣言する終局判決は、訴訟が終了したことだけを既判力をもって確定する訴訟判決である。

(5) 和解手続における留意点

　特許権侵害訴訟における和解勧告は、侵害論終了時に損害論に入るか否かという場面で行われることが多いが、それ以前であったり、あるいは、損害論の主張立証が出た場面で行われることもある（民事訴訟法89条）。特許権侵害訴訟では、通常、裁判所が暫定的であるとしても心証を一定程度開示した上で、和解を勧試するため、当事者は、裁判所の争点に対する判断内容等を具体的に検討した上で、和解に臨むことができる。また、和解手続における公正かつ透明性を確保することができる。

　なお、裁判所が争点整理手続を経て侵害の心証を示した後に新たな無効理由を主張することは、時機に後れた攻撃防御方法といわざるを得ないし、非侵害の心証を示した後に均等の主張を追加することも、問題があると思われる。

3 仮処分

(1) 差止めの仮処分

　特許権に基づく差止めの仮処分は、債権者に生ずる著しい損害又は急迫の危険を避けるためこれを必要とするときに発することができる仮の地位を定める仮処分命令である（民事保全法23条2項）。

　仮処分は、迅速な手続で行われ、仮処分命令は、告知により直ちに執行が可能である（同法43条2、3項）。しかも、仮処分の申立ては、費用が低廉であり（2000円に債権者又は債務者の数の多い方の人数を乗じた額）、申立人において一方的に取り下げることも可能である（同法18条）。このような理由から、仮処分は、特許侵害紛争における迅速な解決手段として、利用されてきた。

(2) 仮処分の手続

ア　申立て

　仮処分命令の申立ては、本案の管轄裁判所が管轄する（民事保全法12条2項）。したがって、特許権に基づく差止めの仮処分は、民事訴訟法6条1項に基づき、東京地方裁判所又は大阪地方裁判所の管轄に属する。

　債権者については特許権を共有している場合や特許権者と専用実施権者の関係にある場合、債務者については製造業者と販売業者の関係等上流と下流の関係がある場合や共同不法行為の関係にある場合等、特別の事情がある場合には、1通の申立てにおいて複数の債権者による又は複数の債務者に対する申立ても許容されるが、一般にはできるだけ単一の当事者ごとに申立てをするのが望ましい。なお、各別の申立てをした場合であっても、関連事件は同一の裁判体で並行的に審理することが望ましい。

イ　審理方法

　特許権に基づく差止めの仮処分の申立てがされると、口頭弁論又は債務者が立ち会うことができる審尋の期日を経なければ発令することができな

い、必要的審尋事件として取り扱われる（民事保全法23条4項）。申立て後、早ければ1週間、遅くとも3週間程度で第1回審尋期日が設けられ、本案訴訟より早いペースで審尋期日が指定される。

仮処分の発令には、被保全権利の存在及び保全の必要性が要件となる（同法13条1項）。仮処分手続は、迅速性の観点から疎明で足り（同条2項）、疎明は、即時に取り調べることができる証拠によってしなければならない（民事訴訟法188条）。したがって、書類提出命令や、在廷していない証人の尋問等を利用することはできない。なお、秘密保持命令は、仮処分においても、申し立てることができる（最三小決平成21・1・27民集63巻1号271頁〔液晶テレビ事件〕）。

もっとも、被保全権利の存在については、充足論及び無効論とも、主張や疎明は本案訴訟と同程度のものが提出される。差止めの仮処分は、暫定的にせよ権利の終局的な実現をもたらす満足的仮処分であり、場合によっては企業生命に関わるものであるため、実務上は、本案訴訟と変わらない、高度の疎明を要件としている。

仮処分のほか、本案訴訟も提起されている場合には、同一の裁判体で仮処分の審尋期日と本案訴訟の弁論準備手続が並行して行われることもあるが、仮処分の目的に照らし、迅速な進行をすることが望まれる。侵害論の争点整理が完了した段階で、侵害の心証であれば和解勧告、和解できなければ仮処分を発令した上で、本案訴訟は損害論に入るという進行がされる場合もある。非侵害の心証であれば、仮処分は取下げ勧告により取り下げられることもある。

(3) 仮処分命令の発令

被保全権利及び保全の必要性の疎明があると認められる場合には、仮処分が発令される。仮処分命令の担保（民事保全法14条）は、仮処分により債務者に生じると予想される損害の額を基準に定められ、債権者にのみ担保を立てさせる決定の告知がされる（民事保全規則16条2項）。仮処分命令の

主文は、本案訴訟における差止めを認容する判決と同様であり、しかも告知により直ちに執行が可能である（仮処分命令の送達から2週間以内に執行する必要がある。民事保全法43条2項）。

(4) 仮処分の裁判に対する不服申立て

ア　却下決定に対する不服申立て

仮処分命令の申立てが却下された場合は、債権者は、告知を受けた日から2週間の不変期間内に即時抗告をすることができる（民事保全法19条）。

イ　仮処分命令に対する不服申立て

仮処分命令が発令された場合は、債務者は、保全異議（同法26条）又は保全取消し（同法37条〜39条）を申し立てることができる。

保全異議は、保全命令を発した裁判所に対して申し立てるものであり（同法26条）、保全命令を発令した裁判官と保全異議事件を担当する裁判官が重複することは法律上禁じられていないため、審尋を経て発令された仮処分が異議によって取り消されることはほとんど期待できないとの指摘がある[52]。

保全取消しは、起訴命令に対し本案訴訟を提起しない場合（同法37条）、事情変更の場合（同法38条）、特別の事情がある場合（同法39条）に、債務者の申立てにより保全命令を取り消す制度である。本案訴訟において原告敗訴の判決が確定した場合は、事情変更を理由として取り消される。

(5) 違法仮処分による損害賠償

ア　違法仮処分

差止仮処分が発令された後、被保全権利が存在しないため当初から違法であるとして取り消された場合について、「仮処分命令が取り消され、本案訴訟において原告敗訴の判決が言い渡され、その判決が確定した場合に

52　服部誠「特許権侵害と仮処分」『理論と実務2』138頁

は、他に特段の事情がない限り、債権者には過失があったものと推定されるが、債権者においてその挙に出るについて相当な事由があった場合には、上記取消しの一事によって同人に当然に過失があったということはできない」とされている（最三小判昭和43・12・24民集22巻13号3428頁）。

特許権に基づく仮処分発令の後に無効審決が確定するなどして仮処分命令が取り消され、本案訴訟において原告敗訴の判決が確定した場合も、仮処分命令申立て時までに、先行技術を知っていたか容易に知り得たかを検討し、既に知っていたか容易に知り得た先行技術に基づき、特許権者が進歩性があると信じるにつき相当の根拠があったか否かを判断し、結果として特許権者の過失を肯定した裁判例もある（大阪高判平成16・10・15判時1912号107頁）。

差止めの仮処分が債務者に与える経済的な影響を考慮すれば、仮処分命令の結論が本案訴訟において維持されなかった以上、一定の範囲で損害の填補がされるべきであるだろうし、そのために債権者は担保を供している。もっとも、本案訴訟に近い主張や疎明を行い、審尋を経て発令された仮処分について、例えば、本案訴訟でもその結論が維持されたにもかかわらず、発令までに主張すらしなかった無効理由に基づき無効審決が確定したことをもって、担保の額を大幅に超えるような損害賠償を肯定することには、躊躇を覚える。

イ　特許法104条の4新設による影響

上記のような問題意識もあって、平成23年改正により、特許権侵害に係る訴訟の終局判決が確定した後に、無効審決が確定したときは、「当該訴訟の当事者であつた者は、…当該訴訟を本案とする仮差押命令事件の債権者に対する損害賠償の請求を目的とする訴え並びに当該訴訟を本案とする仮処分命令事件の債権者に対する損害賠償及び不当利得返還の請求を目的とする訴えにおいて、当該審決が確定したことを主張することができない。」と規定された（特許法104条の4第1項）。

これにより、仮処分命令を受けた債務者は、侵害訴訟等を本案とする仮

処分命令等が、無効審決の確定により遡及的に違法なものとなったという主張もできないから、違法仮処分を理由とする損害賠償請求や不当利得返還請求は、認められる余地がない。同様に、保全執行により間接強制金を支払った場合にも、侵害訴訟の被告であった者は、仮処分命令における被保全権利が、仮処分命令の発令時から存在しなかったことを主張することができないため、仮処分命令に基づく間接強制金について不当利得返還請求をすることができない。

なお、特許法104条の4は、保全命令の後本案判決が確定した後に無効審決が確定した場合について規定されており、仮差押命令や仮処分命令の本案となる侵害訴訟の判決の確定と審決の確定の先後関係を問題とするものである。保全処分の後、先に無効審決が確定しその後侵害訴訟の本案判決がされた場合には、同条の規定するところではない。この場合の本案判決は請求棄却になるから、本案判決によって被保全権利がなかったことが確認されたことになる。

近時、仮処分の申立ては激減している。このことは、本案訴訟の審理が迅速化して裁判所の侵害論についての心証開示と仮処分の発令の時期が大きく違わないことになった結果でもあるが、仮処分において登場しなかった無効理由による無効審決の確定等に起因して、多額の損害賠償請求を受けることへの不安もあるものと思われる。

最近では、本案訴訟における判例所の心証開示を待った上で、過失の推定が働きにくくして、仮処分を申し立て、迅速な執行に持ち込む例もあるようである。

(6) 仮処分の留意点

ア 債権者側の留意点

迅速な差止めを実現する仮処分の手続と、損害賠償をも請求できる本案訴訟と、いずれを選択するのかあるいは双方を選択するのかは、審理に要する期間、証拠の制限、和解の可能性その他を総合考慮して、選択すべき

である。なお、全く同一の主張立証になるのであれば、並行申立てをする必要性は乏しく、裁判所の心証開示を待って侵害との心証が得られたタイミングで仮処分を申し立てるという方法も検討されてよいと思われる。また、後にそれが覆され、不当仮処分による損害賠償があり得ることを考慮すると、自己の特許権の有効性についても、真摯に検討しておくことが必要であることは、いうまでもない。

申立ての趣旨は、仮に発令される場合には、本案判決と同様執行力を有するものであるから、執行可能性のある、明確なものにすべきである。そもそも過剰な申立てであったと付言された例もある（知財高決平成22・5・26判時2108号65頁）。

イ　債務者側の留意点

債務者の側にも、迅速な対応が求められており、企業が他人の権利を侵害する可能性のある商品を製造販売するに当たっては、自己の行為の正当性について、あらかじめ法的な観点からの検討を行い、仮に法的紛争に至った場合には正当性を示す根拠や資料を速やかに提示することができるよう準備すべきであるとされた例もある（東京地決平成11・9・20判時1696号76頁〔iMac事件〕）。

VI 〔専門委員と技術説明会〕

1 専門委員制度の導入まで

(1) 制度の趣旨

　専門委員制度は、平成15年の民事訴訟法改正によって導入された制度である。知的財産権訴訟のほか、医事関係訴訟、建築関係訴訟等のいわゆる「専門訴訟」においては、事件の内容を正確に把握し、これを適切に解決するために、法律家である裁判官、弁護士等が通常有していないような専門的な知識（専門的知見）が必要となるところ、専門委員制度は、これらの専門訴訟において、適正迅速な審理を図るために、裁判所が、ある特定の分野の専門家である専門委員に訴訟手続への関与を求め、当事者が提出した主張や証拠等について専門委員の説明を聴くことができる制度であり、専門的知見を提供し、適正かつ迅速な審理を行うことを目的とするものである。

(2) 専門家の知見を得る方法

　現在の民事訴訟法は、早期の段階から争点の整理を行い、明確化された争点に関して集中証拠調べを実施するという「争点中心審理」を基本としており、このことは専門訴訟においても変わるところはない。しかしながら、専門訴訟においては、事件の内容に専門的な内容が多く含まれ、これを正確に理解した上で争点整理等をするには、高度の専門的知識が要求されることが少なくない。そのため、専門訴訟において適切な訴訟進行を図るためには、専門家の関与が有効であると考えられる。

　このような場合に適切な専門家の助力を得る方法としては、従来から、

釈明処分としての鑑定（民事訴訟法151条1項5号）及び専門家調停委員による調停（民事調停法20条1項）を活用するという方法が存在していた。

しかしながら、鑑定人の選任が困難であること、これが証拠調べの規定によるとされているため、機動性に欠けること、事前に鑑定事項を特定しなければならないこと、鑑定の費用は当事者の負担となることなどから、釈明処分としての鑑定は、従前余り用いられることがなかった。

専門家調停委員による調停を利用する方法は、東京地裁、大阪地裁等の医療集中部及び建築集中部において、活用して成果を挙げていたところであり、争点整理に専門的知見を生かすための実務的工夫として一定の評価を得ていた。しかし、調停に付する場合には人証調べ手続において専門家調停委員の関与を求めることはできないという不都合もあり、また、専門家調停委員による調停に対しては、民事調停の手続を目的外に使用するものであって、制度本来の趣旨に反するといった批判も存在していた。

(3) 知的財産権訴訟における専門的知見の活用

ア　特許関係訴訟においては、当事者の双方が、企業の技術者及び弁理士等の技術専門家を多数擁しており、知的財産専門の訴訟代理人弁護士が付くことがほとんどであり、また専属管轄となった知的財産高等裁判所、東京地裁及び大阪地裁の知的財産権部には、知的財産権訴訟に精通した裁判官及び技術専門家である裁判所調査官が配置されている。そのため、知的財産権訴訟においては、一方当事者の側に専門家が付いていないことがままある医事関係訴訟や建築関係訴訟等の他の専門訴訟ほど、専門的知見の理解に不足を来すことは多くない。他方、知的財産権訴訟において広く専門家の知見を活用できるようにすることは、紛争解決手段の多様化、柔軟性の確保につながるものであり、このような観点から、専門委員制度新設前から、知的財産権訴訟に専門家を関与させる方法が試みられてきた。

イ　まず、民事調停法20条1項の調停において専門家調停委員を活用することにより専門家の知見を活用することが試みられ、東京地裁では、知

的財産権訴訟に関しては、知的財産権部の裁判官が調停主任となり、知的財産権訴訟に精通した調停委員（弁護士及び弁理士）2名を調停委員として調停委員会を構成し、その専門的知見を生かした紛争の解決を図ることを目的とする専門家調停委員による調停を行うことができる制度がある。

なお、訴訟から調停に移行するのではなく、当初から東京地裁又は大阪地裁の管轄合意をして調停を申し立て、3回程度の調停期日で調停委員会の見解を口頭で開示することにより迅速な紛争解決の実現を目指す知財調停制度も利用されている。

ウ　また、従前から、裁判所法57条により、裁判官の命を受けて工業所有権に関する事件の審理及び裁判に関し必要な調査を掌るものとして、裁判所調査官が置かれている。知的財産権分野の裁判所調査官は、特許庁審判官や弁理士等の経験者から構成されており、令和3年4月現在、知財高裁に11名、東京地裁に7名、大阪地裁に3名の計21名である。機械、電気及び化学の3分野に分かれて事件を担当し、裁判官をサポートしている。裁判所調査官は、特許関係訴訟の審理及び裁判に関して、必要な調査等を行うことにより、裁判官に専門的知見を提供するものであって、特許関係訴訟において、大きな役割を果たしているものである。もっとも、裁判所調査官については、裁判官と期日外に当事者の在席していない場で意見を交換し合い、裁判所調査官がいかなる意見を述べたか当事者からは見えないため、従前、その活動実態が分からず、当事者は反論できないという不満や、裁判官の判断よりも裁判所調査官の判断の方が優越しているのではないかという疑心が、専門委員制度における関与の透明化につながったという指摘もある[53]。

エ　一方、技術の進歩のスピードが速く、分野も細分化しており、さまざまな技術分野に的確に対応できる各技術分野の専門家が、裁判所調査官とともに特許関係訴訟に参加することは、高いレベルの裁判を迅速に実現

53　菱田雄郷「知財高裁設置後における知的財産訴訟の理論的課題」ジュリ1293号62頁

するために有用である。そして、技術が日進月歩でその陳腐化も激しいこと、また先端技術の専門家は極めて多忙であり常勤で裁判に携わることが困難であること等に照らし、各技術分野の専門家に非常勤の専門委員として特許関係訴訟に関与してもらい、専門的知見に基づいて裁判官をサポートすることは、特許関係訴訟の的確かつ迅速な審理判断の実現に極めて有効であると考えられる[54]。

2 専門委員制度の概要

(1) 関与場面

　専門委員は、一般に、①争点若しくは証拠の整理又は訴訟手続の進行に関し必要な事項の協議をするとき、②証拠調べをするとき、③和解を試みるときの3つの場面で手続に関与することが予定されており、それぞれの場面で専門的な知見に基づく説明を行うこととされている（民事訴訟法92条の2）。

　特許関係訴訟においては、上記①の場面で、特に技術説明会といった形で専門委員が関与することが多い。

(2) 関与要件

　専門委員が手続に関与するに当たっては、当事者の意向を考慮することが求められているが、具体的な要件については、関与の場面によって異なる。

　すなわち、上記(1)①の争点整理手続等及び(1)②の証拠調べ手続への関与については当事者の意見を聴くことで足りるのに対し（民事訴訟法92条の2第1項、第2項前段）、上記(1)③の和解手続への関与及び証拠調べ期日にお

---

[54] 従前の侵害訴訟における専門委員の活用状況ないし実情については、髙部眞規子＝熊代雅音「東京地裁知的財産権部における専門委員制度の活用について」判タ1181号4頁

いて専門委員が裁判長の許可を得て証人等に直接発問する場合については当事者の同意が必要とされている（同法92条の2第3項、第2項後段）。

また、裁判所は、具体的な専門委員の指定についても、当事者の意見を聴く必要がある（同法92条の5第2項）。

このような関与要件が定められている趣旨は、具体的な事件において、裁判所がこの制度を利用する必要があるか否かについて適正に判断するためには、当事者の意向も十分に配慮する必要があるが、他方、裁判所が専門的知見を補充する必要があると判断しているにもかかわらず、当事者の一方がこれに反対しさえすればその補充が認められないというのでは、かえって専門委員制度を導入した趣旨を没却するおそれがある。そこで、原則として、裁判所が争点整理手続等や証拠調べ手続において専門委員に関与を求めるか否かの決定をするに当たっては、当事者の意見を聴かなければならないものとし、証拠調べ手続において専門委員が証人等に対して発問する場合には、当事者及び裁判官以外の者である専門委員の質問の結果が証拠となることから、当事者の意向への配慮をより強めて当事者双方の同意を必要とし、さらに、和解手続については、そもそも当事者の意思に反してまで専門委員を交えて合意形成に向けた協議を充実させることはできないと考えられることから、やはり当事者双方の同意を必要としたものである。

(3) **専門委員と裁判所調査官との役割分担**

ア　知的財産権分野においては、専門委員が約200名任命されている。出身母体としては、大学教授等の高等教育機関の教職員が約65％、公的研究機関や民間企業の研究員が約20％、弁理士が約15％である。

専門委員は、日本機械学会、電子情報通信学会、応用物理学会、情報処理学会、日本知財学会等の学会や、産業技術総合研究所、弁理士会等から推薦を受けて任命された各分野のエキスパートであって、バイオテクノロジー、ナノテクノロジー、光エレクトロニクス、コンピュータソフトウェ

ア等のさまざまな技術分野にまたがり、いずれも高度の専門的知見を有するスペシャリストである。

イ　裁判所調査官との役割分担については、以下のような考え方が示されている。すなわち、まず、一般的には、①裁判所調査官は技術的知見及び特許法等に関する知識を有する者とし、原則として審理に関与するのに対し、②専門委員は技術的知見を有する者とし、種々の技術分野について、必要に応じて審理に関与すること、といった役割分担が考えられる。さらに、①裁判所調査官は常勤の職員であり、日常的なサポートという面では裁判所調査官の役割はなお大きいものがあるのに対し、②非常勤の職員である専門委員には、裁判所調査官ではまかないきれないような先端技術等の分野について個別に関与を求めることが考えられる、といったものである[55]。

ウ　知的財産に関する事件における裁判所調査官の事務等については、専門委員制度創設後の平成16年の民事訴訟法改正により、その権限の拡充や明確化が図られることになった（民事訴訟法92条の8以下）。専門委員の場合は、前記のとおり、口頭弁論の期日等における釈明、証拠調べ期日における当事者への発問、和解を試みる期日における専門的知見に基づく説明を行う場合に、当事者の意見を聴くこと及び当事者の同意を得ることが必要であるが、裁判所調査官には、上記要件がない。このような違いは、専門委員の場合は、裁判所から独立に権限を行使する非常勤職員としての性質にかんがみ、当事者の反論の機会を与えるために一定の要件が加えられたものであるのに対し、裁判所調査官は、常勤の職員としての中立性が制度的に担保されており、裁判官を補助する機関としてその権限を行使するものであるために生じたものである。また、専門委員も裁判所調査官も、提出された判断資料が持つ意味を専門的知見に基づいて明らかにするという手続主体である点においては共通するが、裁判所調査官は、専門委

---

[55] 近藤昌昭ほか『知的財産関係二法／労働審判法』25頁

員と異なり、裁判官に対し事件につき意見を述べることができ（同法92条の8第4号）、それと同時に裁判体の補助的な機関としての役割をもっている点において違いがある。

　常勤で、機械、電気、化学というやや大まかな分類によって事件を担当する裁判所調査官による日常的なサポートと、当該技術分野の第一人者ともいうべき非常勤の専門委員によるピンポイント的な最先端の知見をうまく組み合わせていくことが、知的財産権訴訟の適正迅速な解決につながるものと考えられる。

3　具体的事件における専門委員の関与

(1)　具体的な人選

　専門委員の関与を決定すると、具体的な人選については、各事件において、裁判所が、事件の内容・性質・必要となる専門的知見の分野等を考慮するとともに、当事者の意見を踏まえて、適切な専門委員の指定を行っている。

　専門的な知識が必要になる事案の場合、当該分野にぴったりあてはまる専門委員を選任するのは必ずしも容易ではなく、どのように適切な分野の専門委員を選任していくのかが課題である。専門委員を指定する段階において、どのような専門家が最適かについて効果的に情報を収集する方法については、さまざまな工夫が考えられよう。この点は、当事者から、どのような分野を専門とする専門家が望ましいかについても意見を聴くという方法もあるし、技術的な事項について専門性を有する裁判所調査官からアドバイスを受けるという方法も有益であると思われる。なお、専門委員候補者自身から自己の専門分野と違うことを指摘されたり、当事者から専門分野との乖離を指摘されたりすることもあり、技術の専門家の領域が狭い場合には、適切な専門委員にたどり着くのが困難な場合も予想される。

　また、専門委員候補者と当事者との利害関係の有無については、裁判所

から、当事者に対し、候補者の氏名のほか、専門委員があらかじめ当事者に提示する目的で申告した経歴、専門分野、著書等の情報を伝え、それに基づいて、双方当事者が利害関係の有無や専門分野の適切さ等を調査して意見を述べるという方法がとられている。

　知的財産権訴訟の分野において、従来から存在した裁判所調査官の制度に加えて、専門委員制度を導入する意義の1つには、一般的な技術の説明にとどまらず、個別の事件に関する最先端の技術等について、専門家の適切なアドバイスを受けるということがある。しかしながら、技術分野が先端的になればなるほど、それについての専門的知見を有する専門家の数は限られてくるのであり、それに伴って双方当事者との利害関係が全くない専門家が極めて限定されるという事態が起こり得るところである。この点については、根本的には、専門委員の層の拡大によって対処すべきであるが、場合によっては、具体的事件の必要に応じて専門委員を新たに任命し、その専門委員を当該事件に選任することも可能である。したがって、専門委員の関与が必要とされる事案において、双方当事者とも異議のない適切な専門家がいる場合、その人物を新たに専門委員に任命の上、当該事件に関与決定するという方法も考慮に値すると思われる。なお、その場合、任命の上申から実際に選任されるまで、ある程度の期間が必要になると考えられるが（半月程度と思われる。）、裁判所としては、その間期日を「追って指定」にして事件の進行を停止するのではなく、弁論準備手続期日や進行協議期日等において、その段階で可能な主張・証拠の整理等に努めるべきであろう。

(2) 関与員数

　専門委員の員数は、各事件について1人以上とされている（民事訴訟法92条の5第1項）。したがって、当初は1名のみの専門委員を指定した事案もあったが、事案によっては、複数の専門委員を指定することも当然可能である。典型的には、争点が多分野にわたるような場合には、複数の専門

委員を指定する必要性が認められよう。

　知財高裁では、そのような事情がなくとも、専門家のさまざまな説明を聴いた上で多角的な視点から争点整理を進めるため、通常、学者や弁理士を含む3名の専門委員を選任している。また、専門委員の説明が判断事項に及ぶものではなく証拠にもならないとはいっても、その説明の結果が一方当事者の不利に働くという場面もあり得るところであり、そういった場合、同一分野の複数の専門委員からの説明を受けることにより、説明の客観性が増し、当事者の納得度が高まるということも十分考えられるであろう。

(3) **当事者の意見等**

　専門委員の中立性の確保の観点から、専門委員の関与決定をするには当事者の意見を聴くことないし当事者の同意が必要であり（民事訴訟法92条の2）、具体的な専門委員の指定についても当事者の意見を聴くことが必要である（同法92条の5第2項）。そこで、当事者の意見を聴取する前提として、裁判所からは専門委員候補者の経歴や専門分野等を当事者に知らせ、当事者が利害関係の有無を確認する機会を設けている。

　選任の過程で専門委員候補者について当事者と利害関係がある旨指摘され、別の専門委員が指定された事例や、専門分野との乖離を指摘された事例もある。当事者の反対意見に相当の理由がある場合に、裁判所があえて当該専門委員の関与決定等をするのは妥当でないという指摘がされているところであり、実務上も、その点を踏まえ、双方当事者の意見をよく聴き、納得を得た上で専門委員の関与等を決定しているものと思われる。なお、当事者の反対意見には一定の合理性が必要であり、そのような合理性に欠ける反対意見をとりいれるものではないことは当然である。

　専門委員制度が積極的に活用されるようになれば、専門委員の側でも経験が蓄積し、より円滑な関与が可能になるという好循環が期待される。裁判所としても、当事者の意向に十分配慮しつつ、専門家の説明を咀嚼し吟

味することが必要であるし、当事者の側でも、専門的知見の導入の必要性を認識し、積極的に活用していくという態度が望まれるところである。

(4) 関与方式

　ア　説明のし方

　専門委員の説明は、書面により又は口頭弁論若しくは弁論準備手続の期日において口頭でされることとなっており（争点整理手続について民事訴訟法92条の2第1項）、さらに、進行協議期日における口頭での説明も可能である（同規則34条の2第1項）。専門委員が期日外において説明を記載した書面を提出したときは、当事者双方に写しが送付される（同規則34条の3第2項）。中立・公平性の確保という要請により、裁判所は、当事者に対し、専門委員がした説明について意見を述べる機会を与えなければならないこととされており（同規則34条の5）、その前提として、専門委員からの説明内容が透明性のある形で提供されることとされている。

　イ　技術説明会

　期日において専門委員の説明を聴くに当たって、どのような方法が適切かについては、個々の事件等の個性によるところが大きく、一般的な議論はしにくいが、知財高裁では、「技術説明会」に専門委員を出席させて説明を受けるという形式をとることが多い。

　最終の弁論準備手続期日又は口頭弁論期日において、原告と被告の双方（訴訟代理人たる弁護士又は弁理士）が、プレゼンテーションの形式で技術説明を行い、それに専門委員が関与する方式で、専門的知見を獲得している。当事者のプレゼンテーションは、それぞれ工夫をして分かりやすく行われることが多い。例えば、模型を作って説明したり、パワーポイントで図面に分かりやすく色分けをした対象製品の構成を図示するといった方法が採られている。技術説明会では、当事者双方の説明の後、専門委員から当事者に質問をして問題点を明らかにしたり、当事者からの質問に専門委員が説明したりする等自由な雰囲気で議論をしている[56]。

そのほか、双方当事者に対してあらかじめ質問事項があれば書面で出してもらい、それを事前に専門委員に送付しておくという方法もあり得よう。これによって、当事者も自らの主張を整理するために必要な知見を得ることができ、しかも、それが効率的に提供されるものであって、争点等の整理に資するものと考えられる。ただし、当事者からの質問内容が一種の鑑定事項にわたるというような事態も考えられないではないため、場合によっては、裁判所で双方当事者の質問事項をいったん整理した上で改めて専門委員に送付した方が適当な場合もあるであろう。その場合には、手続の透明性の確保の観点から、裁判所で整理した質問事項を当事者に対しても送付しておくことになろう（民事訴訟規則34条の3参照）。

　　ウ　記録化

　なお、専門委員の説明内容をどのように記録化するかも1つの問題である。従前、書面の提出をした事例は少なく、ほとんどが期日に口頭で説明したものである。専門委員の説明内容は直接証拠となるものではないから、専門委員の期日における発言内容等を逐一調書に記載することは予定していないが、複雑な事案の場合には、専門委員に要点について簡潔に記載した書面を提出してもらい（民事訴訟法92条の2第1項）、調書に添付するという扱いも考えられよう。その場合でも、書面の提出が専門委員にとって格別の負担とならないよう、記載を求める事項及びその程度を明確に指示すべきであろう。

(5) 専門委員制度の更なる活用

　専門委員の関与により、当事者の主張の中でより明確化すべき点や、必要な証拠であるにもかかわらず従前提出されていなかったものについて指摘を受け、審理促進に役立った事例や、当該技術的分野に関して、当事者や裁判所が意識していない観点について注意喚起をしてもらい、有益で

56　「裁判所と日弁連知的財産センターとの意見交換会（平成21年度）」判タ1324号40頁〔髙部眞規子発言〕

あったという裁判体の感想も見られた。

　専門委員制度は、平成15年の民事訴訟法改正で新たにとりいれられた制度（専門委員、提訴前証拠収集手続、計画審理等）の中で最も活用されている制度であり、今後、専門訴訟の適正・迅速な解決のために、さらに有効かつ積極的な活用が期待されているものである。

　技術の先端化、細分化にも伴って、知的財産権訴訟においては、このような専門性に対応した審理判断を求められているところ、当該事件に最もふさわしい専門家の知見を弾力的に補充できる制度として、専門委員制度は極めて有用な仕組みである。当事者の意向に配慮し、専門委員の公平性・中立性の確保を十分に意識しながら、専門委員制度をさらに積極的に活用していきたいと考えている。また、知的財産権訴訟における裁判所調査官との違いを踏まえた上で、専門委員制度と裁判所調査官制度のそれぞれを十分に活用しあるいは両者を協働させることにより、さらに専門性の強化された訴訟を実現することができるよう、運用上の工夫をしていきたいものである[57]。

57　髙部眞規子「専門委員制度の更なる活用のために」判タ1368号28頁

第2章

［特許権侵害訴訟の実体法的論点］

I 〔侵害訴訟の当事者〕

1 侵害訴訟の原告となるべき者

(1) 特許権者

　ア　特許権者の請求

　特許権者は、自己の特許権を侵害する者又は侵害するおそれがある者に対し、その侵害の停止又は予防を請求することができるほか（特許法100条）、故意又は過失により特許権を侵害した者に対し、その侵害により自己が受けた損害の賠償を請求することができる（民法709条、特許法102条）。

　イ　専用実施権を設定した場合の特許権者

　上記規定は、専用実施権者についても適用され、専用実施権を設定した特許権者は、専用実施権者が特許発明の実施をする権利を専有する範囲については、業としてその特許発明の実施をする権利を失うこととされている（特許法68条ただし書）ところ、この場合に特許権者は差止請求権をも失うかが問題となる。特許法100条1項の文言上、専用実施権を設定した特許権者による差止請求権の行使が制限されると解すべき根拠はない。また、実質的に見ても、専用実施権の設定契約において専用実施権者の売上げに基づいて実施料の額を定めるものとされているような場合には、特許権者には、実施料収入の確保という観点から、特許権の侵害を除去すべき現実的な利益があることは明らかである上、一般に、特許権の侵害を放置していると、専用実施権が何らかの理由により消滅し、特許権者が自ら特許発明を実施しようとする際に不利益を被る可能性があること等を考えると、特許権者にも差止請求権の行使を認める必要があると解される。これらのことを考えると、特許権者は、専用実施権を設定したときであっても、差

止請求権を失わない（最二小判平成17・6・17民集59巻5号1074頁〔生体高分子・リガンド分子の安定複合体構造の探索方法事件〕）。

　　ウ　特許権が共有の場合

　特許権の共有の場合も、共有者の1人が、侵害する者の行為の全部について差止めを請求することができる。特許法には著作権法117条のような規定はないが、特許権の共有者も持分権又は保存行為に基づいて差止めを請求できると解される。

(2) 専用実施権者

　専用実施権者も、差止請求、侵害の予防に必要な行為の請求、損害賠償請求、業務上の信用回復措置の請求ができることは、法文上明らかである（特許法100条、102条、106条）。

(3) 通常実施権者

　　ア　通常実施権の性質

　許諾による通常実施権の設定を受けた者は、実施契約によって定められた範囲内で当該特許発明を実施することができるが、その実施権を専有するわけではなく、単に特許権者に対し上記の実施を容認すべきことを請求する権利を有するにすぎない（最二小判昭和48・4・20民集27巻3号580頁〔隧道管押抜工法事件〕）。したがって、通常実施権者は、特許権者に対し上記請求権を有するにすぎず、その権利は特許発明を直接支配する排他的性質を有するわけではない。よって、通常実施権者は、第三者の実施に対し、差止請求権を有しない。

　　イ　独占的通常実施権の場合

　もっとも、独占的通常実施権者は、許諾者である特許権者又は専用実施権者に対し、当該実施権者に特許発明の実施を独占させることを請求することができる権利を有している。独占的通常実施権の許諾の趣旨から、許諾者は侵害を排除する義務があるから、債権者代位権（民法423条）により、

特許権者又は専用実施権者の差止請求権を自己の名で行使することができると解すべきである[1]（東京地判昭和40・8・31判タ185号209頁〔カム装置事件〕。否定した裁判例として、大阪地判昭和59・12・20判時1138号137頁〔ヘアブラシ事件〕がある）。ただし、債務者である特許権者又は専用実施権者が既に自ら権利を行使している場合には、その行使の方法又は結果の良否にかかわらず、債権者たる独占的通常実施権者は債権者代位権を行使することはできないから、特許権者と独占的通常実施権者が共同原告となって差止請求権を行使しても、独占的通常実施権者の差止請求は理由がないことに帰する。

　独占的通常実施権者は、契約上の地位に基づいて特許発明の実施を専有するという事実状態が存在することを前提とすれば、無権原の第三者が当該特許権を侵害している場合において、固有の権利として、自ら当該第三者に対して損害賠償請求をすることも、可能である（商標権につき、東京地判平成15・6・27判時1840号92頁〔花粉のど飴事件〕）。

　なお、独占的通常実施権者Xが特許権者Aの差止請求権を債権者代位により行使した場合、特許権者Aが通常実施権をXとYに二重に与えていたときは、被告とされたYも実施権を有するから、Yが抗弁として特許権者Aからの許諾を主張すれば、独占的通常実施権者であるはずのXは、Yに対して差止請求権を行使することはできず、特許権者Aに債務不履行責任を問うことができるにすぎない。

2　侵害訴訟の被告となるべき者（侵害の主体）

(1)　複数主体による侵害の類型

　特許権は、排他的独占的権利であり（特許法68条）、独占の対象となる実

---

[1]　牧野利秋「特許権侵害訴訟における差止請求及び損害賠償請求の要件事実」新裁判実務大系『知的財産関係訴訟法』55頁

施行為の内容については、特許法2条3項に明文で規定されている。そして、第三者が許諾を受けることなく特許発明の実施をしたときは、特許権の侵害となり、差止め及び損害賠償の対象となる（特許法100条、民法709条）。

複数の者の行為がそれぞれ特許権侵害の要件を満たす限り、そのそれぞれが差止めの対象となるとともに、各人が不法行為責任を負う。

従前は、複数主体による侵害として、例えば、1個の特許権を侵害する製造者と販売者等は、各自の行為がそれぞれ独立に特許権侵害を構成し、損害賠償責任を負うが、いかなる範囲で損害賠償が認められるかという、主として損害論ないしは損害賠償請求権相互の関係という観点から、論じられることが多かった。

経済の急激な発展、企業形態の複雑化、企業間の交流や組織化等の社会状況の変化によって、1つの知的財産権の侵害が複数の関与者により引き起こされる場面が多く見られるようになった。ことに、ソフトウエア関連の特許権やインターネットがからむ著作権については、複数主体が関与する侵害の形態が想定され、また、直接の侵害行為を現実に行った者以外の者に責任を負わせるべき場合がある。しかも、グローバル化、ネットワーク化によって、そのような事態が、国境を越え国際的な様相を帯びてきた。

そこで、複数主体が関与する侵害につき、主として侵害論の観点から、我が国において現実の侵害行為を行った者以外の責任が認められる場合についての理論的検討を行う。国境を越えた特許権侵害については、後記第3章Ⅲに詳述する。

特許権の侵害は、業として特許発明を実施（特許法2条3項）することにより成立するのが原則であるが、以下、直接の侵害行為を行っていない者又はその一部しか行っていない者が、特許権侵害による責任を負うべき場合について検討する[2]。

2　髙部眞規子「国際化と複数主体による知的財産権の侵害」『秋吉喜寿』161頁

(2) 間接侵害に当たる場合

　特許法101条によれば、特許発明に係る物の生産や方法の実施のみに使用されるもの等を生産、譲渡等する行為は、間接侵害として特許権侵害となることが擬制されている。特許発明の構成要件を全て充足する実施行為に当たらなくても、間接侵害の要件を満たす場合には、その者が侵害者としての責任を負うことになり、差止請求及び損害賠償請求が認められることになる。

　なお、特許法101条が「侵害とみなす」と規定しているため、直接侵害が成立する余地のない、直接の実施が業としての要件を欠く非営業的な実施の場合、実施権を有する場合、試験研究に該当する場合等にも、なお間接侵害が成立するか否かについて、いわゆる独立説と従属説の対立がある[3]。間接侵害については、後記第2章Ⅲ3に詳述する。

(3) 共同で特許権を侵害すると評価される場合（共同正犯型）

ア　原　　則

　YとZが構成要件を一部ずつ分担する場合には、1人1人の行為は、構成要件の一部のみを充足するもので特許発明の全部を実施するものでないから、独立して特許権侵害行為になるわけではない。

　人は、自己の意思に基づく行為によって発生した結果に対して責任を負い、自己の意思に基づかない他人の行為によって発生した結果に対しては責任を負わされることがないのが原則であるから、YとZの行為がたまたま関連するにすぎず、別々のものであれば、一体と見る余地はないであろう。両名とも、それぞれが実施行為として完成した行為を行わない以上、特許権侵害に当たらないといわざるを得ない。

3　『注解特許法（上）〔第3版〕』959頁〔松本重敏＝安田有三〕

イ 共同侵害（共同直接侵害）と評価される場合

　他方、1人1人の行為が特許発明の構成要件全部を実施するわけではないが、全員の行為を併せると全部を実施することになる場合（例えば、a＋b＋c＋dを構成要件とする方法の発明において、Yは構成要件a＋bに該当する行為を行い、Zはc＋dに該当する行為を行った場合）において、主観的に共同していて、客観的行為を分担しているにすぎない場合は、共同で特許権を侵害していると評価することが可能な事案もあるのではなかろうか[4]（大阪地判昭和36・5・4下民集12巻5号937頁）。あたかも、2人以上共同して犯罪を実行する共同正犯（刑法60条）に類似する。そのように解さなければ、実施行為の一部だけを他人に行わせることにより侵害の責任を回避することができることとなって、不当である。

　人が他人の行為によって発生した結果に対して責任を負うためには、その他人の行為を利用する意思があることが必要である。他人の行為を利用する意思がある場合には他人の行為が自己の行為と法的に同視し得ることになり、他人の行為による結果に対する責任を負わせる根拠があるといえよう。

　したがって、Y及びZの個々人に自己の実施行為の結果を超えて全体に対する責任を負わせることができる場合としては、YとZが一体となって特許権侵害という結果を発生させる意思で、すなわち共同して実施する意思で、それぞれ構成要件の一部に該当する行為を行って、全員の行為を足し併せると構成要件を全部充足する場合や、Yが自己の行為とZの行為とが結合して特許権侵害という結果が発生することを予見しており、Zについても同様である場合等が挙げられよう。

　この点につき、差止請求権については、主観的な共同行為の存在は必要

4　ソフトウェア情報センターほか編著『ビジネス方法特許と権利行使』208頁〔設樂隆一〕、尾崎英男「コンピュータプログラムと特許侵害訴訟の諸問題」現代裁判法大系『知的財産権』220頁、髙部眞規子「複数主体の関与と特許権侵害」『知的財産訴訟実務大系Ⅰ』403頁

ないという見解もある[5]。しかし、共同で侵害行為を行っているか否かという評価に当たっては、単に客観的行為が関連しているだけでは足りず、上記のような意味における、他人の行為を利用して共同して実施する意思があることが必要であると解するべきであろう。また、過失の推定（特許法103条）が他人の行う行為によって発生した結果に関する認識についてまで及ばないことにも留意すべきであろう。

　ＹとＺが他人の行為を利用する意思をもって共同で特許権を侵害していると評価することができる場合には、特許権者は、Ｙ及びＺに対し差止めを求めることができる。

　また、共同不法行為者として損害賠償責任（民法719条1項前段）が肯定される。民法719条をめぐる学説の状況は混沌としているが、いわゆる客観的共同説を採用する判例理論によれば、民法719条1項前段所定の共同不法行為が成立するためには、不法行為者間に意思の共通（共謀）若しくは「共同の認識」のあることは必要でなく単に客観的に権利侵害が共同でされれば足り（最三小判昭和32・3・26民集11巻3号543頁）、共同行為者各自の行為が客観的に関連し共同して違法に損害を加えた場合において、各自の行為がそれぞれ独立に不法行為の要件を備えるときは、各自が、上記違法な加害行為と相当因果関係にある全損害について、その賠償の責に任ずべきである（最三小判昭和43・4・23民集22巻4号964頁〔山王川事件〕）。なお、共同不法行為に当たる場合においては、各不法行為者が責任を負うべき損害額を被害者の被った損害額の一部に限定することはできない（最三小判平成13・3・13民集55巻2号328頁参照）。

---

[5] 尾崎英男「コンピュータプログラムと特許侵害訴訟の諸問題」現代裁判法大系『知的財産権』230頁

(4) 単独で特許権を侵害すると評価される場合（間接正犯型）

ア 構成要件の一部のみを行う者が侵害の主体とされる場合

　YとZが特許発明の構成要件を一部ずつ分担する場合において、特許発明の構成要件の一部のみを実施するZが、Yの下請けなど、Yの手足となっているにすぎない場合には、Yが実施行為の全体を行っていると評価することができ、Yが単独で侵害しているとみる余地もあろう。この場合のYは、Zの行為を道具として利用する意思があり、Zの行為をYの行為と法的に同視し得るといえる（道具理論・手足理論）。

　また、Yが自己の行為とZの行為とが結合して特許権侵害という結果が発生することを予見しているが、Zについてはそのような認識がない場合も、Yが単独で侵害していると評価することができよう。他方、この場合のZは、Yの行為を利用する意思がないから、構成要件全部の実施行為をしていない以上、侵害とはいえない。なお、東京地判平成13・9・20判時1764号112頁〔電着画像の形成方法事件〕は、方法の特許の構成要件の一部の工程が被告によって行われていないが、これを購入した者が実施することが当然のこととして予定されている場合に被告自身による実施と同視して、被告の行為を特許権侵害と評価した。

　なお、ネットワーク上では、業として実施していない個人ユーザーの行為を含めて複数の主体により特許権が侵害される場合も想定されるが、業として実施しているYが個人ユーザーの行為を道具として利用する意思があれば、個人ユーザーの行為も含めて、Yの業としての行為と法的に同視し得る場合もあるように思われる（知財高判平成22・3・24判タ1358号184頁〔インターネットナンバー事件〕）。

　また、クライアント側の処理が規定されている特許発明でも、「アクセス」の発明でなく、「アクセスを提供する発明」とクレームを解釈することにより、サービス提供者が直接侵害の主体と判断される場合もある（東京地判平成26・2・20判時2256号74頁〔レーザ加工方法事件〕）。

2つ以上の主体の関与を前提にした特許請求の範囲について、行為者として予定されている者が特許請求の範囲に記載された各行為を行ったか、各システムの一部を保有又は所有しているかを判断すれば足り、実際に行為を行った者の一部が「製造側」の履行補助者ではないことは、構成要件の充足の問題においては、問題とならないとし、特許権侵害を理由に、だれに対して差止め及び損害賠償を求めることができるか、すなわち発明の実施行為（特許法2条3項）を行っている者はだれかは、当該システムを支配管理している者はだれかを判断して決定されるべきであるとする裁判例もある（東京地判平成19・12・14（平成16年(ワ)第25576号）〔眼鏡レンズの供給システム事件〕）。

　このような事態は、特にネットワークやソフトウェアの分野で、複数主体が登場するような方法の発明に係る特許請求の範囲について、侵害の主体の認定の場面で問題になる。クレームの記載方法も、それを念頭において作成すべきである。

イ　直接侵害行為を行っていない者が侵害の主体とされる場合

　特許発明の構成要件の全部を現実に実施しているのがＺであり、Ｙが現実の実施行為を全く行っていなくても、ＺがＹの手足となっているにすぎない場合には、Ｙが実施行為の主体と評価することができ、単独で侵害していると見ることができる場合もあろう。あたかも、情を知らない第三者を利用して犯罪を行わせた者が自ら犯罪を実行したのと異ならないとして、刑法上間接正犯とされるのに類似する。

　このような事態は、著作権法に係る判例に見られ、著作権に関しては直接の侵害行為を現実に行った者以外の者が権利侵害の主体とされて責任を負わせるべきことを認めた判例がある（最三小判昭和63・3・15民集42巻3号199頁〔クラブキャッツアイ事件〕）。

　なお、アメリカ合衆国では、現実に実施行為を行っている者に対する救済の訴えが実効性を持たない場合に、その者に関して保証的地位にある者に対して代位責任が認められることがあるが、そのためには、客観的要件

として、権利侵害行為を監督、コントロールすることが可能であり、その権原を持つこと、及び権利侵害行為に金銭的利害を有し、それが直接のものであることが必要であり、主観的要件は必要ではないとされている[6]。

　ウ　侵害の主体の評価

　我が国においても、特許法上の侵害行為者がだれであるかを検討するに当たっては、事態を即物的に観察すべきではなく、規範的に、法律上侵害者として責任を負うべき主体と評価すべき者がだれであるかという法的観点から決するべきであろう。そのような観点からすれば、権利侵害行為を支配管理する立場にあり、かつ、それにより営業上の利益が帰属する者は、特許法上の規律として、実際の行為者を手足とする侵害の主体と同視することができる場合があろう。具体的にどのような場合がこれに当たるかは、裁判例の集積が必要であり、これによって予見可能性が高まると思われる。そして、これに当たる場合には、侵害者として、損害賠償の責任を負う。なお、その場合には、差止請求も認容されることになる。

(5) 権利侵害の教唆又は幇助の場合（教唆・幇助型）

　ア　教唆及び幇助の意義

　教唆とは、他人をして不法行為の意思決定をなさしめ、これを実行させることをいう。幇助とは、他人の犯罪を容易ならしめる行為を、それと認識・認容しつつ行い、実際に正犯行為が行われることによって成立する（最三小決平成23・12・19刑集65巻9号1380頁〔Winny事件〕）。見張り、牙保、故買、助言、激励、凶器の供与、助力等が幇助の例として挙げられる[7]。判例で幇助と認められたものとしては、贓物牙保（盗品等有償処分あっせん）につき大判明治34・3・29刑録7巻72頁、贓物故買（盗品等有償譲受け）につき大判大正3・5・7刑録20巻790頁、雑誌に掲載されることを認識しな

6　著作権研究所研究叢書『寄与侵害・間接侵害に関する研究』24頁〔花村征志〕
7　『注釈民法(19)』327頁〔徳本鎮〕

がら他人の名誉を毀損する情報を編集者に提供した場合につき大判大正7・12・17法律新聞1528号24頁等がある。

　教唆及び幇助は、刑法上も規定されているが(刑法61条、62条)、民事上は、損害填補の観点から、共同行為者とみなされて責任を負う(民法719条2項)。知的財産権の分野では、著作権者の許諾があることを確認しないでカラオケ装置をリースしたリース業者の損害賠償責任を肯定した判例がある(最二小判平成13・3・2民集55巻2号185頁〔パブハウスG7事件〕)。

　　イ　教唆者又は幇助者に対する差止請求の可否
　著作権に関しては、侵害行為に対する教唆又は幇助等の行為をした者に差止めを認めることに障害はないとする見解がある[8](大阪地判平成15・2・13判タ1124号285頁〔ヒットワン事件〕)。

　しかし、特許法101条の間接侵害の規定は、幇助形態の行為の類型の一部について、これを侵害するものとみなすことにより、差止請求の対象としたと解することができ、そうすると、立法があれば格別、そのような規定に当てはまらない行為については、現行法上、当然に差止めの対象とすることは困難であると解される[9](大阪地判昭和36・5・4下民集12巻5号937頁、東京地判平成16・8・17判時1873号153頁〔切削オーバーレイ工法事件〕、知財高判平成27・10・8（平成27年(ネ)第10097号）〔洗浄剤事件〕)。差止請求権は、特許権が排他的独占権を内容とする権利であることから当然に発生する権利であるのに対し、教唆又は幇助による不法行為責任は、自ら権利侵害をするものではないにもかかわらず、被害者保護の観点から、特にこれを共同不法行為として損害賠償責任を負わせることとしたものであり（民法719条2項)、制度の目的を異にするからである(最一小判平成14・9・26民集56巻7号1551頁〔FM信号復調装置事件〕)は、特許権に基づく差止請求と特許権侵

---

[8] 著作権研究所研究叢書『寄与侵害・間接侵害に関する研究』36頁〔田中豊〕、同59頁〔鎌田薫〕
[9] 中山信弘『特許法〔第3版〕』360頁、『新注解特許法（下）』1441頁〔森﨑博之＝岡田誠〕、松本重敏『特許発明の保護範囲〔新版〕』252頁、井関涼子「方法の特許発明の一部実施による特許侵害を認めた事例」特許研究33号46頁

害を理由とする損害賠償請求の法律関係の性質は異なると判示する)。そのように解さなければ、差止請求権が、故意過失といった主観的要件を必要としないものであり、差止めの主文も広範なものになりかねない上、不法行為を理由とする差止めを一般的に認めることにつながりかねない。

II 〔要件事実〕

1 特許権侵害訴訟における要件事実の概略

(1) 特許権者の主張立証

特許権者たる原告は、訴訟物たる差止請求権の発生原因事実を主張立証すべきである。発生原因事実として必要なのは、次の3点である。

> Kg1 原告の権利

> Kg2 被告の実施行為

> Kg3 権利侵害（文言侵害又は均等侵害）

損害賠償請求の場合は、Kg1ないし3に加えて、次の請求原因が必要である（特許法102条各項）。なお、過失は推定される（同法103条）。

> Kg4 被告の行為による損害の発生

(2) 被告の主張立証

相手方たる被告は、差止請求権の権利発生障害事実（不発生の抗弁。一般成立要件の不存在）、権利排斥事実（阻止の抗弁。効力要件の不存在）、権利消

滅事実（消滅の抗弁。消滅要件の存在）を主張立証して特許権侵害を否定することを要する。

　Kg1に対する抗弁として、

| E1　権利消滅の抗弁（存続期間満了、無効審決の確定等） |

| E2　特許無効の抗弁（特許法104条の3） |

等がある。

　Kg2に対する抗弁として、

| E3　特許権の効力の制限（試験研究、消尽等） |

| E4　実施権（専用実施権、通常実施権） |

| E5　公知技術の抗弁（自由技術の抗弁） |

等がある。

　Kg3に対する抗弁として、

| E6　出願経過等の参酌 |

| E7　権利濫用の抗弁 |

等がある。

Kg4に対する抗弁として、

> E8　過失の推定を覆す事情

> E9　特許法102条1項に対しては販売することができないとする事情、同条2項に対しては推定を覆滅する事情

等がある。

(3) ブロックダイヤグラム

これをブロックダイヤグラムで示すと、以下のとおりとなる。

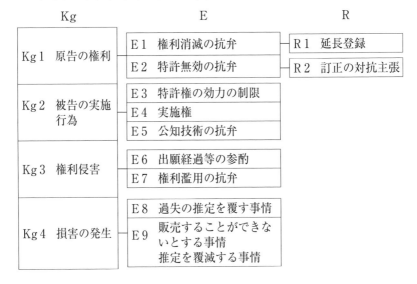

2 特許権者側の請求原因事実

主張すべき事実の一例は、以下のとおりである。

(1) 原告の権利

ア　特許権の場合

> 原告は、特許第○○号の特許権を有している。

　原告が特許権又は専用実施権を有することは、権利主張であって、事実主張ではない。被告がこれを認めれば権利自白が成立する。

　特許権は設定の登録により発生し（特許法66条）、特許権の移転は、登録が効力発生要件である（同法98条）。したがって、原告が発明をしていないのに出願し又は原告が特許を受ける権利の譲渡を受けていないのに出願し、特許権の設定登録を受けた場合には、冒認（同法123条1項6号）という特許無効の抗弁が問題になる。また、原告が、Aから特許権の譲渡を受けた場合には、原告が特許権の移転登録を了していれば譲渡原因（売買、贈与、代物弁済等）の意思表示に瑕疵があるか否かという抗弁が問題となるにすぎない。

　差止請求の基準時は口頭弁論終結時であり、損害賠償請求の基準時は損害を請求している期間（最大で設定登録の日から存続期間満了の日まで）である。

　特許権の特定としては、特許番号による。出願日、登録日や発明の名称も記載されることが多いが、出願日は権利の存続期間（特許法67条）や出願時の技術水準、公知技術、先使用との関係で、登録日は権利発生（同法66条）、発明の名称は発明の内容の概略を知る意味で便利であるから、実務上はこれらについても主張されることが多い。

イ　専用実施権の場合

> 原告は、○年○月○日、特許権者Ａから、特許第○○号の特許権につき専用実施権の設定を受け、その旨の設定登録を了した。

専用実施権の設定も登録が効力要件である（特許法98条）。

ウ　補償金請求の場合

> ①　原告は、○年○月○日、発明の名称を「○○○」とする特許出願をし、△年△月△日出願公開され、その後設定登録された。
> ②　原告は、×年×月×日、被告に対し、本件発明の内容を記載した書面を提示して警告した。
> ②′　被告は、出願公開された発明であることを知っていた。

特許出願人は、出願公開後に業として発明を実施した者に対し、警告又は悪意を要件として、補償金を請求することができる（特許法65条）。

②につき、警告後に特許請求の範囲が減縮補正された場合は、被告製品が補正の前後を通じて発明の技術的範囲に属するときは、被告が補正後の特許請求の範囲の内容を知ることを要しない（最三小判昭和63・7・19民集42巻6号489頁）。

(2) 被告の実施行為

ア　物の発明の場合

> 被告は、業として、別紙目録記載の製品を製造し、販売している。

「業として」については、請求原因として主張すべきであるとするのが多数説である[10]。これに対し、特許権侵害が問われる特許発明の実施が「業

として」でない場合は例外といってよいから、「業として」を差止請求権の発生要件として捉えるよりも個人的ないし家庭内その他これに準ずる限られた範囲内での実施であることを違法性阻却事由としての権利発生障害事由として捉え、被告の抗弁として構成する方が社会の実態に合致するという見解もある[11]。

特許法68条の条文の構造上、請求を基礎付ける事実とすべきであり、共同で実施する者の一部に業としての要件を満たさない者がいる場合（ユーザーUの行為を利用して初めて構成要件を全て充足する場合）、他の共同実施者Yは、Uを手足として使用して、あるいはUの行為を利用することによって、自ら構成要件全部を実施し充足しているということができようから、これを請求原因と構成しても不合理な結果を生じる事態は少ないであろう。

侵害行為については、発明のカテゴリーに応じた実施行為の内容（特許法2条3項）を主張・立証すべきであり、物の発明の場合は、製造・使用・販売・輸出・輸入等がこれに当たる。なお、予防請求の場合は、「実施するおそれ」を主張立証すべきことになる。

イ　方法の発明の場合

> 被告は、業として、別紙目録記載の方法を使用している。

ウ　物を生産する方法の発明の場合

> ①　被告は、業として、別紙方法目録記載の方法を使用し、同方法

10　設樂隆一「侵害差止訴訟の要件事実と抗弁事実」民事弁護と裁判実務『知的財産権』245頁、高林龍「差止請求及び損害賠償請求の要件事実」裁判実務大系『工業所有権訴訟法』50頁、吉原省三「特許権侵害による差止請求訴訟の要件事実」『原退官（上）』601頁
11　牧野利秋「特許権侵害訴訟における差止請求及び損害賠償請求の要件事実」新裁判実務大系『知的財産関係訴訟法』58頁

により製造した別紙目録記載の製品を販売している。

　生産方法の推定（特許法104条）に該当する場合は、上記ウ－①及び下記(3)に代えて、

> ①′　被告は、業として、別紙目録記載の製品を製造、販売している。
> 　上記製品は、原告の特許発明の生産方法の目的物と同一の物である。
> 　その目的物は特許出願前に日本国内で公然と知られた物ではない。

との主張をすればよい。

(3) 権利侵害

ア　文言侵害の場合

> ①　本件特許発明を構成要件に分説すると、以下のとおり（A、B、C……）である。
> ②　被告の製造販売している製品（又は使用している方法）を対応させて分説すると、以下のとおり（a、b、c……）である。
> ③　上記製品の構成a、b、cは構成要件A、B、Cにそれぞれ該当し、本件特許発明の構成要件を全て充足するから、その技術的範囲に属する。

　権利侵害すなわち技術的範囲に属するとの主張それ自体は法律的主張で、直接には証明の対象にならない。相手方が認めれば権利自白が成立する。その判断の基礎となる事実を主張すべきである。技術的範囲への属否についての詳細は、後記第2章Ⅲを参照されたい。

一般的に、特許権侵害訴訟においては、被告が製造販売する製品（対象製品）が特許発明の技術的範囲に属するか否かが問題とされ、特許発明の技術的範囲は、願書に添付した特許請求の範囲（クレーム）に基づいて定められなければならない（特許法70条1項）。したがって、特許権者は、①特許発明の特許請求の範囲を構成要件に分説し、特許発明の技術的範囲を確定した上、②対象製品（又は方法）の構成をこれと対比し、③その構成要件を全て充足していることを主張立証する必要がある。

　なお、特許権者が構成の同一性のほか、作用効果も同一であることを主張・立証すべきであるとの見解もある[12]。発明の詳細な説明に記載された作用効果を奏さないものは、特許請求の範囲に記載された構成を全て備えるものであっても、特許発明の技術的範囲に属するものとはいえない。それは、特許発明の構成要件が有機的に結合して特有の作用を奏し、従来技術にない特有の効果を奏するところに実質的価値があり、それゆえに特許されるのであるから、対象製品がその作用効果を奏しない場合にも特許発明の技術的範囲に属するとすることは、特許発明の有する実質的な価値を超えて特許権を保護することになり、相当ではないからである。しかし、新規なものとして特許された発明と同一の構成を備える以上は、同一の作用効果を奏するものと推定されるから、対象製品が作用効果を奏しないことの主張立証責任については、被告にあると解すべきであろう[13]（大阪地判平成13・10・30判タ1102号270頁）。

イ　間接侵害（特許法101条1号）の場合

① 本件特許発明を構成要件に分説すると、以下のとおり（A、B、C……）である。

---

[12] 設樂隆一「侵害差止訴訟の要件事実と抗弁事実」民事弁護と裁判実務『知的財産権』248頁
[13] 窪田英一郎「作用効果不奏功の抗弁」『大場喜寿』269頁、髙部眞規子「特許権に基づく差止請求訴訟の要件事実」『武藤喜寿』561頁。飯塚卓也「作用効果不奏功の抗弁」日本弁理士会中央知的財産研究所編『クレーム解釈をめぐる諸問題』63頁

> ②-1　被告が業として製造する物yは、第三者Zが製造販売するz製品の部品である。
> ②-2　yは、z製品の生産にのみ用いられるものである。
> ②-3　z製品を対応させて分説すると、以下のとおり（a、b、c……）である。
> ③　z製品の構成a、b、cは構成要件A、B、Cにそれぞれ該当し、本件特許発明の構成要件を全て充足するから、その技術的範囲に属する。

　侵害品の生産に用いる物の生産等の行為は、専用品の場合及び課題の解決に不可欠で主観的要件を満たす場合には、特許権侵害とみなされる（特許法101条各号）。

　同条1号については、上記(3)ア－②に代えて、イ－②－2のとおり、
　　「侵害品の生産にのみ用いる物であること」
を請求原因として主張立証をすべきである。すなわちその物に社会通念上経済的、商業的又は実用的な他の用途がないことについては原告側に主張立証責任があるが（東京地判昭和56・2・25無体裁集13巻1号139頁〔交換レンズ事件〕）、原告が客観的な部品の構造やその特性から当該部品がその物の生産にのみ用いられることを一応立証すれば、被告が他の用途が存在すること又は他の用途に用いられていることを積極的に反証しない限り、専用品であると認められることになろう[14]。

ウ　間接侵害（特許法101条2号）の場合

> ①　本件特許発明を構成要件に分説すると、以下のとおり（A、B、C……）である。
> ②-1　被告が業として製造する物yは、第三者Zが製造販売する

---

[14] 設樂隆一「侵害差止訴訟の要件事実と抗弁事実」民事弁護と裁判実務『知的財産権』251頁

　　　　zの製品の生産に用いる物である。
　②－2　yは、本件特許発明による課題の解決に不可欠である。
　②－3　z製品を対応させて分説すると、以下のとおり（a、b、c……）である。
　②－4　被告は、本件特許発明及びその物が本件特許発明の実施に使用されることを知っている。
　③　z製品の構成a、b、cは構成要件A、B、Cにそれぞれ該当し、本件特許発明の構成要件を全て充足するから、その技術的範囲に属する。

　特許法101条2号については、上記(3)ア－②に代えて、ウ－②のとおり、
　　「その物の生産に用いる物であること」
　　「その発明による課題の解決に不可欠であること」
　　「その発明が特許発明であること及びその物がその発明の実施に用いられることを知っていること」
を請求原因として主張すべきであり、

　　国内において広く一般に流通していること

は被告の抗弁となる。詳細は第2章Ⅲの3を参照されたい。

　　エ　均等侵害の場合

　①　本件特許発明を構成要件に分説すると、以下のとおり（A、B、C……）である。
　②　対象製品を対応させて分説すると、以下のとおり（a、b、c……）である。
　③　対象製品のa、cは構成要件A、Cにそれぞれ該当する。
　④－1　本件特許発明の構成要件Bは、対象製品の構成bと異なる

> が、この部分は本件特許発明の本質的部分ではない。
> ④-2 本件特許発明の構成要件Bを対象製品の構成bに置き換えても、特許発明の目的を達することができ、同一の作用効果を奏するものである。
> ④-3 このように置き換えることに、当業者が対象製品等の製造等の実施の時点において容易に想到することができたものである。

　最三小判平成10・2・24民集52巻1号113頁〔ボールスプライン軸受事件〕は、「特許権侵害訴訟において、相手方が製造等をする製品又は用いる方法(以下「対象製品等」という。)が特許発明の技術的範囲に属するかどうかを判断するに当たっては、願書に添付した明細書の特許請求の範囲の記載に基づいて特許発明の技術的範囲を確定しなければならず(特許法70条1項参照)、特許請求の範囲に記載された構成中に対象製品等と異なる部分が存する場合には、上記対象製品等は、特許発明の技術的範囲に属するということはできない。しかし、特許請求の範囲に記載された構成中に対象製品等と異なる部分が存する場合であっても、①上記部分が特許発明の本質的部分ではなく、②上記部分を対象製品等におけるものと置き換えても、特許発明の目的を達することができ、同一の作用効果を奏するものであって、③上記のように置き換えることに、当該発明の属する技術の分野における通常の知識を有する者(以下「当業者」という。)が、対象製品等の製造等の時点において容易に想到することができたものであり、④対象製品等が、特許発明の特許出願時における公知技術と同一又は当業者がこれから右出願時に容易に推考できたものではなく、かつ、⑤対象製品等が特許発明の特許出願手続において特許請求の範囲から意識的に除外されたものに当たるなどの特段の事情もないときは、上記対象製品等は、特許請求の範囲に記載された構成と均等なものとして、特許発明の技術的範囲に属するものと解するのが相当である。」旨判示した。

特許請求の範囲に記載された構成中に対象製品と異なる部分が存する場合には、この対象製品は、特許発明の技術的範囲に属するということはできないのが原則である。文言解釈によれば特許請求の範囲に記載された構成と異なる場合であっても、一定の要件を満たす場合には例外的にこれと均等と評価されるとして、侵害を認める考え方が「均等論」である。したがって、均等による侵害は、特許請求の範囲に記載されたとおりの構成を有する「文言侵害」の原則の例外として、一定の場合に、特許発明の実質的価値が、第三者が特許請求の範囲に記載された構成と実質的に同一のものとして容易に想到することのできる技術にまで拡張される場合ということができる。

　上記判決は、他人の製品等が特許請求の範囲に記載された構成と均等なものとして特許発明の技術的範囲に属すると解すべき場合について、5つの要件を挙げた。このうち、特許権者側が主張立証すべき事項は、上記第1ないし第3要件と解される（東京地判平成10・10・7判時1657号122頁〔負荷装置システム事件〕、知財高判平成28・3・25判時2306号87頁〔マキサカルシトール事件〕）。これらの要件は、文言侵害の場合の(3)ア－③に代えて主張されるべきものであり、文言侵害との関係では予備的請求原因と位置付けられる。

(4) 損　　害

ア　特許法102条1項の場合

---

① 　被告は、○○個の対象製品を販売した。
② 　被告の侵害行為がなければ対象製品と競合する原告製品を○○個販売することができた。原告製品の1個当たりの限界利益は、△△円である。
③ 　○○個は、原告の実施の能力に応じた数量を超えない。

イ 特許法102条2項の場合

> ① 被告は、〇〇個の対象製品を販売した。
> ② 被告の対象製品の1個当たりの限界利益は、△△円である。

ウ 特許法102条3項の場合

> ① 被告は、〇〇個の対象製品を販売した。
> ② 被告は、対象製品を単価△△円で販売した。
> ③ 原告が被告の上記特許発明の実施に対し受けるべき金銭の額は、売上げ額の□%である。

被告の特許権侵害行為により、損害が発生したこと及びその額が請求原因事実となる。過失は推定される（特許法103条）。

損害論の詳細は、第2章Ⅵを参照されたい。

3 相手方の抗弁事実（特許権侵害を否定する事実）

(1) 権利消滅の抗弁（請求原因(1)に対し）

ア 原告の特許権の消滅（存続期間の満了）

> 本件特許権は、〇年〇月〇日出願され、その日から20年が経過した。

存続期間満了の抗弁に対しては、延長登録（特許法67条の2、67条の3）があったことが再抗弁となる。原告は、再抗弁として

> 原告は、本件特許権につき、延長を求める期間を〇年として、存続

> 期間の延長登録の出願をした。

ことを主張立証すべきである。

　薬事法所定の製造等の承認を受けることが必要であるために存続期間の延長を求める場合の延長期間、すなわち特許発明の実施をすることができない期間は、上記承認を受けるのに必要な試験を開始した日又は特許権の設定登録の日のいずれか遅い方の日から、上記承認が申請者に到達することにより処分の効力が発生した日の前日までの期間である（最二小判平成11・10・22民集53巻7号1270頁）。

　なお、延長登録の出願がされれば、登録前も延長されたものとみなされる（特許法67条の2第5項）。ただし、延長登録の出願につき拒絶査定が確定した場合は、本来の存続期間の満了により特許権は消滅する（同法67条の2第5項ただし書）。また、延長登録無効審決が確定したときも、その延長登録による存続期間の延長はされなかったものとみなされる（同法125条の2第3項）。よって、これらの事実は、再々抗弁と位置付けられる。

イ　権利喪失の抗弁（移転登録等）

> 原告は、○年○月○日、本件特許権を訴外Zに譲渡し、その旨の登録を了した。

　権利喪失事由すなわち権利消滅の抗弁として、上記の外、相続人の不存在（特許法76条）、特許権の放棄（同法97条）、特許料の不納（同法112条）、特許又は実施権の取消し（独禁法100条）がある。

ウ　特許無効審決の確定

> 本件特許権について、無効にすべき旨の審決があり、その取消訴訟において請求棄却判決が確定した。

特許法125条によれば、無効審決の確定により特許権は遡及的に消滅するから、その確定の事実が抗弁となる。なお、特許異議申立てに対する取消決定が確定した場合（特許法114条3項）も同様である。

(2) 特許無効の抗弁（請求原因(1)に対し）

ア　新規性を欠く場合

> ①　本件特許出願前に頒布された刊行物には、A＋B＋Cからなる発明の記載がある。
> ②　本件特許発明と上記刊行物記載の発明は同一である。
> ③　よって、本件特許は、特許無効審判により無効にされるべきものと認められる（特許法29条1項、104条の3）。

　特許法104条の3により、特許無効審判により無効にされるべきものと認められるときは、権利を行使することができない。詳細は、第2章Ⅳを参照されたい。

　特許が無効にされるべきことは、権利行使阻止の抗弁として、被告となった相手方（債務不存在確認訴訟においては原告）が主張立証すべき抗弁と位置付けられる。もっとも、当該特許が無効にされるべきか否かは、規範的要件であり、無効原因事実は、多岐にわたるところ、個々の無効理由を基礎付ける事実についての主張立証責任が、常に同じというわけではない。そして、その主張立証責任の分配について、審決取消訴訟における主張立証責任の分配と同一か否かも、問題とされている[15]。

　同条立法の基になった最三小判平成12・4・11民集54巻4号1368頁〔富士通半導体・キルビー特許事件〕は、権利濫用の抗弁を認めるに当たり、「特段の事情がない限り」という留保を付けている。特許権侵害訴訟において、

15　髙部眞規子「特許無効の抗弁」『知的財産訴訟実務大系Ⅰ』422頁

当該特許に無効理由が存在することが明らかであることをもって抗弁とし、「特段の事情」をもって再抗弁とする趣旨であり、「訂正審判の請求がされている」ことが「特段の事情」の例示として挙げられていた。そして、この「特段の事情」については、無効理由が存在しても、訂正審判請求又は訂正請求により特許が無効とはいえなくなる場合があること等を念頭においたものであると説明されている[16]。

すなわち、具体的には、例えば、特許請求の範囲が構成要件 A＋B＋C からなる場合に、A が A_1 及び A_2 の上位概念であって、A_2＋B＋C という構成が公知であった場合において、上記特許には無効理由が存在する（特許法123条1項2号、29条1項）。しかし、特許権者が、特許請求の範囲 A＋B＋C を A_1＋B＋C と減縮する旨の訂正を請求すれば（同法126条1項ただし書1号、134条2項ただし書1号）、当該発明は公知技術を含まないことになるから、無効理由が解消するであろう。このように、訂正の請求がされ、かつその訂正によって無効理由が解消するような場合を念頭において「特段の事情」という留保が付けられていると解すべきである。

特許法104条の3による明文化の後においても、訂正請求をしていることは、原告特許権者側の事情であり、訂正が認められる蓋然性があり、かつ訂正後のクレームに属するなら、無効にすべき旨の審決が確定することはないであろうから、訂正の対抗主張は特許権者の再抗弁と位置付けられよう。なお、再抗弁説が多数であるが、予備的請求原因と解する可能性を示唆する見解もある[17]。

ところで、いかなる特許請求の範囲に訂正するかは、特許権者自身の判断によるのであるから、特許無効の抗弁に対する再抗弁については、特許権者において、少なくとも、訂正審判請求又は訂正請求の内容の主張立証が、最低限必要であると解される。

---

[16] 髙部眞規子「判解」最高裁判所判例解説民事篇〔平成12年度〕〔18〕事件
[17] 若林諒「最高裁判所平成20年4月24日判決に基づく訂正の主張と特許法104条の3及び再審事由」L&T43号109頁

訂正(審判)請求の要否については、近時、請求が必要ではないとの見解も唱えられているが、訂正の内容が新しいクレームとして確実なものであるというためにも、また再抗弁を認めたにもかかわらず実際には訂正をせず対世的に減縮前の広いクレームのままであることを防止するためにも、実務的には、これを要求するのが明確性にも適うものといえよう。そして、これが再抗弁としての意味を持つのは、単に訂正の請求をしたというだけでは足りず、その訂正が要件を満たし、これにより当該無効理由が解消すると認められ、さらに、対象製品が訂正後の特許発明の技術的範囲に属するような場面に限られる。

したがって、例えば、前記の例において、特許請求の範囲 A (A_1 及び A_2 の上位概念) + B + C を、公知技術を含まないように A_1 + B + C に減縮する訂正をし、対象製品が A_1 + B + C という構成である場合には、再抗弁が成立することになろう。これに対し、訂正によって特許請求の範囲を減縮した結果、対象製品が訂正後の特許発明の技術的範囲に属さなくなる場合、すなわち例えば、前記の例において、対象製品が A_2 + B + C という構成である場合には、請求が認容される余地はない。

そうすると、特許権者である原告は、無効の抗弁に対抗する訂正の対抗主張として、

> ① 原告は、本件特許請求の範囲を A_1 + B + C に減縮する旨の訂正(審判)を請求した。
> ② 上記訂正により、無効理由が解消する。
> ③ 上記訂正は特許法134条の2又は126条の要件を満たす。
> ④ 対象製品は訂正後の A_1 + B + C の技術的範囲にも属する。

旨の再抗弁を主張立証することになろう(知財高判平成21・8・25判タ1319号246頁〔切削方法事件〕)。もっとも、平成23年改正により、特許無効審判が請求されている場合には訂正審判の機会が制限されることになった。し

がって、いわゆるダブルトラックのケースでは、上記再抗弁を主張する際に、現に訂正（審判）請求をしていることを常に要求することが特許権者にとって酷な場合もないとはいえない。そのような特段の事情がある場合には、訂正請求ができる時期には必ず訂正を行うという前提で、上記①に代えて、

> 「将来訂正を請求することができるときには、特許請求の範囲をA」＋B＋Cに減縮する旨の訂正を請求する予定である。」

という主張も許され、事実審口頭弁論終結までに実際に請求すれば足りると解される。

　イ　進歩性を欠く場合

---

① 本件特許出願前に頒布された刊行物（引用例）には、a＋b＋cからなる発明の記載がある。本件特許出願当時、Cという周知技術があった。

② 本件特許発明A＋B＋Cと上記刊行物記載の発明とは、Aとa、Bとbの点において一致し、Cとcの点において相違する。

③ 上記刊行物記載のa＋b＋cという発明には、○○の課題が示唆されており、同じ技術分野のCという周知慣用技術を適用する動機付けがあるから、本件特許発明A＋B＋Cを想到することは、当業者にとって容易である。

④ よって、本件特許は特許無効審判により無効にされるべきものと認められる（特許法29条2項、104条の3）。

　進歩性を欠くこと（容易想到）を理由とする場合には、特許発明と引用発明の相違点について容易に想到することができることを基礎付ける評価根拠事実、例えば技術分野が同一である周知技術を適用する動機付けがあること等を抗弁として主張し、特許権者の側が、これを組み合わせることについての阻害要因を再抗弁として主張立証すべきことになろう。

(3) 特許権の効力の制限（請求原因(2)に対し）

ア　試験研究

> 被告は、試験又は研究のため対象製品を製造した。

　最二小判平成11・4・16民集53巻4号627頁〔メシル酸カモスタット事件〕は、特許権の存続期間終了後に特許発明に係る医薬品と有効成分を同じくするいわゆる後発医薬品を製造販売することを目的として、薬事法14条所定の製造承認を申請するため、特許権の存続期間中に特許発明の技術的範囲に属する化学物質又は医薬品を生産し、これを使用して製造承認申請書に添付すべき資料を得るのに必要な試験を行うことは、特許法69条1項にいう「試験又は研究のためにする特許発明の実施」に当たるとしたものである。詳細は、第2章Ｖの1を参照されたい。

　特許権の効力が及ばないことを定めた規定として、特許法69条各項のほか、68条の2、112条の3、175条がある。

イ　特許権の消尽（加工や部材の交換がされていない場合）

> ①　特許権者又は特許権者から許諾を受けた実施権者が特許製品を譲渡したこと
> ②　被告は、当該特許製品を適法に取得したこと

　最三小判平成9・7・1民集51巻6号2299頁〔BBS並行輸入事件〕、最一小判平成19・11・8民集61巻8号2989頁〔インクカートリッジ事件〕は、特許権者又は実施権者が我が国の国内において特許製品を譲渡した場合には、当該特許製品については特許権は消尽し、もはや特許権の効力は、当該特許製品を使用し、譲渡し又は貸し渡す行為等には及ばない旨判示した。対象製品が、特許権者又はこれと同視し得る者による特許製品に由来するも

のであることが、消尽の抗弁を基礎付ける。消尽（用尽ともいわれる。）は、権利行使阻止の抗弁と位置付けられる。

特許権者又はこれと同視し得る者による特許製品の譲渡が国外でされた場合には、消尽の抗弁に対する再抗弁としては、特許権者の側で

(i) 被告が譲受人である場合には、上記イ－②に対し、

> 当該製品について販売先ないし使用地域から我が国を除外する旨を譲受人との間で合意したこと

(ii) 被告が転得者である場合には、上記イ－②に対し、

> 譲受人との間で上記合意をした上特許製品にこれを明確に表示したこと

を主張立証することができる（最三小判平成9・7・1民集51巻6号2299頁〔BBS並行輸入事件〕）。

　ウ　特許権の消尽（加工や部材の交換がされた場合）

対象製品が、特許権者又はこれと同視し得る者による特許製品に由来するものである場合は、特許権は消尽するが、その特許製品につき加工や部材の交換がされ、同一性を失う場合については、権利行使が許される。したがって、特許権者は、国内での譲渡及び国外での譲渡のいずれの場合においても、

> 対象製品は、特許製品を加工し又は部材を交換したものであり、それにより加工・部材交換前の特許製品と同一性を欠く特許製品が新たに製造されたこと

を主張立証すべきことになる。

上記同一性の有無については、規範的要件であり、①当該特許製品の属性（製品の機能、構造及び材質、用途、耐用期間、使用態様）、②特許発明の内容、③加工及び部材の交換の態様（加工等がされた際の当該特許製品の状態、加工の内容及び程度、交換された部材の耐用期間、当該部材の特許製品中における技術的機能及び経済的価値）のほか、④取引の実情等も総合考慮して判断すべきである（最一小判平成19・11・8民集61巻8号2989頁〔インクカートリッジ事件〕）。

　特許権者の上記同一性を欠く旨の主張立証は、消尽の抗弁に対する再抗弁と位置付けられるが、特許権者としては、端的に、請求原因のレベルで対象製品の使用、譲渡等の行為が特許権の実施行為に当たるものと主張立証することも可能であると考えられる。すなわち、特許権者としては、請求原因として、対象製品が特許製品に加工等を施すことによって新たに製造されたものであり、特許製品との同一性を欠いているから、その使用、譲渡等は特許権侵害に当たると主張することも可能であろう[18]。詳細は、第2章Ⅴの2を参照されたい。

(4)　契約による実施権（請求原因(2)に対し）

ア　専用実施権（特許法77条）

> ①　被告は、特許権者Aとの間で、○年○月○日、本件特許権について、以下の約定で、専用実施権を設定した。
> 　　地域：日本全国
> 　　範囲：請求項全部
> 　　期間：本件特許権の存続期間満了まで
> 　　対価：年額○万円
> ②　被告は、○年○月○日、上記専用実施権について設定登録を受

---

[18]　設樂隆一「リサイクル・インクカートリッジ最高裁判決について」『斉藤退職』414頁、長谷川浩二「その余の抗弁―消尽」裁判実務シリーズ『特許訴訟の実務』150頁

けた。

　専用実施権は登録が効力要件であるから（特許法98条）、登録の事実も要件事実として主張立証すべきである。

イ　通常実施権（特許法78条）

> ①　被告は、Aとの間で、〇年〇月〇日、本件特許発明の実施について以下の約定により許諾を受けた。
> 　地域：日本全国
> 　期間：〇年〇月〇日まで
> 　対価：売上げの〇％
> 　特約：〇〇
> ②　被告の対象製品の製造販売は、上記許諾の範囲内にある。

　通常実施権の範囲は、当事者間の許諾契約により定まり、例えば、請求項の全部か一部か、地域、期間及び内容等の定めを置くことができる。通常実施権者が、特許権者の許諾なく、その実施契約の範囲を超えて実施した場合は、原則として、特許権侵害を構成する（大阪高判平成15・5・27（平成15年㈱第320号）〔育苗ポット事件〕）。被告は、抗弁として、対象製品の製造販売が通常実施権の範囲内にあることをも主張立証すべきであろう。

　従前、通常実施権についても、登録が対抗要件であったが、平成23年改正により、登録なくして対抗することができる、いわゆる当然対抗制度が定められた（特許法99条）。平時にはデューディリジェンスによってライセンス契約の存在が判明するなどとして、登録も、確定日付も、何らの要件も法律上は要求されていない制度とされたが、倒産時などには、日付を遡らせた許諾契約書が作成されないとは限らない。

　特許権の譲渡に先立つ実施許諾契約の締結という事実、すなわち、

　　「特許権者がAから特許権を譲り受けた日より前の日に、被告がA

との間で、当該特許権の実施許諾契約を締結したこと」

が、被告の抗弁事実となり、被告において上記事実を主張立証する責任がある。ここで重要なのは、特許権者がAから特許権を譲り受けた日（移転登録日）と、被告がAとの間で、当該特許権の実施許諾契約を締結した日の前後関係である。

　特許権の譲受人と通常実施権者の間で、譲渡前の実施許諾契約の内容が承継されるか否かについては、学説上①譲受人に承継されるとする当然承継説、②ノウハウ提供義務など譲受人が履行できない義務もあるとして承継を否定する否定説、③その折衷説など、争いがあるが[19]、

「実施許諾契約が解除されたこと」

は、原告の再抗弁となる。

(5) 法定通常実施権（請求原因(2)に対し）

ア　先使用権（特許法79条）

> ①　被告は、特許出願に係る権利の内容を知らないで自らその発明をした。
> ①′　被告は、特許出願に係る権利の内容を知らないでその発明をした者から知得した。
> ②　被告は、特許出願の際現に日本国内においてその発明の実施である事業をしていた。
> ②′　被告は、特許出願の際現に日本国内においてその発明の実施である事業の準備をしていた。
> ③　対象製品は、被告が事業の実施をしている発明及び事業の目的の範囲に属する。

---

[19]　飯田圭「当然対抗制度」ジュリ1436号54頁、飯塚卓也「当然対抗制度」ジュリ1341号240頁、島並良「通常実施権の対抗制度のあり方」学会年報35号77頁、片山英二「当然対抗制度の導入と実務上の問題点」学会年報35号89頁

> ③′ 対象製品は、被告が事業の準備をしている発明及び事業の目的の範囲に属する。

　先使用権の要件①①′については、特許出願の時点で発明が完成していることを要する。発明の完成とは、その技術内容が当該技術分野における通常の知識を有する者が反復実施して目的とする技術効果を挙げることができる程度にまで具体的・客観的なものとして構成されていなければならない（最一小判昭和52・10・13民集31巻6号805頁〔薬物製品事件〕）。なお、発明の完成につき、最終的な製作図面が作成されていることまでは必ずしも必要ではなく、その物の具体的構成が設計図等によって示され、当該技術分野における通常の知識を有する者がこれに基づいて最終的な製作図面を作成しその物を製造することが可能な状態となっていれば、発明の完成といえる（最二小判昭和61・10・3民集40巻6号1068頁〔ウォーキングビーム事件〕、最二小判昭和44・10・17民集23巻10号1777頁〔地球儀型ラジオ事件〕）。

　先使用の要件②②′の「発明の実施である事業」とは、当該発明につき先使用権を主張する者が、自己のため、自己の計算において、その発明実施の事業をすることを意味し、かつ、それは、その者が、自己の有する事業設備を使用し、自ら直接に上記発明にかかる物品の製造、販売等をする場合だけではなく、その者が、事業設備を有する他人に注文して、自己のためにのみ上記発明にかかる物品を製造させ、その引渡しを受けて、これを他に販売する場合をも含む。また、第三者が、当該発明につき先使用権を有する者からの注文に基づき、専らその者のためにのみ上記発明にかかる物品の製造、販売等をしているにすぎないときは、その第三者のする物品の製造、販売等の行為は、上記先使用権を有する者の権利行使の範囲内に属する（意匠権につき、最二小判昭和44・10・17民集23巻10号1777頁〔地球儀型ラジオ事件〕）。

　先使用の要件②′は、事業の実施の段階まで至らないものの、即時実施の意図を有しており、かつ、その即時実施の意図が客観的に認識される態

様、程度において表明されている場合も含まれる（最二小判昭和61・10・3民集40巻6号1068頁〔ウオーキングビーム事件〕）。事業の準備に当たるか否かは、発明の内容・性質、発明に要した時間・労力・資金等の投資を総合して判断することになろう。

先使用の要件③③'の「事業の実施をしている発明」とは、特許発明の特許出願の際（優先権主張日）に先使用権者が現に日本国内において実施又は準備をしていた実施形式に限定されるものではなく、その実施形式に具現されている技術的思想すなわち発明の範囲をいう（最二小判昭和61・10・3民集40巻6号1068頁〔ウオーキングビーム事件〕）。したがって、先使用権の効力は、特許出願の際（優先権主張日）に先使用権者が現に実施又は準備をしていた実施形式だけでなく、これに具現された発明と同一性を失わない範囲内において変更した実施形式にも及ぶ。

イ　冒認者による移転登録前の通常実施権（特許法79条の2）

①　被告は、B（冒認者）から原告への特許権の移転の登録の際現にその特許権（専用実施権・通常実施権）を有していた。
②　被告は、Bから原告への特許権の移転の登録前に、冒認・共同出願違反に該当することを知らないで、日本国内においてその発明の実施である事業をしていた。
③　対象製品は、被告が事業の実施をしている発明及び事業の目的の範囲に属する。

冒認者から真の権利者に移転登録された場合、冒認者から特許権を譲り受けた者や、専用実施権又は通常実施権を設定・許諾されている者については、特許が無効にされた場合と同様に、当該権利は無効なものとして扱われるが、これらの者を保護するため、中用権（特許法80条）の例に倣い、譲受人又は実施権者が善意で当該発明を実施又は実施の準備をしていた場合には、これらの者は通常実施権を有するものとして扱われることになっ

た（同法79条の2）。

　真の権利者から侵害訴訟を提起された、冒認者からの特許権の譲受人や専用実施権者等は、特許法79条の2所定の事実を法定通常実施権の抗弁として主張立証することができる。

　冒認者による移転登録前の通常実施権の要件①の「Bから原告への特許権の移転の登録」は、特許法74条に基づくものでなければならない。「Bから原告への特許権の移転の登録の際現にその特許権（専用実施権）を有していた」ことを含め、特許登録原簿の記載により、立証することができる。通常実施権者の場合は、登録がされないため、Bから原告への特許権の移転の登録日より前に、冒認者との間で実施許諾契約を締結したことを主張立証しなければならない。

　冒認者による移転登録前の通常実施権の要件②の「発明の実施である事業」及び同③の「事業の実施をしている発明」については、先使用の要件②③と同様に解釈することができる。

　　ウ　その余の通常実施権

　なお、法定の実施権としては、先使用権及び79条の2のほか、特許法35条1項、80条、81条、176条等があり、裁定実施権として、83条、92条、93条が規定されている。被告は、それぞれの実施権を発生させる要件を主張立証すべきである。

(6) 公知技術の抗弁（自由技術の抗弁）（請求原因(2)に対し）

> ①　本件特許出願前に頒布された刊行物にa＋b＋cからなる発明が記載されていた。
> ②　対象製品は、上記発明と同一のものである。

　公知事実の抗弁ないし自由技術の抗弁は、特許発明が公知技術と同一であるという無効理由を主張立証するより被告の対象製品が公知技術と同一

であることを主張立証する方が容易な場合に、特許法104条の3とは別の抗弁として意義がある。

(7) 出願経過等の参酌（請求原因(3)アに対し）

ア　出願経過の参酌

> 特許権者が、出願経過において、自ら特許請求の範囲を限定し、その解釈等について限定した〇〇という主張を行った。

　特許発明の技術的範囲に属することは、規範的要件であり、被告は、これを排斥する障害事実を主張立証すべきである。詳細は、第2章Ⅲの2を参照されたい。

　対象製品が特許発明の技術的範囲に属するか否かは、特許請求の範囲の記載に基づいて定めなければならない（特許法70条1項）。特許請求の範囲に記載された用語の意義は、願書に添付した明細書の記載及び図面を考慮して解釈するものとする（同条2項）。

　出願の過程で拒絶理由に対する意見書や補正書において発明を限定する趣旨の主張をしていた場合には、後にこれが特許査定を受け、特許権侵害訴訟において、そのような経過を無視して、特許請求の範囲について広い保護を求める主張をすることが、禁反言の法理に照らして許されない場合がある（包袋禁反言・審査経過エストッペル）。拒絶理由が一度も発せられることなく特許査定されるケースは少なく、意見書において先行技術との相違を主張したり広いクレームを減縮する補正を行っていることが多いから、被告としては、出願経過における包袋を調査し、その具体的事実を主張すべきである。

イ　公知技術の参酌

> 本件特許出願時に、○○という技術は公知であった。

　出願当時既に公知、公用にかかる技術が含まれている場合は、その権利範囲を確定するに当たっては、上記公知、公用の部分を除外して特許発明の技術的範囲を定めるべきであるとされた判例（最二小判昭和37・12・7民集16巻12号2321号〔炭トロ事件〕）もあるが、最三小判平成12・4・11民集54巻4号1368頁〔富士通半導体・キルビー特許事件〕や特許法104条の3の制定以前のものであり、現在ではそのような考え方は採られていない。今後は、公知技術の存在は、特許発明の技術的範囲の解釈のレベルで参酌すべき場合よりも、特許権の行使が許されないとの抗弁のレベルの主張として意味がある場合が多くなると思われる。詳細は、第2章Ⅲの2を参照されたい。

(8) 均等侵害に対する抗弁（請求原因(3)エに対し）

> ①　対象製品等が、特許発明の特許出願時における公知技術と同一又は当業者がこれから上記出願時に容易に推考できたものである。
> ②　対象製品等が特許発明の特許出願手続において特許請求の範囲から意識的に除外されたものに当たるなどの特段の事情がある。

　被告は、均等の第4要件（上記①）及び第5要件（上記②）を主張立証すべきである。

(9) 権利濫用の抗弁

ア　特許権の濫用

　特許権も私権の一種であり、権利の濫用は許されない。

特許権の濫用とされる事例としては、最三小判平成12・4・11民集54巻4号1368頁〔富士通半導体・キルビー特許事件〕があったが、このように特許権が無効にされるべき場合に、権利行使ができないことは、特許法104条の3に法定された。

イ　必須宣言特許に基づく損害賠償請求

知財高判平成26・5・16判時2224号146頁〔アップルサムスン事件〕は、必須宣言特許を保有する者による損害賠償請求は、FRAND条件（fair、reasonable and non-discriminatory terms and conditions（公正、合理的かつ非差別的な条件））でのライセンス料相当額を超える部分では権利の濫用に当たるが、FRAND条件でのライセンス料相当額の範囲内では権利の濫用に当たるものではないと判断した。必須宣言特許についてFRAND宣言がされている場合に、標準規格に準拠した製品を製造、販売等しようとする者は、標準規格に準拠した製品を製造、販売等するのに必須となる特許権のうち、少なくともETSI（European Telecommunications Standards Institute（欧州電気通信標準化機構））の会員が保有するものについては、そのライセンスポリシーに応じて適時に必要な開示がされるとともに、FRAND宣言をすることが要求されていることを認識しており、特許権者とのしかるべき交渉の結果、将来、FRAND条件によるライセンスを受けられるであろうと信頼することを、その理由とする。

上記判決によれば、FRAND宣言をした特許権者が、当該特許権に基づいて、FRAND条件でのライセンス料相当額を超える損害賠償請求をする場合、そのような請求を受けた相手方は、特許権者がFRAND宣言をした事実を主張立証すれば、ライセンス料相当額を超える請求を拒むことができる。これに対し、特許権者が、相手方がFRAND条件によるライセンスを受ける意思を有しない等の特段の事情が存することについて主張立証すれば、FRAND条件でのライセンス料を超える損害賠償請求部分についても許容される。したがって、被告は、抗弁として、

> 特許権者は、本件特許について、FRAND宣言をしたこと

を主張立証すべきであり、

> 相手方がFRAND条件によるライセンスを受ける意思を有しない等の特段の事情が存すること

は、特許権者が主張立証すべき再抗弁となる。

　また、FRAND条件でのライセンス料相当額による損害賠償請求については、FRAND条件でのライセンス料相当額の範囲内の損害賠償請求を許すことが著しく不公正であると認められるなど特段の事情があることを、被告側で主張立証すべきである。

　ウ　必須宣言特許に基づく差止請求

　さらに、FRAND宣言がされている特許については、差止請求権の行使を許容することは、特許権者とのしかるべき交渉の結果、FRAND条件でのライセンスを受けることができるとの期待を抱いて規格に準拠した製品を製造、販売する者の信頼を害することになる。よって、被告は、権利濫用の抗弁として、

> ①　特許権者は、FRAND宣言をしたこと
> ②　被告がFRAND条件によるライセンスを受ける意思を有する者であること

を主張立証すべきである。差止請求権を過度に制限する場合には、かえってライセンス交渉における任意の交渉によるライセンス契約の成立への意欲を減退させるおそれがあるから、差止請求権においては立証責任を差止請求権を争う側に課すことも、正当化されよう。

⑽ 損害に対する抗弁（請求原因⑷に対し）

特許法102条1項に対しては、

> 第三者が市場の30％を占有しているから、原告は、被告が販売した○○個のうち△△個を販売することはできなかった。

が抗弁となる。被告の営業努力や代替品の存在がその事由といえるか否かについては争いがある。特許法102条2項に対しては、推定を覆滅させる事実が抗弁となる。詳細は、第2章Ⅵを参照されたい。

III 〔技術的範囲の属否〕

1 クレーム解釈の意義

(1) 特許権侵害訴訟におけるクレーム解釈

　特許法は、特許出願人が発明を一般に開示することの代償として、独占的実施権を付与するものである。特許権者は、自己の特許権を侵害する者に対し、その侵害の停止等を請求することができる（特許法100条1項）。特許権者は、業として特許発明の実施をする権利を専有する（同法68条本文）から、第三者が正当な権原なく業として特許発明を実施すれば、特許権を侵害することになる。ここで、特許発明の実施とは、原告の特許発明の技術的範囲に属する製品ないし方法を生産、使用、譲渡等特許法2条3項各号に該当する行為を行うことをいう。

　上記のように、特許権侵害訴訟においては、まず被告の行為が原告の特許権を侵害するか否か、すなわち特許発明の実施に当たるか否か、言い換えれば、対象製品又は対象方法が特許発明の技術的範囲に属するか否かという充足論が問題になる。

　特許発明の技術的範囲は、願書に添付した特許請求の範囲の記載に基づいて定めなければならないと規定されている（特許法70条1項）。特許請求の範囲を「クレーム（claim）」と呼んでいる。発明が無体物であることからその内容は文言によって構成が説明されているところ、特許請求の範囲に記載された用語がいかなる意味を有するかの解釈が「クレーム解釈」である。

　クレーム解釈は、特許権侵害訴訟において、被告の実施する製品が特許発明の技術的範囲に属するか否かすなわち特許権侵害行為に当たるか否か

という最も重要な争点を左右する問題となる。

(2) 発明の要旨の認定

また、クレーム解釈は、特許権を付与するか否か（特許の成否）や無効とすべきか否か（特許の有効性）の審理を行う拒絶査定不服審判及び特許無効審判並びにこれらに対する審決の取消訴訟においても、重要な役割を果たす。ここでは、「発明の要旨の認定」と呼ばれ、特許出願に係る発明の要旨の認定は、特段の事情のない限り、特許請求の範囲の記載に基づいてされるべきであるとされている（最二小判平成3・3・8民集45巻3号123頁〔リパーゼ事件〕）。

(3) 特許請求の範囲

特許請求の範囲は、特許出願の際願書に添付しなければならない（特許法36条2項）。そして、請求項に区分して、各請求項ごとに特許出願人が特許を受けようとする発明を特定するために必要と認める事項の全てを記載しなければならない（同条5項）。さらに、特許請求の範囲の記載は、発明の詳細な説明に記載したものであること（同条6項1号。サポート要件）及び明確であること（同項2号）等が要求され、明細書の発明の詳細な説明の記載については、当業者がその実施をすることができる程度に明確かつ十分に記載したものでなければならない（同条4項1号。実施可能要件）など、同条に適合するものであることが必要である。

2 文言侵害

(1) 特許権侵害訴訟における充足論

特許権侵害訴訟において、特許権者は、特許権又は専用実施権を有し、相手方が当該特許発明を実施していることを主張立証しなければならない。権利侵害すなわち特許発明の技術的範囲に属するとの主張それ自体は

法律的主張で、直接には証明の対象にならない。相手方である被告が認めれば権利自白が成立する。特許権者は、特許権侵害を基礎付ける事実を主張すべきである。

　特許権侵害に当たるか否かを判断するに当たっては、特許発明の技術的範囲を大前提、被告の製造販売等する対象製品（又は使用する対象方法）を小前提として、後者が前者に包含されるか否かという三段論法を用いる。したがって、①特許発明の特許請求の範囲を構成要件に分説し、特許発明の技術的範囲を確定した上、②対象製品（又は方法）をこれと対比し、③その構成要件を全て充足しているか否かを判断することになる。

(2) クレーム解釈の判断資料

　特許権による保護は、発明者が創作し開示した技術的思想のうち、出願人が特許付与を請求した限度において与えられる。特許庁の行政処分によって発生する特許権の効力は、特許請求の範囲の記載によって、効力の及ぶ客観的範囲が画され、特許権者と特許請求の範囲の記載を信頼する第三者の利害の調整が行われる。このような特許発明の技術的範囲を定めるクレームの解釈に当たっては、次のような資料を用いる。

　ア　特許請求の範囲の記載

　前記のとおり、特許権侵害訴訟においては、被告が製造販売する対象製品（又は使用する対象方法）が特許発明の技術的範囲に属するか否かが問題とされ、特許発明の技術的範囲は、願書に添付した特許請求の範囲（クレーム）に基づいて定められなければならない（特許法70条1項）。

　その趣旨は、特許請求の範囲に記載された構成要素を全て具備したもののみが特許発明の技術的範囲に属するとともに、特許請求の範囲に記載されていないものを特許発明の構成要素として考慮してはならないことを意味する。

　特許請求の範囲の解釈に当たっては、その文言をできるだけ素直に解釈すべきである。明細書の技術用語は学術用語を用いること（特許法施行規

則24条、様式第29備考7）、その有する普通の意味で使用し、かつ明細書全体を通じて統一して使用すること、特定の意味で使用する場合はその意味を定義して使用すること（同備考8）等に照らして、特許請求の範囲に記載された用語の解釈をすべきである。

　イ　明細書の記載

　この場合、特許請求の範囲に記載された用語は、願書に添付した明細書の記載すなわち発明の詳細な説明等の記載や図面を考慮して、解釈すべきである（特許法70条2項）。特許出願に係る発明の要旨の認定は、特許請求の範囲の記載の技術的意義が一義的に明確に理解することができないときや、一見してその記載が誤記であることが明細書の発明の詳細な説明に照らして明らかであるなどの特段の事情のない限り、特許請求の範囲の記載に基づいてされるべきであるとされているが（最二小判平成3・3・8民集45巻3号123頁〔リパーゼ事件〕）、これは拒絶査定不服審判や特許無効審判及びこれらの審決取消訴訟における特許の有効無効に関するものである。同判決後に特許法70条2項が確認的に規定されることになったことからも明らかなように、侵害訴訟における技術的範囲の確定の場面においては、願書に添付した明細書の記載すなわち発明の詳細な説明等の記載や図面を考慮すべきである。

　特許請求の範囲に記載された発明は発明の詳細な説明に記載したものでなければならないから（同法36条6項1号）、発明の詳細な説明は参照されるべきであり、特に特許請求の範囲に記載した用語が多義的な場合は、発明の詳細な説明の記載により、その意義を明らかにすべきである。

　最三小判昭和50・5・27裁判集民事115号1頁〔オール事件〕も、特許請求の範囲の記載の意味内容をより具体的に正確に判断する資料として明細書の他の部分にされている考案の構造及び作用効果を考慮することは差し支えないと判示している。

　ウ　出願経過の参酌

　特許権侵害訴訟において、「特許発明の技術的範囲に属すること」は、

規範的要件であり、被告は、これを排斥する評価障害事実を主張立証すべきであるが、出願経過もその1つである。

　出願の過程で拒絶理由に対する意見書や補正書において発明を限定する趣旨の主張をしていた場合において、特許査定を受けた後、特許権者が特許権侵害訴訟において、そのような経過を無視して、特許請求の範囲について広い保護を求める主張をすることが、禁反言の法理に照らして許されない場合がある。被告が実施している対象製品について、出願や審査の過程で特許請求の範囲に含まれないようなことを主張していた特許権者が、侵害訴訟においてこれが含まれると主張することを許さないことを、「包袋禁反言の法理（filewrapper estoppel）」ないし「審査経過エストッペル（prosecution history estoppel）」という。

　この点については特許法に規定があるわけではなく、その根拠は、一般に民事訴訟一般における信義則（民事訴訟法2条）に求められているが、カテゴリカルに適用されるものであり、権利の成立要件を判断する機関と権利行使の可否を判断する機関が分化している特許制度の特殊性からその調整原理として位置付けられるとの見解[20]や、審査の潜脱に求める見解[21]もある。特許請求の範囲の用語につき広狭双方の解釈が可能な場合や多義的な解釈が可能な場合に、意見書や手続補正の経過が狭い方の解釈を採用すべき有力な根拠となる場合がある。

　拒絶理由が一度も発せられることなく特許査定されるケースは少なく、意見書において先行技術との相違を主張したり広いクレームを減縮する補正を行っていることが多いから、被告としては、出願経過における資料（包袋）を調査し、その具体的事実を主張すべきである。

　そして、特許出願手続において出願人が特許請求の範囲から意識的に除外するなど、特許権者がいったん技術的範囲に属しないことを明示的に認

---

[20] 田村善之「判断機関分化の調整原理としての包袋禁反言の法理」『クレーム解釈論』84頁
[21] 大野聖二「均等論と2つのエストッペル論」パテント49巻2号9頁

めた場合のほか、手続補正書や意見書等において、拒絶理由等に対応して補正した場合（大阪地判昭和61・5・23無体裁集18巻2号133頁〔繊維分離装置事件〕）や、特許請求の範囲の記載の意義を限定する陳述を行い、その結果特許査定がされた場合にも、後の特許権侵害訴訟においてこれと反する主張をすることは、許されないと解すべきである（東京高判平成12・2・1判時1712号167頁〔血清CRPの簡易迅速定量法事件〕）。さらに、権利化された後の無効審判手続中でされた主張と矛盾する主張は、訴訟上の信義則ないし禁反言の趣旨に照らして許されないとした裁判例もある（東京地判平成12・9・27判夕1042号260頁〔連続壁体の造成工法事件〕）。

エ　公知技術

出願時に新規な発明であることは特許要件であり（特許法29条1項）、いかなる発明に対して特許権が与えられたかを勘案するに際しては、その当時の技術水準を考えざるを得ない（最二小判昭和37・12・7民集16巻12号2321号〔炭トロ事件〕）。これを「公知技術の参酌」という。同判決では、公知技術を参酌して、特許請求の範囲に記載された用語を限定的に解釈している。

さらに、出願当時既に公知、公用に係る技術が含まれている場合に、その権利範囲を確定するに当たっては、上記公知、公用の部分を除外して特許発明の技術的範囲を定めるべきであるとされてきた（最三小判昭和39・8・4民集18巻7号1319頁〔回転式重油燃焼装置事件〕、最二小判昭和49・6・28裁判集民事112号155頁〔一眼レフカメラ事件〕）。この考え方を「公知部分除外説」という。もっとも、前掲最三小判昭和39・8・4では、公知な部分を含むクレームは、それを含まないように特許請求の範囲に記載されている用語とは無関係に、新たな要件を付加して特許請求の範囲を狭く限定解釈するもので、クレーム解釈の域を超えているとの評価がされていた。

しかしながら、前記判決は、いずれも、特許に無効理由が存在することが明らかな場合に特許権の行使を認めないとした最三小判平成12・4・11民集54巻4号1368頁〔富士通半導体・キルビー特許事件〕や特許法104条の3の新設より前のものである。当時としては、事案の妥当な解決を図るため

に一種の緊急避難的な措置として限定解釈をしたものであり、公知部分の除外も、特許非侵害との結論を導くために必要な手法であった。しかし、現在においては、出願当時の技術水準の参酌を超えて、「公知部分の除外」という方法によるクレーム解釈の手法が維持されるものとは解されない。

　すなわち、公知部分除外説は、クレームの一部に公知部分が含まれる場合の判断手法である。例えば、特許請求の範囲が構成要件 $A+B+C$ から成る場合に、Aが A_1 及び A_2 の上位概念であって、A_2+B+C という構成が公知であった場合に、上記公知技術を除外してその技術的範囲を A_1+B+C と解釈し、対象製品が A_1+B+C であれば侵害であるのに対し、A_2+B+C であれば非侵害であるという結論を導こうとするものである。我が国では、クレームの一部に無効理由があれば、公知部分を除外するために訂正審判請求又は訂正請求をする必要があり、特許請求の範囲の訂正が認められれば無効を免れる。もっとも、訂正には時期的制限があり、特許無効審判が特許庁に係属した時からその審決が確定するまでの間は訂正審判請求ができないし（特許法126条2項）、答弁書提出期間等定められた期間に限り訂正請求ができる（同法134条の2第1項）。また、内容的制限もあり、新規事項の追加は禁止されるため（同法126条6項）、常に訂正が認められるとは限らず、訂正することができない場合は、その全部が無効にされる。

　前掲最三小判平成12・4・11〔富士通半導体・キルビー特許事件〕の出現後、このような場合には上記特許には無効理由が存在するが（特許法123条1項2号、29条1項）、特許権者が、特許請求の範囲 $A+B+C$ を A_1+B+C と減縮する旨の訂正を請求すれば（同法126条1項ただし書1号、134条2項ただし書1号）、当該発明は公知技術を含まないことになって、無効理由が解消するであろうから、このように、訂正の請求がされ、かつその訂正によって無効理由が解消するような場合を念頭に置いて「特段の事情」という留保が付けられていると解されてきた[22]。そして、いかなる特許請求の範囲に訂正するかは、特許権者自身の判断によるのであるから、上記最高

裁判決の権利濫用の抗弁に対する再抗弁としての「特段の事情」ないし訂正の対抗主張については、特許権者において、少なくとも、訂正審判請求又は訂正請求の内容を主張立証することが必要であると解される。そして、これが再抗弁としての意味を持つのは、訂正審判請求又は訂正請求が要件を満たし、これにより当該無効理由が解消すると認められ、さらに、対象製品が訂正後の特許発明の技術的範囲に属するような場面である[23]。

　したがって、例えば、前記の例において、特許請求の範囲 A（A_1 及び A_2 の上位概念）＋ B ＋ C を、公知技術を含まないように A_1 ＋ B ＋ C に減縮する訂正をし、対象製品が A_1 ＋ B ＋ C という構成である場合には、前掲最三小判平成12・4・11〔富士通半導体・キルビー特許事件〕における「特段の事情」の再抗弁が成立することになろう。これに対し、訂正によって特許請求の範囲を減縮した結果、対象製品が訂正後の特許発明の技術的範囲に属さなくなる場合、すなわち、例えば、前記の例において、対象製品が A_2 ＋ B ＋ C という構成である場合には、請求が認容される余地はない。このことは、特許法104条の3の下においても同様に解されるべきである。

　そうすると、今後、出願当時の技術水準を参酌して出願時のクレームの意義を明らかにすることはともかく、特許発明の技術的範囲の解釈のレベルで、公知部分を除外してクレームを限定解釈する必要は、前掲最三小判平成12・4・11〔富士通半導体・キルビー特許事件〕以前に比べ、乏しくなっているといわざるを得ない。

22　髙部眞規子「判解」最高裁判所判例解説民事篇〔平成12年度〕〔18〕事件
23　髙部眞規子「訂正請求が肯定されても無効理由が明らかに存在する場合の処理」『特許判例百選〔第3版〕』172頁

3　間接侵害

(1) 物の発明の場合

ア　立法趣旨

　侵害品の生産に用いる物の生産等の行為は、専用品の場合及び課題の解決に不可欠で主観的要件を満たす場合には、特許権侵害とみなされる(特許法101条)。発明の一部を実施する行為のうち特許権侵害を惹起する蓋然性の高い行為に限って、特許権侵害と定められたものである。間接侵害は、特許権の効力の実効性を確保するための規定であり、特許権の不当な拡張とならないような注意が必要である。

イ　特許法101条1号について

　「侵害品の生産にのみ用いる物」とは、その物に社会通念上経済的、商業的又は実用的な他の用途がないことを意味する[24]。もっとも、多機能品については、このような意義付けだけではその外延が必ずしも明らかになるわけではない。すなわち、対象製品が特許発明を実施する機能と実施しない機能とを切り換えて使用することが可能な多機能製品の場合においては、特許発明を実施する機能は全く使用しないという使用形態が、対象製品の経済的、商業的又は実用的な使用形態と認められない限り、これに当たるとされた裁判例があるのに対し(大阪地判平成12・10・24判タ1081号241頁〔製パン器事件〕)、侵害品の機能と侵害しない機能とを兼ね備えた互換性のある製品について、「のみ」要件を満たさないとされた裁判例もある(東京地判昭和56・2・25無体裁集13巻1号139頁〔交換レンズ事件〕)。

　差止請求における「のみ」要件の判断基準時は口頭弁論終結時であり、損害賠償請求における「のみ」要件の判断基準時は侵害行為時である[25]。

---

[24]　松尾和子「間接侵害(1)―間接侵害物件」裁判実務大系『工業所有権訴訟法』265頁、竹田稔『知的財産権訴訟要論〔第6版〕』173頁

[25]　吉川泉「間接侵害」リーガル・プログレッシブ・シリーズ『知的財産関係訴訟』107頁

なお、「のみ」要件の主張立証責任は原告にある。

同号においては、生産・譲渡・輸入等の行為が対象になっており、間接侵害となるような物の輸出は含まない（大阪地判平成12・12・21判タ1104号270頁〔ポリオレフィン透明剤事件〕）。

ウ　特許法101条2号について

(ア)　非専用品型間接侵害

特許法101条2号の間接侵害は、適法な用途にも使用することができる物（多用途品）の生産、譲渡等を間接侵害と位置付けたものであり、客観的要件として、「その物の生産に用いる物（日本国内において広く一般に流通しているものを除く。）であってその発明による課題の解決に不可欠であること」、主観的要件として、「その発明が特許発明であること及びその物がその発明の実施に使用されることを知っていること」を要件としている。括弧書の部分を除き、特許権者側が請求原因として主張すべきであり、「日本国内において広く一般に流通しているもの」は抗弁事実である。

以上の各要件の判断の基準時は、差止請求については口頭弁論終結時、損害賠償請求については侵害時である。すなわち、侵害時には汎用品でなかったものが口頭弁論終結時に汎用品になったにもかかわらず差止めを認めると、特許権侵害とは無関係の他の用途にまで及ぶおそれがあり、特許権の不当な拡張となるから、侵害時に汎用品でない場合に損害賠償の対象となるにすぎない。また、侵害時に知らなかったが口頭弁論終結時に知っている場合には、将来の差止めを認められてもやむを得ないであろう[26]。

なお、専用品でない物についての間接侵害が成立する場合には、違法用途と適法用途があり得るため、その差止めをどのような形式で命じるべきか、困難な問題がある[27]。

(イ)　客観的要件

「発明による課題の解決に不可欠であること」とは、それを用いること

---

[26]　中山信弘『特許法〔第3版〕』440頁
[27]　中島基至「充足論―間接侵害の場合」裁判実務シリーズ『特許訴訟の実務』122頁

により初めて発明の解決しようとする課題が解決されるような部品、道具、原料等を意味し、その発明が解決しようとする課題とは無関係に従来から必要とされていたものは含まない。したがって、従来技術の問題点を解決するための方法として、当該発明が新たに開示する従来技術に見られない特徴的技術手段について、当該手段を特徴付けている特有の構成ないし成分を直接もたらすものが、これに該当する（東京地判平成16・4・23判時1892号89頁〔プリント基板用治具用クリップ事件〕）。

また、「日本国内において広く一般に流通しているもの」とは、典型的には、日本国内において広く流通している一般的な製品、すなわち、特注品ではなく、他の用途にも用いることができ、市場において一般に入手可能な状態にある規格品、普及品（ねじ、釘、電球、トランジスター等）を意味するとされている（知財高判平成17・9・30判時1904号47頁〔一太郎事件〕）。

(ウ) 主観的要件

「知っている」とは、現実に知ることが必要であり、過失により知らない場合を含まない。この点の立証責任は特許権者側にある。差止請求における上記主観的要件の判断基準時は口頭弁論終結時であるから、訴状の送達によっても、上記要件を具備することが可能である。

「発明が特許発明であること…を知りながら」が間接侵害の要件とされた趣旨は、同号の対象品は適法な用途にも使用することができる物であることから、部品等の販売業者に対して、部品等の供給先で行われる他人の実施内容についてまで、特許権が存在するか否かの注意義務を負わせることは酷であり、取引の安全を害するとの点にある。

また、「その物がその発明の実施に用いられることを知りながら」が間接侵害の要件とされた趣旨は、対象品（部品等）が適法な用途に使用されるか、特許権を侵害する用途ないし態様で使用されるかは、個々の使用者の判断に委ねられていることから、当該物の生産、譲渡等をしようとする者にその点についてまで注意義務を負わせることは酷であり、取引の安全を著しく欠くおそれがあることから、いたずらに間接侵害が成立する範囲

が拡大しないように配慮する点にある。

　その物がその発明の実施に用いられることについての認識の程度については、①一般的な利用可能性の認識では足りず、現実に当該部品等が特定の者によって特許発明の実施に用いられている事実を認識している必要があるとする見解と、②違法用途に使用している購入者が特定しているときは、当該購入者が違法用途に使用していることを認識している場合に悪意となり、特定していないときは、部品等を入手する者のうち例外的とはいえない範囲の者が侵害に利用する蓋然性が高いことを認識している場合に悪意となるとする見解がある[28]。大阪地判平成30・12・25判時2478号74頁〔画面定義装置事件〕は、当該部品等が特許権を侵害する用途・態様で使用される一般的可能性を超えて、当該部品等の譲渡等により特許権侵害が惹起される蓋然性が高い状況が現実にあり、そのことを当該部品等の生産、譲渡等をした者において認識、認容していることを要するとし、当該部品等の性質、その客観的利用状況、提供方法等に照らし、当該部品等を購入等する者のうち例外的とはいえない範囲の者が当該製品を特許権侵害に利用する蓋然性が高い状況が現に存在し、部品等の生産、譲渡等をする者において、そのことを認識、認容していることを要し、またそれで足りると判断した。

　　エ　特許法101条3号について
　平成18年改正により、侵害物の譲渡又は輸出のための所持も間接侵害とされることになった。これは、所持の段階で押さえないと侵害品が拡散してしまい、防止が難しくなることによる。

(2) 方法の発明の場合

　方法の発明の場合にも、物の発明に係る上記1号ないし3号と同趣旨の

---

[28]　本文①説として、三村量一「非専用品型間接侵害（特許法101条2号、5号）の問題点」知的財産法政策学研究19号103頁、②説として、西理香「非専用品型間接侵害（特許法101条2号、5号）における差止めの範囲と主観的要件」L&T63号14頁がある。

4号ないし6号が規定されている。知財高判平成17・9・30判時1904号47頁〔一太郎事件〕は、その物自体を利用して特許発明に係る方法を実施することが可能である物についてこれを生産、譲渡等する行為を特許権侵害とみなしている旨判示し、そのような物の生産に用いられる物を生産、譲渡等する行為を特許権侵害とみなしているものではないとして、特許法101条4号の適用を否定した。この点については、賛否両論がある[29]。

なお、特許法101条4号所定の「その方法の使用にのみ用いる物」についても、同条1号と同様、当該物に経済的、商業的又は実用的な他の用途がないことが必要である。特許発明に係る方法の使用に用いる物に、当該特許発明を実施しない使用方法が存する場合であっても、当該特許発明を実施しない機能のみを使用し続けながら、当該特許発明を実施する機能は全く使用しないという使用形態が、その物の経済的、商業的又は実用的な使用形態として認められない限り、なおこれに当たるとされた事例もある（知財高判平成23・6・23判時2131号109頁〔食品の包み込み成形方法事件〕）。

(3) 直接侵害者の行為の侵害の要否

間接侵害に関しては、これを直接侵害規制の実効性を確保するための規定であると解釈する立場から、直接行為者に特許権侵害が成立する場合にのみ間接侵害を認める見解（従属説）と、特許権に本来の効力に追加して別の効力が認められたと解釈する立場から、直接行為者に特許権侵害が成立しない場合であっても間接侵害を肯定する見解（独立説）の対立がある。直接行為者の行為が特許権侵害に当たらない、以下の場合に間接侵害が成立するか否かが問題となるが、いずれの見解によっても、事例に応じた修正を余儀なくされている[30]。

---

[29] 茶園成樹「ソフトウェアの製造販売と特許法101条2号・4号所定の間接侵害」ジュリ1316号14頁、愛知靖之「ソフトウェアの製造・譲渡につき間接侵害・権利行使制限の抗弁の成否等が争われた事例」L&T31号64頁
[30] 松尾和子「間接侵害(2)―間接侵害行為」裁判実務大系『工業所有権訴訟法』270頁

ア　直接行為者が家庭的個人的実施の場合

　直接行為者が一般消費者であり業としての要件を欠く場合にまで特許権の効力を及ぼすのは行きすぎであるが、間接侵害者が一般消費者による大量の侵害行為を惹起する行為を営利目的で実施しているような場合には、そのような配慮は不要であるから、間接侵害が成立するとされている（東京地判昭和56・2・25無体裁集13巻1号139頁〔交換レンズ事件〕）。間接侵害の規定は、このような場合に必要であるとして立法されたものであり、このような場合に間接侵害に問わないとすると、特許権者が発明の公開の代償として合理的に期待し得た独占的利益が害され、間接侵害規定の有する意義が失われてしまうからである。もっとも、知財高判平成17・9・30判時1904号47頁〔一太郎事件〕は、法人など業として侵害品を使用する直接行為者が存在することを指摘した上で、独立説、従属説のいずれの立場においても間接侵害が成立する旨判断している。

　イ　直接行為者が実施許諾を受けている場合

　従属説と独立説とで異なる帰結をもたらすが、実施権者への供給をする者に対し間接侵害は成立しないとするのが多数である。特許権者は実施権者との契約により、特許発明の実施についての対価を得る機会を得たものであり、実施権者への供給によって特許権者の独占的利益が害されるわけではなく、このような場合に間接侵害を認めると、実施権を不当に阻害する結果となる[31]。

　ウ　直接行為者の行為が試験又は研究のためにする実施の場合

　従属説と独立説とで異なる帰結をもたらすが、従属説の中でも肯定否定の両説がある。結局のところ、特許法69条1項が試験又は研究を特許権の効力の制限とした趣旨をどう捉えるかによって結論に差が出てくるように思われる。その趣旨を、産業の発達を目的とする特許制度の下で、試験又は研究のために発明を実施する者への部品や材料の供給が特許権を間接に

---

[31]　窪田英一郎「間接侵害について」『理論と実務1』198頁

侵害するとすると、試験又は研究のための発明の実施を阻害することになると捉え、間接侵害を否定するのが有力である[32]。他方、特許法69条が直接実施の実施態様にのみ認められたものであり、特許権の効力を一般的に制限しておきながら間接実施者にのみ実施による利益収受の地位を認めるのは均衡を失するとして間接侵害を肯定する立場もある[33]。

エ　直接行為が外国で行われる場合

直接侵害に該当する行為が外国で行われる場合には、属地主義の原則から我が国の特許権は外国における実施行為には及ばず、特許権者も外国における独占的利益を期待し得る立場にはないから、このような場合には間接侵害を否定することになる[34]（東京地判平成19・2・27判タ1253号241頁〔多関節搬送装置事件〕）。

4　均　等　論

(1)　最三小判平成10・2・24民集52巻1号113頁

特許権侵害訴訟においては、被告が製造販売する製品又は使用する方法（以下「対象製品」という。）が特許発明の技術的範囲に属するか否かが問題とされ、特許発明の技術的範囲は、願書に添付した特許請求の範囲に基づいて定められなければならない（特許法70条1項）。したがって、特許請求の範囲に記載された構成中に対象製品と異なる部分が存する場合には、この対象製品は、特許発明の技術的範囲に属するということはできないのが原則である。

文言解釈によれば特許請求の範囲に記載された構成と異なる場合であっても、一定の要件を満たす場合には例外的にこれと均等と評価されるとして、侵害を認める考え方が「均等論」である。したがって、均等による侵

---

[32]　窪田英一郎「間接侵害について」『理論と実務1』198頁
[33]　松本重敏『特許発明の保護範囲〔新版〕』253頁
[34]　窪田英一郎「間接侵害について」『理論と実務1』198頁

害は、特許請求の範囲に記載されたとおりの構成を有する「文言侵害」の原則の例外として、一定の場合に、特許発明の実質的価値が、第三者が特許請求の範囲に記載された構成と実質的に同一なものとして容易に想到することのできる技術にまで拡張される場合ということができる。

最三小判平成10・2・24民集52巻1号113頁〔ボールスプライン軸受事件〕は、他人の製品等が特許請求の範囲に記載された構成と均等なものとして特許発明の技術的範囲に属すると解すべき場合について、5つの要件を挙げた。

① 特許請求の範囲に記載された構成中に、相手方が製造等をする製品又は用いる方法と異なる部分が存する場合であっても、異なる部分が特許発明の本質的部分ではないこと
② 上記部分を対象製品等におけるものと置き換えても、特許発明の目的を達することができ、同一の作用効果を奏するものであること
③ 上記のように置き換えることに、当該発明の属する技術の分野における通常の知識を有する者(当業者)が、対象製品等の製造等の時点において容易に想到することができたものであること
④ 対象製品等が、特許発明の特許出願時における公知技術と同一又は当業者がこれから右出願時に容易に推考できたものではないこと
⑤ 対象製品等が特許発明の特許出願手続において特許請求の範囲から意識的に除外されたものに当たるなどの特段の事情もないこと

(2) 均等の第1要件

ア 本質的部分の意義

均等の第1要件は、「特許請求の範囲に記載された構成中に、相手方が製造等をする製品又は用いる方法と異なる部分が存する場合であっても、上記部分が特許発明の本質的部分ではないこと」である。

特許法が保護しようとする発明の実質的価値は、従来技術では達成し得なかった技術的課題の解決を実現するための、従来技術に見られない特有

の技術的思想に基づく解決手段を、具体的な構成をもって社会に開示した点にある。したがって、「特許発明における本質的部分」とは、当該特許発明の特許請求の範囲の記載のうち、従来技術に見られない特有の技術的思想を構成する特徴的部分であると解すべきである（知財高判平成28・3・25判時2306号87頁〔マキサカルシトール事件〕）。特許発明と対象製品の相違点がこのような発明の本質的部分に当たらないことは、課題の解決に当たり、対象製品が特許発明と同一の解決手段を用いるものであることを意味するものである。したがって、本質的部分が相違する場合には全体として当該特許発明の技術的思想とは別個のものと評価され、均等は認められない。

イ　特許発明の本質的部分の判断手法

特許発明の本質的部分が何かを判断するに当たっては、単に特許請求の範囲に記載された構成の一部を形式的に取り出すのではなく、特許発明を先行技術と対比して課題の解決手段における技術的原理を確定した上で、対象製品の解決手段が特許発明の解決手段の原理と実質的に同一の原理に属するものか、それともこれと異なる原理に属するものかという点から判断すべきであるとする見解（課題解決原理抽出説）が多数である。

第1要件にいう「本質的部分」について、2つの理解があるとされることがある[35]。その1は、最高裁判決が「特許請求の範囲に記載された構成中に対象製品等と異なる部分が存する場合であっても、右部分が特許発明の本質的部分でなく」と判示している点を重視して、特許請求の範囲に記載された構成と対象製品等との異なる部分が、特許発明の本質的部分でないとの意味であるとする見解であり[36]、構成の異なる部分を取り出して、

---

[35] 塚原朋一「知財高裁における均等侵害論のルネッサンス」知財管理61巻12号1777頁
[36] 西田美昭「侵害訴訟における均等の法理」新裁判実務大系『知的財産関係訴訟法』182頁。田村善之「特許発明における発明の「本質的部分」という発想の意義」学会年報32号46頁は、この説をクレームの構成要件を分説した上で、それを本質的部分と非本質的部分に分け、そのうち非本質的部分を置換することに止まることを要求する説であると説明している。

その異なる部分が本質的部分といえるか否かという観点から検討するというものである。その2は、判決文からは離れるが、「特許発明の本質的部分」とは特許発明が採用した特定の技術的手段の有機的結合に顕現されている課題解決思想をいうものであり、それは、特許発明の実質的価値、すなわち、特定の技術的課題を解決するために特許発明が採用した技術手段が特許出願時の技術水準からの発展形態としてどのような価値を持つかの考察に基づいて、判断されなければならないとする見解であり[37]、構成の相違部分の存在によって発明の解決課題原理と別のものになっているかを全体的に考察するものと解される。

　ここでは、本質的部分の内容をいかに捉えるのかこそが問題であり、第1の見解に立っても、発明の本質的部分の内容を発明の課題解決原理と考えるのであれば、異なる部分が別の課題解決原理に基づくかを検討することになるのであって、両説の間に具体的事案において大きな相違をもたらすほどの差異があるとまではいえないように思われる。

　この点、知財高判平成28・3・25判時2306号87頁〔マキサカルシトール事件〕は、特許発明の本質的部分の認定手法について、「特許請求の範囲及び明細書の記載に基づいて、特許発明の課題及び解決手段…とその効果…を把握した上で、特許発明の特許請求の範囲の記載のうち、従来技術に見られない特有の技術的思想を構成する特徴的部分が何であるかを確定することによって認定されるべきである。」とし、特許発明の本質的部分は、特許請求の範囲及び明細書の記載、特に明細書記載の従来技術との比較から認定されるべきであるのに対し、明細書に従来技術が解決できなかった課題として記載されているところが、出願時の従来技術に照らして客観的に見て不十分な場合には、明細書に記載されていない従来技術も参酌して、当該特許発明の従来技術に見られない特有の技術的思想を構成する特徴的部分が認定されるべきであると判示した。

---

[37] 三村量一「判解」最高裁判所判例解説民事篇〔平成10年度〕〔4〕事件、設樂隆一「均等論について」現代裁判法大系『知的財産権』72頁

すなわち、①通常は、特許請求の範囲及び明細書の記載、特に明細書記載の従来技術との比較から認定されるべきであるのに対し、②明細書に従来技術が解決できなかった課題として記載されているところが、出願時の従来技術に照らして客観的に見て不十分な場合には、明細書に記載されていない従来技術も参酌して認定されるべきである。

ウ　特許発明の本質的部分

特許発明の実質的価値は、その技術分野における従来技術と比較した貢献の程度に応じて定められることからすれば、特許発明の本質的部分は、上記①の特許請求の範囲及び明細書の記載、特に明細書記載の従来技術との比較から認定される場合で、従来技術と比較して特許発明の貢献の程度が大きいと評価されるときには、特許請求の範囲の記載の一部について、これを上位概念化したものとして認定されるのに対し、従来技術と比較して特許発明の貢献の程度がそれ程大きくないと評価されるときには、特許請求の範囲の記載とほぼ同義のものとして認定されると解される。

また、上記②の明細書に従来技術が解決できなかった課題として記載されているところが、出願時の従来技術に照らして客観的に見て不十分な場合には、明細書に記載されていない従来技術も参酌することになり、上記①の特許請求の範囲及び明細書の記載のみから認定される場合に比べ、より特許請求の範囲の記載に近接したものとなり、均等が認められる範囲がより狭いものとなると解される（知財高判平成28・3・25判時2306号87頁〔マキサカルシトール事件〕）。知財高判平成28・3・30（平成27年㈱第10098号）〔エミュレーションシステム用集積回路事件〕、知財高判平成28・6・29判タ1438号102頁〔振動機能付き椅子事件〕、知財高判平成30・6・19（平成29年㈱第10096号）〔携帯端末サービスシステム事件〕は、明細書に従来技術が解決できなかった課題として記載されているところが、出願時の従来技術に照らして客観的に見て不十分な場合に当たるとして、明細書に記載されていない従来技術を参酌し、特許発明の本質的部分を特許請求の範囲に近いものと認定した。

そうすると、均等侵害を肯定したい原告側としては、従来技術と比較して特許発明の貢献の程度が大きいと評価されること、例えばパイオニア的な発明であることを主張立証するのが効果的である。他方、均等侵害を否定したい被告側としては、従来技術に比べて特許発明の貢献度が小さいことについて、そのような従来技術の存在をもって反証するのが効果的である。

　エ　判断の順序

なお、最高裁判決後の下級審裁判例においては、第1要件を欠いていることを理由に、均等侵害が認められない事案が多いことが指摘されている。そこで、最高裁判決の示した順序どおりではなく、先に第2要件を判断するというのは、第1要件が膨らみすぎないようにするために、1つの有効な方法であろう。このようにして、第2要件の充足が判断された後に、第1要件を判断するという方法で、不当な結果を避けることが可能でないかと考えられる。

(3) 均等の第2要件

　ア　作用効果の同一性

均等の第2要件は、「相違点を置換しても特許発明の目的を達することができ、同一の作用効果を奏すること」である。

従来の学説で「置換可能性」という説明がされていた要件に相当する。作用効果の同一性は、特許発明が従来技術の問題点を解決すべき課題として解決したものを、対象製品も解決して特許発明の目的を達することができ同一の作用効果を奏することを意味するものである。作用効果が同一であれば、対象製品は特許発明の実施品と実質的に同じものと評価することができる。

　イ　作用効果の判断

明細書に発明の効果が記載されている場合には、記載された効果と対象製品等の効果が同一であるか否かを判断すべきであろう（知財高判平成30・

9・25（平成29年(ネ)第10064号）〔掘削装置事件〕）。

　もっとも、平成6年法律第116号による改正前の特許法36条4項は、「発明の目的、構成及び効果」を明細書の発明の詳細な説明の必要的記載事項としていたところ、同改正後の同項、特許法施行規則24条の2により、「課題及びその解決手段」等を必要的記載事項としたものであり、発明の効果は明細書の発明の詳細な説明の必要的記載事項として規定されていないため、発明の効果の記載のない明細書も存在する。そして、知財高判平成28・3・25判時2306号87頁〔マキサカルシトール事件〕は、明細書に発明の効果の記載がない特許発明について、一部の従来技術との対比のみにより発明の作用効果を限定して推認するのは相当ではないと判示している。

(4) 均等の第3要件

　均等の第3要件は、「置換が容易であること」である。

　「置換容易性」は、当該特許請求の範囲を当業者が見れば、格別の努力をしなくても当該置換を容易になし得ること、すなわち、対象製品の構成を採用しても、特許発明と同一の作用効果を奏することが、容易に想到できることを意味する。ここで判断の対象とされる当業者は、平均的技術者である[38]。

　前記最高裁判決は、特許出願の際に将来のあらゆる侵害態様を予想して特許請求の範囲を記載することは極めて困難であり、相手方がその一部を出願後明らかになった物質等に置き換えることによって特許権者の権利行使を免れることは衡平に反するとして、判断基準時を出願時ではなく侵害行為時としている。侵害行為時を判断の基準時とすることにより、時間の経過とともに当業者の技術レベルが向上し、それに伴い均等と認定される場面が増大することになる。当該発明の属する技術の分野における通常の知識を有する者が、侵害の時点において置換することを容易に想到するこ

---

[38] 中山信弘『特許法〔第3版〕』476頁

とができることによって、明細書に直接記載されていなくても、これと同視することが可能となる。

(5) 均等の第4要件

均等の第4要件は、「公知技術との同一性又は容易推考性がないこと」であり、均等の消極的要件と位置付けられる。

均等論を適用することにより、公知技術及びそれから容易に想到することができるものについてまで保護の範囲に含めることは妥当でなく、特許発明の特許出願時において公知であった技術及び当業者がこれから上記出願時に容易に推考することができた技術については、何人も特許を受けることができなかったはずのものであるから、特許発明の技術的範囲に属するということはできないことを理由とする。この考え方は、特許権侵害訴訟一般における「公知技術の抗弁」ないし「自由技術の抗弁」につながるものということができよう。

(6) 均等の第5要件

　ア　特段の事情の位置付け

均等の第5要件は、「対象製品等が特許発明の特許出願手続において特許請求の範囲から意識的に除外されたものに当たるなどの特段の事情のないこと」であり、均等の消極的要件と位置付けられる。

特許出願手続において出願人が特許請求の範囲から意識的に除外したなど、特許権者の側においていったん特許発明の技術的範囲に属しないことを承認するか、又は外形的にそのように解されるような行動をとったものについて、特許権者が後にこれと反する主張をすることは、禁反言の法理に照らし許されないことを理由とする。特許権侵害訴訟一般における包袋禁反言の法理や、意識的限定等、出願経過の参酌につながるものである。

　イ　出願時同効材

　(ｱ)　第5要件の特段の事情については、まず、最高裁判例のある出願時

同効材について説明する。

　出願時同効材とは、特許請求の範囲に記載された構成と実質的に同一なものとして、特許出願時に当業者が容易に想到することができる特許請求の範囲外の構成を含む他人の製品等のことをいう。

　出願時同効材を含むように当初から上位概念でクレームを記載することができたにもかかわらず、出願時にそうしなかったことが第5要件に当たるか否かについては、学説が分かれていた[39]。

　すなわち、①出願時容易想到説と呼ばれる見解は、出願人が特許出願時に容易に想到することができた対象製品に係る構成を特許請求の範囲に記載しなかったことが、第5要件の特段の事情に当たるとする説であり、②客観的外形的表示説と呼ばれる見解は、出願人が特許出願時に容易に想到することができた対象製品に係る構成を特許請求の範囲に記載しなかっただけでは、第5要件の特段の事情が存するとはいえないとし、これに加えて、出願人が、客観的、外形的にみて、対象製品に係る構成が特許請求の範囲に記載された構成を代替すると認識しながらあえて特許請求の範囲に記載しなかった旨を表示していたといえるときなどの付加事情があって初めて、第5要件の特段の事情に当たるとする説である。

　裁判例でも、より広義の用語を使用できたのに狭義の用語を用いただけでは意識的除外には当たらないとしたもの（名古屋地判平成15・2・10判時1880号95頁〔スチールバンド事件〕）に対し、明細書の記載に照らせば、当業者であれば、当初から対象製品に係る構成を包含した上位概念により特許請求の範囲を記載することが容易にできたにもかかわらず、これを限定して特許出願し、これを限定しない当初の請求項を削除するなどしたことが、

---

[39] 本文①説として、三村量一「判解」最高裁判所判例解説民事篇〔平成10年度〕〔4〕事件、高林龍『標準特許法〔第5版〕』154頁、大野聖二「均等論における本質的部分及び意識的除外」知財管理54巻9号1345頁、愛知靖之「審査経過禁反言・出願時同効材と均等論―アメリカ法を参照して―」学会年報38号105頁、本文②説として、設樂隆一「クレーム解釈手法の推移と展望」金判1236号56頁、塩月秀平「技術的範囲と均等」『牧野退官』106頁、中山信弘『特許法〔第3版〕』465頁がある。

外形的には意識的に除外したものと解されてもやむを得ないとしたもの（知財高判平成21・8・25判タ1319号246頁〔切削方法事件〕）、明細書に他の構成の候補が開示され、出願人においてその構成を記載することが容易にできたにもかかわらず、あえて特許請求の範囲に特定の構成のみを記載した場合には、客観的に見て意識的に限定したものであるとしたもの（知財高判平成24・9・26判タ1407号167頁〔医療用可視画像の生成方法事件〕）、出願人が出願時に対象製品の構成を容易に想到することができたのに特許請求の範囲に対象製品の構成を記載しなかった場合であっても、出願人が、出願時に、特許請求の範囲外の対象製品の構成を、特許請求の範囲に記載された構成中の異なる部分に代替するものとして認識していたものと客観的、外形的に見て認められるときには、出願人が特許請求の範囲に当該対象製品の構成を記載しなかったことは、第5要件における特段の事情に当たるとしたもの（知財高判平成28・3・25判時2306号87頁〔マキサカルシトール事件〕）があった。

(イ) このような中、最二小判平成29・3・24民集71巻3号359頁〔マキサカルシトール事件〕は、出願人が、特許出願時に、特許請求の範囲に記載された構成中の他人が製造等をする製品又は用いる方法と異なる部分につき、同製品等に係る構成を容易に想到することができたにもかかわらず、これを特許請求の範囲に記載しなかった場合であっても、それだけでは、同製品等が特許発明の特許出願手続において特許請求の範囲から意識的に除外されたものに当たるなどの同製品等と特許請求の範囲に記載の構成とが均等なものといえない特段の事情が存するとはいえないとした上、上記の場合において、客観的、外形的にみて、同製品等に係る構成が特許請求の範囲に記載された構成を代替すると認識しながらあえて特許請求の範囲に記載しなかった旨を表示していたといえるときには、同製品等が特許発明の特許出願手続において特許請求の範囲から意識的に除外されたものに当たるなどの同製品等と特許請求の範囲に記載の構成とが均等なものといえない特段の事情が存する旨判示した。

その理由として、①先願主義の下で早期の特許出願を迫られる出願人において、将来予想されるあらゆる侵害態様を包含するような特許請求の範囲の記載を特許出願時に強いられるのは、相当でないこと、②明細書の開示を受ける第三者においては、特許請求の範囲に記載された構成と均等なものを上記のような時間的制約を受けずに検討することができるため、特許権者による差止め等の権利行使を容易に免れることができることは、相当とはいえないこと、③出願人が、客観的、外形的にみて、対象製品等に係る構成が特許請求の範囲に記載された構成を代替すると認識しながらあえて特許請求の範囲に記載しなかった旨を表示していたといえるときには、明細書の開示を受ける第三者も、その表示に基づき、対象製品等が特許請求の範囲から除外されたものとして理解するといえるから、これを特段の事情が存するものとすることは、特許法の目的にかない、出願人と第三者の利害を適切に調整するものであることが挙げられている。

　(ウ)　上記最高裁判決は、「客観的、外形的にみてあえて特許請求の範囲に記載しなかった旨を表示していたといえる場合」の例示として、特許請求の範囲に記載された構成中の対象製品等と異なる部分につき、特許請求の範囲に記載された構成を対象製品等に係る構成と置き換えることができるものであることを明細書等に記載することを挙げている。すなわち、明細書には構成 a 及び a と置換可能である構成 a ′ が記載されているのに特許請求の範囲には構成 a のみが記載されていて、対象製品の構成が a ′ の場合、第 5 要件の特段の事情に当たり、均等とはいえない。他方、明細書の記載が抽象的、一般的なものにすぎないときは、特段の事情があるとはいえないであろう。さらに進んで、明細書に a 及び a ′ の上位概念である構成 A が記載され特許請求の範囲の記載が a の場合については、特段の事情が存することにはならないとの見解もあるが[40]、a と a ′ が置換可能であることが当業者に自明な場合など具体的なケースによっては、特段の事

---

[40]　田中孝一「判解」法曹時報69巻12号187頁

情に当たることもあり得よう。

　同判決は、出願人の主観的な意図を問わないことを明らかにしており、仮に出願人の主観的な意図としては、対象製品等に係る構成を特許請求の範囲から意識的に除外するものではなかったとしても、第三者が出願人の認識を客観的にどのように理解するかが問題とされ、客観的、外形的にみて、出願人があえて特許請求の範囲に記載しなかった旨を表示していたといえるときには、第5要件の特段の事情が存することとなる。

　　ウ　補正・訂正による場合

　前記最高裁判決は、補正や訂正の場合に直ちに及ぶものではないが、特許請求の範囲を補正、訂正して減縮した結果、対象製品に係る構成が特許請求の範囲から除外された場合は、客観的、外形的にみて、これを除外したと評価し得る行動がとられたといえる場合が多いように思われる[41]。

　米国では、減縮補正された構成要件について、いかなる均等の余地も認められないとする complete bar approach に立つ連邦巡回区控訴裁判所（CAFC）の en banc 判決〔フェスト事件〕を、2002年に、連邦最高裁判所が、減縮補正された構成要件についても、なお均等論適用の余地があるという flexible bar approach に立って覆して以降、CAFCは、その要件を厳格に適用し、広義説の方向を指向しているといわれるが、必ずしも方向性が定まっていない[42]。

　我が国の裁判例として、知財高判平成28・4・27（平成27年(ネ)第10127号）〔Web-POS方式事件〕は、出願時に構成に限定がなかったが、第1補正によって限定した構成Aに代えて、第2補正ではこれと別の構成Bに限定し直したもので、第1補正に係る構成Aは除外されたとし、対象製品が除外

---

[41]　なお、田中孝一「判解」法曹時報69巻12号187頁は、対象製品等が補正等により特許請求の範囲から除外された場合であっても、直ちに均等の主張が許されない特段の事情が存するとはされないという見解を採ることの方向性が示されたと述べる。
[42]　愛知靖之「審査経過禁反言・出願時同効材と均等論―アメリカ法を参照して―」学会年報38号100頁、平嶋竜太「アメリカ法におけるクレーム解釈を巡る現状と均等論の将来」学会年報38号125頁

された第1補正に係る構成Aを有していることから、第5要件の特段の事情があるとした。また、知財高判平成30・6・19（平成29年(ネ)第10096号）〔携帯端末サービスシステム事件〕は、出願経過において、構成要件A～C及びHからなる発明及び構成要件A～E及びHからなる発明については特許を受けることを諦め、これらに代えて、構成要件A～Hからなる本件発明に限定して特許を受けたなどの事情の下では、構成要件F及びGの全部又は一部を備えない発明について、本件発明の技術的範囲に属しないことを承認したか、少なくとも外形的にそのように解されるような行動をとったものとして、特段の事情があるとした。さらに、知財高判平成26・3・13（平成25年(ネ)第10091号）〔スプレー式美顔器事件〕は、進歩性欠如の拒絶理由を回避するために特許請求の範囲を補正し、これにより、対象製品と同様の、引用例が開示するのと同様の構成を除外した補正は、その経緯からしても、その内容からしても、対象製品の構成を認識しつつこれを除外するためにされたものであるとして、特段の事情があるとした。他方、公知技術を回避するためではなく補正前から存した構成要件を明確にするにすぎない補正は、意識的除外に当たらない（大阪地判平成12・5・23（平成7年(ワ)第1110号ほか）〔召合せ部材取付用ヒンジ事件〕）。

エ　出願過程や審判手続で提出した書面において技術的範囲に属しないことを認めた発明

知財高判平成28・6・29（平成28年(ネ)10017号）〔Web-POS方式ECサイト事件〕は、本件発明は引用文献に記載された発明に基づいて容易に発明をすることができたとの拒絶理由通知に対して出願人が提出した意見書において、引用文献に記載された発明との相違を明らかにするために、本件発明の「注文情報」は商品識別情報等を含んだ商品ごとの情報である旨繰り返し説明したなどの事実関係の下で、商品基礎情報を含めない構成については本件発明の技術的範囲に属しないことを承認したもの又は外形的にそのように解されるような行動をとったものとして、特許請求の範囲から意識的に除外されたものといえ、均等の第5要件を充足しないとした。

東京地判平成11・6・29判時1686号111頁〔脇の下用汗吸収パット事件〕は、実施例に曲率の大きな三つの彎曲を連ねたものとする構成を図面として自ら掲げているにもかかわらず、実用新案登録請求の範囲及び考案の詳細な説明にその構成を記載せず、かえってこれとは異なる曲率の小さな構成のみを記載したことから、出願手続において、本件考案の技術的範囲を、曲率の小さなものに限定したと外形的に解される行動をとったものであり、出願人が一定の外形を作出した以上この外形に反する主張をすることはできないとして、特段の事情があるとした。

5 特許無効の抗弁とクレーム解釈

(1) クレーム解釈と発明の要旨の認定

最三小判平成12・4・11民集54巻4号1368頁〔富士通半導体・キルビー特許事件〕や特許法104条の3の新設により、侵害訴訟において、特許発明の技術的範囲のためのクレーム解釈のみならず、特許の有効性を判断することができるようになった。ところで、前記のとおり、クレームは、特許権を付与するか否か（特許の成否）の審理を行う拒絶査定不服審判及びその審決に対する取消訴訟や、特許を無効とすべきか否か（特許の有効性）の審理を行う特許無効審判及びその審決に対する取消訴訟においても、重要な役割を果たし、そのような場面において、特許出願に係る発明の要旨の認定は、特段の事情のない限り、特許請求の範囲の記載に基づいてされるべきであるとされている（最二小判平成3・3・8民集45巻3号123頁〔リパーゼ事件〕）。

特許無効の抗弁を判断するに当たっては、前掲最二小判平成3・3・8〔リパーゼ事件〕の判示するように、特許出願に係る発明の要旨の認定は、特段の事情のない限り、特許請求の範囲の記載に基づいてされるべきであるが、これが従前の特許発明の技術的範囲の確定の場面におけるクレーム解釈と一致しないのではないかとの指摘がある。すなわち、現在では、同一

の訴訟において、技術的範囲の確定の場面と特許無効の抗弁の場面の双方で、クレーム解釈が問題となり、その判断を迫られるが、前者において特許法70条2項に従い明細書の発明の詳細な説明等の記載や図面を考慮して特許請求の範囲に記載された用語の意義を解釈し、後者においてリパーゼ判決に従い明細書の発明の詳細な説明等の記載や図面を考慮してはならないとすれば、2つの場面で異なるクレーム解釈になるのではないかという指摘である。

(2) 統一的なクレーム解釈

例えば、特許請求の範囲A（A_1及びA_2の上位概念）＋B＋Cと記載し、発明の詳細な説明にはA_1＋B＋Cについてしか記載していない場合に、技術的範囲の確定の場面では発明の詳細な説明を考慮してA_1＋B＋Cと限定解釈し、特許無効の抗弁の場面では特許請求の範囲の記載のとおりA＋B＋Cと解釈するというように、2つの場面について異なるクレーム解釈をするという見解もある。しかし、同一の判決中で、場面ごとに異なるクレーム解釈を行うことには、抵抗感を否めない。しかも、このような解釈は、技術的範囲の確定の場面でも特許権者に不利であり（限定解釈されることにより対象製品が特許発明の技術的範囲に属さないという判断になることがある。）、また、特許無効の抗弁の場面でも特許権者に不利な解釈となる（特許発明の要旨が広く認定される結果、公知技術を含み新規性を欠くとされたり、広すぎるクレームがサポート要件を満たさないとされる可能性がある。）。もっとも、技術的範囲の確定の場面で前者のように限定解釈をすることにより対象製品が技術的範囲に属さないという判断をするのであれば、進んで特許無効の抗弁を判断する必要がないから、その限りにおいて矛盾が露呈することはない[43]。

そもそも、前掲最三小判平成12・4・11〔富士通半導体・キルビー特許事件〕

---

[43] 「裁判所と日弁連知的財産センターとの意見交換会（平成21年度）」判タ1324号22頁〔髙部眞規子発言〕

は、技術的範囲の確定の場面における従前のクレーム解釈が無理な限定解釈をしていたことへの反省もあって、公知技術を含む特許権の行使について、技術的範囲の確定という請求原因の場面ではなく、特許の無効という抗弁の場面で権利行使を許さないという法律構成を採用したものである。そこでは、技術的範囲の確定の場面におけるクレーム解釈と特許の有効性の判断におけるクレーム解釈を合致させることを指向するものと解される。

　他方、発明の詳細な説明を常に考慮すべきであるとする特許法70条2項の規定と、特段の事情のない限り、これを考慮してはならないとする前掲最二小判平成3・3・8〔リパーゼ事件〕の関係については、同判決の射程を狭く理解することにより、2つの場面で異なるクレーム解釈がされることがないとする見解が有力である[44]。現実の問題として、大多数の特許発明の特許請求の範囲の記載は、一義的に明確に理解することができないなど、上記特段の事情がある場合のように思われ、そうだとすると、充足性の判断におけるクレーム解釈と無効の抗弁におけるクレーム解釈が、現実に齟齬する事態は少ないものと思われる。

　特許発明の技術的範囲の確定の場面におけるクレーム解釈は、当該特許の新規性、進歩性等を判断する前提としての発明の要旨認定の場面におけるクレーム解釈と整合するのが望ましいものの、同一特許に係る審決取消請求事件の判決の理由中の主引用発明との相違点に関する判断は、侵害訴訟における技術的範囲の確定に対して拘束力を持つものではなく、特許発明の技術的範囲を解釈するについて、相手方の無効主張に対する反論として述べた当事者の主張も、必ずしも裁判所の判断を拘束するものではない（知財高判平成28・10・19（平成28年(ネ)第10047号）〔電気コネクタ組立体事件〕）。

　最二小判平成27・6・5民集69巻4号700頁〔プラバスタチンナトリウム事件〕の千葉裁判官補足意見でも、「平成16年の特許法の改正により同法

---

[44] 飯村敏明「特許出願に係る発明の要旨認定とクレーム解釈について」『片山還暦』35頁

104条の3が創設され、侵害訴訟において特許無効の抗弁を主張することが可能となり、これにより、同条に係る無効の抗弁の成否（当該発明の新規性・進歩性の有無）を判断する前提となる発明の要旨認定をする場面と、侵害訴訟における請求原因として特許発明の技術的範囲を確定する場面とが同一の訴訟手続において審理されることとなった。そうすると、両場面におけるPBPクレームの解釈、処理の基本的な枠組みが異なることは不合理であるから、これを統一的に捉えるべきであり、このことは我が国の特許法制上当然のことである」と述べられている。

6 特殊なクレームの解釈

(1) プロダクト・バイ・プロセス・クレーム

ア　プロダクト・バイ・プロセス・クレーム

　物の発明であるにもかかわらず、発明の構成要件として製造方法的な記載がされている場合があり、このような特許請求の範囲は、アメリカ合衆国では、「プロダクト・バイ・プロセス・クレーム（product by process claim）」と呼ばれている。我が国でも、物の特定を直接的にその構造又は特性によらずに、製造方法によりこれを行っているときに、これが「プロダクト・バイ・プロセス・クレーム」として扱われ、バイオテクノロジーや高分子化学の分野等において、その存在意義があるとされてきた。

イ　従前の実務

　従前、特許庁では、「発明の対象となる物の構成を、製造方法と無関係に、物性等により直接に特定することが、不可能、困難、あるいは何らかの意味で不適切（例えば、不可能でも困難でもないものの、理解しにくくなる度合いが大きい場合などが考えられる。）であるときは、その物の製造方法によって物自体を特定することができる（プロダクト・バイ・プロセス・クレーム）。」とした上、このようなプロダクト・バイ・プロセス・クレームについては、物の同一性が判断基準とされていた。

プロダクト・バイ・プロセス・クレームの技術的範囲の解釈については、大きく分けて、①製造方法には限定されないとする物同一説と、②クレームに記載された製造方法により製造された物に限定するという製法限定説に見解が分かれ[45]、裁判例も分かれていた。

ウ　知財高判平成24・1・27判時2144号51頁〔プラバスタチンナトリウム事件〕

このような状況の下、知財高裁大合議判決は、「プロダクト・バイ・プロセス・クレーム」には、①真正プロダクト・バイ・プロセス・クレーム（物の特定を直接的にその構造又は特性によることが出願時において不可能又は困難であるとの事情が存在するため、製造方法によりこれを行っているとき）と、②不真正プロダクト・バイ・プロセス・クレーム（物の製造方法が付加して記載されている場合において、当該発明の対象となる物を、その構造又は特性により直接的に特定することが出願時において不可能又は困難であるとの事情が存在するとはいえないとき）の2種類があるところ、上記①の真正プロダクト・バイ・プロセス・クレームにおいては、当該発明の技術的範囲は、「特許請求の範囲に記載された製造方法に限定されることなく、同方法により製造される物と同一の物」と解釈されるのに対し、上記②の不真正プロダクト・バイ・プロセス・クレームにおいては、当該発明の技術的範囲は、「特許請求の範囲に記載された製造方法により製造される物」に限定されると解釈されることになると判断した。

また、特許法104条の3に係る抗弁の成否及び特許無効審判請求手続の前提となる発明の要旨についても、上記①の真正プロダクト・バイ・プロセス・クレームの場合は、発明の要旨は、特許請求の範囲に記載された製

---

[45] 本文①の物同一説をとる学説として、淺見節子「プロダクト・バイ・プロセス・クレームの解釈の日米比較」知的財産研究所『特許クレーム解釈に関する調査研究報告書』、三枝英二「日米の判決例からみたプロダクト・バイ・プロセス・クレームの特許性及び技術範囲」『村林傘寿』78頁。本文②の製法限定説をとる学説として、飯村敏明「機能的クレーム及びプロダクト・バイ・プロセス・クレームの解釈に関する国内下級審判決の動向」知的財産研究所『特許クレーム解釈に関する調査研究報告書』。

造方法に限定されることなく、「物」一般に及ぶと認定されるべきであるが、上記②の不真正プロダクト・バイ・プロセス・クレームの場合は、発明の要旨は、記載された製造方法により製造された物に限定して認定されるべきであるとした。

エ　最二小判平成27・6・5民集69巻4号700頁〔プラバスタチンナトリウム事件〕

その上告審である最高裁判決は、特許発明の技術的範囲については、「物の発明についての特許に係る特許請求の範囲にその物の製造方法が記載されている場合であっても、その特許発明の技術的範囲は、当該製造方法により製造された物と構造、特性等が同一である物として確定される」ものと判断した。特許は、物の発明、方法の発明又は物を生産する方法の発明についてされるところ、特許が物の発明についてされている場合には、その特許権の効力は、当該物と構造、特性等が同一である物であれば、その製造方法にかかわらず及ぶこととなること、出願時において当該物の構造又は特性を解析することが技術的に不可能であったり、およそ実際的でないという事情がある場合には、当該製造方法により製造された物と構造、特性等が同一である物として特許発明の技術的範囲を確定しても、第三者の利益を不当に害することがないことを理由としている。

なお、同判決は、出願時において当該物をその構造又は特性により直接特定することが不可能であるか、又はおよそ実際的でないという事情が存在するときに限ってプロダクト・バイ・プロセス・クレームを許容していることに注意が必要であり、そのような事情がない場合には、明確性要件違反等の特許無効の抗弁が成立することになる。

今後は、何をもって「プロダクト・バイ・プロセス・クレーム」というのか、出願時において当該物をその構造又は特性により直接特定することが不可能であるか、又はおよそ実際的でないという事情はどのような場合か、等を検討することが不可欠である。

(2) 広すぎるクレームないし機能的クレーム

ア 記載要件

平成6年改正により、特許請求の範囲の記載については、特許を受けようとする発明を特定するために必要と認める全てを記載しなければならないこと（特許法36条5項）、特許請求の範囲の記載は発明の詳細な説明に記載したものであること（同条6項1号。サポート要件）及び明確であること（同項2号）等が要求され、明細書の発明の詳細な説明の記載については、当業者がその実施をすることができる程度に明確かつ十分に記載したものでなければならないとされた（同条4項1号。実施可能要件）。

イ 広すぎるクレーム

特許請求の範囲が発明の詳細な説明に比べて広すぎる場合は、広いクレームの全てが発明の詳細な説明に適切に記載されてはいないことになるから、サポート要件（特許法36条6項1号）に違反することになり、また広いクレームの相当な部分が当業者がその実施をすることができる程度に明確かつ十分に記載されていないから、実施可能要件（同条4項1号）にも違反することになる。このことは、このようなクレームはそもそも特許を受けられないし（同法49条4号）、仮に特許されたとしても、特許無効審判により無効にされるべきものである（同法123条1項4号）ことを意味する。このように、クレームの記載が広すぎるか否かは、審査の段階で明らかになるが、特許権侵害訴訟の場面で、明細書に開示された発明と異なる技術的思想に基づく対象製品が差止めの対象として主張される場合に問題となり、その場合には、特許無効の抗弁が問題となる。

ウ 機能的クレーム

他方、「機能的クレーム」とは、特許請求の範囲が具体的な構成ではなく、その構成が果たす機能として抽象的に記載されたクレームをいう。クレームの文言が課題解決手段としての物の構造によることなく、発明の作用効果自体や発明の課題そのものを広くカバーする文言によって表現されてい

るため、当該クレームによっては技術的範囲の外延が不分明であったり、また、極めて広く表現されていたりするため、明細書に記載されている具体的な実施態様と異なる実施態様についても、当該発明と機能を同じくする限り、これをカバーしてしまうことになって、発明者の独占権が広くなりすぎるなどの問題があり、その技術的範囲の確定の手法が議論されてきた。

米国特許法112条6段落には、機能的クレーム（means and function claim）は、明細書に記載された構造、材料、作用及びそれらと等価な範囲として解釈されなければならない旨規定されているが、我が国にはそのような規定がない。

機能的クレームであっても、特許法36条等の要件を満たせば特許される。すなわち、請求項が機能によって物を特定しようとする記載を含む場合、当業者が特許請求の範囲以外の明細書及び図面の記載並びに出願時の技術常識を考慮しても、ある具体的な物がその外延に含まれるかどうかを理解することができない場合は、特許法36条6項2号違反とされる。他方、請求項に記載された機能の意味するところが、当業者にとって明確であり、又は当業者が特許請求の範囲以外の明細書及び図面の記載並びに出願時の技術常識に基づいてある具体的な物がその外延に含まれるかどうかを理解することができれば、同号に適合する。また当業者によく知られておりその機能を奏することができる具体的手段を認識することができる場合も、適合するとされている[46]。

もっとも、特許出願に係る発明の要旨の認定は、特段の事情のない限り、特許請求の範囲の記載に基づいてされるべきであるとする最二小判平成3・3・8民集45巻3号123頁〔リパーゼ事件〕の考え方によれば、特許要件としては、一義的に明確に理解することができないなど上記特段の事情がある場合に、当業者が特許請求の範囲以外の明細書及び図面の記載並びに

---

[46] 『特許・実用新案審査基準』第Ⅰ部第1章2.2

出願時の技術常識を考慮して理解できる範囲に解釈されることになる。

エ　侵害訴訟における機能的クレームの解釈

このようにして特許された機能的クレームの、特許権侵害訴訟における技術的範囲の解釈に当たっては、明細書の記載から当業者が実施可能な範囲に限定するという解釈手法をとる裁判例が多いとの指摘がされている[47]。しかし、このような解釈手法がとられていたのは、特許無効の抗弁が認められる以前の裁判例で、広すぎる機能的クレームを限定解釈して非侵害の結論を導く必要があったからであるとの指摘もあり、機能的クレームの限定的解釈が、特許無効の抗弁が認められた後にあってどのように用いられるべきかについて、見解の対立がある。

クレームが機能的な表現を含むケースでは、特許法104条の3の抗弁として記載要件違反（実施可能要件、サポート要件）も主張され、機能的クレームの有効性が争われることがある。侵害訴訟において特許無効の抗弁が主張できるようになった現在では、機能的クレームの特許権侵害訴訟における技術的範囲の解釈についても、特許請求の範囲に基づき、それ以外の明細書及び図面の記載（特許法70条2項）並びに出願時の技術常識等を参酌して行うべきであろう。すなわち、特許請求の範囲の記載について、明細書及び図面の記載並びに出願時の技術常識等を参酌した上、そこに開示された具体的な構成に示されている技術思想を把握し、それに基づいて技術的範囲を確定すべきである。このことは、発明の技術的範囲を実施例に限定する趣旨ではなく、実施例として記載されていなくても、明細書に開示された記述の内容から当業者が実施し得る構成であれば、技術的範囲に含まれることになる。他方、抽象的・規範的な文言が広義に解釈されると、公知技術が含まれる可能性が高くなる。さらに、発明の本質的部分におい

---

[47] 東海林保「クレーム解釈(2)均等論、機能的クレーム、プロダクト・バイ・プロセス・クレーム」高林龍ほか編『現代知的財産法講座Ⅱ』64頁、設樂隆一「機能的クレームの解釈について」『理論と実務1』127頁、末吉亙「いわゆる機能的クレームの解釈」新裁判実務大系『知的財産関係訴訟法』216頁

て抽象的・規範的・機能的な文言が用いられる場合は、その多義性により法的安定性を害する可能性があり、明細書の記載に具体的に開示された技術思想と対比して当業者の理解を解釈する必要がある。

抗体に係る発明のクレーム解釈について、知財高判令和元・10・3（平成30年㈹第10043号）〔第Ⅸ因子抗体事件〕は、「凝血促進活性を増大させる」との記載を含む特許請求の範囲について、その記載が機能的、抽象的な表現にとどまっている場合に、当該機能や作用効果を果たし得る構成全てを、その技術的範囲に含まれると解することは、明細書に開示されていない技術思想に属する構成までを特許発明の技術的範囲に含めて特許権に基づく独占権を与えることになりかねず、そのような解釈は、発明の開示の代償として独占権を付与したという特許制度の趣旨に反することになり許されないから、上記記載に加えて明細書及び図面の記載を参酌し、そこに開示された具体的な構成に示されている技術思想に基づいて当該発明の技術的範囲を確定すべきであるとしつつ、明細書に開示された要件を付加して、その意味を限定的に解釈している。

これに対し、抗体特許に関して、知財高判令和元・10・30（平成31年㈹第10014号）〔モノクローナル抗体事件〕は、当該発明をいわゆる「機能的クレーム」と呼ぶかはさておき、特許発明の技術的範囲は、特許請求の範囲の記載に基づいて定めなければならず、明細書の記載及び図面を考慮して、そこに開示された技術的思想に基づいて解釈すべきであって、これを実施例に限定すべきとの主張は、サポート要件又は実施可能要件の問題として検討されるべきものであるとして、限定解釈をすることなく技術的範囲を画定している。何をもって機能的クレームというのか、仮に機能的クレームにあたる場合に通常とは異なるクレーム解釈をすべきなのか、といった問題があり、特許性に問題がある場合は特許無効の抗弁の場面で判断すべきものという見解に親和的である。

技術的範囲に属するか否かのクレーム解釈の場面では、まず、同法36条6項1号、2号の趣旨に忠実に解釈されるべきであり、法的安定性確保の

観点から、この要求に沿った解釈をすることになる。そして、抽象的・規範的な文言が広義に解釈されると、公知技術が含まれる可能性が高くなる。さらに、発明の本質的部分において抽象的・規範的・機能的な文言が用いられる場合は、その多義性により法的安定性を害する可能性があり、明細書の記載に具体的に開示された技術思想と対比して当業者の理解を解釈する必要がある。

IV 〔無 効 論〕

1 特許法104条の3の新設まで

(1) 大審院判例

ア 無効判断否定説

　大審院判例（大判明治37・9・15刑録10輯1679頁、大判大正6・4・23民録23輯654頁など）は、「特許に無効理由が存する場合であっても、いったん登録された以上、その登録を無効とする審決が確定しない限り、当然その効力を失うものではなく、通常裁判所において特許の当否その効力の有無を判断することはできず、特許権を侵害したとして被告となった者は、必ず審決をもって特許を無効ならしめることを要する。」旨を繰り返し判示し、伝統的には、侵害訴訟において特許が無効であるものと扱うことはできないとされてきた。

　この無効判断否定説の根拠は、行政行為の公定力及び特許庁と裁判所の権限分配論に由来するといわれている。すなわち、いったん特許庁の特許査定という行政処分により与えられた特許権の効力はその登録によって生ずるものであり、権限のある行政庁がその特許の無効審決をしない限りは、その特許権は有効であるということが前提になっている。そして専門的な判断を行うことから、特許無効審判は特許庁で行い、特許庁が行った審決については裁判所に出訴できるという仕組みをとっている。行政法の基本的な考え方からすれば、大審院の無効判断否定説は、理論的には正しい。この見解によると、まず特許庁における特許無効審判を経由して無効審決が確定しなければ、当該特許に無効理由の存在することをもって侵害訴訟における抗弁とすることができないので、無効審決が確定しない以上、対

象製品が技術的範囲に属する場合には特許権侵害に当たるとの判断をせざるを得ないことになる。また、特許権侵害訴訟が提起された場合、特許庁に特許無効審判が係属しているときには、審決が確定するまで訴訟手続の中止をすることができるが（特許法168条2項）、審決の確定までには時間がかかるのが実情であって、訴訟手続を中止することが結果として侵害訴訟の長期化を招いていた。

　イ　学説・裁判例

　大審院判例の下では、次のような学説・裁判例により、無効理由が存在する特許権の行使を許さないための法律構成がされていた[48]。

　(ア)　限定解釈説

　無効審決が確定するまでは、当該特許権が有効であることを前提として、特許発明の技術的範囲の解釈の場面でこれを限定し、無効理由を含まないような解釈をすべきであるとする。この中には、(i)全部公知であることが判明した場合でも、無効審判において無効とされない限り有効な特許権として扱わなければならないが、発明の技術的範囲は拡張的に解釈すべきではなく、特許請求の範囲の文言と同一の構成に限定して解釈すべきであるとする広義の限定解釈説（拡張解釈否定説）と(ii)発明の技術的範囲をクレームより狭い実施例や明細書・図面に具体的に開示されたものに限定して解釈すべきであるとする狭義の限定解釈説（実施例限定説）がある。

　(イ)　技術的範囲確定不能説（保護範囲不存在説）

　全部公知の発明に係る特許権については、その技術的範囲を確定することができないとする見解である。すなわち、特許権侵害訴訟において全部公知の特許発明であることが判明した場合でも、特許権者は訂正審判により全部公知とはいえない発明に変更することができる。特許請求の範囲にどのような要件を付加して全部公知でないものに変更すべきかは、本来特

---

[48] 従前の学説・裁判例については、髙部眞規子「判解」最高裁判所判例解説民事篇〔平成12年度〕〔18〕事件

許権者のみが訂正審判において決め得ることであり、侵害訴訟の受訴裁判所が将来の訂正審判の結果を予想して具体的にどのような要件を付加すべきかを決めるのは実際上困難であるから、このような特許権は、特許請求の範囲が全部公知であることが判明したことにより、訂正審判により全部公知でないように訂正しない限り、対象製品がその技術的範囲に含まれることを確定し得ない。したがって、全部公知の発明に係る特許権による請求は棄却せざるを得ないという見解である。

　㈦　自由技術の抗弁説（公知技術の抗弁説）

　特許権は、出願時の技術水準を超えた発明に対し付与されるべきものであるから、侵害対象となっている技術が出願時の公知技術の実施である場合には、そのような公知技術に対し特許権による差止め等の権利行使を認めるのは特許法の基本原則に反するというべきであり、したがって、対象製品が出願時における公知技術の実施であることが立証されたならば、それに対し特許権の効力を及ぼすべきではないとする見解である。

　㈡　当然無効説（無効の抗弁説）

　特許の付与も行政処分であり、行政法上行政処分の当然無効及びそれを前提とする現在の法律関係に関する訴えが認められている以上、当該発明に新規性を欠くという重大かつ明白なる瑕疵が認められれば、侵害訴訟における特許権についても当然無効を認めるべきであるとする見解である。

　㈥　権利濫用説

　無効理由が存在する特許権に基づく権利の行使は、権利の濫用として許されないとする見解である。

(2) 最三小判平成12・4・11民集54巻4号1368頁

ア　理由付け

　最三小判平成12・4・11民集54巻4号1368頁〔富士通半導体・キルビー特許事件〕は、「特許の無効審決が確定する以前であっても、特許権侵害訴訟を審理する裁判所は、特許に無効理由が存在することが明らかであるか否

かについて判断することができると解すべきであり、審理の結果、当該特許に無効理由が存在することが明らかであるときは、その特許権に基づく差止め、損害賠償等の請求は、特段の事情がない限り、権利の濫用に当たり許されない」と判示して、上記大審院判例を変更し、権利濫用説を採用した。その理由は、以下のとおりである。

(a) 無効理由が存在することが明らかな特許権に基づく当該発明の実施行為の差止め、これについての損害賠償等を請求することを容認することは、実質的に見て、特許権者に不当な利益を与え、上記発明を実施する者に不当な不利益を与えるもので、衡平の理念に反する結果となること。

(b) 紛争はできる限り短期間に1つの手続で解決するのが望ましいものであるところ、無効理由が存在することが明らかな特許権に基づく侵害訴訟において、まず特許庁における無効審判を経由して無効審決が確定しなければ、当該特許に無効理由の存在することをもって特許権の行使に対する防御方法とすることが許されないとすることは、特許の対世的な無効までも求める意思のない当事者に無効審判の手続を強いることとなり、また、訴訟経済にも反すること。

(c) 特許法168条2項は、特許に無効理由が存在することが明らかであって前記のとおり無効とされることが確実に予見される場合においてまで訴訟手続を中止すべき旨を規定したものと解することはできないこと。

このような観点から、特許に無効理由が存在することが明らかか否かの点については、特許権侵害訴訟を審理する裁判所においても、事案の解決に必要な限度で、これを判断することができると解するのが相当である。そこで、上記最高裁判決は、特許権は無効審判が確定するまで対世的には無効とはいえないとしつつ、特許権侵害訴訟において具体的妥当な結論を得るため、無効判断否定説をとる大審院判例を変更したものである。

イ　意　義

　上記最高裁判決は、我が国における現行の特許制度の下において、無効審決が確定するまでは特許権は対世的には無効ではないことを前提としつつ、権利濫用の法理という民事法一般の法律構成により、主要国とのハーモナイゼーションを図ったものといえよう。

　同判決は、以上のような考え方を採ったものであり、これにより、
　(i)　具体的に妥当な結論が得られ(衡平の理念)、
　(ii)　紛争の一回的解決を図り、訴訟経済に合致し、
　(iii)　特許権侵害訴訟の審理の迅速化
が図られることになった。

(3) 司法制度改革推進本部知的財産訴訟検討会における議論

　上記最高裁判決の下で、下級審において多くの特許権侵害訴訟で「無効理由が存在することが明らかである」旨の抗弁が主張され、それを肯定する判決が多く言い渡された。そのような状況の下で、司法制度改革推進本部知的財産訴訟検討会においては、次のような議論がされた。

　ア　明らか要件について、予測可能性の点で安全のために無効審判の請求を並行して行わなければならない。

　イ　他方、明白性の要件をはずすと、苦し紛れに無効理由を20も30も挙げる場合があり、逐一反論すると審理が遅延するし、微妙な無効判断を行うと特許庁との判断の齟齬が生じるおそれが大きい。

　そのような意見が出された中で、結局、明らかである場合に限らず無効理由の存否について判断することができることとし、判断齟齬については別の安全弁を設けるということに議論が集約されたという。同検討会の意見書では、「紛争の実効的解決の観点から、侵害訴訟において、特許が特許法123条1項各号に掲げる事由のいずれかに該当することを理由として特許権の行使を認めるべきでない旨の抗弁が主張された場合は、裁判所は、特許が無効であることが明らかである場合に限らず当該事由の有無を判断

することができることとし、当該特許が特許無効審判により無効にされるべきものと認められるときは、当該特許権の行使を認めないことができるものとする。」ととりまとめられた。

2　特許法104条の3の新設

(1)　立法趣旨

　ア　これを受けて、平成16年改正により、特許権者等の権利行使の制限の規定が置かれた。すなわち「特許権又は専用実施権の侵害に係る訴訟において、当該特許が特許無効審判により無効にされるべきものと認められるときは、特許権者又は専用実施権者は、相手方に対しその権利を行使することができない」「前項の規定による攻撃又は防御の方法については、これが審理を不当に遅延させることを目的として提出されたものと認められるときは、裁判所は、申立てにより又は職権で、却下の決定をすることができる」という規定である（特許法104条の3）。

　イ　立案担当者は、特許法104条の3について、以下のような説明を行っている[49]。

　無効審決が確定するまでは特許権は有効に存続するという特許法125条を前提にしつつも、仮に無効審判が請求されたとしたら当該特許はその無効審判では無効にされることになる旨の抗弁が侵害訴訟において提出され、その抗弁に理由があると認められれば、そのような特許権に基づく差止請求や損害賠償請求の行使は認められない。この裁判所の判断の効力は、無効審判とは異なり訴訟当事者限りの相対的なもので、特許の有効無効は無効審判により決定されるという制度趣旨を明らかにしている。特段の事情も当然含んで判断されるべきものである。

　立案担当者は、無効審判制度も存置するということになったので、侵害

---

[49]　牧野利秋ほか「座談会　知的財産高等裁判所設置法及び裁判所法等の一部を改正する法律について」知財管理55巻4号466頁〔滝口尚良発言〕

訴訟と無効審判との間の判断齟齬を考慮しなければならず、これを極力防止するという観点から、特許法168条5項、6項を新設したという。判断齟齬が生じた場合の具体的な手当てはされていないが、侵害訴訟で同法104条の3の主張が認められずにその後無効審判及びこれに続く手続で特許を無効にするという審決が確定した場合は再審事由になり、逆のケースは再審事由にならないという。

　ウ　最一小判平成20・4・24民集62巻5号1262頁〔ナイフの加工装置事件〕は、特許法104条の3の規定の趣旨について、「特許法104条の3第1項の規定…は、特許権の侵害に係る紛争をできる限り特許権侵害訴訟の手続内で解決すること、しかも迅速に解決することを図ったものと解される。同条2項の規定…は、無効主張について審理、判断することによって訴訟遅延が生ずることを防ぐためであると解される」旨判示している。

(2) キルビー特許事件最高裁判決と特許法104条の3との相違点

ア　無効理由の明白性

特許法104条の3の「当該特許が特許無効審判により無効にされるべきものと認められるとき」について、立案担当者は、「仮に特許無効審判が請求されたならば、当該特許はその無効審判では無効にされると認められる場合である」と説明し、本来的には特許の有効・無効は特許無効審判によって決定されるべき事柄で、裁判所の判断自体が特許の有効・無効を左右するものではないと述べる[50]。

他方、最三小判平成12・4・11民集54巻4号1368頁〔富士通半導体・キルビー特許事件〕における「明らか」という要件は、

① 特許査定という行政処分によって発生する特許権は、無効審決の確定までは、何人もその効力を否定することはできず、特許権者に与え

50　近藤昌昭ほか『知的財産関係二法／労働審判法』108頁

られた法律上の差止請求権（特許法100条）等の行使を許さないとするには、無効理由が存在することが「明らかである」ことが必要であること、
② 無効審判及びその取消訴訟というルートが並行して存在する現行法の下では、仮に無効審判が請求された場合に、無効審判のルートにおける判断と侵害訴訟の判断とが齟齬を来すと、法的安定性を著しく害するおそれがあり、このような事態が生じないようにするためにも、「明らか」の要件が不可欠であること、

という２つの観点に立っている[51]。

特許法104条の３が、法律上の抗弁として権利行使を許さないことを立法した以上、上記①の観点は不要になったとしても、上記②の観点は未だ失われていないと考える。そして、「当該特許が特許無効審判により無効にされるべきものと認められるとき」という法の文言こそが、②の観点を表しているものということができよう。すなわち、司法制度改革推進本部知的財産訴訟検討会においては、「明らか」要件を削除することが議論のテーマになったようであるが、最終的には、法律の条文として、「無効にされるべきものと認められる」という表現になったものである。この「無効にされるべきものと認められる」という表現に近い表現は、同法125条及び125条の２に、無効審決について、「特許を無効にすべき旨の審決が確定したときは」という表現があり、また同法126条6項にも「特許が特許無効審判により無効にされた後は」という表現がある。「無効にすべき」と「無効にされるべき」は、能動態か受動態かという表現の仕方において異なるのみである。無効審決が確定するような状態が「無効にされるべきものと認められる」という表現に表われていると解される。そうすると、上記最高裁判決における「明らかである」という表現は直接的にはなくなったけれども、「無効にされるべきもの」という表現ぶりは、判断齟齬というこ

---

[51] 髙部眞規子「判解」最高裁判所判例解説民事篇〔平成12年度〕〔18〕事件

とができるだけないようにという意味での、すなわち、上記②の意味における「明らかである」という要件と同義であると解される[52]。

イ　特段の事情

キルビー特許事件最高裁判決における「特段の事情」は、無効理由の存在が明らかであるという権利濫用の抗弁に対する再抗弁と位置付けられる。この「特段の事情」については、技術的範囲確定不能説の指摘にかんがみ、無効理由が存在しても、訂正審判請求又は訂正請求により特許が無効とはいえなくなる場合があること等を念頭に置いたものである。すなわち、特許請求の範囲が構成要件 A＋B＋C から成る場合において、A が A_1 と A_2 の上位概念であって、A_2＋B＋C という構成が公知であるときは、特許請求の範囲 A＋B＋C を A_1＋B＋C と減縮する訂正をすれば、訂正が認められ、無効理由が解消される。そして、被告製品が A_1＋B＋C という構成を有しているような場合には、特段の事情があるとして、権利濫用の抗弁は認められないことになろう。

なお、ここで、訂正が確定している必要はないが（訂正の確定により遡及的に特許請求の範囲が減縮されるのであるから、その場合は、請求原因自体が変更されることになる。）、いかなるクレームにするかは、特許権者の判断によるのであるから、実務的には、訂正の請求（訂正審判請求又は訂正請求）により訂正の内容が明らかにされていることは必要であろう。そして、単に訂正が請求されているのみでは足りず、その訂正が要件を満たしこれが認められる蓋然性が高く、訂正されれば当該無効理由が解消され、かつ対象物件が訂正後の特許請求の範囲の技術的範囲に属する場合に初めて、再抗弁が成り立つことになる。したがって、請求されている訂正の内容が当該無効理由を解消させるものではない場合や、対象物件が訂正後の特許発明の技術的範囲に属さない場合には、「特段の事情」の再抗弁が認められる余地はない。

---

[52]　髙部眞規子「特許法104条の3を考える」知的財産法政策学研究11号123頁

上記最高裁判決における「特段の事情」は、訂正の場合等が念頭に置かれていたものであるところ、特許法104条の3の下における訂正の取扱いについても、規定は明確にはないものの、同様の取扱いを行うことになる。

3　特許無効の抗弁と無効審判請求との関係

(1)　無効審判請求の要否

　特許無効の抗弁を主張するために、無効審判請求が必要であるとする見解もあるが[53]、要件としないのが多数説であり、実務の取扱いである。このことは、特許法104条の3が上記最高裁判決を一歩進めたものであるとの立案担当者の解説からも明らかである[54]。紛争の一回的解決を目指し、対世的な無効を求める意思のない当事者に無効審判を請求しなくても特許権侵害訴訟における抗弁として主張し得るとしたキルビー特許事件最高裁判決の趣旨からすれば当然であろう。もっとも、実務上は、被告側が抗弁のみならず無効審判請求というダブルチャンスを利用している例も見られる。

(2)　無効審判請求をすることができない場合における無効の抗弁の可否

　特許法104条の3が、キルビー特許事件最高裁判決では要件になかった「特許無効審判により無効にされるべき」と規定したために、特許無効審判が請求できない場合に、特許無効の抗弁が主張できるのか、議論があった。特許無効審判が請求できない場合として、以下の場合がある。

　　ア　無効審判請求人の制限（特許法123条2項）
　従前、まず、特許無効審判が請求できない、無効審判請求人適格を有し

53　村林隆一「特許法第104条の3の改正を求める」知財ぷりずむ35号85頁
54　「座談会　知的高裁の設置と今後の知財訴訟のあり方」ジュリ1293号46頁〔吉村真幸発言〕

ない者が特許無効の抗弁を主張できるか否かが問題とされた。

　本来特許されるべきでなかった権利に基づく権利行使は許さないという考え方からすれば、必ずしも手続的に無効審判請求が可能か否かと特許無効の抗弁の主張の可否がリンクするわけではない。

　また、損害賠償請求については、冒認により特許権者となった者が権利行使して損害賠償を請求し、自ら損害金を受け取れることになるのは問題であり、差止請求に関しても、当該権利者が間接強制金を受領することになることを考慮すると、同様の問題があり、無効審判請求ができない者であっても、侵害訴訟の被告となった以上は、無効の抗弁を主張できるとしなければ、公平に反する。

　平成23年改正により、特許無効審判においては、冒認・共同出願違反については真の権利者のみが請求できる相対的無効理由とされたが（特許法123条2項）、他方、特許法104条の3第3項において、上記規定は、当該特許に係る発明について特許を受ける権利を有する者以外の者が特許法104条の3第1項の規定による攻撃又は防御の方法を提出することを妨げないことを明文をもって規定するところとなった。このように、冒認及び共同出願違反について、無効審判請求人適格は、真の権利者に限定されたが、侵害訴訟における無効の抗弁は、被告となった者全てが主張することができることが規定され、無効審判請求人適格のない者であっても、無効の抗弁を提出できる。

　イ　無効不成立の確定審決があった場合（特許法167条）

　従前は、無効不成立の確定審決の登録があったときは、何人も同一事実・同一証拠により特許無効審判を請求することができない旨の規定があり（平成23年改正前の特許法167条）、そのような場合、第三者も、同一事実・同一証拠により特許無効審判を請求することができなくなり、同様に特許法104条の3の抗弁の主張もできないと解すべきか否か、議論があった。

　同法167条が「何人も」と規定していた点については、無効審判を請求した者以外の第三者についての裁判を受ける権利との関係から、違憲論が

あった[55]。また、違憲でないとしても、既判力等の問題はないので、確定した審決の無効審判請求人の主張立証の仕方が不十分であるという場合、あるいはなれ合いで請求不成立審決を確定させて互いに出訴しないということもあり得るから、上記改正前においても、少なくとも、第三者に関しては、無効の抗弁を主張できると解するべきであった。第三者が不当にその効力を受けるというのは問題であるとされ、平成23年改正により、特許法167条は、第三者効が削除され、当該無効審判請求人及び参加人についてのみ、再度の無効審判請求ができない旨改正された。

したがって、平成23年改正後は、無効審判請求をした者及び参加人以外の第三者が、無効審判請求不成立審決確定後に同一事実・同一証拠による特許無効の抗弁を主張することに、法律の文言上も解釈上も、特段の制約はなくなった。同法104条の3が相対的に無効と判断して権利行使を制限する規定であることに照らしても、上記主張は許されるものである[56]。

なお、無効審判を請求した者自身に関しては、最大判昭和51・3・10民集30巻2号79頁〔メリヤス編機事件〕は、審決取消訴訟の審理範囲につき、審判で審理され、かつ審決で判断された無効理由・拒絶理由のみが審理範囲となり、その無効理由は各法条ごと及び公知事実ごとに画されるとしているから、無効理由や証拠が異なれば、一事不再理には当たらないとして、現実には、上記のような事態を想定する必要性は乏しいかもしれない。しかし、上記大法廷判決には批判も強く、真の意味での紛争の一回的解決を目指すのであれば、無効審判請求人自身がその手続で主張立証を尽くしてそれが容れられなかった以上、同一当事者間で当該特許権の有効性について争われたのであるから、さらに同一内容の無効理由で権利行使を阻止する機会を与える必要性に乏しいのであり、紛争の蒸し返しは許されないという訴訟上の信義則によって、同一の抗弁を主張することは許されないと

---

[55] 牧野利秋「法167条の効力の及ぶ範囲」『特許判例百選〔第3版〕』98頁
[56] 茶園成樹「無効審判を請求することができない場合における無効の抗弁の主張の可否」学会年報34号173頁

解されよう（知財高判平成28・10・19（平成28年(ネ)第10047号）〔電気コネクタ組立体事件〕、知財高判令和元・6・26（平成31年(ネ)第10001号ほか）〔美容器事件〕、知財高判平成30・11・20判時2413号136頁〔下肢用衣料事件〕）[57]。なお、同一の裁判体が侵害訴訟と審決取消訴訟を審理判断するという現在の知的財産高等裁判所の運用の下では、実務上は、同一の無効主張をしたとしても、結局同一の判断がされることになる。

　ウ　除斥期間経過後（商標法47条）

　なお、無効審判請求ができない第3の場面は、商標法に関するものである。商標法39条は、特許法104条の3の規定を、商標権侵害に準用しているところ、商標法には、特許法にない除斥期間の制度があり、商標法47条は、同法3条、4条1項8号・11号から14号違反及び冒認等の場合に5年の除斥期間を設けている。また、同法4条1項10号・17号は不正競争の目的、15号は不正の目的がない場合に5年の除斥期間を設けている。そうすると、例えば、不正競争の目的がなければ同法4条1項10号に該当するか否かの判断をするまでもなく5年以上前に登録された商標権の無効審判は請求することができない。

　そこで、商標権侵害訴訟において、除斥期間経過後に無効理由を主張することができるか否かが議論されていた。

　同法47条の除斥期間の趣旨を、同法4条1項15号の規定に違反する商標登録は無効にされるべきものであるが、商標登録の無効の審判が請求されることなく除斥期間が経過したときは、商標登録がされたことにより生じた既存の継続的な状態を保護するために、商標登録の有効性を争い得ないものとしたことにあると解し（最二小判平成17・7・11判タ1189号185頁）、侵害訴訟と審判請求を同視すれば、侵害訴訟において当該商標登録の無効を

---

[57] 牧野利秋「キルビー最高裁判決その後」ジュリ1295号185頁、日本弁護士連合会知的財産制度委員会「知的財産権訴訟の最近の実務の動向(5)（下）」判タ1179号56頁〔三村量一発言〕、茶園成樹「無効審判を請求することができない場合における無効の抗弁の主張の可否」学会年報34号173頁

主張し得ないことになる[58]（東京地判平成13・9・28判タ1095号240頁〔モズライト事件〕、東京地判平成19・12・21（平成19年(ワ)第6214号）〔マッキントッシュ事件〕）。

　しかし、商標法47条は「審判は…請求することができない」としており、同法39条は侵害について特許法104条の3を準用していることや、無効審判手続と侵害訴訟手続は別ルートであって、その判断結果が異なる事態もあり得るという考え方によれば、侵害訴訟において上記抗弁を主張し得ると解されよう[59]。特許法104条の3が公平の理念を掲げたキルビー特許事件最高裁判決の法理を明文化したものであり、立法技術上の理由から「特許無効審判により」という文言が入ったことにも照らすと、無効審判請求ができることは無効の抗弁を主張するための必須の要件とはいえないと解される。このことは、前記アの場合について特許法104条の3第3項が新設されたことからも、明らかであろう。

　もっとも、最三小判平成29・2・28民集71巻2号221頁〔エマックス事件〕は、商標法4条1項10号該当を理由とする商標登録の無効審判が請求されないまま商標権の設定登録の日から5年を経過した後においては、当該商標登録が不正競争の目的で受けたものである場合を除き、商標権侵害訴訟の相手方は、その登録商標が同号に該当することによる商標登録の無効理由の存在をもって、商標登録無効の抗弁（商標法39条、特許法104条の3）を主張することが許されない旨判示している。なお、同判決は、商標法4条1項10号該当を理由とする商標登録の無効審判が請求されないまま商標権の設定登録の日から5年を経過した後であっても、当該商標登録が不正競争の目的で受けたものであるか否かにかかわらず、商標権侵害訴訟の相手方は、その登録商標が自己の業務に係る商品又は役務を表示するものとし

---

[58] 田村善之『商標法概説〔第2版〕』313頁、茶園成樹「無効理由を有する商標権の行使」L&T43号51頁
[59] 日本弁護士連合会知的財産制度委員会「知的財産権訴訟の最近の実務の動向(5)(下)」判タ1179号56頁〔三村量一発言〕、髙部眞規子「特許法104条の3を考える」知的財産法政策学研究11号123頁

て当該商標登録の出願時において需要者の間に広く認識されている商標又はこれに類似する商標であるために同号に該当することを理由として、自己に対する商標権の行使が権利の濫用に当たることを抗弁として主張することが許されるとして、権利濫用の抗弁として認めている。

4 訂正の対抗主張

無効理由が存在するが、訂正により特許が無効理由を回避することができるときに、どう考えるべきであろうか。被告製品が訂正後のクレームの技術的範囲にも属する場合と属さない場合とがある。

(1) キルビー判決における特段の事情

キルビー特許事件最高裁判決の下では、特許請求の範囲が構成要件A＋B＋Cから成る場合において、AがA_1、A_2の上位概念であって、A_2＋B＋Cという構成が公知であるときは、特許請求の範囲A＋B＋CをA_1＋B＋Cと減縮する訂正をすれば、訂正が認められ、無効理由が解消されることから、「特段の事情のない限り」という限定が付されていた。

すなわち、

(a) 訂正により無効が回避できる場合で被告製品が無効理由に係らないクレーム部分(訂正後のクレームの範囲内であるA_1＋B＋Cという構成を有している場合)であれば、再抗弁としての「特段の事情」が肯定され、権利の濫用とはいえないのに対し、

(b) 訂正により無効が回避できる場合で被告製品が無効理由に係るクレーム部分(訂正後のクレームの範囲外であるA_2＋B＋Cという構成を有している場合)であれば、権利行使することができない

と解されてきた[60]。

---

[60] 髙部眞規子「訂正請求が肯定されても無効理由が明らかに存在する場合の処理」『特許判例百選〔第3版〕』172頁

(2) 特許法104条の3に対する対抗主張

　特許法104条の3において、上記(1)(a)の場合は、訂正により最終的には当該特許が無効とされるとはいえないから、「当該特許が特許無効審判により無効にされるべきものと認められるとき」には当たらないと解することができる。

　他方、上記(1)(b)の場合には、同条をそのまま適用するわけにはいかない[61]。(1)(b)の場合は、権利行使を許すべきではないが、その理由付けとしては、いくつか考えられる。まず、訂正が確定せず、口頭弁論終結時に訂正前のクレームのままである以上は、「当該特許が特許無効審判により無効にされるべきものと認められるとき」に当たるといわざるを得ないと解することである。あるいはクレームの限定解釈という手法によって、Aという構成要件は公知技術を参酌してA_1と解釈することにより、棄却の結論を導くことができるとする見解もある[62]。

　このように、無効主張に対抗する訂正の主張（訂正の対抗主張）は、再抗弁と位置付けられる。再抗弁として意味があるのは、①適法な訂正（審判）請求がされ、②それにより無効理由が解消されるとともに、③訂正後の特許請求の範囲に対象製品が属することが必要である（知財高判平成21・8・25判夕1319号246頁〔切削方法事件〕）。

　なお、再抗弁として、訂正（審判）請求は必要ないとする最一小判平成20・4・24民集62巻5号1262頁〔ナイフの加工装置事件〕の泉裁判官の意見があり、理論的に押し進めればそのような解釈も可能であると思われるものの、訂正内容の確定という観点からすれば、不安定かつ不確実な状態で権利行使を認めることになって好ましくないということから、実務上はこれを要件とする見解が多数を占めている。もっとも、例えば特許権の実施

---

[61] 牧野利秋ほか「座談会　知的財産高等裁判所設置法及び裁判所法等の一部を改正する法律について」知財管理55巻4号473頁〔大渕哲也発言〕
[62] 牧野利秋「キルビー最高裁判決その後」ジュリ1295号185頁

権者が訂正に同意しない場合（令和3年改正前の特許法127条）や、共有に係る特許権者の一部の者が請求の手続に関与しない場合（特許法132条3項）のように、原告たる特許権者が訂正請求したくても手続上できない場合にも同様に解すべきか否かについては、検討の余地がある。

(3) 平成23年改正後の実務

また、平成23年改正により、被告がいったんダブルトラックを選択して無効審判を請求すると、特許権者は、それが確定するまでもはや訂正審判は請求できず、訂正を請求できる機会が限定されることから（特許法126条2項）、再抗弁としての「訂正審判請求をしていること」という要件を常に課すると原告に不利になる可能性があるため、要件の緩和も検討する必要がある。被告がダブルトラックを選択したために原告の訂正の機会が制限されていることを考慮し、上記①の要件に代えて、無効主張に対する対抗主張として、時機に後れない段階でまず、「訂正請求できる時期には、必ずこのような訂正を請求する」という形で具体的なクレームを主張させ、事実審口頭弁論終結時までには訂正（審判）を請求していれば足りると解することも、一考かもしれない[63]。

知財高判平成29・3・14（平成28年(ネ)第10100号）〔魚釣用電動リール事件〕は、特許に無効理由が存在する場合であっても、①適法な訂正請求（又は訂正審判請求）がされ（訂正請求及び訂正審判請求が制限されるためにこれをすることができない場合には、訂正請求（又は訂正審判請求）できる時機には、必ずこのような訂正を請求する予定である旨の主張）、②上記訂正により無効理由が解消されるとともに、③訂正後の特許請求の範囲に対象製品が属するときは、特許法104条の3第1項により権利行使が制限される場合に当たらない旨判示している。

63　髙部眞規子「平成23年特許法改正後の特許関係訴訟の実務」L&T53号20頁

5 無効主張及び訂正主張の適時提出

(1) 濫用的な無効の主張

　特許権侵害訴訟において、被告が特許法104条の3の抗弁を主張する際には、同条2項の趣旨にかんがみ、訴訟の早期の段階で、通常2、3個以内の無効理由を、順序を付けた上で主張するのが望ましい。警告や事前交渉が一切ない状況で突然侵害訴訟が提起されることは稀であるから、被告の側で一定の期限内に無効理由を調査することは不可能ではないし、特許査定を受けた特許に無効理由が10個も存在することは考えにくいから、被告が裁判所の訴訟指揮に従い、上記のように整理した形で無効理由を主張する事案が大多数であった。

　濫用的主張を排斥するために特許法104条の3第2項が設けられたものであるが、最一小判平成20・4・24民集62巻5号1262頁〔ナイフの加工装置事件〕は、特許権者が5回にわたる訂正の請求をした事案について、上告審係属後に訂正審決が確定したことを理由に事実審の判断を争うことが、特許権侵害に係る紛争の解決を不当に遅延させるものであり、特許法104条の3の規定の趣旨に照らして許されないとして、上告を棄却した。

　立法段階で懸念されたような、苦し紛れに20も30も無効理由を主張することは見られないものの、多数の無効主張がある場合に、中には1個くらい認められる可能性のある主張もあるとすると、防御すべき立場の相手方（特許権者）も裁判所も対応が難しい。

　裁判所としては、多くの無効理由が主張された場合に、1個でも無効にされるべきものと認められれば、特許権者の請求を棄却することになるが、結局どの主張が無効という判断に至るものなのかは、それぞれを検討してみなければ分からない。相手方である特許権者も、主張された無効理由の全部について反論したいという場合が多い。いずれにしても、司法制度改革推進本部知的財産訴訟検討会において議論されたとおり、攻撃防御方法を20個も30個も出されれば、審理が遅延することは明らかである。

もっとも、特許法104条の3第2項により攻撃防御方法を却下しても、特許無効審判を請求されたら同じであり、究極的には迅速審理の目的が達せられない。かえって紛争の終局的な解決を遅延させるとして、同項の適用を慎重にすべきであるとの指摘もある[64]。

　この点は、平成23年改正により一定の解決が図られたところ、現在は、訴訟指揮により、無効理由をある程度絞り、順序を付けること等、進行に協力する当事者がほとんどであるが、濫用的な主張や時機後れの主張を排斥することのできる第2項の存在意義は大きいと思われる。

(2) 無効主張と対抗主張の適時提出

ア　適時提出主義

　特許権侵害訴訟において、技術的範囲への属否と並んで無効の抗弁が重要な攻撃防御方法であることに照らし、適時に主張立証を提出させるよう、審理計画を立てることが望ましいと思われる。民事訴訟法156条の2所定の審理の計画を立てた場合には当然のこと、これを立てていない場合であっても、裁判所は、通常は、いつまでに無効主張をすべきかの訴訟指揮は行っているはずであり、損害論に入ってからの新たな無効主張や終結間近の新たな無効主張、まして、控訴審での新たな無効主張には、問題がある。もっとも、現在の法制度では、いつまででも、何度でも無効審判請求が可能であり、抗弁を制限しても、仮に侵害訴訟判決の確定前に無効審決が確定するとすれば、判断齟齬のおそれもあり、裁判所としても、悩ましい場面である。

イ　裁判例

　従前の裁判例には、第1審で敗訴した控訴人（被告）が控訴審で新たに提出した無効理由について、第1審の審理が短期間であり、控訴審の審理の当初に提出され、無効理由が外国で頒布された英語の文献であること等

---

[64] 近藤恵嗣「特許法104条の3をめぐる解釈上の問題点」知財ぷりずむ36号73頁

を理由に、民事訴訟法157条・特許法104条の3により却下すべきものには当たらないとした例がある（知財高判平成17・9・30判時1904号47頁〔一太郎事件〕）。

これに対し、対抗主張としての訂正についても、上告審係属中に訂正審決が確定したことを、原審で敗訴した上告人（原告）が上告受理申立理由において主張したのに対し、上告人が対抗主張を原審の口頭弁論終結前に提出しなかったことを正当化する理由はないから、上告人と被上告人間の侵害に係る紛争の解決を不当に遅延させるものであるとして、特許法104条の3の規定の趣旨に照らして許されないとされた（最一小判平成20・4・24民集62巻5号1262頁〔ナイフの加工装置事件〕）。

さらに、弁論準備手続終結後に、原告が訂正審判により新たな相違点が生じ無効理由がないとの主張に変更した事案において、それ以前に主張を変更することを妨げる事情はなかったとして、民事訴訟法157条により却下した例もある（東京地判平成22・1・22判時2808号105頁）。その他、口頭弁論の再開を認めなかった事例が散見される。

ウ　時機後れの判断

民事訴訟法157条に関しては、時機に後れた攻撃防御方法かどうかの判断は、単に控訴審における訴訟の経過ではなく、第1審以来の訴訟手続の経過を通観して判断すべきものとされている（最三小判昭和30・4・5民集9巻4号439頁）。通常民事事件においては、控訴審における新たな主張が、新たな証拠調べまでは必要ない場合や、従前の主張と関連しその自然の成り行きである場合等は却下しないことが多く、本案の判断ないし実体的真実に沿った判断を優先し却下することに慎重すぎるほど慎重な姿勢が見られるとの指摘がある。他方、建築瑕疵の事件において第1審で十分な主張立証の機会を与えられながらこれまでとタイプの異なる新たな瑕疵を控訴審で追加した場合や、第1審で主張しないと明示した争点を蒸し返した場合には、却下していることが参考になる[65]。また、控訴審では攻撃防御方法の提出期限の定め（民事訴訟法301条）をすることも検討に値しよう。

他方、特許法104条の3は、時機に後れたものでなくても、審理を不当に遅延させることを目的として提出されたものと認められる場合に、却下できるとする規定であり[66]、時機後れの要件の点は民事訴訟法157条より緩やかであるが、目的要件が付加されている。

エ 判断要素

新たな無効主張が容れられる可能性があるか否かを勘案するには、結局、特許権者の反論も必要となる上、さらには、訂正の対抗主張の機会を与える必要が出てくるとすると、審理の遅延を招くことは、明らかであろう。新主張の提出の時期や、当該主張をより早期に提出することが可能であったか否かのほか、当該主張が的確な無効理由なのか、単に引き延ばしの無効理由なのか等の諸事情を、訴訟の進行状況とともに総合的に考慮して、実体的真実の追求と訴訟の迅速審理のバランス、当事者の衡平を考慮した上、判断するほかないと考えられる。サポート要件、明確性要件、実施可能要件又は発明該当性要件の非充足や、自らの実施品を引用発明とする新規性進歩性欠如といった無効理由は、早期に主張できなかったものということはできない。被告が、特に外国文献を詳細に調査するのに時間がかかるためにそれが困難であったことをどの程度斟酌するかについては、裁判体によって温度差が出てくるものと解されるが、いずれにせよ、無効主張は、小出しにすることなく、できるだけ早期に提出すべきである。

訂正は、無効理由によっても異なる対応が予想されるので、1つの無効理由に対する認否反論とともに、訂正の意思等を確認するのも一法であろう。被告の無効主張と原告の訂正の対抗主張の提出時期は、バランスをとる必要がある[67]。

---

65 雛形要松ほか「民事控訴審における審理の充実に関する研究」司法研究報告書56輯1号107頁
66 近藤昌昭ほか『知的財産関係二法/労働審判法』59頁
67 鈴木將文「特許権者による対抗主張」学会年報34号153頁、髙部眞規子「特許無効の抗弁と訂正の対抗主張の適時提出」L&T50号51頁

6　侵害訴訟判決確定後の審決確定と特許法104条の4

(1)　判断の齟齬

　ア　特許無効の抗弁の相対的効力

　無効審決が確定すれば対世的な効力であるのに対し（特許法125条）、侵害訴訟の抗弁における判断はあくまでも当事者間の相対的な効力にすぎない。このことは、キルビー事件最高裁判決についてもそのように解説され、特許法104条の3の立案担当者も、そう考えていることは、前記のとおりである。

　イ　判断齟齬を防止する制度

　特許法104条の3の立案担当者は、判断齟齬を防止するために特許法168条5項、6項を新設したというが、同項は、裁判所は無効審判請求があったという通知を特許庁から受けた場合、侵害訴訟における特許法104条の3の攻撃防御方法、つまり無効主張を記載した書面が出されたことを特許庁長官に通知し、通知を受けた特許庁長官は、裁判所にその記録の準備書面のコピーを請求することができるというものである。

　本来、侵害訴訟における抗弁と無効審判請求の理由は同一のものであることが望ましいが、同法104条の3第2項の規定からすれば、侵害訴訟における無効理由は、濫用的なものについては主張できないはずであり、また、特許無効審判においては、当事者主義ではなく職権主義が妥当するのであるから（特許法153条）、特許無効審判の方により多くの無効理由が顕出されてそれが審理の対象となることがあるとしても、裁判所で主張しながら特許庁で主張しないという無効理由はないのではなかろうか。

　そういう意味で、特許法168条5項、6項の規定は、特許庁側にとってはともかく、これが侵害訴訟の裁判所にとって判断齟齬を防止する役割を果たす場面を想定するのは困難である。

　なお、侵害訴訟と無効審判が同時に進行すれば、知財高裁での同一裁判体による審理という運用に意味があるが、両者に係属時期や審級のずれが

ある場合に、判断齟齬が防止できるという保障はない。また、両訴訟における当事者の主張や証拠が完全に一致しない場合があることや、最大判昭和51・3・10民集30巻2号79頁〔メリヤス編機事件〕等により審決取消訴訟の審理範囲が制限されていること、審決の違法性が訴訟物となっているために、審決取消訴訟ではストレートに当該特許の有効無効の判断に結びつかない場合もあること等もあって、上記運用にも限界がある。

　ウ　ダブルトラックの問題点

　判断齟齬の可能性は以下のとおり深刻であり、①存続期間満了後もいつまでも、②特定の場合を除いて何人でも、③請求不成立審決が何度確定しても特許法167条の場合を除いては何回でも、無効審判を請求することができるという現行の無効審判制度の下においては、特許権者は、侵害訴訟で勝訴しても、無効審判が繰り返されることがあるから、その地位は安泰とはいえない。他方、一方のルートで負けたとしても別のチャンスを有する侵害訴訟の被告側が、侵害訴訟において真剣に1回勝負の審理を行うとは限らず、侵害訴訟の審理の充実を図ることが困難な状況にある。また、審決の取消しによって特許庁と裁判所のキャッチボール現象が起き、1つの特許権の有効無効に関する紛争が決着するのに時間を要することも無視することができない。

　エ　審決と判決の確定の先後

　(ア)　審決が先に確定した場合

　特許無効審判に係る審決が、侵害訴訟の判断よりも先に確定しているということはごく少ないが、仮に無効審決が確定していれば、遡及的に特許が無効になるから（特許法125条）、当然に特許権者の侵害訴訟に係る請求は棄却される。

　これに対し、請求不成立審決が確定した場合は、同一事実、同一証拠による特許法104条の3の抗弁は、訴訟上の信義則等によって許されないとされることがあるが、それ以外の事由による無効の抗弁を容れて請求が棄却されることもあり得る。

(ｲ) 侵害訴訟の判決が先に確定した場合

　他方、侵害訴訟が先に確定した後に審決が確定した場合の判断齟齬については、再審の問題もからんで、議論があった。この場合でも、請求棄却判決確定後の請求不成立審決の確定のケースでは、再審事由に該当しないのであるから、救済はあり得ない。平成23年改正の際に問題となったのは、無効審決や訂正審決が遡及効を有するため、侵害訴訟判決確定後に無効審決や訂正審決が確定したケースである。

(2) 侵害訴訟認容判決確定後の無効審決の確定

ア　特許法104条の4の制定まで

(ｱ) 裁判例

　最も問題があるのは、侵害訴訟の請求認容判決確定後の無効審決の確定という事態である。無効審決の確定により、特許権は、初めから存在しなかったものとみなされる（特許法125条）。このために、特許権侵害訴訟等の認容判決確定後に無効審決が確定すると、民事訴訟法338条1項8号所定の「判決の基礎となった行政処分が後の行政処分により変更された」という再審事由に該当する可能性がある。

　実際に、知財高判平成20・7・14判タ1307号295頁〔生海苔の異物分離除去装置事件〕では、侵害訴訟の請求認容判決確定後、無効審決の確定という事態が生じ、再審開始決定をした上、侵害訴訟の被告（再審原告）が請求したとおり、確定判決を取り消した。

(ｲ) 遡及効の不都合

　しかし、特許権侵害訴訟で認容判決が確定した後に無効審決の確定を理由に再審が肯定され、侵害訴訟の結論が覆されるとすれば、以下のような不都合があることが指摘されていた。

　まず、特許権者は、認容判決を得ても、それが覆される可能性がいつまでも続き、法的に不安定である。すなわち、再審が認められれば、損害賠償請求の認容判決に基づいて支払われた損害賠償金を返還しなければなら

なくなる。また、本案訴訟とは別に、仮差押命令や差止めの仮処分命令を得ていた場合において、無効審決の確定の効果が遡及することにより被保全権利が遡及的に存在しないことになると、保全命令が取り消され、ひいては違法な保全処分として損害賠償すら命じられる可能性がある（最三小判昭和43・12・24民集22巻13号3428頁、大阪高判平成16・10・15判時1912号107頁）。同様に、保全執行の債務名義となった仮処分命令における被保全権利が、仮処分命令の発令時から存在しなかったことになり、仮処分命令が取り消され、当該仮処分命令に基づく間接強制金について不当利得として返還しなければならなくなる（最二小判平成21・4・24民集63巻4号765頁）。このように勝訴した特許権者の地位が不安定であることが、我が国における特許権侵害訴訟の紛争解決機能を弱体化させていた。

　また、このように再審が認められる可能性があるとすれば、被告は、侵害訴訟における特許無効の抗弁を主張できなくなった時期になってもなお、特許無効審判を請求することができ、しかもその請求には回数制限がないところから、被告側に際限なく無効審判請求を繰り返すことを誘発しかねない。

　このことは、特許権侵害訴訟について迅速適正な審理判断を行おうとする裁判所にとってみても、審理を不当に遅延させるような特許無効の抗弁を却下したにもかかわらず後の審決で侵害訴訟の判決が覆ることになり、特許法104条の3第2項の趣旨が没却され、侵害訴訟における審理の充実に反する。

　㈦　学　　説

　再審を認めた知財高判平成20・7・14判タ1307号295頁〔生海苔の異物分離除去装置事件〕は、キルビー特許事件最高裁判決後特許法104条の3の新設前にされた確定判決に関するものであるが、同条新設後に同じ事態が生じた場合の取扱いについては、見解が分かれ、再審を制限しようとする学説も現れていた。

(a)　特許法104条の3の立法後も、再審事由に当たるとする見解

　侵害訴訟の認容判決は、当該特許が有効に存在し、かつ特許法104条の3に当たる抗弁事由もないことを根拠にするから、判決が前提としていた特許権の効力が無効にされた場合は、民事訴訟法338条1項8号の再審事由に当たる。特許権が効力を有しないことと、有効でも権利を行使できないこととは異なるとするものである[68]。

(b)　特許法104条の3の立法後においては、再審事由を規定する民事訴訟法338条1項8号の「判決の基礎となった行政処分」に当たらないとして再審は許されないとする見解

　特許法104条の3が特許付与処分が侵害訴訟の受訴裁判所と当事者を法的に拘束するわけではなくなったことにより、特許付与処分は侵害訴訟の請求認容判決の基礎となったとはいえない。再審の機会を与えることは紛争の解決を遅延させるものでしかなく、請求棄却判決後の請求不成立審決の確定後の場合とのバランスからも、再審を否定することが実質的にも正当であるとするものである[69]。

(c)　特許法104条の3の立法後においては、民事訴訟法338条1項ただし書を類推適用して、再審を否定する見解

　侵害訴訟において、被疑侵害者が実際に特許の無効理由を抗弁として主張し、又は無効理由を主張することができたのにこれをしなかった場合には、民事訴訟法338条1項ただし書を類推適用して、再審を否定すべきであるとするものである[70]。

---

[68] 牧野利秋ほか「座談会　知的財産高等裁判所設置法及び裁判所法等の一部を改正する法律について」知財管理55巻4号466頁〔滝口尚良発言〕、笠井正俊「特許無効審判の結果と特許権侵害訴訟の再審事由」民訴雑誌54号31頁、重冨貴光「特許権侵害争訟におけるダブル・トラック現象と判決効―特許法104条の3及び最判平成20年4月24日を踏まえて」判タ1292号36頁

[69] 菱田雄郷「知財高裁設置後における知的財産訴訟の理論的課題―民事手続法の視点から」ジュリ1293号62頁

[70] 三村量一「権利範囲の解釈と経済活動の自由」『知財年報2007（別冊 NBL120号）』226頁

⑷　特許法104条の3の立法後においては、民事訴訟法338条1項8号所定の再審事由には当たるが信義則に反する場合もあるとする見解

　民事訴訟法338条1項8号所定の「判決の基礎となった行政処分が後の裁判又は行政処分により変更された」とは、行政処分の成立・効力を前提として判決がされた場合であり、かつその取消し変更が遡及的である場合を指す。侵害訴訟の請求認容判決は特許権の成立・効力を前提にして侵害行為があったことを認定しているから、形式的には、民事訴訟法338条1項8号所定の場合に当たるといわざるを得ないが、特許法104条の3が立法された後にあっては、制度的に無効の抗弁を主張し得るようになった以上、「当事者が控訴若しくは上告によりその事由を主張したとき、又はこれを知りながら主張しなかったとき」という民事訴訟法338条1項ただし書の趣旨に照らし、再審請求自体が訴訟上の信義則に反する場合もあるとするものである[71]。

㈣　立法の必要性

　特許法104条の3は、侵害訴訟において正面から特許の無効を判断することができる権限を与えたものであり、ダブルトラックが維持される以上、その判断齟齬については、再審事由としないような立法的手当が必要であることが指摘されていた[72]。

　このように、法的安定性のある制度設計が不可欠であるところ、全ての場面について解釈論のみで解決するには限界があるところから、特許権侵害訴訟の判決確定後に無効審決や訂正審決が確定しても侵害訴訟の判決等に影響を及ぼさないようにすることが必要であり、平成23年改正による特許法104条の4の立法に至ったものである。

---

[71]　髙部眞規子「知的財産権訴訟　今後の課題」NBL859号14頁
[72]　髙部眞規子「侵害訴訟判決確定後の審決の確定」学会年報34号195頁、同「特許の無効と訂正をめぐる諸問題」知的財産法政策学研究24号1頁、同「キルビー判決10年―特許権をめぐる紛争の一回的解決を目指して―」金判1338号2頁、1339号11頁

イ　特許法104条の4の解釈
　(ｱ)　再審の可否
　特許法104条の4によれば、「特許権…の侵害…に係る訴訟の終局判決が確定した後に、…当該特許を無効にすべき旨…の審決が確定したときは、当該訴訟の当事者であつた者は、当該終局判決に対する再審の訴え…において、当該審決が確定したことを主張することができない」。

　換言すれば、侵害訴訟認容判決確定後に無効審決が確定しても、侵害訴訟の被告であった者は、無効審決が確定したことすなわち民事訴訟法338条1項8号所定の行政処分の変更に該当する事実を主張することができない。よって、再審の事由があるとはいえないから、再審開始の決定（同法346条1項）をすることはできない。むしろ、再審の事由がないとして、決定をもって再審の請求を棄却すべきことになる（同法345条2項）。

　(ｲ)　損害賠償認容判決の効力
　侵害訴訟で損害賠償請求が認容され、その確定判決に基づいて損害賠償金を支払った後に無効審決が確定した場合、再審が認められれば不当利得として返還せざるを得ないことになるが、上記(ｱ)のとおり再審が認められない以上、賠償金の支払に法律上の原因がないとはいえず、不当利得として返還請求をすることはできない。

　また、損害賠償請求が認容されても未だ支払がされていない段階で無効審決が確定した場合、再審を許した場合には未払分の強制執行をすることはできないことになるが、再審が認められない以上、執行可能と解される。これを支払わないで無効審判請求を繰り返しても、無意味であることが明らかになった。

　(ｳ)　差止め認容判決の効力
　他方、差止めを命じる確定判決については、無効審決が確定した以上、何人も当該特許発明を自由に実施することができるはずである。侵害訴訟の被告であった者も、将来に向かっては同様であると解されよう。

　差止めを命じる判決は、当該特許権が有効に存続する限り実施行為を禁

止するという趣旨のものであるから、無効審決が確定した後に、特許権者が差止めを命じる判決の強制執行を求めることは考え難いが、仮に間接強制の申立てがあれば、被告であった者としては、債務者審尋の機会に、無効にされたことを示す登録原簿を提出すれば、執行裁判所が特許権者に取下げを勧告することになると思われる。債務名義自体の執行力を排除するため、請求異議訴訟（民事執行法35条）を利用するという見解もある。もっとも、過去に強制執行により支払った間接強制金を不当利得として返還請求することができないことは、上記(イ)と同様であると解される。

(エ)　違法仮差押・違法仮処分による損害賠償等の可否

特許権の侵害に係る訴訟の終局判決が確定した後に、無効審決が確定したときは、「当該訴訟の当事者であつた者は、…当該訴訟を本案とする仮差押命令事件の債権者に対する損害賠償の請求を目的とする訴え並びに当該訴訟を本案とする仮処分命令事件の債権者に対する損害賠償及び不当利得返還の請求を目的とする訴えにおいて、当該審決が確定したことを主張することができない。」とされ（特許法104条の4第1号）、侵害訴訟等を本案とする仮差押命令や仮処分命令が、審決の確定により遡及的に違法なものとなったという主張もできない。したがって、違法仮差押え又は違法仮処分を理由とする損害賠償請求や不当利得返還請求は、認められる余地がない。

同様に、保全執行により間接強制金を支払った場合にも、侵害訴訟の被告であった者は、仮処分命令における被保全権利が、仮処分命令の発令時から存在しなかったことを主張することができないため、仮処分命令に基づく間接強制金について不当利得返還請求をすることができない。

なお、特許法104条の4は、保全命令の後本案判決が確定した後に無効審決が確定した場合について規定されており、仮差押命令や仮処分命令の本案となる侵害訴訟の判決の確定と審決の確定の先後関係を問題とするものである。保全処分の後、先に無効審決が確定しその後侵害訴訟の本案判決がされた場合には、同条の規定するところではない。この場合の本案判

決は請求棄却になるから、本案判決によって被保全権利がなかったことが確認されたことになる。

　(オ)　新訴提起の可能性

　以上は、確定判決等と無効審決との関係であり、無効審決が確定しても確定判決は影響を受けないことが立法されたのであるが、例えば、ある期間の特許権侵害による損害賠償請求訴訟が認容され確定した後、後訴であるその後の期間の損害賠償請求の係属中に無効審決が確定した場合や、差止めを命ずる判決が確定した後、後訴である損害賠償請求訴訟の係属中に無効審決が確定した場合については、特許法104条の4が直接規定するところではない。

　原告と被告間のある期間の特許権侵害による損害賠償請求訴訟（前訴）とその後の期間の損害賠償請求訴訟（後訴）とは、訴訟物が異なる上、特許法104条の4が遡及効の制限ではなく再審の訴えや保全処分の債権者に対する損害賠償請求等の訴えにおける遡及効の主張の制限という法形式を採ったことを重視すると、無効審決確定後は、特許権侵害を理由とする損害賠償請求訴訟において、上記事実を主張することが制限されず、後訴であるその後の期間の損害賠償請求が棄却されるという事態もあり得ることになる。しかし、前訴において当該特許権の有効性が争点となって主張立証が尽くされ、有効という判断が確定していることにかんがみ、当該原告と被告との間では、後訴である損害賠償請求訴訟においても、訴訟上の信義則や特許法104条の4の趣旨により、同様の無効理由を主張できず、無効審決の確定の事実も主張できないと解する余地もあるのではなかろうか。

　同様に、差止請求（前訴）と損害賠償請求（後訴）とは、同じ特許権侵害を主張するとしても訴訟物が異なる上、同条の上記のような法形式を重視すると、無効審決確定後は、後訴において上記事実を主張することが制限されず、後訴は棄却されるという帰結も考えられる。他方、差止請求訴訟（前訴）において、特許権の有効性が争点となりこれが判断されて差止めが

認容され確定したことにかんがみ、後訴である損害賠償請求訴訟においても、訴訟上の信義則や同条の趣旨により、無効理由を主張できず、無効審決の確定の事実も主張できないと解する余地がある。また、差止めを命じられたのにこれに従わなかった無効審決確定前の時期の損害について、損害賠償請求訴訟において無効審決が確定したという抗弁を主張することに問題があると解する余地もある。

(カ) 補償金請求訴訟判決確定後の審決確定

特許法104条の4は、特許権及び専用実施権の侵害訴訟のほか、補償金請求訴訟(同法65条1項、184条の10第1項)についても、同様に規定しており、上記と同様の解釈が可能である。

(キ) 小　　括

以上のように、特許法104条の4は、「遡及効の制限」という形式ではなく、「主張の制限」という形をとってはいるが、無効審決の遡及効(特許法125条)は、対第三者との関係であって、侵害訴訟の当事者との関係では、主張制限の結果、侵害訴訟等の結論は影響を受けず、あたかも将来に向かってその効力を生じるものと理解されるものである。以下に述べる、延長登録無効審決の遡及効(同法125条の2第3項)及び訂正審決の遡及効(同法128条、134条の2第5項)も、同様である。

(3) 侵害訴訟認容判決確定後の訂正審決の確定

ア　特許法104条の4の制定まで

(ア) 訂正審決の遡及効

侵害訴訟の判決後の訂正審決の確定も、訂正後の特許請求の範囲等により設定登録等がされたものとみなされるため(特許法128条、134条の2第5項)、これが再審事由に当たるとすれば侵害訴訟の審理のやり直しを余儀なくされるという、問題がある。

(イ) 立法の必要性

このケースでは、認容判決確定後に全部無効にされたケースに比べ、減

縮したとはいえ有効なのであるから、侵害訴訟の結論が覆される可能性があること自体に問題がある。

　特許権者の請求認容判決確定後の訂正審決の確定という場面では、再審請求をするとすれば被告が行うことになるところ、訂正審決は、無効審判請求をした前記(2)の場合と異なり、被告側に申立て等の行為があったわけではないから、これを信義則で制限することは不可能である。また、ナイフの加工装置事件最高裁判決が示したような、特許法104条の3第2項の趣旨を用いるのも困難である。

　他方、訂正前に対象製品が技術的範囲に属するとされた判断が、訂正により範囲外になったといえるか否かは、前記(2)の無効審決の確定の場合と異なり、必ずしも明らかとはいえず、審理をしてみなければ分からない場合もある。

　訂正の前後で特許請求の範囲は異なるとはいえ、訂正審決確定の前後を問わず、訴訟物を基礎付けるところの、特許番号で特定される特許権そのものは有効に存続しているものである。認容判決確定後の無効審決確定の場合ですら、再審が制限されるのであれば、それとのバランスで、この場合も制限してもよい場合があるように思われる。なお、訂正により特許請求の範囲外となったと考える被告の側では、むしろ、別訴により、将来の差止めに関し、請求異議の訴えや差止請求権不存在確認等による救済を検討することも考えられる。

　このようなケースが生じる場面は余りないとはいえ、この場合についても、立法により確定判決に影響を及ぼさない方策が明らかにされることが望まれていた。

イ　特許法104条の4の解釈

(ア)　特許法104条の4、特許法施行令13条の4第1号

　特許法104条の4によれば、特許権侵害訴訟の認容判決確定後に訂正審決が確定した場合、「当該訴訟において立証された事実以外の事実を根拠として当該特許が特許無効審判により無効にされないようにするためのも

のである審決」(特許法施行令13条の4第1号)であれば、当該訴訟の当事者であった者は、当該終局判決に対する再審の訴えにおいて、当該審決が確定したことを主張することができない。

特許法施行令13条の4第1号に規定する「当該訴訟において立証された事実以外の事実を根拠として当該特許が特許無効審判により無効にされないようにするためのものである審決」とは、侵害訴訟の被告が主張立証した無効理由を解消するため以外の訂正審決を指すものと解され、その場合は、再審の主張が、法律上制限される。

他方、上記特許法施行令13条の4第1号に該当しない場合、すなわち、被告が主張立証した無効理由を解消するための訂正の場合は、侵害訴訟で無効の抗弁が認められ訂正の再抗弁が認められた認容判決と審決は同じ判断であり、そもそも再審事由たる「判決の基礎となった行政処分が変更された」といえない。判決と審決に齟齬はなく結論が変わる可能性もないから、上記の場合にも、再審はできない。

そうすると、侵害訴訟判決確定後の訂正審決確定の場合は、政令たる特許法施行令13条の4第1号に定めた場合も、そこから除かれた場合も、いずれも、再審の主張ができないことになるものと解される。

(イ) 再審の可否

侵害訴訟認容判決確定後に政令で定める訂正審決が確定しても、特許法104条の4により、再審の訴えで訂正審決の確定の事実を主張できない、すなわち再審の事由を主張できないのであるから、再審の請求を棄却する決定となる(民事訴訟法345条2項)。基本的に前記(2)の場合と同様の帰結になると解される。

(ウ) 違法仮差押・違法仮処分による損害賠償等の可否

仮に訂正後のクレームに属さないとしても、前記(2)と同様、違法仮差押え又は違法仮処分を理由とする損害賠償請求や不当利得返還請求は、認められる余地がない。

(エ) 損害賠償請求認容判決の効力

仮に訂正後のクレームに属さないとしても、既払分の損害賠償について、不当利得返還請求をすることができないし、未払分の損害賠償の強制執行も、可能と解される。

(オ) 差止め判決の効力

もっとも、前記(2)の無効審決の確定の場合と異なり、訂正審決は、特許権自体は有効であり、ただ特許請求の範囲が減縮されたというものである。例えば、侵害訴訟において訂正の対抗主張が認められた場合には、訂正後のクレームの技術的範囲に属しかつ訂正後の特許が無効理由を有しないということが判断されているのであるから、むしろ侵害訴訟の判決と訂正審決は同様の判断をしており、判断離齬はない。したがって、無効審決の確定の場合と異なり訂正審決が確定した場合、侵害訴訟の被告であった者が、差止めを命じる判決を無視して、対象製品を将来に向かって自由に製造販売できるわけではなかろう。被告であった者が、将来に向かって対象製品を製造販売するため、請求異議訴訟（民事執行法35条）又は差止請求権不存在確認訴訟を提起することができるか否かは、特許法104条の4が直接規定するところではない。

(4) 侵害訴訟棄却判決確定後の訂正審決の確定

ア 特許法104条の4の制定まで

(ア) 裁判例・学説

侵害訴訟の請求棄却判決の確定後に訂正審決が確定した場合が再審事由に該当するか否かについては、見解が分かれていた。

(a) 最一小判平成20・4・24民集62巻5号1262頁〔ナイフの加工装置事件〕は、侵害訴訟において、特許法104条の3の抗弁を認め特許権者の請求を棄却すべきものとした控訴審判決後、上告中に訂正審決がされた事案において、「民訴法338条1項8号所定の再審事由が存するものと解される余地があるというべきである」とした上で、「仮に再審事由が存するとしても、

…本件において上告人が本件訂正審決が確定したことを理由に原審の判断を争うことは、上告人と被上告人らとの間の本件特許権の侵害に係る紛争の解決を不当に遅延させるものであり、特許法104条の3の規定の趣旨に照らして許されないものというべきである」と判示した。上記判決（法廷意見）の考え方によれば、侵害訴訟の請求棄却判決の確定後に訂正審決が確定した場合も、「再審事由に該当すると解される余地がある」ことになる。

(b) ナイフの加工装置事件最高裁判決に付された泉裁判官意見は、請求棄却判決の場合は「判決の基礎となった行政処分の変更」とはいえないとされる。その理由として、(i)権利行使制限の抗弁に対抗する主張は、訂正審判を請求するまでの必要はなく、訂正審判の請求をした場合には無効部分を排除することができること、及び、被告製品が減縮後の特許請求の範囲に係る発明の技術的範囲に属することは、被告の権利行使制限の抗弁が成立するか否かを判断するための要素であって、その基礎事実が事実審口頭弁論終結時までに既に存在し、原告においてその時までにいつでも主張立証することができたものであること、(ii)事実審が特許法104条の3第1項の規定に基づく権利行使制限の抗弁の成否について行う判断は、当初の特許査定処分を所与のものとして行うものではなく、訂正審決によってもたらされる法律効果も考慮の上で行うものであるから、その後に訂正審決が確定したからといって、上記判断の基礎となった行政処分が変更されたということはできないこと、等を挙げている。

(c) 侵害訴訟で訂正の可否を判断した上で無効にされるべきものと判断した場合は、訂正が確定しても、侵害訴訟の判断は覆らないから再審事由には該当しない。侵害訴訟で考慮されなかった訂正が審判で認められても、請求棄却判決の基礎となった根拠を覆すものではないから、再審事由に当たらない。肯定すると、際限なく訂正が繰り返される[73]。

(d) 侵害訴訟の請求棄却判決に対する訂正は、一抗弁事実の成否につい

---

[73] 笠井正俊「特許無効審判の結果と特許権侵害訴訟の再審事由」民訴雑誌54号48頁、知的財産研究所『審判制度に関する今後の諸問題の調査研究報告書』89頁〔森義之〕

てのみ影響を及ぼす事由にすぎず、再審事由に当たらない。請求棄却判決後の無効審判請求不成立審決の場合すら再審事由に当たらないのに、クレームを減縮してどうにか得られた有効判断による再審の途を開くのはバランスが悪い[74]。

　(イ)　立法の必要性

　侵害訴訟の請求棄却判決の確定後に訂正審決が確定したというケースは、特許権が有効であることを前提に侵害訴訟で特許権者の請求を認容したのに、その後無効審判により無効にされたという、従来再審事由に当たるとされてきた前記(2)の場面とは異なる。また、従来再審事由に該当しないとしてきた、無効を前提に棄却したのに有効であった、というレベルより小さい減縮という場面であるから、できれば再審事由に該当するとは解したくないとする否定説に共感を覚える。それは、上記(b)の泉裁判官の意見にもあるように、権利行使制限の抗弁に対抗する主張としての訂正は、事実審口頭弁論終結時までにいつでも主張立証することができたものであり、当事者双方が主張立証を尽くした上でいったん侵害訴訟の結論を得ながら、その確定後に訂正が認められたという事実をもって再審を請求することが、再度紛争を蒸し返すとの印象を与えるからかもしれない。

　判決の基礎になっていたとしても、特許法104条の3の新設により制度的に特許の無効を主張できるようになり、それに伴い、主張された無効理由を解消するための訂正も、対抗主張として主張可能であることからすると、このような場合における再審請求も、訴訟上の信義則に反するものと解する余地があるものの、立法による明確化が望まれていた。

　(ウ)　遡及効の不都合

　請求棄却判決確定後の訂正審決の場合に再審が認められ、訂正によって侵害訴訟の結論が覆される可能性があるとすると、以下のような不都合がある。

74　岩坪哲「訂正許可審決と侵害訴訟における再審事由の成否」NBL888号22頁

すなわち、蒸し返しのため、いったん勝訴した被告の地位が安定しない。いったん特許権侵害訴訟において特許権者の請求が棄却されたため、安心して対象製品の製造販売を再開していたところ、再審が認められると請求が認容される可能性がある。

また、無効の抗弁が認められた特許について、特許権者がくり返し訂正を行って、紛争を蒸し返すことを誘発するおそれがある。

侵害訴訟の審理の充実に反する点は、前記(2)の無効審決の場合と同様である。

イ　特許法104条の4の解釈

(ア)　特許法104条の4第3号、特許法施行令13条の4第2号

新設された特許法104条の4によれば、特許権侵害訴訟の棄却判決確定後に訂正審決が確定した場合、「当該訴訟において立証された事実を根拠として当該特許が特許無効審判により無効にされないようにするためのものである審決」（特許法施行令13条の4第2号）であれば、当該訴訟の当事者であった者は、当該終局判決に対する再審の訴えにおいて、当該審決が確定したことを主張することができない。

特許法施行令13条の4第2号が規定する「当該訴訟において立証された事実を根拠として当該特許が特許無効審判により無効にされないようにするためのものである審決」とは、被告が主張立証した無効理由を解消するための訂正の場合である。被告が主張した無効の抗弁が容れられた場合は、原告がそれに対抗する訂正の再抗弁を主張しなかったときでも、再抗弁が排斥されたときでも、いずれも、後でそれに対抗する訂正が認められたとしても、再審の主張制限を受ける。

他方、特許法施行令13条の4第2号では除外された、技術的範囲に属さないとされた棄却判決の場合については、いかなる訂正であれ、さらに減縮した特許請求の範囲の技術的範囲には属さず、そもそも結論が変わる可能性がない。

したがって、侵害訴訟棄却判決確定後に訂正審決が確定した場合、技術

的範囲に属さないことが理由の場合も無効にされるべきことが理由の場合も、いずれも、再審の訴えで訂正審決の確定を主張できないことになる。

(イ) 再審の可否

再審の訴えで訂正審決の確定を主張できないのであるから、再審の請求は決定で棄却される（民事訴訟法345条2項）。

(ウ) 無効を理由とする棄却判決の場合の再訴の可否

侵害訴訟の棄却判決には、非充足を理由とする場合と、無効を理由とする場合とがある。前者の場合にはもともと非充足であったのであり、訂正後の減縮された特許請求の範囲に属することはあり得ない。他方、後者の場合に、その後の訂正審決の確定により、対象製品が訂正後の特許請求の範囲にも属する場合は、将来に向かっての差止請求や、前訴の対象期間とは異なる期間を対象とする損害賠償を求める再訴が可能か否かは、特許法104条の4が直接規定するところではなく、信義則や立法趣旨を重視するか法文そのものを重視するかで異なるかもしれない。

(5) 侵害訴訟認容判決確定後の延長登録無効審決の確定

ア 延長登録無効審決の遡及効

同様に、延長登録無効審決が確定したときは、その延長登録による存続期間の延長は初めからされなかったものとみなされる（特許法125条の2第3項）。存続期間の延長を前提にその期間の特許権侵害を肯定して請求を認容した判決が確定した後に、その延長がなかったという遡及効が生じ、行政処分の変更に当たるとすれば、無効審決の遡及効と同様の問題があった。

イ 特許法104条の4の解釈

存続期間の延長登録が延長登録無効審判により無効にされるべきことも、特許権侵害訴訟における抗弁として主張できることが、明文化された（特許法104条の3第1項）。侵害訴訟において主張することができたことにより、侵害訴訟の判決確定後の延長登録無効審決の確定についても、再審

等において主張できないこととされた。この場合も、無効審決の確定の場合と同様に考えられる（同法104条の4第2号）。

すなわち、「特許権…の侵害…に係る訴訟の終局判決が確定した後に、当該特許権の存続期間の延長登録を無効にすべき旨の審決が確定したときは、当該訴訟の当事者であつた者は、当該終局判決に対する再審の訴え…において、当該審決が確定したことを主張することができない」。

例えば、侵害訴訟においては、延長登録により存続期間が3年間延長されたことを前提に、損害賠償の期間もそれに応じて算定して判決が確定したところ、その後延長登録無効審決が確定したとしても、侵害訴訟の被告であった者は、再審の訴えにおいてその延長がなかったものと主張することができない。よって、再審の請求が決定をもって棄却されることは、前記(2)と同様である。

そして、再審が認められない以上、当該延長に係る期間に対応する損害賠償金を支払った場合に不当利得として返還請求できないし、未払の場合には、原告であった者は、強制執行をすることができること等、前記(2)と同様に考えられる。

(6) ダブルトラックに与える影響

ア　ダブルトラックの維持

現行法の下で特許権侵害訴訟の被告となった者は、特許権侵害訴訟において特許無効の抗弁（特許法104条の3）を主張することはできるほか、特許庁において特許無効審判を請求することができ（同法123条）、当該特許の有効無効を2つのルートで争うことができる。このため、被告側はそのダブルチャンスのうちどちらか一方のルートで勝訴すればよいのに対し、特許権者である原告は、その2つのルートのいずれにおいても勝訴しなければならないという不均衡がある。しかも、特許無効審判は、同一の事実及び同一の証拠に基づくのでなければ何度でも請求できるため（同法167条）、被告側にのみダブルチャンスどころか、トリプル以上のチャンスが

与えられるという問題もある。そして、2つのルートで特許の有効無効が判断されるということは、キルビー特許事件最高裁判決が根拠とした「紛争の一回的解決」や「訴訟経済」にも反する事態であり、社会的に見ても効率のよい制度とはいえない状況にある。

　このような指摘を受けて、産業構造審議会特許制度小委員会では、侵害訴訟と無効審判におけるダブルトラックの在り方が議論され、従前の無効審判ルートのみに制限する方法、侵害訴訟における無効の抗弁に集約する方法等について、さまざまな意見が出された。平成23年改正では、ダブルトラックそのものについて特段の改正はされないことになったが、上記のとおり、再審等の主張制限が明文をもって明らかにされた[75]。このことは、特許権侵害訴訟、無効審判及び審決取消訴訟に、以下のような影響を与えるものと思われる。

　イ　侵害訴訟における審理と主張の提出時期

　(ｱ)　侵害訴訟の判決確定後には、無効審決や訂正審決が確定したとしても、確定した判決を覆すことはできなくなった以上、当事者としては、特許権侵害訴訟において、適時に無効主張や訂正主張を行う必要がある。すなわち、従前、特許権侵害訴訟の被告が、侵害論の審理を終え損害論に入った後に、あるいは弁論終結直前、さらには控訴審において新たな無効主張を追加しようとし、裁判所でそれが許されないことが判明すると、特許庁に無効審判を請求するという事態があり得た。さらに、敗訴判決が確定してもなお無効審判を請求することすらあった。しかし、特許法104条の4により、後出しや蒸し返しの無効審判を請求することに意味がなく、侵害訴訟において攻撃防御を尽くすべきことが法文上明らかになった。

　(ｲ)　従前、時機に後れた無効主張や訂正の対抗主張に対しては、裁判所

---

[75]　相澤英孝ほか「座談会　改正特許法の課題」L&T53号10頁〔三村量一発言〕は、平成23年改正により、侵害訴訟の被告としては、あえて無効審判請求を起こさなくても、侵害訴訟で勝てばよいということで、ダブルトラックも減っていくのではないかと述べる。

は、その取扱いに苦慮しながらも、毅然とした訴訟運営を行っている事案も見られたところではあるが、他方、控訴審において、第1審で行っていなかった新たな攻撃防御方法を特に制限することなくそのまま審理判断した事案も存在したようであり、後に無効審決が確定して覆されるような事態をおそれ、時機に後れた無効主張を却下することなく、せっかく立てた審理計画を変更するなど、審理計画を遵守していた相手方当事者の立場からみると、不公平な審理を余儀なくされることがあり得た。

しかし、特許法104条の4の立法により、特許権侵害訴訟は、当該訴訟において定められた審理計画に則り、充実した審理が行われるべきことになる。もっとも、侵害訴訟、それもその第1審が主戦場になることから、無効主張の提出時期については、訴訟前の事前交渉の有無や無効審判請求の有無等、当事者の意見も踏まえた上で個々の事案に即して柔軟に審理の計画を定めることが必要であろう。なお、事案の内容や当事者の属性等によって、原則どおりに主張立証を進めることが困難な場合もあることも推測されるし、硬直的なあるいは拙速な訴訟運営は行うべきでないが、新たな無効主張の許容性を判断するには、さまざまな事情を総合判断すべきことになる。

これにより、侵害訴訟の紛争解決機能が強化されることになると解される。

　ウ　無効審判及び審決取消訴訟の審理

もともと審決が先に確定すれば、侵害訴訟においては少なくとも無効の抗弁に関する限り審理判断が簡単にできるのであるが、従前は、そのような事案は極めて少なく、しかもキャッチボール現象や後から請求された無効審判が存在することもあって、審決の確定が侵害訴訟に後れるために、再審の可否が問題になったものである。特許法104条の4の新設により、侵害訴訟の裁判所が、後から出される無効審判ルートの結論によって覆されることがなくなって、自信を持って審理判断をすることが可能になるとすると、無効審判及び審決取消訴訟については、より一層の迅速化が求め

られ、かつ、無駄なキャッチボールをなくした一回的解決が重要になるはずである。特許権侵害訴訟の対抗手段としての無効審判請求というインセンティブを維持するには、そのような方向を目指す必要がある。

エ　ダブルトラック事件の審理

同時期に係属する特許権侵害訴訟と審決取消訴訟についての知財高裁での同一裁判体による審理は、判断齟齬を防ぐために大きな役割を果たしてきた。特許法104条の4の新設により、仮に判断が齟齬しても、侵害訴訟の結論は覆されることがなくなったが、そうはいっても、やはり2つの事件で判断が齟齬することは、当事者の納得を得にくいものと思われる。両事件で無効理由が必ずしも同一でない場合もあるが、同一裁判体で審理できれば、これをできるだけ整合させ、齟齬のない判断が可能になる。

そして、侵害訴訟の第1審において、個々の事案に即して柔軟に無効主張の時期を含めた審理の計画を定めることが重要であることは、上記のとおりである。第1審で主張立証が尽くされた事件の控訴審において、わざわざ侵害訴訟の進行を待って後から提起された無効審判ルートの進行に無理に合わせる必要はないし、まして、従前一部に見られた、無効審判ルートを先行させ侵害訴訟を長期間進行させないような取扱いは、なくなっていくものと解される。

オ　和解における留意点

今回の立法では、確定判決が対象とされたため、和解の場合の規定はない。そこで、例えば、和解成立後に無効審決等が確定したとしても、和解金の返還請求をしない旨、確認的に和解条項に入れた方が紛争の予防に役立つものと思われる。

(7) 上告審における審決の確定の取扱い

特許法104条の4では、侵害訴訟の判決の「確定後」には、審決の確定の遡及効を主張できないとされたため、侵害訴訟の判決確定前すなわち上告審における審決の確定をいかに取り扱うかは解釈の問題として残された。

ア　侵害訴訟認容判決上告中の無効審決の確定

　侵害訴訟の請求認容判決の上告中に無効審決が確定した場合は、再審事由が上告理由とされていた旧民事訴訟法下で、原判決を破棄し、請求棄却及び仮執行宣言に基づく給付の返還を命じる自判をしたものがある（最三小判昭和46・4・20裁判集民事102号491頁）。

　遡及効の主張制限を規定する特許法104条の4が、上告審には直接には適用されないとしても、例えば、侵害訴訟の事実審口頭弁論終結時までに特許無効の抗弁を主張することができたはずであるのにこれをせず、時機に後れた段階で新たに無効審判を請求して上告審係属中に無効審決が確定したような場合、このような事実を上告審で主張することは、ナイフの加工装置事件最高裁判決と同様、特許法104条の3第2項の趣旨に照らして、許されないと解する余地がある。

イ　侵害訴訟認容判決上告中の訂正審決の確定

　侵害訴訟の請求認容判決の上告中に訂正審決が確定したとしても、訂正の再抗弁を認める判断をしている場合は、結論に影響を及ぼす可能性はない。他方、上記再抗弁を判断していない場合でも、通常は、判決に影響を及ぼすことが明らかな法令違反（民事訴訟法325条2項）があるとはいえないと思われる。

ウ　侵害訴訟棄却判決上告中の訂正審決の確定

　侵害訴訟で特許無効の抗弁を採用し、訂正の対抗主張を排斥して請求が棄却された判決の上告中に訂正審決が確定した場合も、遡及効が制限されない以上、破棄・差戻しの可能性もある。しかし、最一小判平成20・4・24民集62巻5号1262頁〔ナイフの加工装置事件〕は、特許法104条の4の新設前の制度の下でも、同法104条の3第2項の趣旨に照らし、上告を棄却したものであり、時機に後れた訂正の主張を排斥した。もっとも、上記判決によっても、例えば、早期に1回のみ行った訂正が上告中に確定したときは、法廷意見の射程が及ばない可能性がないとはいえない。同判決の泉裁判官意見は、判決に影響を及ぼすことが明らかな法令違反があるとはい

えないとしている。

最二小判平成29・7・10民集71巻6号861頁〔シートカッター事件〕は、特許権者が、事実審の口頭弁論終結時までに訂正の再抗弁を主張しなかったにもかかわらず、その後に訂正審決が確定したことを理由に事実審の判断を争うことは、訂正の再抗弁を主張しなかったことについてやむを得ないといえるだけの特段の事情がない限り、特許権の侵害に係る紛争の解決を不当に遅延させるものとして、同法104条の3及び104条の4の各規定の趣旨に照らして許されないと判示した。その理由として、①特許法104条の3及び104条の4の規定が、特許権の侵害に係る紛争をできる限り特許権侵害訴訟の手続内で迅速に、一回的に解決することを図ったものであること、②特許権侵害訴訟の終局判決の確定前であっても、事実審における審理及び判断を全てやり直すことを認めるに等しい結果を生じるような事態は相当でないことを挙げている。

エ 上告審における取扱い

無効審決及び訂正審決の遡及効について、侵害訴訟の「確定後」ではなく「事実審口頭弁論終結後」の審決の確定の場合に、遡及効を制限するとする立法の方が、より侵害訴訟の審理の充実には効果的であったと思われるが、一律に事実審口頭弁論終結後に確定した審決の遡及効を制限しなくても、最高裁が適切に対応するはずであるとして、今回の立法がされたものである。このような立法趣旨に照らし、上告審において、事実審での審理を無駄にすることがないように、特許法104条の3第2項の趣旨や当事者の公平に十分配慮した、適切な判断が求められる。

Ⅴ 特許権の効力の制限

1 試験又は研究のためにする特許発明の実施

(1) 特許法69条1項の沿革と立法趣旨

　特許法69条1項は、旧特許法（大正10年法律第96号）36条1号の「特許権ノ効力ハ左ノ各号ノ一ニ該当スルモノニ及ハス。一　研究又ハ試験ノ為ニスル特許発明ノ実施」に由来する。なお、大正10年法の法案には、36条3号後段として「第一号ノ実施ニ依リ製作シタル物」とあったが、審議の結果削除された。ドイツ・オーストリアの特許法においては特許権の効力をもって発明を営業的に使用する権利としているため、研究・試験のために発明を応用することは特許権の限界内にないことは疑いがないから、特に規定がないのに対し、我が国特許法は、イギリスと同様に特許権の効力を営業的使用に制限していないから、試験的使用が特許侵害となるか否かが法律上の問題となるため、大正10年法36条1号の規定が置かれたという[76]。そして、同号は、試作物を利益のために使用、処分するのは特許権侵害であるが、試作品を所持したり、世人の知見を広めるため展覧の用に供するのは侵害ではないとされていた。

　特許法68条は、特許権者が業として特許発明の実施をする権利を専有することを定め、同法69条1項は、「特許権の効力は、試験又は研究のためにする特許発明の実施には、及ばない。」旨を規定して、特許権の効力が及ばない範囲を定めている。現行特許法69条1項の立法趣旨については、特許権の効力を試験又は研究のためにする特許発明の実施にまで及ほしめ

---

[76]　清瀬一郎『特許法原理』168頁

ることは、かえって技術の進歩を阻害し、産業の発達を損なう結果になるため、これを制限すべきであるとの産業政策上の判断によるといわれており、特許権者と一般公共の利益の調和をどこでとるのか立法的に解決したものであるとされている。

(2) 「試験又は研究」の範囲

ア 学説の多数は、特許法69条の要件として「技術の進歩」を挙げ、そのレベルは次の段階へのステップアップを必要とする。代表的な見解によれば、試験・研究の許容範囲を、対象としては特許発明それ自体に限定し、目的としては技術の進歩を目的とするもの（特許性調査、機能調査、改良・発展を目的とする試験）に限定し、経済的調査のための試験研究はこれに当たらないとしている[77]。

これに対し、技術を次の段階に進歩せしめることを目的とするものに限るとする多数説に疑問を投げかけ、技術の進歩は直接的、かつ次の段階への進歩を要するものではないとする学説もある[78]。

イ 従前の下級審裁判例、学説上、「試験又は研究」に該当することに争いがないものとして、①特許発明の対象について、技術を次の段階に進歩させることを目的とする試験（改良を遂げ、より優れた発明を完成させるため行われる試験）、②特許発明の新規性、進歩性の調査のため行われる試験（特許の異議、無効審判請求の証拠とすることを目的とする試験）、③特許発明が実施可能か、明細書どおりの効果を有するか等、明細書に開示されたところに従って、特許発明を追試験し、実施上の問題点を認識、解決し、効率的な実施の具体的条件を探求するため行われる試験等が挙げられる。

これに対し、「試験又は研究」に該当しないことに争いがないものとして、

---

[77] 染野啓子「試験・研究における特許発明の実施」AIPPI33巻3号2頁、33巻4号2頁

[78] 清水幸雄＝辻田芳幸「特許法69条1項における『試験又は研究』の理論的根拠と著作権」『田倉古稀』148頁

④特許権者の実施行為と直接競業する実施行為、⑤製造物の蓄積、保存、販売、賃貸のように直接の利益を目的とする実施行為等が挙げられる。

(3) 後発医薬品の製造承認申請のためにする試験

ア 薬事法の製造承認

ところで、医薬品を製造、販売をするには、医薬品、医療機器等の品質、有効性及び安全性の確保等に関する法律（平成25年法律第84号による改正前は、薬事法。以下、単に「薬事法」ということがある。）所定の承認を得た上、同法所定の製造業の許可を得ることが必要である。

いわゆる後発医薬品について薬事法所定の承認を申請するためには、生物学的同等性試験を含む各種試験を行う必要がある。そこで、後発医薬品メーカーが、先発医薬品メーカーたる特許権者の特許権の存続期間終了後直ちに、それまで特許権によって特許権者が独占的に製造販売していた化学物質と同様の化学物質を製造して、それを主剤とする同一用途の後発医薬品を販売するためには、上記の承認を得るために必要な期間を見越して準備を始める必要がある。その準備行為の中には、医薬品の成分となる化学物質を少量生産し、それを主剤とする製剤を生産し、その製剤を使用した各種の試験等を行うことが含まれる。すなわち、特許法2条3項1号に規定する実施行為のうち、生産・使用に当たる行為が含まれることになる。

イ 最高裁判決

そこで、いわゆる後発医薬品について薬事法所定の承認を申請するため必要な試験を行うことに特許権の効力が及ぶかが問題となったが、最二小判平成11・4・16民集53巻4号627頁〔メシル酸カモスタット事件〕は、特許権の存続期間終了後に特許発明に係る医薬品と有効成分等を同じくするいわゆる後発医薬品を製造販売することを目的として、薬事法14条所定の製造承認を申請するため、特許権の存続期間中に特許発明の技術的範囲に属する化学物質又は医薬品を生産し、これを使用して製造承認申請書に添付すべき資料を得るのに必要な試験を行うことは、特許法69条1項にいう「試

験又は研究のためにする特許発明の実施」に当たるとの判断を示した。なお、上記判決は、後発医薬品の販売が特許権の存続期間終了後であっても、存続期間中にこれを生産すること（カナダ特許法のいわゆるストックパイル条項に相当する事項）は、特許権を侵害するものとして許されないことも明言している。

上記判決は、その理由として、次の3点を挙げている。

(a) 特許権の存続期間が終了した後は、何人でも自由にその発明を利用することができ、それによって社会一般が広く益されるようにすることが、特許制度の根幹の1つであること。

(b) 薬事法は、医薬品の製造承認を得るべきものとし、承認を申請するにはあらかじめ一定の期間をかけて所定の試験を行うことを要するから、上記試験が特許法69条1項に当たらないとすると、特許権の存続期間が終了した後も、なお相当の期間、第三者が当該発明を自由に利用し得ない結果となること。

(c) 特許権者が製造承認申請に必要な試験のための上記生産等をも排除し得るものとすると、特許権の存続期間を相当期間延長するのと同様の結果となるし、第三者が、特許権存続期間中に薬事法に基づく製造承認申請のための試験に必要な範囲を超えて特許発明を実施することは、特許権を侵害するものとして許されないから、特許権者にとっては、特許権存続期間中の特許発明の独占的実施による利益は確保されること。

ウ　補足説明

後発医薬品の承認申請のため行う各種試験行為が特許法69条1項の「試験又は研究」に当たるか否かについては、発明の保護及び利用を図ることにより発明を奨励し、産業の発達に寄与するという同法1条所定の目的と、産業政策上の判断により特許権の効力を制限した同法69条1項の立法趣旨に加え、医薬品に特有の特許権の存続期間の延長制度及び薬事法の規制との整合性を考慮しつつ、特許権者の利益と第三者（後発医薬品メーカー）の

利益との調整を図るという観点から決するべきである。この観点から、上記判決の理由付けに関連して補足しておく。

(ア) 特許制度と特許権の効力

特許権は、特許発明を一定期間（出願から20年。特許法67条1項）独占的に実施することのできる権利である（同法68条）。特許権者は、発明の公開の代償として、存続期間中独占権を与えられるのであるが、期間終了後は第三者がその発明を自由に実施することが認められ、競争が可能な状態が回復される。したがって、特許権の存続期間中に第三者が特許発明の技術的範囲に属するものを製造販売して特許権者の利益を害することは、特許権侵害そのものであって許されないが、存続期間終了後の実施は自由であり、特許権者の利益を害することにはならない。

なお、医薬品の分野では、昭和62年改正により、存続期間の延長制度が規定され、承認申請に必要な各種試験行為及び承認審査に要する期間として、5年を限度として延長が認められている（特許法67条4項）。

(イ) 薬事法の規制との整合性

薬事法は、医薬品等の品質、有効性及び安全性の確保のために必要な規制を行うこと等により保健衛生の向上を図ることを目的とする（薬事法1条）。薬事法は後発医薬品の製造承認の申請に、規格試験、加速試験、生物学的同等性試験を要求しているところ、それは、後発医薬品が新医薬品と品質において同等であり、同様の有効性、安全性があることを担保するため、ひいては国民の健康を維持するためであり、極めて公益性の強い要請に基づくものである。なお、このことは、当該医薬品に関する特許権者の独占的地位の保護とは無関係の事項である。

薬事法が医薬品について製造承認を要するものとする目的と、特許法の目的とは別のものであるけれども、医薬としての有効成分を有する物の発明、医薬品の発明の実施と薬事法による規制は実際上関係する面があり、現に特許権の存続期間の延長制度は薬事法の承認を1つの事由としており（特許法施行令1条の3）、薬事法に基づく規制と特許制度の調整が必要で

あることは、特許法自体が予定しているものといえる。

(ウ) 特許権者の利益と第三者の利益との調整

仮に、後発品についての医薬品製造承認申請書に添付すべき資料を得るための各種試験行為が当該医薬品についての特許権の侵害に当たり、各種試験行為をその特許権の存続期間終了後に開始すべきものとすると、各種試験行為に要する期間及び審査に要する期間、特許権者が、特許権の存続期間の終了後もなお、事実上当該発明の実施を排他的に実施できる結果となる。このことは、特許法が予定する本来的な特許権者の利益とはいえず、薬事法の規制によるいわば反射的な利益にすぎない。なお、特許権の存続期間の延長制度によっても、特許権者が薬事法上の規制のため実施することができない期間があるとしても、これは延長の期間についての立法政策の問題というべきであろう。

なお、医薬品の製造承認が得られても、直ちに当該医薬品を保険医療に用いることはできない。保険医療に使用し得る医薬品とするには、保険医療機関及び保険医療養担当規則(昭和32年厚生省令第15号)19条1項により、厚生労働大臣の指定を受けなければならない。上記指定に要する期間を見込むと、後発医薬品の販売開始にはさらに長期間を要することになり、これが特許法69条1項に当たらないと解した場合、特許権者が特許法の予定するところを超えて過大に保護されることになる。

他方、第三者が、試験に必要な範囲を超えて、特許権存続期間中に特許発明の技術的範囲に属する医薬品を生産し、特許発明に係る化学物質を生産し使用することは、特許権侵害そのものであって、許されない。

(エ) 技術の進歩との関係

技術の次の段階への進歩を直接の目的とするものが特許法69条1項の「試験又は研究」に当たるのは当然のことであろうが、その逆も真なりといえるかがここでの問題である。特許法が、発明者に発明を公開させ、その代償として一定期間特許発明の実施をする権利を専有させることにより独占権を与えたのは、当該一定期間に当業者の技術水準が特許発明の技術

段階にまで追いつくであろうことを背景としている。したがって、一定期間経過後いわば常識となった技術水準にまで独占権を付与するより自由な利用に供する方が産業の発達に資するものであって、発明の公開は、技術水準の向上や権利自体の当否に係る判断材料としての技術内容の調査・追試・研究を行うためになされるものである。改良発明に至らない程度であっても、特許発明のよりよい実施例を見出したり、周辺技術の開発につながるものや、社会一般が当該特許発明の技術レベルに達するためのものの中にも、「試験又は研究」に当たるものがあり得ると思われる。このような見地に立つと、特許法69条1項によって許容される「試験又は研究」も、「技術の次の段階への進歩」、すなわち、特許発明より優れた発明を完成させ、技術を次の段階にステップアップするため行われるものに限るとすることは相当ではないと解される。

上記判決は、「技術の進歩」につき何らの言及もしておらず、特許法69条1項について、少なくとも「技術の次の段階への進歩」を要件とはしない趣旨と思われる。

医薬品についての上記判決の射程は、薬事法14条1項所定の承認を必要とする医薬品、医薬部外品、厚生大臣の指定する成分を有する化粧品又は医療用具のほか、農薬取締法2条1項の登録を必要とする農薬についての特許発明にも及ぶものと考えられる[79]。

(4) 先発医薬品に係る製造承認申請に必要な治験

最二小判平成11・4・16民集53巻4号627頁〔メシル酸カモスタット事件〕は、いわゆる後発医薬品に係る薬事法所定の試験に関する事案であったが、医薬品医療機器等法2条9項の定める再生医療等製品に関する製造販売の承認申請に必要な臨床試験を行うための生産・使用についても、上記最高裁判決の趣旨が及び、特許法69条1項所定の「試験又は研究のためにする実

---

[79] 髙部眞規子「判解」最高裁判所判例解説民事篇〔平成11年度〕〔14〕事件

施」に当たるとされている（東京地判令和2・7・22（平成31年(ワ)第1409号）・知財高判令和3・2・9（令和2年(ネ)第10051号）〔ウイルス及び治療法事件〕）。

　さらに、新有効成分含有医薬品として薬事法所定の製造承認を得るために行っている臨床試験についても、医薬品の有効性及び安全性の確保という極めて公益性の強い目的を有するものであり、従来の医薬品になかった新たな薬効があることを確認することにより医薬品分野の技術の進歩にも寄与するものであるということができ、特許法69条1項所定の「試験又は研究のためにする特許発明の実施」に該当する（東京地判平成10・2・9判タ966号263頁〔コンセンサス・インターフェロン事件〕）。

2　消　尽

(1)　意　義

　特許権者又は特許権者から許諾を受けた実施権者が我が国において特許製品を譲渡した場合には、当該特許製品については特許権はその目的を達成したものとして消尽し、もはや特許権の効力は、当該特許製品の使用、譲渡等特許法2条3項1号にいう行為には及ばず、特許権者は、当該特許製品について特許権を行使することは許されない（最三小判平成9・7・1民集51巻6号2299頁〔BBS並行輸入事件〕）。これを「特許権の消尽」という。この場合、特許製品について譲渡を行う都度特許権者の許諾を要するとすると、市場における特許製品の円滑な流通が妨げられ、かえって特許権者自身の利益を害し、ひいては特許法1条所定の特許法の目的にも反することになる一方、特許権者は、特許発明の公開の代償を確保する機会が既に保障されているものということができ、特許権者等から譲渡された特許製品について、特許権者がその流通過程において二重に利得を得ることを認める必要性は存在しないからである。このような権利の消尽については、半導体集積回路の回路配置に関する法律12条3項及び種苗法21条4項において、明文で規定されているところであり、特許権についても、明文の規定

はないものの、これと同様の権利行使の制限が妥当するものと解されている。

(2) 特許製品が国内で譲渡された場合

ア 特許製品そのものの場合

我が国の特許権者等が我が国で生産、譲渡した特許製品を、譲受人又は転得者等が使用したり、譲渡したりする場合に、消尽により、特許権侵害にならないことは、消尽の典型的なケースであろう。

特許権の消尽により特許権の行使が制限される対象となるのは、飽くまで特許権者等が譲渡した特許製品そのものに限られ、対象製品が特許権者等が生産した特許製品そのものであったとしても、特許権者等による譲渡がなかったとすれば、消尽は成立しない。また、被告が特許権者等により生産された特許製品であると信じて譲り受けたとしても、実際にそれが特許権者ではなく無権利者が生産した侵害品であったとすれば、消尽は成立しない。

イ 特許製品に加工等が施された場合

最一小判平成19・11・8民集61巻8号2989頁〔インクカートリッジ事件〕は、譲渡された特許製品をそのまま輸入販売したというのと異なり、使用済みの特許製品本体を利用してこれに加工や部材の交換をした被告製品を輸入販売したというものであった。そこで、このように特許権者によって譲渡された特許製品について第三者が加工等をした場合にも、特許権の消尽によりその製品についての特許権の行使が制限されるかどうかが新たに問題となった事案である。

同判決は、特許権者等が我が国において譲渡した特許製品につき加工や部材の交換がされ、それにより当該特許製品と同一性を欠く特許製品が新たに製造されたものと認められるときは、特許権者は、その特許製品について、特許権を行使することが許されるとし、上記にいう特許製品の新たな製造に当たるかどうかについては、①当該特許製品の属性、②特許発明

の内容、③加工及び部材の交換の態様のほか、④取引の実情等も総合考慮して判断するのが相当であると判示した。

特許権者自らが譲渡した特許製品につき第三者が加工や部材の交換をした場合の特許権行使の可否については、これまで、生産か修理かという観点から判断するという考え方が唱えられていたところであるが、具体的にどのような場合が生産に当たり、どのような場合が修理に当たるのかという点については、さまざまな考え方が示されていたため、経済活動にとって重要な予見可能性が確保されないとの批判もあった。

上記最高裁判決の原審である知財高判平成18・1・31判時1922号30頁は、(i)当該特許製品が製品としての本来の耐用期間を経過してその効用を終えた後に再使用又は再生利用がされた場合（第1類型）、又は、(ii)当該特許製品につき第三者により特許製品中の特許発明の本質的部分を構成する部材の全部又は一部につき加工又は交換がされた場合（第2類型）には、特許権は消尽せず、特許権者は、当該特許製品について権利行使をすることが許されるという判断基準を示していた。この基準は、予見可能性の確保を企図したものと推察されるが、他方で、特許発明の本質的部分を構成する部材の加工、交換であれば、その程度のいかんを問わずに特許権を行使し得るというのは、余りに硬直的であり、特許権者の保護に偏りすぎではないかとの批判もあって、加工又は交換の対象となる部材が特許発明の本質的部分を構成するということだけで特許製品との同一性の有無や特許権行使の可否が決定されることになることに問題があるといわれていた[80]。

最高裁判決は、特許権の消尽により特許権の行使が制限される対象となるのは、飽くまで特許権者等が譲渡した特許製品そのものに限られるとの前提に立ち、加工等により当該特許製品と同一性を欠く特許製品が新たに製造されたものと認められるときは、加工等がされたその特許製品について、特許権を行使することができるという、従来唱えられているのと同様

---

[80] 中吉徹郎「判解」最高裁判所判例解説民事篇〔平成19年度〕〔31〕事件

の考え方を採用した。その上で、新たな製造に当たるかどうかについては、①当該特許製品の属性、②特許発明の内容、③加工及び部材の交換の態様、④取引の実情等を総合考慮して判断すべきであるとし、その考慮事情を具体的に例示したものである。そして、上記①の当該特許製品の属性としては、製品の機能、構造及び材質、用途、耐用期間、使用態様が、上記③の加工及び部材の交換の態様としては、加工等がされた際の当該特許製品の状態、加工の内容及び程度、交換された部材の耐用期間、当該部材の特許製品中における技術的機能及び経済的価値が考慮の対象となるとしている。

　上記①の特許製品の属性との関係では、その一部が使用に伴い消耗し、交換ないし補充することが予定されている場合には、新たな製造に当たらないとされる例が多いと思われる。特許権者等は、譲受人等がその部分の交換等をすることを見越して特許製品の価格設定等をすることが可能であり、また、消耗品の属性によってはそれのみを対象とする特許権を取得し、又は間接侵害の規定による保護を受けられるからである。ただし、消耗する部分が当該特許発明の本質的部分に当たり、技術的な見地から交換等が困難なように設計されているときは、消耗品であることから直ちに特許権の行使が否定されることはないであろう。また、加工等が施される時点で既に物理的に毀損して特許発明の技術的範囲に属さなくなり、効用を消失している場合と、物理的な毀損はなく、特許発明の構成及び効用は維持しているが、社会通念上効用を喪失したと見られる場合がある。後者の場合、加工等を全く施さずに再利用するのであれば、消尽が肯定されることになりそうであるが、特許製品に対して何らかの外部からの力が加えられるのであれば、他の事情を総合考慮することにより「新たな製造」に当たるとして消尽が否定される余地もある。

　上記③の加工等の態様と上記②の特許発明の内容との関係では、特許製品のうち加工等が施された部分が特許発明の本質的部分（特許請求の範囲に記載された特許発明の構成のうち当該特許発明特有の解決手段を基礎付ける

技術的思想の中核をなす特徴的部分）である場合には、修理や改造を加えた者が生産したことになり、新たな製造と認めるべき有力な事情になると考えられる[81]。

(3) 特許製品が国外で譲渡された場合

ア 特許製品の譲渡の場合

最三小判平成9・7・1民集51巻6号2299頁〔BBS並行輸入事件〕は、我が国の特許権者又はこれと同視し得る者が国外において特許製品を譲渡した場合においては、特許権者は、譲受人に対しては、譲受人との間で当該特許製品について販売先ないし使用地域から我が国を除外する旨の合意をした場合を除き、譲受人から当該特許製品を譲り受けた第三者及びその後の転得者に対しては、譲受人との間で上記の合意をした上当該特許製品にこれを明確に表示した場合を除いて、当該特許製品について我が国において特許権を行使することは許されないと判断した。また、最一小判平成19・11・8民集61巻8号2989頁〔インクカートリッジ事件〕は、これを前提とした上、これにより特許権の行使が制限される対象となるのは、飽くまで我が国の特許権者等が国外において譲渡した特許製品そのものに限られるものであることは、特許権者等が我が国において特許製品を譲渡した場合と異ならないとした。

したがって、特許権者等が譲受人との間で当該特許製品の販売先ないし使用地域から我が国を除外する旨の合意をすれば譲受人に対し特許権を行使し得る点、さらに、その旨を特許製品に明示しておけば転得者に対しても特許権を行使することができる点において、国内での譲渡の場合に比べ、消尽が成立する範囲が狭く、特許権の行使が許される場合が広いことになる。

---

[81] 中山信弘『特許法〔第3版〕』417頁、中吉徹郎「判解」最高裁判所判例解説民事篇〔平成19年度〕〔31〕事件

イ　特許製品に加工等が施された場合

　最一小判平成19・11・8民集61巻8号2989頁〔インクカートリッジ事件〕によれば、我が国の特許権者等が国外において譲渡した特許製品につき加工や部材の交換がされ、それにより当該特許製品と同一性を欠く特許製品が新たに製造されたものと認められるときは、特許権者は、その特許製品について、我が国において特許権を行使することが許される。そして、上記にいう特許製品の新たな製造に当たるかどうかについては、特許権者等が我が国において譲渡した特許製品につき加工や部材の交換がされた場合と同一の基準に従って判断されることになる。

3　先使用権

(1)　先使用の趣旨

　先使用権制度（特許法79条）の趣旨については、先願主義の下、特許権者とその出願前に同一発明を実施していた者の利益の公平を図るとする公平説の考え方が中心にある（最二小判昭和61・10・3民集40巻6号1068頁〔ウォーキングビーム事件〕）。

(2)　先使用権の成立要件

　ア　被告は、特許出願に係る権利の内容を知らないで自らその発明をしたこと（又は特許出願に係る権利の内容を知らないでその発明をした者から知得したこと）

　㈠　先使用権に係る発明は、特許出願の時点で完成していることを要する。発明の完成とは、その技術内容が当該技術分野における通常の知識を有する者が反復実施して目的とする技術効果を挙げることができる程度にまで具体的・客観的なものとして構成されていなければならない（最一小判昭和52・10・13民集31巻6号805頁〔薬物製品事件〕）。なお、発明の完成につき、最終的な製作図面が作成されていることまでは必ずしも必要ではな

く、その物の具体的構成が設計図等によって示され、当該技術分野における通常の知識を有する者がこれに基づいて最終的な製作図面を作成しその物を製造することが可能な状態となっていれば、発明の完成といえる（最二小判昭和61・10・3民集40巻6号1068頁〔ウオーキングビーム事件〕、最二小判昭和44・10・17民集23巻10号1777頁〔地球儀型ラジオ事件〕）。

　(イ)　先使用に係る「発明」については、①先使用発明の範囲と特許発明の技術的範囲に重なり合う部分があれば足りるとする考え方、②先使用に係る実施形式が特許発明の技術的範囲に包含されている必要があるとする考え方、③上記②に加えて、先使用発明と特許発明がその技術的思想において同一でなければならないとする考え方がある[82]。

　先使用権における発明の認定は、具体的な実施形式を出発点として行われるところ、この点は、公然実施された発明（特許法29条1項2号）における発明の認定と類似する[83]。知財高判平成30・4・4（平成29年(ネ)第10090号）〔ピタバスタチン事件〕は、特許発明がピタバスタチンの固形製剤の水分含量を1.5〜2.9質量％の範囲内にするという技術的思想を有するものであるのに対し、先使用に係る製品においては、錠剤の水分含量を上記範囲内又はこれに包含される範囲内に収めるという技術的思想はなく、また、錠剤の水分含量を上記範囲内における一定の数値とする技術的思想も存在しないなどの事実関係の下で、先使用権は成立しないとした。

　イ　被告は、特許出願の際現に日本国内においてその発明の実施である事業をしていたこと（又は特許出願の際現に日本国内においてその発明の実施である事業の準備をしていたこと）

　「発明の実施である事業」とは、当該発明につき先使用権を主張する者が、自己のため、自己の計算において、その発明実施の事業をすることを意味し、かつ、それは、その者が、自己の有する事業設備を使用し、自ら直接に上記発明にかかる物品の製造、販売等をする場合だけではなく、その者

---

[82]　前田健「先使用権の成立要件」特許研究68号19頁
[83]　岡田誠「数値限定発明に係る特許と先使用権について」AIPPI64巻5号22頁

が、事業設備を有する他人に注文して、自己のためにのみ上記発明にかかる物品を製造させ、その引渡しを受けて、これを他に販売する場合をも含む。また、第三者が、当該発明につき先使用権を有する者からの注文に基づき、専らその者のためにのみ上記発明にかかる物品の製造、販売等をしているにすぎないときは、その第三者のする物品の製造、販売等の行為は、上記先使用権を有する者の権利行使の範囲内に属する（意匠権につき、最二小判昭和44・10・17民集23巻10号1777頁〔地球儀型ラジオ事件〕）。上記要件は、事業の実施の段階まで至らないものの、即時実施の意図を有しており、かつ、その即時実施の意図が客観的に認識される態様、程度において表明されている場合も含まれる（最二小判昭和61・10・3民集40巻6号1068頁〔ウォーキングビーム事件〕）。事業の準備に当たるか否かは、発明の内容・性質、発明に要した時間・労力・資金等の投資を総合して判断することになろう。

　　ウ　対象製品は、被告が事業の実施をしている発明及び事業の目的の範囲に属すること（又は被告が事業の準備をしている発明及び事業の目的の範囲に属すること）

　「事業の実施をしている発明」とは、特許発明の特許出願の際（優先権主張日）に先使用権者が現に日本国内において実施又は準備をしていた実施形式に限定されるものではなく、その実施形式に具現されている技術的思想すなわち発明の範囲をいう（最二小判昭和61・10・3民集40巻6号1068頁〔ウォーキングビーム事件〕）。したがって、先使用権の効力は、特許出願の際（優先権主張日）に先使用権者が現に実施又は準備をしていた実施形式だけでなく、これに具現された発明と同一性を失わない範囲内において変更した実施形式にも及ぶ。

4　延長登録に係る特許権の効力

(1)　特許権の存続期間の延長登録の制度

　特許法67条の2は、特許権者が、医薬品に係る承認を受けるために、そ

の特許発明を実施する意思及び能力を有していてもなお、特許発明の実施をすることができなかった期間があったときは、5年を限度として、その期間の延長を認めている。

「特許発明の実施にその出願の理由となった承認を受けることが必要であったとは認められない」ときは、延長登録出願は拒絶される（特許法67条の7第1項1号）。その解釈については、特許庁の審査基準が2度にわたり最高裁判決によって変更された。

特許権の存続期間の延長登録出願の理由となった製造販売の承認に先行して、当該後行医薬品と有効成分並びに効能及び効果を同じくする先行医薬品について承認がされている場合であっても、先行医薬品が当該特許権のいずれの請求項に係る特許発明の技術的範囲にも属しないときは、先行処分がされていることを根拠として、上記拒絶理由に該当するとはいえない（最一小判平成23・4・28民集65巻3号1654頁〔放出制御組成物事件〕）。また、特許権の存続期間の延長登録出願の理由となった医薬品の製造販売の承認に先行して、同一の特許発明につき先行医薬品の製造販売の承認がされている場合において、延長登録出願に係る特許発明の種類や対象に照らして、医薬品としての実質的同一性に直接関わることとなる審査事項について両承認を比較した結果、先行医薬品の製造販売が、後行医薬品の製造販売を包含すると認められるときは、上記拒絶理由に該当する（最三小判平成27・11・17民集69巻7号1912頁〔ベバシズマブ事件〕）。

(2) 延長登録された特許権の効力

ア　趣　旨

特許権の存続期間が延長された場合の当該特許権の効力は、その延長登録の理由となった処分の対象となった物（その処分においてその物の使用される特定の用途が定められている場合にあっては、当該用途に使用されるその物）についての当該特許発明の実施以外の行為には、及ばない（特許法68条の2）。これは、特許権の存続期間の延長登録の制度趣旨に鑑み、処分の

対象となった物についての当該特許発明の実施にのみ及ぶ旨を定めるものである。

イ　政令では、延長登録の理由となる処分は、医薬品医療機器等法の承認と農薬取締法の承認の二つの処分に限定されている（特許法施行令2）。医薬品等の承認に係る場合においては、存続期間の延長登録の上記制度趣旨及び特許権者と第三者との衡平を考慮した上で、これを合理的に解釈すべきであり、医薬品の成分を対象とする物の特許発明の場合、存続期間が延長された特許権は、具体的な政令処分で定められた「成分、分量、用法、用量、効能及び効果」によって特定された「物」（医薬品）についての「当該特許発明の実施」の範囲で効力が及ぶ。また、これのみならず、これと医薬品として実質同一なものにも及び、対象製品と異なる部分が僅かな差異又は全体的にみて形式的な差異にすぎないときは、対象製品は、医薬品として政令処分の対象となった物と実質同一なものに含まれると解される（知財高判平成29・1・20判時2361号73頁〔オキサリプラティヌム事件〕）。

5　権利の濫用

(1)　必須宣言特許とFRAND宣言

　必須宣言特許を保有する者による損害賠償請求は、FRAND条件でのライセンス料相当額を超える部分では権利の濫用に当たる。よって、FRAND宣言をした特許権者が、当該特許権に基づいて、FRAND条件でのライセンス料相当額を超える損害賠償請求をする場合、そのような請求を受けた相手方は、特許権者がFRAND宣言をした事実を主張立証すれば、ライセンス料相当額を超える請求を拒むことができる。これに対し、特許権者が、相手方がFRAND条件によるライセンスを受ける意思を有しない等の特段の事情が存することについて主張立証すれば、FRAND条件でのライセンス料を超える損害賠償請求部分についても許容される（知財高判平成26・5・16判時2224号146頁〔アップルサムスン事件〕）。

必須宣言特許について、FRAND宣言がされている場合には、その差止請求権の行使は、権利の濫用に当たる（知財高判平成26・5・16判時2224号146頁〔アップルサムスン事件〕）。

(2) 不当な取引妨害

　東京地判令和2・7・22（平成29年(ワ)第40337号）〔情報記憶装置事件〕は、特許権者が、実施品のメモリについて書換制限措置を講じることにより、リサイクル事業者らが当該特許権を侵害する行為に及ばない限り、トナーカートリッジ市場において競争上著しく不利益を受ける状況を作出した上で、当該各特許権の権利侵害行為に対して権利行使に及んだ行為は、これを全体としてみれば、リサイクル事業者らが自らトナーの残量表示をした製品をユーザー等に販売することを妨げるものであり、トナーカートリッジ市場においてリサイクル事業者らとそのユーザーの取引を不当に妨害し、公正な競争を阻害するものとして、独占禁止法19条、2条9項6号、一般指定14項と抵触するとした。その上で、書換制限措置による競争制限の程度が大きいこと、同措置を行う必要性や合理性の程度が低いこと、同措置は使用済みの製品の自由な流通や利用等を制限するものであることなどの点も併せて考慮すると、本件特許権に基づき被告製品の販売等の差止め及び損害賠償を求めることは、権利の濫用に当たると判断した。

VI 〔損 害 論〕

1 損害論の審理

(1) 審理方法

　特許権侵害訴訟においては、侵害論と損害論を峻別した二段階審理が行われているが、損害論の審理は、通常次のようにして行われる。

　すなわち、侵害論についての審理が尽くされると、裁判所において合議の上、次のステージである損害論に入るか否かの方針を立てる。裁判所が当事者双方に損害論に入る旨の心証を開示した場合には、まず、原告において、特許法102条1項ないし3項のいずれによるものか、損害に関する法的構成を明らかにした上、その要件事実を主張することになる。そして、そこで具体的に主張された被告製品の販売数量、販売額、利益率等について、被告において具体的に認否する。被告において、被告製品の販売期間を明らかにした上、年度ごとに販売数量、販売額、利益率等についての一覧表を提出する場合に、それが原告の見込みと大きく違わない場合には、損害の基礎となる数字に争いがなくなり、以後の立証が不要となる場合もある。

　他方、損害算定の基礎となる数字のうち、被告製品の販売数量、販売額、利益率等の被告側の事実について争いが残る場合には、被告においてそれを裏付けるのに必要な証拠資料を提出すべきである。被告が任意にこれを開示しない場合には、特許法105条による書類提出命令等の手続を利用することになる。

　損害額の算定に必要な証拠資料が提出された場合であっても、原告において会計の専門的知識が十分でないために正確な調査分析ができなかった

り、これを調査分析するのに膨大な時間を要したりすることがある。このような場合に、当事者は、損害の計算をするため必要な事項についての鑑定（いわゆる計算鑑定）を申し立てることができる。

(2) 損害額

特許権侵害を理由とする損害賠償請求は、民法709条を根拠条文とするものである。民法709条によって請求できる損害は、積極的財産損害、消極的財産損害（逸失利益）及び無形損害（慰謝料）があるが、特許法102条は、このうち侵害による権利者の販売減少を理由とする消極的財産損害についての損害算定の特則と位置付けられる。

従前は、我が国の特許権侵害訴訟における損害の認容額が極めて低いとの批判がされていたが、損害賠償の額については、平成10年改正により、特許権者が侵害行為がなければ販売することができた逸失利益を損害額とし（特許法102条1項）、侵害者の利益の額を損害額と推定し（同条2項）、又は特許発明の実施に対し受けるべき金銭の額に相当する額を損害額として（同条3項）、その賠償を請求することができるなど、特許法102条が改正された。同条1項に基づき、74億1668万円の賠償を命じた東京地判平成14・3・19判タ1119号222頁〔スロットマシン事件〕、12億4440万円の賠償を命じた東京地判平成14・6・27（平成12年(ワ)第14499号）〔生海苔の異物分離除去装置事件〕、15億3427万円の賠償を命じた東京高判平成14・10・31判タ1138号276頁〔新規芳香族カルボン酸アミド誘導体の製造方法事件〕、18億円の賠償を命じた知財高判平成23・12・22判時2152号69頁〔飛灰事件〕等、10億円を超える高額な損害賠償が命じられる事案も出現した。

特許権者は、①特許法102条1項に基づき、特許権者が侵害行為がなければ販売することができた逸失利益を損害額とし、②同条2項に基づき、侵害者の利益の額を損害額と推定し、③同条3項に基づき、特許発明の実施に対し受けるべき金銭の額に相当する額を損害額とし、又は④民法709条により得べかりし利益を請求することができる。これらの条項は、特許

権侵害という不法行為に基づく損害賠償請求権を算定する方法として存在するから、項ごとに異なる請求権があるわけではない。

同条の文言については、従前さまざまな解釈上の対立があったところ、令和の時代になって、知財高裁では2件の大合議判決（知財高判令和2・2・28判時2464号61頁〔美容器事件〕及び知財高判令和元・6・7判時2430号34頁〔二酸化炭素含有粘性組成物事件〕）がされ、これにより解釈指針も示された。

なお、手続的にも、書類提出命令の拡充（特許法105条）や計算鑑定（同法105条の2）等の規定が整備されたことにより、損害立証の容易化にもつながっている。書類提出命令については、第1章Ⅲを、計算鑑定については、後記第2章Ⅵの8を参照されたい。

2　特許法102条1項

(1)　趣　　旨

ア　立法趣旨

特許法102条1項創設前は、侵害行為と権利者の販売数量の減少との間に相当強い関連性が推認される場合に限って、侵害製品の販売数量に対応した数量についての逸失利益が認められていたが、そうでない場合は、請求が認められず、オールオアナッシングとなっていた。そこで、侵害者の営業努力や代替品の存在等、権利者において侵害品の販売数量と同数の販売をすることが困難であった事情が訴訟において明らかになった場合でも、それらの事情を考慮して現実的な損害額が算定できるルールとして、現行の特許法102条1項が新設された[84]。

そして、令和元年改正により、以下の1号と2号の合計額を「特許権者…が受けた損害の額」とすることができるとされたものである。

同項1号は、「特許権…を侵害した者がその侵害の行為を組成した物を

84　『平成10年改正・工業所有権法の解説』10頁

譲渡した物の数量」(譲渡数量(a))のうち、「特許権者…がその侵害の行為がなければ販売することができた物の単位数量当たりの利益の額」(b)に、「特許権者…の実施の能力に応じた数量(実施相応数量(c))を超えない部分」(又は「譲渡数量の全部又は一部に相当する数量を特許権者…が販売することができないとする事情」に相当する特定数量(d))を乗じて得た額である。

同項2号は、譲渡数量(a)のうち、実施相応数量(c)を超える数量(又は特定数量(d))に応じた、「特許発明の実施に対し受けるべき金銭の額」(e)に相当する額を損害に加えるものである。

すなわち、1項損害は、

$$\{b \times c + e \times (a - c)\} \quad 又は \quad \{b \times (a - d) + e \times d\}$$

という計算式により、求められる。

これは、特許権はその技術を独占的に実施する権利であり、その技術を使った製品は特許権者しか販売できないために、特許権者の実施能力の限度では侵害者の譲渡数量と権利者の喪失した販売数量が一致することを前提に、特許権者が受けた損害の額とすることができるとする一方で、権利者において侵害品の販売数量と同数の販売をすることが困難であった事情により、侵害者の譲渡数量と権利者の喪失した販売数量が一致しない事情があるものとして、侵害者がその事情を立証することにより、当該事情に相当する数量(特定数量)に応じた額を控除するものである。そして、実施相応数量を超える数量又は特定数量がある場合は、当該数量に特許発明の実施に対し受けるべき金銭の額に相当する額を乗じた額をこれに加算することが、令和元年改正により明らかにされた。

イ　特許法102条1項の適用範囲について

特許法102条1項には、「その者がその侵害の行為を組成した物を譲渡したときは」と規定されている。譲渡の典型は、有償での販売であるが、無

償譲渡も含む。立案担当者も、逸失利益請求の代表的事例として「譲渡」と規定したものと解説し、貸渡しも含むとされている[85]。

　もっとも、貸与については、1項の類推適用を類型的に否定する見解も見られるし、権利者と侵害者の行為態様が譲渡と貸与のように異なる場合には、対価等の取引条件や対象とする顧客が異なり、双方の数量に対応関係があるか疑問がある場合があるとする見解もあった[86]。

　「譲渡」以外の実施行為（特許法2条3項）についても、当該行為が特許権者の販売機会を喪失させたと評価できる場合には、特許法102条1項を適用することができると解される。知財高判平成27・11・19判タ1425号179頁〔オフセット輪転機版胴事件〕は、オフセット輪転機の版胴に関し、版胴の表面粗さを$6.0\mu m \leq Rmax \leq 100\mu m$に調整することによって、版と版胴間の摩擦係数を増加させ、これにより版ずれトラブルを防止するという輪転機に使う版胴の表面粗さを数値限定した特許発明において、侵害者が既存の版胴にヘアライン加工を施して特許請求の範囲に属する表面粗さを調整した行為について、特許法102条1項の適用を肯定した。このような加工の場合でも、その数量分特許権者の販売の機会が喪失したものと見て、1項の適用が肯定されたものと解される。販売と加工の違い、それに伴う顧客の負担の大小、代替技術の存在等については、販売することができないとする事情として参酌されている。

(2) 解　　釈

ア　侵害行為がなければ販売することができた物

　特許権者等が「侵害行為がなければ販売することができた物」とは、侵害行為によってその販売数量に影響を受ける特許権者等の製品、すなわち、侵害品と市場において競合関係に立つ特許権者等の製品であれば足りると

---

85 『平成10年改正・工業所有権法の解説』19頁
86 田村善之『知的財産権と損害賠償〔新版〕』316頁、三村量一「損害(1)―特許法102条1項」新裁判実務大系『知的財産関係訴訟法』288頁

解すべきである。特許権者の製品が侵害品と競合可能性を有する物であれば足り、同一のものであることを要しないとするのが多数説・裁判例の立場である（知財高判平成27・11・19判タ1425号179頁〔オフセット輪転機版胴事件〕）[87]。知財高判令和2・2・28判時2464号61頁〔美容器事件〕も、「侵害行為がなければ販売することができた物」とは、侵害行為によってその販売数量に影響を受ける特許権者の製品、すなわち、侵害品と市場において競合関係に立つ特許権者の製品であれば足りると判示した。なお、特許法102条1項が市場における補完関係が成り立つことを前提にする規定であるとする考え方に基づき、権利者の販売する製品も特許発明の実施品でなければならないとする見解もある[88]。

　イ　単位数量当たりの利益額

　美容器事件大合議判決は、「単位数量当たりの利益の額」は、特許権者等の製品の売上高から特許権者等において上記製品を製造販売することによりその製造販売に直接関連して追加的に必要となった経費を控除した額（限界利益の額）であり、その主張立証責任は、特許権者側にあることを明らかにした。

　限界利益の考え方は、売上げの増加に応じて増加する変動経費のみを売上げから控除し、固定費は控除しない。侵害行為がなかったとしたら権利者が得たであろう利益として、権利者の経費のうちどのようなものを減じるのかが問題となるが、ここで変動経費、固定費といっても、これが会計学上の概念と一致するわけではないため、具体的にどのような費用を変動経費に含めるかの範囲は必ずしも一律に決まるわけではない。

　ウ　特許権者又は専用実施権者の実施の能力

　「特許権者又は専用実施権者の実施の能力」とは、侵害品の数量に対応

---

[87]　古城春実「損害1―特許法102条1項に基づく請求について」『理論と実務2』243頁、中山信弘『特許法〔第3版〕』377頁

[88]　三村量一「損害(1)―特許法102条1項」新裁判実務大系『知的財産関係訴訟法』288頁

する製品を権利者において供給することができる能力をいう。生産能力については、権利者が現に侵害品の販売数量に対応する数量を供給し得る生産設備を有する場合に限らず、下請や委託生産等の態様による供給能力を有する場合が含まれる。

特許法102条1項は、譲渡数量に特許権者等の製品の単位数量当たりの利益額を乗じた額を、特許権者等の実施能力の限度で損害額と推定するものであるが、特許権者等の実施能力は、侵害行為の行われた期間に現実に存在していなくても、侵害行為の行われた期間又はこれに近接する時期において、侵害行為がなければ生じたであろう製品の追加需要に対応して供給し得る潜在的能力が認められれば足りると解すべきである（知財高判平成27・11・19判夕1425号179頁〔オフセット輪転機版胴事件〕）。美容器事件大合議判決は、「実施の能力」は、潜在的な能力で足り、生産委託等の方法により、侵害品の販売数量に対応する数量の製品を供給することが可能な場合は実施の能力があるというべきであり、その主張立証責任は特許権者側にあると判示した。

エ　販売することができないとする事情

譲渡数量の全部又は一部に相当する数量を特許権者等が「販売することができないとする事情」については、侵害者が立証責任を負い、かかる事情の存在が立証されたときに、当該事情に相当する数量（特定数量）に応じた額を控除するものである。

特許権者等が「販売することができないとする事情」としては、天災等により必要不可欠な部品の供給が止まりその事情が特許権の存続期間内に解消しない場合、侵害行為後に特許発明の実施が法的に禁止されるか制限される場合、侵害行為後に新たに画期的な新技術が開発され、特許発明が陳腐化して市場における販売に限界が生じた場合等の限定的な場合に限られ、侵害者の営業努力や代替品の存在はこれに該当しないとする見解もある[89]。

しかし、立案担当者は、「販売することができないとする事情」とは侵

害者の営業努力や代替品の存在等をいうものと説明し、多数説もその立場をとっている[90]。

　美容器事件大合議判決は、「特許権者が販売することができないとする事情」は、侵害行為と特許権者の製品の販売減少との相当因果関係を阻害する事情をいい、例えば、①特許権者と侵害者の業務態様や価格等に相違が存在すること（市場の非同一性）、②市場における競合品の存在、③侵害者の営業努力（ブランド力、宣伝広告）、④侵害品及び特許権者の製品の性能（機能、デザイン等特許発明以外の特徴）に相違が存在することなどの事情がこれに該当し、上記の事情及び同事情に相当する数量の主張立証責任は、侵害者側にあるとした。

　①としては、侵害品が廉価であること（大阪地判平成17・2・10判時1909号78頁〔病理組織検査標本作成用トレー事件〕）、販売業態の差異（東京高判平成12・4・27（平成11年(ネ)第4056号ほか）〔悪路脱出具事件〕）、実施形態が加工で価格に大きな差があるという市場の非同一性（知財高判平成27・11・19判タ1425号179頁〔オフセット輪転機版胴事件〕）等が考慮されている。②を考慮した裁判例としては、東京高判平成11・6・15判時1697号96頁〔スミターマル事件〕、東京地判平成12・6・23（平成8年(ワ)第17460号）〔血液採取器事件〕、知財高判平成18・9・25（平成17年(ネ)第10047号）〔椅子式マッサージ機事件〕がある。③として、知財高判平成27・11・19判タ1425号179頁〔オフセット輪転機版胴事件〕は、顧客がメーカー4社の中から購入する輪転機の選定を進めた結果、被告の海外実績や、顧客の要望に対する技術陣の真摯な対応に期待が持てたとして、被告製品が登載された被告製の輪転機を選定したことを挙げている。④として、上記判決は、版胴は、輪転機の印刷部を構成する多数の部品の一つであり、被告輪転機にあえて原告製品を導入することについては時間と費用がかかることを挙げている。

　これらの事情の立証責任が被告側にあることがポイントである[91]。

89　三村量一「損害(1)―特許法102条1項」新裁判実務大系(4)288頁
90　『平成10年改正・工業所有権法の解説』19頁

(3) 適正な損害額の算定と寄与率について

ア 寄与率の概念

特許法102条1項の適用を問題にしている裁判例には、従前、寄与率、寄与度という明文にない要件を判示しているものがあり、寄与率が損害賠償額を低額化させている理由であるといわれることがある。

ここで論じられている「寄与」は、特許権が権利者製品の製造販売等による全利益に対してどの程度貢献しているかを導き出すために使われていると思われるが、裁判例の事実関係は、事件ごとに異なる上、また学説でも、論者ごとに議論の対象に幅があり、特許発明の実施が製品の部品だけである場合の寄与率を論じるものもあれば、それに加えて製品の売上げに対する貢献度について寄与率を論じるものもある。

そこで、同項においてこのような従前の寄与率の概念がいかなる法的位置付けになるのか、その必要性を検討してみたい。

イ 特許権を侵害するのが製品の一部分のみである場合

特許権を侵害するのが製品の一部分のみであるという事情を、①「販売することができた物の単位数量当たりの利益の額」の問題として考慮する見解と、②「販売することができないとする事情」の問題として考慮する見解、③民法709条所定の因果関係一般の問題として考慮する見解がある[92]。

まず、前記③について、損害の算定においては、特許法102条の条文の要件の解釈に帰着すべきであり、この条文とは別に民法709条をもって寄与率という概念を使用する必要はない。

---

[91] 設楽隆一「関西知財高裁10周年記念シンポジウムの基調講演等」知財ぷりずむ2016年1月号11頁、髙部眞規子「特許権侵害による損害」L&T90号25頁
[92] 本文①説として、三村量一「損害(1)―特許法102条1項」新裁判実務大系『知的財産関係訴訟法』288頁、小池豊「特許法102条の解釈に関する実務の方向」『知財年報2007（別冊NBL120号）』277頁。②説として、田村善之『知的財産権と損害賠償〔新版〕』313頁、尾崎英男「特許法102条1項」日本弁理士会中央知的財産研究所研究報告書24号40頁、鈴木將文「特許権侵害に基づく損害賠償に関する一考察」L&T90号12頁。③説として、『新注解特許法（下）』1597頁〔飯田圭〕。

次に、②の販売することができないとする事情の問題とする説は、製品の一部分であることによる寄与の問題も、特許発明の実施が製品全体の売上げに結びついているか否かという因果関係の問題としてとらえるものと解される。商標のように当該ブランドが売上げに貢献したという場合には販売することができないとする事情に結びつけやすいが、特許発明において製品の一部分が売上げに貢献するという事情を同一に解することはできないと思われる。法文上は、「販売することができないとする事情…に相当する数量を控除した数量」と規定し、「販売することができないとする事情」に相当するのは「数量」と考えられることに照らすと、条文に即したものとは言い難いように思われる。米国では、部品特許でも例外的に製品全体の販売を誘因する強さがある場合に限り、製品全体が1項にいう「侵害の行為がなければ販売することができた物」に当たるとする entire market rule という概念があるが、最近では米国でもこれを安易に認めるべきではないとされているという[93]。

そして、部品特許の場合や、製品の一部分が部品として別途独立して販売されている場合には、部品の代金額に譲渡数量を乗じて損害を算定することと同様に考えると、製品の一部分が侵害である場合も、限界利益について権利者製品における侵害に係る当該一部分に相当する部分の金額を算出して、これに譲渡数量を乗じるのが、より1項の条文に則した考え方ではなかろうか。

美容器事件大合議判決では、特許法102条1項に基づき特許権侵害による損害を算定する場合において、特徴のある部分は特許権者の製品の一部分であること、特許発明の特徴部分が特許権者の製品の販売による利益の全てに貢献しているとはいえないことなど判示の事情の下では、特許発明を実施した特許権者の製品において、特許発明の特徴部分がその一部分にすぎないとしても、特許権者の製品の販売によって得られる限界利益の全

---

[93] 設楽隆一「関西知財高裁10周年記念シンポジウムの基調講演等」知財ぷりずむ2016年1月号11頁

額が特許権者の逸失利益となることが事実上推定されるが、特徴部分の特許権者の製品における位置付け、特許権者の製品が特徴部分以外に備えている特徴やその顧客誘引力などの事情を総合考慮すると、事実上の推定が約6割覆滅され、これを限界利益から控除すべきであるとされた。

　ウ　他の特許発明を実施している場合（複数の権利侵害の場合）

　特許発明が実施された場合において、当該特許以外の特許発明も同時に実施されている場合、問題となっている特許権侵害による賠償額算定に当たり、他の特許発明の貢献度を考慮すべきか否かについても、上記と同様、①単位数量当たりの利益の額の問題とする説、②販売することができないとする事情の問題とする説、③民法709条説が考えられる。

　この場合は、侵害品の販売に当たって本件発明以外の発明が貢献している程度を、「販売することができないとする事情」として考慮するのが条文にも則するし、また、侵害品のデザイン（意匠権）やブランド（商標権）を販売することができないとする事情として考慮することとも整合するように思われる。なお、特許法102条3項については、知財高判平成26・5・16判時2224号146頁〔アップルサムスン事件〕において529個の標準必須特許があったとして、全体のロイヤルティを当該個数で除している。

　エ　寄与度概念の要否

　以上の検討によれば、「寄与率」という用語を使用するときには、特許法102条1項のどの要件を判断したのかは明確にすべきである[94]。それにより、いずれの当事者に主張立証責任を負わせるかという問題をストレートに解決できる。そして、製品の一部分について特許発明が実施されている場合を除き、さまざまな事情について、「販売することができないとする事情」に織り込むことが可能であり、寄与度という概念を使用する必要は乏しいと考えられる。当事者からは、しばしば寄与度の主張がされることがあるが、これが特許発明が被告製品の販売に寄与した割合を考慮して

---

[94] 設楽隆一「関西知財高裁10周年記念シンポジウムの基調講演等」知財ぷりずむ2016年1月号11頁、髙部眞規子「特許権侵害による損害」L&T90号25頁

損害額を減額すべきであるとの趣旨であるとしても、これを認める規定はなく、また、これを認める根拠はないから、そのような寄与度の考慮による減額を認めることはできない（知財高判令和2・2・28判時2464号61頁〔美容器事件〕、東京地判令和2・3・19（平成29年(ワ)第32839号）〔美容器シャインミニ事件〕）。

(4) 令和元年改正

ア　改正の意義

　販売することができないとする事情に相当する特定数量がある場合は、当該数量に特許発明の実施に対し受けるべき金銭の額に相当する額を乗じた額をこれに加算することが、令和元年改正により明らかにされた。この点について、筆者は、本書第3版までは、販売できないとする事情に相当する数量（特定数量）に応じた額を控除する場合に、3項の重畳適用は認めない見解（知財高判平成23・12・22判時2152号69頁〔飛灰事件〕、知財高判平成18・9・25（平成17年(ネ)第10047号）〔椅子式マッサージ機事件〕）を支持していた（もっとも、従前、実施の能力は緩やかに解され、これを超えると判断された裁判例も皆無であったことから、筆者としては、実施相応数量を超える部分について受けるべき金銭の額を加えることに問題はないと考えていた。）。令和元年改正により、特定数量がある場合については、1号と2号の額を合計することが創設的に立法されたと理解している。

イ　特許法102条1項2号括弧書の趣旨

　特許法102条1条2号には括弧書があり、「特許権者…が、当該…特許権についての専用実施権の設定若しくは通常実施権の許諾をし得たと認められない場合」を除くとしている。いかなる場合が括弧書に当たるか、議論がある。

　まず、実施相応数量を超える数量については、特許権者が、自ら実施するとともに、第三者に独占的通常実施権を許諾していた場合も、特許権者が自ら実施するのみで第三者にライセンスを行っていなかった場合も、い

ずれの場合も特許権者の許諾権原を失わせるものではないから、許諾をし得たと認められない場合に当たらないとする見解が多数である[95]。

特定数量については、立案担当者は、括弧書は特許権者の特許発明が侵害品の付加価値全体の一部にのみ寄与している場合をいうと解説しているが[96]、美容器事件大合議判決の立場からは、このような場合は販売することができない事情ではなく、単位数量当たりの利益の額の問題として考慮しているから、2号の額は生じない。特定数量については、①市場の非同一性を理由とする場合は括弧書に当たらず、それ以外の場合は括弧書に当たるとする見解、②括弧書は特許権者が専用実施権を設定していて他に実施権の設定をできないような場合を意味するという見解、③括弧書は損害不発生の場合を意味するという見解[97]などがある。

3 特許法102条2項

(1) 趣　　旨

ア　特許法102条2項の規定の沿革等

特許法102条2項は、「特許権者又は専用実施権者が故意又は過失により自己の特許権又は専用実施権を侵害した者に対しその侵害により自己が受けた損害の賠償を請求する場合において、その者がその侵害の行為により利益を受けているときは、その利益の額は、特許権者又は専用実施権者が受けた損害の額と推定する。」と規定する。

同項は、現行特許法の施行とともに、当時の102条1項として、新設された。昭和34年の立法に際しての工業所有権制度改正審議会答申において

---

[95] 古河謙一「令和元年改正特許法102条をめぐる諸問題」L&T別冊6号74頁
[96] 川上敏寛「令和元年特許法等改正法の概要」NBL1154号36頁
[97] 本文①の見解として、古河謙一「令和元年改正特許法102条をめぐる諸問題」L&T別冊6号74頁、②の見解として、鈴木將文「特許権侵害に基づく損害賠償に関する一考察」L&T90号12頁、③の見解として、金子敏哉「特許法102条1項と3項の適用関係」『特許判例百選〔第5版〕』86頁。

は、特許権者は故意又は過失によって自己の特許権を侵害した者に対し、その侵害によって得た利益の返還又は自己の被った損害の賠償を請求することができるとの規定を設けるように答申された。しかし、上記答申は、侵害者の利益額が特許権者の損害額を超える場合にまで全てを返還させるのは、侵害者に酷であり、特許権者の保護が不当に厚くなり、民法の一般原則から逸脱するなどとして採用されず、その代わりに、通常、侵害により自己が受けた損害額の立証に比べて相手方の受けた利益の額の立証の方が容易であることから、立証の困難性を軽減するため、侵害者の利益額を特許権者の損害額と推定するとの規定を置いたものとされている。

　平成10年改正により、侵害品の譲渡数量に権利者の利益を乗ずることにより損害額を算定する現行特許法102条1項が新設され、改正前の1項は、そのまま現行2項に移行したものである。同改正の際、2項について、工業所有権審議会損害賠償等小委員会報告書において、さまざまな考え方が示され、留意点が付されたものの、改正を施すことなく、そのままの条文の形で2項に移行したものである。このように、特許法102条2項は、条文自体に変更はないが、1項の新設により、1項と相まって、実質的に損害賠償制度を実効あらしめるための規定になったと解される。

　イ　特許法102条2項の法的性質

　特許法102条2項は、民法の原則の下では、特許権侵害によって特許権者が被った損害の賠償を求めるためには、特許権者において、損害の発生及び額、これと特許権侵害行為との間の因果関係を主張立証しなければならないところ、その立証等には困難が伴い、その結果、妥当な損害の填補がされないという不都合が生じ得ることに照らして、侵害者が侵害行為によって利益を受けているときは、その利益額を特許権者の損害額と推定するとして、立証の困難性の軽減を図った規定である（知財高判平成25・2・1判タ1388号77頁〔ごみ貯蔵機器事件〕）。

　特許法102条2項が、民法709条に基づく不法行為による損害賠償制度において、損害に関する法律上の事実推定規定であることについては、学説

上、概ね争いがない。すなわち、侵害行為により侵害者が受けた利益の額（前提事実）を立証すれば、その額が当該侵害行為により権利者が被った損害の額と推定される（推定事実）。

もっとも、その推定の法的性質については、①損害額のみならず損害の発生をも推定するものであるとする見解（損害発生推定説）と、②損害額のみを推定するものであるとする見解（損害額推定説）に分かれるが、②が多数説である。さらに、推定の対象となる損害の種類については、特許発明の市場機会の利用可能性の喪失とする有力説もあるが、多数説は、特許権者等の売上げ減少等による逸失利益と解している。

(2) 実施の要否

ア　従前の考え方

従前は、特許法102条2項の損害を請求するに関し、特許権者等の実施が必要か否かについて、学説は分かれていた。すなわち、①権利者等の実施能力があれば足りるとする見解、②権利者等の侵害による実施開始の断念等で足りるとする見解、③権利者等による侵害期間中の後発的な実施開始で足りるとする見解、④権利者等による侵害期間中の実施を要するとする見解（実施必要説）である[98]。上記④の実施必要説が従前の多数説・裁判例の立場であり、その理由として、特許権侵害による損害は特許権者が特許発明の実施を妨げられることによって被る損害を意味することを前提に、特許権者は、損害の発生として、現にしている特許発明の実施を妨げられたことを主張立証する必要があることなどを挙げている。そのため、自ら特許発明を実施していない権利者は、得べかりし利益相当の損害の発生はあり得ないため、2項による損害を主張できないとされてきた。

イ　知財高判平成25・2・1判タ1388号77頁〔ごみ貯蔵機器事件〕

このように実施必要説が多数説を占めていた中、知財高裁特別部（いわ

---

[98] 『新注解特許法（下）』1627頁〔飯田圭〕

ゆる大合議)による上記判決は、特許権者において、当該特許発明を実施していることを要件とするものではないとの新しい判断を示し、特許権者に、「侵害者による特許権侵害行為がなかったならば利益が得られたであろうという事情が存在する場合」には、特許法102条2項の適用が認められると解すべきであり、特許権者と侵害者の業務態様等に相違が存在するなどの諸事情は、推定された損害額を覆滅する事情として考慮されると判断した。

　ウ　特許法102条2項の適用場面

　(ｱ)　まず、ごみ貯蔵機器事件のケース、すなわち、特許権者が国内販売店を通して特許製品を販売し、侵害者と市場で競合関係にある場合である。この場合は、外国にいる権利者が日本国内の販売店をいわば手足のように使って実施しているとみることも可能であり、実施必要説の立場にたっても、適用を肯定できる可能性もあったものである。個人が権利者の場合に代表者を務める会社によって実施している場合等も、同様に考えられる。

　(ｲ)　上記判決が、「特許権者と侵害者の業務態様等に相違が存在するなどの諸事情は、推定された損害額を覆滅する事情として考慮される」と判示していることに照らすと、侵害者の実施態様と権利者の実施態様が異なる場合であっても、「侵害者による特許権侵害行為がなかったならば利益が得られたであろうという事情が存在する場合」であれば、適用が可能であろう。例えば、権利者が製造販売をしているが小売りはしていないのに対し、侵害者が小売りをしている場合や、権利者が特許製品を製造販売しているのに対し、侵害者が既存の部材に加工を施すことによって利益を得ている場合にも、侵害行為がなければ権利者が販売による利益を得られたであろう場合がある。

　(ｳ)　権利者が特許発明の実施品ではないが、侵害品と競合する代替品を販売していて、権利者製品と侵害品が市場で競合している場合にも、特許権者に、「侵害者による特許権侵害行為がなかったならば利益が得られたであろうという事情」が存在するということができよう。

(エ) 独占的通常実施権者による損害賠償請求の場合についても、「侵害者の侵害行為がなかったならば、利益が得られたであろうという事情」が認められる以上、特許法102条2項の、少なくとも類推適用が可能である。この点も、理由付けはともあれ、類推適用を肯定した従前の裁判例(東京地判平成10・5・29判時1663号129頁〔O脚歩行矯正具事件〕)が存在するところである。

(オ) これに対し、特許管理会社やいわゆるパテントトロールのような特許不実施主体など、権利者がおよそ市場における製造販売行為を行っていない場合は、製造販売による逸失利益があり得ないので、これらの場合については2項の適用が想定されていないと解される[99]。なお、権利者が実施許諾契約をしている場合については、2項の適用を否定する見解[100]がある一方で、定額の実施料ではなく、権利者が売上げベースのランニングロイヤリティの約定で実施許諾をしている場合にも、「侵害者の侵害行為がなかったならば、利益が得られたであろうという事情」が認められると指摘する見解[101]もある。

(3) 解　　釈

特許法102条2項所定の「侵害行為により侵害者が受けた利益の額」は、侵害者の侵害品の売上高から、侵害者において侵害品を製造販売することによりその製造販売に直接関連して追加的に必要となった経費を控除した限界利益の額であり、その主張立証責任は特許権者側にある(知財高判令和元・6・7判時2430号34頁〔二酸化炭素含有粘性組成物事件〕)。そこで控除

---

[99] 小泉直樹「特許法102条2項の推定」ジュリ1456号6頁、知財高裁詳報「特許法102条2項の適用要件」L&T59号61頁、牧野利秋＝磯田直也「損害賠償(3)」『知的財産訴訟実務大系Ⅱ』37頁。高林龍「特許法102条2項の再定義」『中山古稀』456頁は、このような場合にも2項の適用を認める趣旨と思われる。
[100] 知財高裁詳報「特許法102条2項の適用要件」L&T59号61頁
[101] 牧野利秋＝磯田直也「損害賠償(3)」『知的財産訴訟実務大系Ⅱ』37頁、森本純＝大住洋「実務的視点からみた特許法102条2項の適用要件及び推定覆滅事由」知財管理63巻9号1381頁

すべき経費は、侵害品の製造販売に直接関連して追加的に必要となったものをいい、例えば、侵害品についての原材料費、仕入費用、運送費等がこれに当たる。これに対し、例えば、管理部門の人件費や交通・通信費等は、通常、侵害品の製造販売に直接関連して追加的に必要となった経費には当たらない。

近時の裁判例では、パート従業員の人件費、外注の試験研究費、広告費、無償配布サンプル代等につき、侵害品の製造販売に直接関連していることの立証が足りないとして、控除すべき経費と認めなかったもの（知財高判令和元・6・7判時2430号34頁〔二酸化炭素含有粘性組成物事件〕）、多種類の製品を取り扱っていた中で被告製品の展示のために特別の費用を要したことを認めるに足りないとして、展示会出展費用を経費と認めなかったもの（知財高判令和2・6・18（令和元年㈱第10067号）〔基礎パッキン用スペーサ事件〕）がある。

(4) 推定覆滅の可否

ア 推定覆滅の可否

特許法102条2項は、侵害行為により侵害者が受けた利益の額（前提事実）を立証すれば、その額が当該侵害行為により権利者が被った損害の額と推定される（推定事実）とする規定であるから、権利者は、損害の発生の事実及び上記前提事実（侵害行為により侵害者が受けた利益の額）を立証する必要があるが、推定規定であるから、侵害者において推定事実の不存在（侵害行為により権利者が被った損害の額が侵害者利益の額ではないこと）を立証することにより、推定を覆すことができる。

もっとも、同項は、もともと因果関係の立証が困難であるために設けられた推定規定であるから、推定事実の不存在の立証も困難であって、従前は、推定の覆滅を認めた裁判例は少なかった。

そのような中にあって、知財高判平成25・2・1判タ1388号77頁〔ごみ貯蔵機器事件〕は、一般論としては、「特許権者と侵害者の業務態様等に相

違が存在するなどの諸事情は、推定された損害額を覆滅する事情として考慮される」旨判示したが、具体的事件の当てはめとしては、2項による推定を覆滅する事情等として、侵害者が種々主張した事由については、いずれもこれを排斥した。

イ 推定覆滅の事情

特許法102条2項における推定の覆滅についても、同条1項の「販売することができないとする事情」と同様に、侵害者が立証責任を負うものと解され、侵害者が得た利益と特許権者が受けた損害との相当因果関係を阻害する事情がこれに当たる。例えば、①特許権者と侵害者の業務態様等に相違が存在すること(市場の非同一性)、②市場における競合品の存在、③侵害者の営業努力(ブランド力、宣伝広告)、④侵害品の性能(機能、デザイン等特許発明以外の特徴)などの事情について、推定覆滅の事情として考慮することができる。また、特許発明が侵害品の部分のみに実施されている場合においても、推定覆滅の事情として考慮することができるが、特許発明が侵害品の部分のみに実施されていることから直ちに上記推定の覆滅が認められるのではなく、特許発明が実施されている部分の侵害品中における位置付け、当該特許発明の顧客誘引力等の事情を総合的に考慮してこれを決すべきである(知財高判令和元・6・7判時2430号34頁〔二酸化炭素含有粘性組成物事件〕、知財高判令和2・1・21〔令和元年(ネ)第10036号〕〔梁補強金具事件〕)。

1項損害における「販売することができないとする事情」と2項損害の推定覆滅事情は大部分が共通する。なお、特徴部分のみの実施について、1項損害では単位数量当たりの利益の額として考慮され(美容器事件)、改正後の1項2号の適用はない。

従前、明文に規定のない「寄与率」という形で減額された事例も見られるが、2項損害についても、1項損害と整合的な考え方を取り入れることにより、「寄与度減額」という発想から決別し、前記事情を推定覆滅の一場面と考えることが相当であろう[102]。

4 特許法102条3項

(1) 趣　旨

　特許法102条3項は、特許権侵害の際に特許権者が請求し得る最低限度の損害額を法定した規定である。平成10年改正により、「通常受けるべき金銭の額」では侵害のし得になってしまうとして、「通常」の部分が削除された。

(2) 3項損害の算定

　ア　3項損害は、原則として、侵害品の売上高を基準とし、そこに、実施に対し受けるべき料率を乗じて算定すべきである（知財高判令和元・6・7判時2430号34頁〔二酸化炭素含有粘性組成物事件〕）。

　イ　その特許発明の実施に対し受けるべき金銭の額に相当する額

　特許発明の実施許諾契約においては、技術的範囲への属否や当該特許が無効にされるべきものか否かが明らかではない段階で、被許諾者が最低保証額を支払い、当該特許が無効にされた場合であっても支払済みの実施料の返還を求めることができないなどさまざまな契約上の制約を受けるのが通常である状況の下で事前に実施料率が決定されるのに対し、技術的範囲に属し当該特許が無効にされるべきものとはいえないとして特許権侵害に当たるとされた場合には、侵害者が上記のような契約上の制約を負わない。そして、上記のような平成10年改正の経緯に照らせば、同項に基づく損害の算定に当たっては、必ずしも当該特許権についての実施許諾契約における実施料率に基づかなければならない必然性はなく、特許権侵害をした者に対して事後的に定められるべき、実施に対し受けるべき料率は、むしろ、通常の実施料率に比べて自ずと高額になるであろうことを考慮すべきである（知財高判令和元・6・7判時2430号34頁〔二酸化炭素含有粘性組成物事件〕）。

102　髙部眞規子「特許権侵害による損害」L&T90号25頁

上記判決の口頭弁論終結後に成立した令和元年改正により、特許法102条4項に「裁判所は、…前項に規定する特許発明の実施に対し受けるべき金銭の額に相当する額を認定するに当たっては、特許権者が、自己の特許権に係る特許発明の実施の対価について、当該特許権の侵害があったことを前提として当該特許権を侵害した者との間で合意をするとしたならば、当該特許権者が得ることとなるその対価を考慮することができる。」との規定が新設された。同判決は、上記改正法施行前であっても、実施に対し受けるべき料率が通常の実施料率よりも高額となるであろうことを考慮すべきことが妥当することを示したものである。

　ウ　考慮要素

　上記判決によれば、実施に対し受けるべき料率は、①当該特許発明の実際の実施許諾契約における実施料率や、それが明らかでない場合には業界における実施料の相場等も考慮に入れつつ、②当該特許発明自体の価値すなわち特許発明の技術内容や重要性、他のものによる代替可能性、③当該特許発明を当該製品に用いた場合の売上げ及び利益への貢献や侵害の態様、④特許権者と侵害者との競業関係や特許権者の営業方針等訴訟に現れた諸事情を総合考慮して、合理的な料率を定めるべきである。当事者においても、これらの要素を主張立証すべきである。

5　積極的財産損害

(1)　調査費用

　特許権侵害に該当するか否かについて特許権者が調査をした場合、それに要した費用が相当因果関係のある損害と認められる場合がある〔大阪地判平成19・6・21（平成18年(ワ)第2810号）〔衝撃式破砕機におけるハンマ事件〕、著作権につき、知財高判平成28・4・27判時2321号85頁〔接触角計算プログラム事件〕）。

(2) 弁護士費用

　我が国では弁護士強制主義を採用しておらず、弁護士を選任するか本人が訴訟を追行するかは自由である。民事訴訟の訴訟費用は、敗訴者負担が原則であるが（民事訴訟法89条）、その訴訟費用に弁護士費用は入らないのが原則である（民事訴訟費用法2条11号）。

　当事者の権利を100％実現するための構成として、本案が不法行為による損害賠償請求である場合に、権利実現のための費用たる弁護士費用も本案の損害に含まれるとする法律構成が考えられる。そして、判例は、不法行為による損害賠償請求訴訟に当たり、弁護士費用を相当因果関係内の損害であることを肯定する（最一小判昭和44・2・27民集23巻2号441頁）。

　特許権侵害に基づく請求は、専門的要素が強く、これを訴訟上行使するためには弁護士に委任しなければ十分な訴訟活動をすることが困難な類型に属する請求権であり、裁判例でも弁護士費用が肯定されている。

　弁護士費用の額としては、単に損害額の1割というのではなく、差止請求等の有無も考慮されており、近時高額化の傾向が見られる。

6　複数の権利者による損害賠償請求

(1) 特許権が共有の場合

　特許権が共有に係る場合、差止めは各共有者が請求できる。損害賠償請求も、それぞれの共有者が請求可能であり、その債権は分割債権と解される。

　侵害者にとってみれば、権利者が1名の場合と共有に係る場合とで、損害賠償額の総額が変わることはないはずである。

　共有者の一部のみが損害賠償を請求する場合、①共有持分の割合に按分してその限度で損害賠償請求を認容するという考え方、②共有者ごとに利益額が異なる場合においては、各共有者の利益額等で按分する考え方があ

り、東京地判昭和44・12・22無体裁集1巻396頁〔折畳自在脚事件〕は、利益額で按分し、東京地判令和元・10・30（平成28年(ワ)第10759号）は、各共有者の譲渡数量で按分している。

　他方、特許法102条1項に基づく損害賠償請求の場合でも、実施をしていない共有者は、同条3項に基づく損害賠償請求をすることが多い。実施している共有者が同条1項に基づく請求をし、実施をしていない共有者が同条3項に基づく請求をする場合は、なかなか困難である。実施をしていない共有者の持分の割合に応じた3項の額を算出した上、実施をしている共有者の損害額はそれを控除したものを基礎に算定することも、一つの考え方であろう[103]。

　知財高判平成30・11・20判時2413号136頁〔下肢用衣料事件〕は、特許権の共有者は、それぞれ、原則として他の共有者の同意を得ないでその特許発明の実施をすることができるものの（特許法73条2項）、その価値の全てを独占するものではないことに鑑みると、特許法102条2項に基づく損害額の推定を受けるに当たり、共有者は、原則としてその実施の程度に応じてその逸失利益額を推定されると解するのが相当であり、共有者各自の逸失利益額と相関関係にない持分権の割合を基準とすることは合理的でないとしつつ、共有者の一部が当該特許発明を実施しなかったとしても、共有に係る特許権の侵害による侵害者の利益は、特許権の共有者の一方の持分権の侵害のみならず他方の持分権の侵害にもよるものであるとして、特許法102条2項による損害額の推定に基づき侵害者に対し特許権の共有者の一部が損害賠償請求権を行使するに当たって、同項に基づく損害額の推定は、不実施に係る他の共有者の持分割合による同条3項に基づく実施料相当額の限度で一部覆滅されると解したものである。大阪地判令和元・12・16（平成29年(ワ)第7532号）〔光照射装置事件〕、大阪地判令和元・9・10（平成28年(ワ)第12296号）〔カードケース事件〕も同様の見解を示している。

---

[103]　田村善之『知的財産権と損害賠償〔新版〕』258頁、髙部眞規子「特許の共有をめぐる諸問題」『中山古稀』214頁

(2) 専用実施権が設定されている場合

　専用実施権が設定された場合、特許権者も専用実施権者も、差止請求をすることができるが、特許権者は、実施をする権利を失うため（特許法68条ただし書）、民法709条に基づき、専用実施権者から取得できたであろう実施料相当額について損害賠償を請求することができるにとどまる。

　専用実施権者は、特許法102条1項ないし3項に基づいて損害賠償を請求することができる。専用実施権者が同条1項又は2項に基づいて請求する場合に、損害額から実施料を控除すべきか否かについては争いがあり、特許権者に実施料を支払っている場合に、相当と判断される実施料率を控除すべきであるとする見解、約定実施料を控除すべきであるとの見解等がある。

(3) 通常実施権が許諾されている場合

　通常実施権者は、特許権者から特許の禁止権を行使されないという地位を有するにすぎず、他の第三者に対して特許発明の実施を阻止する権利は有していない（最二小判昭和48・4・20民集27巻3号580頁〔墜道管押抜工法事件〕）。また、通常実施権者には、侵害行為と相当因果関係のある損害は発生しないことが多い。

　もっとも、独占的通常実施権者は、登録はないものの、当該特許権を独占的に実施して市場から利益を上げることができる点において専用実施権者と実質的に異なるところはなく、法的保護に値する。独占的通常実施権者は、無権原の第三者の実施を禁止しない特許権者に対し、債務不履行責任を問える立場にあるところ、無権原の第三者に対しても、法律上保護される利益を害されたことを理由として、損害賠償を請求できると解される。そして、特許法102条1項ないし3項及び103条の趣旨は、特許権侵害の特殊性から、損害の立証が事実上困難になるところにあるから、独占的通常実施権者にも妥当すると解され、独占的通常実施権者が侵害者の実施行為

によって受けた損害についても、同条項を類推適用することできよう[104]（東京地判平成17・5・31判タ1257号283頁〔誘導電力分配システム事件〕）。

　特許権者と独占的通常実施権者のように、特許権侵害による損害賠償請求権について複数の権利者が存在する場合に関しては、権利者らの内部関係を見て、独占的通常実施権者の損害は相当因果関係のある支払を受けることが予定された金額から特許権者に支払う約定実施料相当額を控除した金額とし、特許権者は独占的通常実施権者から受けられるはずであった実施料額とする見解[105]、権利者の内部関係にかかわらず、権利者は控除しない全額について請求することができ、重複部分は不真正連帯債権の関係になるとの見解[106]が考えられる。知財高判平成21・8・18判タ1323号256頁〔化粧品事件〕は、特許権者と独占的通常実施権者の損害を独立に算定した上、両請求権が不真正連帯債権の関係に立つとしたものである。

7　複数の侵害者に対する損害賠償請求

(1)　直列型の複数の侵害者

　複数の侵害者が特許の侵害品の流通に関与した場合の損害賠償の算定についても、種々の問題がある。

　Y_1が侵害品を製造してY_2に販売し、Y_2が消費者に小売りする場合のように、直列型の侵害行為を行った者が複数いる場合のYらの関係については、まず、侵害行為の態様すなわち製造・販売といった行為態様ごとに侵害行為を形成するので、損害賠償請求権も、個々の行為ごとに成立する。

　特許法102条1項の適用場面において、Y_1とY_2の譲渡数量が同じ場合は、不真正連帯債務となり、それが異なる場合には、重なる範囲で不真正連帯債務となると解される。

---

[104]　中山信弘『特許法〔第3版〕』513頁
[105]　美勢克彦「損害(5)—複数の権利者」新裁判実務大系『知的財産関係訴訟法』351頁
[106]　吉原省三「損害(5)—複数の権利者」裁判実務大系『工業所有権訴訟法』368頁

また、同条2項の適用場面においては、Y₁が侵害により受けた利益の額とY₂が侵害により受けた利益の額が異なるため、それぞれに別個に請求し、重なる範囲で不真正連帯債務とすることも可能である。

　同条3項の適用場面においては、Y₁に対する実施料相当額とY₂に対する実施料相当額がそれぞれ合算されると、特許権者が重複して損害賠償を受領することになる。このような場合は、小売り業者であるY₂の額を上限とするか（東京地判平成13・2・8判時1773号130頁〔第1次玩具銃事件〕）、Yら同士の債務は重なり合う範囲内で不真正連帯債務とするか（東京地判平成16・2・20（平成14年(ワ)第12858号）〔第2次玩具銃事件〕）、二重の弁済にならないような配慮が必要である[107]。

(2) 共同不法行為

ア　共同正犯型

　前記第2章Ⅰの2に論じたとおり、Y₁とY₂の行為が特許発明の構成要件全部を実施するわけではないが、全員の行為を併せると全部を実施することになる場合において、主観的に共同していて、客観的行為を分担しているにすぎない場合は、共同で特許権を侵害すると評価される。両名が一体となって特許権侵害という結果を発生させる意思で、すなわち共同して実施する意思で、それぞれ構成要件の一部に該当する行為を行って、全員の行為を足し併せると構成要件を全部充足する場合や、Y₁が自己の行為とY₂の行為とが結合して特許権侵害という結果が発生することを予見しており、Y₂についても同様である場合等が挙げられる。

　Y₁とY₂が他人の行為を利用する意思をもって共同で特許権を侵害していると評価することができる場合には、Y₁及びY₂に対し、共同不法行為者として損害賠償責任（民法719条1項前段）が肯定される。いわゆる客観的共同説を採用する判例理論によれば、民法719条1項前段所定の共同不

---

[107]　寒河江孝允「複数の侵害行為と損害額の算定について―特に権利者の妥当な救済と重複的損害支払の回避について―」『理論と実務2』301頁

法行為が成立するためには、不法行為者間に意思の共通（共謀）若しくは「共同の認識」のあることは必要でなく単に客観的に権利侵害が共同でなされれば足り（最三小判昭和32・3・26民集11巻3号543頁）、共同行為者各自の行為が客観的に関連し共同して違法に損害を加えた場合において、各自の行為がそれぞれ独立に不法行為の要件を備えるときは、各自が、上記違法な加害行為と相当因果関係にある全損害について、その賠償の責に任ずべきであるとされている（最三小判昭和43・4・23民集22巻4号964頁〔山王川事件〕）。なお、共同不法行為に当たる場合においては、各不法行為者が責任を負うべき損害額を被害者の被った損害額の一部に限定することはできない（最三小判平成13・3・13民集55巻2号328頁参照）。

共同不法行為者間での責任割合は、各自の過失割合による（最二小判平成3・10・25民集45巻7号1173頁）。

イ 教唆・幇助型

教唆及び幇助は、民事上は、損害填補の観点から、共同行為者とみなされて責任を負う（民法719条2項）。

8 計算鑑定

(1) 計算鑑定人制度の創設の趣旨

ア 制度創設前の状況

ここ十年来、特許権侵害訴訟において、侵害論に要する時間は急速に短縮され、その結果、その審理が迅速化されているところであるが、特許権者の請求を認容すべき事案で、損害賠償請求がある場合には、損害論に入ってから意外に時間がかかるケースが多い。

損害論に関しても、近時、実体法及び手続法に関するいくつかの法改正がなされたが、いわゆる計算鑑定人制度もその1つである。

特許権侵害による損害は、侵害者の行為によって発生するものであるため、損害の範囲や損害を立証することが困難な場合がある。特許法102条

1項ないし3項は、特許権者の受けた損害の額について特別の規定を設けているが、いずれの規定による場合でも、侵害品である被告製品の販売数量の主張立証が不可欠であるし、同条2項の規定による場合には、被告製品の販売に係る利益率の主張立証が必要である。そうすると、原告である特許権者の被った損害額を立証するためには、被告である侵害者が所持する帳簿等の証拠によらなければならない場合が多いことになる。そこで、特許法105条は、民事訴訟法所定の文書提出命令の特則として、損害の計算に必要な書類の提出を定めている。

被告側が任意に提出する場合であっても、あるいは文書提出命令に従って提出する場合であっても、損害論に関し提出される書類の多くは帳簿類や伝票類である。しかも、侵害の期間が長期間にわたる場合など、これが極めて膨大な量になってしまうため、これらの文書を裁判所や代理人弁護士が検討しただけでは、短期間にこれを正確に理解し分析して損害を計算することが複雑で、困難な事案がある。また、提出された書類がコンピュータ管理による帳簿の打出しデータであったり、当該会社に特有の帳簿体系を採用している場合には、文書の記載内容について当該会社の経理担当者の説明を受けることなく部外者である相手方訴訟代理人や裁判所のみでこれを理解するには、膨大な時間を要する上、正確性が担保されないことになる。さらには、提出された文書に対して、民事訴訟法163条所定の当事者照会や鑑定人の発問（民事訴訟規則133条）等の制度を活用しても、相手方が説明に応じない場合には、文書の内容を理解できない場合がある。また、当事者間に感情的な対立があり、原告が被告の開示した資料に不信感を抱いていて損害の額を算定することが困難な事案もあるなど、損害の審理には困難な問題が多々あった。

イ　計算鑑定人制度の創設

そこで、平成11年改正により、損害立証の容易化を目的として、当事者の協力義務を定めた計算鑑定人制度が新設された（特許法105条の2）。この計算鑑定人制度は、損害立証の迅速化と効率化を図るため、会計の専門

家であって中立的な第三者である公認会計士等の鑑定人に、会計帳簿類や伝票類等の証拠資料から販売数量や販売単価、利益率等を鑑定させることにより、当事者の立証負担の軽減を図るために設けられたものである。

　特許法105条の2には、当事者が鑑定人に対し当該鑑定をするため必要な事項について説明しなければならない旨規定されている。同条は、当事者に協力義務を認め、計算鑑定人が迅速かつ的確に鑑定することができるようにし、損害の立証の迅速化及び効率化を図っている。同条に基づき、当事者は、鑑定事項の調査に必要な資料の管理状況や当該資料の内容を理解するために必要な説明をしなければならない。なお、当事者が説明義務に応じなかった場合の制裁措置は、特許法には設けられていない。もっとも、鑑定書には当事者の説明状況を記載すべきであり、仮に、当事者が説明を拒否した場合には、説明義務を尽くさなかったことが鑑定書により明らかになり、弁論の全趣旨として心証に影響を与える場合もあると解される。

　なお、民事訴訟法所定の鑑定においては、鑑定人は、鑑定のため必要があるときは、審理に立ち会い、証人や当事者本人に対する尋問を求め又は直接問いを発することができるにとどまっていた（民事訴訟規則133条）。特許法105条の2の計算鑑定人制度は、当事者による鑑定人への説明義務を定めたところに意義があり、これにより鑑定人が迅速かつ的確に計算することができることを目的としている。すなわち、被告の会社全体としての帳簿体系が不明であると、文書提出命令によって提出された書類が、そのどの部分に当たるか把握できないし、各種帳簿の突き合わせ照合にも困難を伴うが、それらの点について当事者の説明があれば、分析が容易となる。また、帳簿に記載された略語が何を意味するかについても、当事者の説明があれば、分析が容易になる。

(2) 計算鑑定の具体的実施の手順

ア 損害論の審理

　損害論の主張・立証は、まず、原告において、特許法102条1項ないし3項のいずれによるものか、損害に関する法的構成を明らかにした上、その要件事実を主張することになる。そして、そこで具体的に主張された被告製品の販売数量、販売額、利益率等について、被告において具体的に認否する。被告において、被告製品の販売期間を明らかにした上、年度ごとに販売数量、販売額、利益率等についての一覧表を提出する場合に、それが原告の見込みと大きく違わない場合には、原告がその数字を前提とした主張をすること等により、損害の基礎となる数字に争いがなくなり、以後の立証が不要となる場合もある。

　特許法102条1項を基礎として原告側の利益を主張する場合には、これを原告が立証すべきであるし、被告側の販売数量、販売額、利益率等、損害算定の基礎となる数字に争いが残る場合には、被告においてそれを裏付けるのに必要な証拠資料を提出すべきである。被告が任意にこれを開示しない場合には、特許法105条による文書提出命令等の手続を利用することになる。

イ 計算鑑定人の選任まで

　損害額の算定に必要な証拠資料が提出された場合であっても、原告において会計の専門的知識が十分でないために正確な調査分析ができなかったり、これを調査分析するのに膨大な時間を要したりすることがある。このような場合に、当事者は、損害の計算をするため必要な事項についての鑑定を申し立てることができる[108]。

　特許権侵害訴訟の損害額の算定に必要な鑑定を採用する場合、鑑定事項によっては、経済学者が鑑定人になる場合も想定されるが、通常は、会計

---

[108] 従前の、東京地裁における活用状況については、髙部眞規子「計算鑑定人制度活用の実情について」判タ1225号51頁

実務・監査実務・原価計算等広範囲に専門的な実務経験が求められるところから、経理・会計の専門家である公認会計士が選任される。鑑定の申立てがあった場合、裁判所は、日本公認会計士協会の推薦名簿に登載された候補者の中から、被告の業種や規模等を考慮して、鑑定人を選任する。

　計算鑑定を採用するに当たって、まず、裁判所は鑑定人選任予定者に打診し、事案の概要や、計算鑑定の目的・留意点等を説明した上、計算鑑定事項が何かを説明する。そして、対象となる会社との利害関係の有無についても確認した上、当該予定者に鑑定を引き受けるか否かを検討してもらう。

　候補者において鑑定を引き受けることになった場合には、そのためにどの程度の期間を要し、どの程度の費用がかかるかについて、スケジュール表及び見積書等を提出してもらう。

　ウ　計算鑑定の実施

　裁判所は、上記見積額を参考にして、当事者に鑑定費用を予納させた上、鑑定を採用し、鑑定人を選任する。裁判所が計算鑑定人を正式に選任した後は、緊密に連絡を取り合い、特に計算鑑定事項について認識に齟齬が生じないよう注意する必要がある。

　計算鑑定の実施に先立って、鑑定人は、まず、被告会社の事業の概要と計算鑑定の対象となる事業の内容を聴取し、会社案内・決算書・法人税申告書・組織図等の関連資料を収集する。そして、鑑定人は、帳簿体系と勘定科目体系を把握し、計算鑑定の対象と関連する会計帳簿及び伝票類の種類と保管方法を確認する。これらの予備調査から、内部統制制度の整備・運用状況を評価し、調査に必要な会計帳簿・伝票類を決定し、被告会社にその提出を依頼することになる。

　その上で、鑑定人は、被告会社の事務所に出向き、任意に会計帳簿や伝票類等の関係書類の開示を受け、経理担当社員等から説明を受ける。鑑定書中に取引先の具体的な名称等についての記載がない場合であっても、鑑定人は、関係書類の開示を受けている。また、売上げについては、サンプ

ルベースで注文書・出荷記録・入金通帳等と照合したり、外注工程からの受入数についても、サンプルベースで納品伝票と照合するなどして、信憑性を確認している。

計算鑑定人は、このようにして、対象となる会社の業務内容や原価計算制度、書類の整理・保存状況を踏まえた上、侵害品の製造販売の体制ないし取引の形態や、取引条件・会計処理等がどのようになっているかを把握し、その上で、侵害がなければ得られたであろう利益（逸失利益）の額や販売数量、利益率等の鑑定事項を計算することになる。

計算鑑定は、対象となる会社の社内体制や協力関係によって業務の遂行が左右されやすい。すなわち、被告会社がきちんとした会計帳簿を作成保管し、計算鑑定人に対し協力的であるならば、鑑定は比較的容易であろう。もっとも、そのようなケースでは、被告の任意の書類提出により、損害論の主張立証が整理可能であるため、計算鑑定を実施する必要性は必ずしも高くないものと思われる。したがって、計算鑑定が実施される事例では、必ずしも被告における会計帳簿が正確に記載保管されていなかったり、当事者が協力的でない場合もある。

エ　鑑定書の提出

鑑定人は、鑑定採用の際定めた鑑定書提出期限までに、鑑定書を作成して、裁判所に提出する。なお、損害額算定についての法的見解が異なる場合であっても、これが利用できるように、各見解を前提とした算定の基礎となる数字を記載してもらうことが有用である。

鑑定書の記載事項については、当事者双方から意見が出る場合があるが、鑑定書提出後の弁論準備手続期日において、鑑定人に口頭で説明をしてもらったり、補充鑑定書を書面で提出してもらったりする場合もある。

(3) 計算鑑定のメリットと留意点

ア　メリット

計算鑑定のメリットとしては、まず、鑑定結果の信頼性が挙げられる。

すなわち、鑑定人において対象となる会社の担当者から資料の内容についても補充的に説明を受けたり、それ以外の製品の資料と照合して、矛盾点や疑問点を判断し、また会社全体の計算書類についての説明を受けた上で鑑定書を作成しているところから、信頼のできる損害額を計算することができる。このようなことからも、判決に至ったほとんどの事件において、鑑定結果がそのまま採用されている（東京地判平成17・4・8判タ1203号273頁〔水晶振動子事件〕、東京地判平成19・4・24（平成17年㈹第15327号）〔レンズ付フィルムユニット事件〕、東京地判平成22・2・26（平成17年㈹第26473号）〔ゴルフボール事件〕、知財高判平成23・12・22判時2152号69頁〔飛灰事件〕。ただし、東京地判平成19・12・25判時2014号127頁〔マンホール継手事件〕では、計算鑑定で控除されなかった一部の費用を控除して損害額を認定している。）。

　また、当事者双方が互いに不信感を抱いていたり、営業秘密を理由に相手方には会計書類を見せたくないという事案では、第三者的な専門家が入ることにより、無用な摩擦を避け、比較的早期に結論を出すことができる。

　さらに、鑑定に要する約3か月という期間については、評価が分かれるところであろうが、原告代理人が被告から提出された証拠の分析や検討に要する時間を短縮することができ、全体として損害の内容及び額の審理に要する期間が短縮されるという評価も可能であろう。

　イ　留意点

　他方、計算鑑定人制度を利用するに当たっての留意点としては、まず、あらかじめ、裁判所において法的評価を要する事項や損害の範囲等については、いかなる見解をとるのか明確にした上で鑑定人に説明し、共通の認識を持つ必要があり、裁判所と鑑定人との間で、法律上、事実上の問題点について十分な打合せをしておく必要がある。従前、計算鑑定が採用された事例において、被告会社で生産販売する多くの種類の製品のうち、どれが侵害品であるのかについて、必ずしも十分な説明がされていないと見受けられる事案があった。

　筆者自身が担当した事件では、鑑定人から裁判所に対して連絡を密にし

てもらい、鑑定人において疑問が生じたりした都度裁判所に相談等していただき、比較的スムーズに鑑定が行われたという印象である。これを励行すれば、仮に何か問題が生じた場合にも、裁判所から被告代理人を通じて被告会社に是正を求めることもでき、対処に困るようなトラブルが起きることを防止することができよう。

　原告と被告の損害についての主張に開きがあって、被告が会計帳簿等を十分に保管整理していない場合など、原告から見ると、被告が全部の書類を提出していないという不信感につながる。このような場合に、相手方である原告の代理人から鑑定への立会いの希望が出た場合において、どのように対応するかについては、必ずしも統一がとれていない。原告代理人が被告の了解を得て事実上立ち会った事案があったのに対し、代理人が意見を述べたいのにその機会がないために、当事者の納得という観点から問題があったという事案もあったようである[109]。原告の立会いは原則として難しいが、例えば、原告から、製品売上げが仕入れから裏付けられているといえるか、在庫との関係で、本来あるべき売上げが全て計上されているか、原告が知り得た取引先との取引状況が帳簿からも裏付けられるか、預貯金等から未計上の現金取引がうかがわれないか等の具体的な指摘があった場合には、裁判所から鑑定人に対し、留意していただく事項として原告の指摘を伝えておき、現場でそれと矛盾する資料が出ている場合に、その情報をもとに被告担当者に事情を聴くことも考えられる。実際、そのようにして鑑定人がそれらの点に留意して被告会社の内部統制システムや会計記録の妥当性を検討し、問題はないとの鑑定を行った事案もあった。

　　ウ　今後の課題

　計算鑑定人制度は、極めて有用な制度であると考えるが、費用等の問題もあって、全ての事件において活用することができるわけではない。より多くの事案においてこの制度を活用するには、鑑定費用をもう少し低額に

---

[109]　日本公認会計士協会編『知的財産紛争の損害額計算実務』39頁〔大野聖二発言〕

抑えることも検討すべきであろう。

　公平な第三者である専門家による鑑定を行うことにより、双方当事者の不信感をぬぐい、適正迅速な裁判が実現できるよう、更なる工夫をしつつ、訴訟運営することが重要である。

第3章

国際化と特許関係訴訟

I 〔国際裁判管轄〕

1 特許権に関する訴えの裁判管轄

(1) 特許権に関する訴えの渉外性

　企業の経済活動がグローバル化し、国際的な紛争が多発し、渉外的要素を有する事件が増加している。知的財産権訴訟においては、近時特に渉外的要素を有する事件が増加しており、当事者が外国の企業であったり、外国の裁判所において関連する特許紛争が係属していることも珍しくない。また、我が国の裁判所において、外国における行為や外国における特許を受ける権利の承継の対価が問題となったり、外国の特許権の侵害の成否が争われることもある。

　このような渉外的要素を有する民事事件について、いずれの国の裁判所が裁判を行うかが国際裁判管轄の問題である。渉外的要素を有する民事事件について、国際裁判管轄は、我が国の裁判所が特定の事件について審理するかという場面での直接管轄のほか、外国判決の承認に際し、判決国が管轄を有するかという場面で問題となる間接管轄（承認管轄）があるが、まず、主として直接管轄について検討する。国際裁判管轄は、その民事裁判権の枠内で、各国がそれぞれの民事訴訟法上の理念に基づき、自律的に絞りをかけたものということができる。国際裁判管轄が肯定されると、当該訴訟に適用される実質法は法廷地の国際私法により決定され（法廷地国際私法説）、手続法も法廷地の訴訟法が適用される。のみならず、いずれの国の裁判所で本案の審理・裁判がなされるかによって、訴訟追行上の便宜や負担すべき費用のほか、陪審審理など審理の方式・構造等の事情や手続権の保障の程度等が大きく異なる。国際裁判管轄の帰趨いかんによって

は、日本人の原告が我が国での法的救済を拒否され、又は国際裁判管轄の消極的抵触を生じて権利保護の道が途絶する場合や、逆に外国人の被告が我が国での応訴を強いられ、応訴に耐えられない事態に追い込まれる場合など、当事者にとって実際上深刻な意味を持つのみならず、裁判所としても裁判の適正・迅速等の観点から軽視し得ない問題を含む。

国際裁判管轄の存在は、訴訟要件、すなわち本案判決の要件であり、その存否は職権をもって顧慮されるべき職権調査事項であって、管轄原因事実は、弁論主義に服さず、職権でも探知されなければならないとされている。国際裁判管轄は、「国際社会における裁判機能の分担」又は配分の問題であり、実体審理を遂げ、判決を下すという裁判権を正当化する基礎をなすもので、国際的な正当化根拠としての国際裁判管轄が、訴訟要件とされ、また、管轄原因事実が職権調査されるとする理由も、ここにあるとされている。

(2) 属地主義の原則

ア 属地主義の原則の根拠

特許権は、国家の審査や登録という手続によって各国において成立するものである。このことが、特許権に関する訴えの国際裁判管轄及び準拠法を検討する上で、他の訴訟と異なる特徴であり、それゆえに「属地主義の原則」を考慮する必要がある。

属地主義の原則は、明文にはないものの、古くから①パリ条約4条の2の工業所有権独立の原則[1]、②パリ条約2条の内国民待遇[2]、③法の沿革（君主の特権）あるいは産業政策[3]、④知的財産権保護に関する条約の暗黙の前提とされている点[4]、⑤法の適用に関する通則法17条[5]、⑥利益衡量[6]など

---

1 土井輝生「工業所有権」『国際私法講座3』825頁
2 桑田三郎「特許製品の並行輸入問題」AIPPI40巻6号364頁、大友信秀「判批」ジュリ1171号107頁
3 紋谷暢男「知的財産権の国際的保護」『国際私法の争点〔新版〕』25頁

の根拠により、特許権に関する当然の前提とされてきた。

  イ　属地主義の原則の意味

　最三小判平成9・7・1民集51巻6号2299頁〔BBS並行輸入事件〕は、特許権の「属地主義の原則」につき、「各国の特許権が、その成立、移転、効力等につき当該国の法律によって定められ、特許権の効力が当該国の領域内においてのみ認められること」を意味するものであると判示した。最一小判平成14・9・26民集56巻7号1551頁〔FM信号復調装置事件〕は、その前段を言い換え、「各国はその産業政策に基づき発明につきいかなる手続でいかなる効力を付与するかを各国の法律によって規律しており」と判示し、また、その後段を言い換え、「我が国においては、我が国の特許権の効力は我が国の領域内においてのみ認められるにすぎない」と判示している。

　すなわち、属地主義の原則とは、まず第1に、抵触法上の原則を定めたものとして、特許権の成立した国を連結点として準拠法を決定するというルールを意味する。そして、第2に、特許権の効力についての実質法上の原則を定めたものとして、特許権の効力は特許権が成立した国以外に及ばないというルールを意味する。第2のルールは、Xの有するA国特許権をYがA国で侵害する行為は、A国特許権の侵害となるが、他方、Xの有するA国特許権を侵害するに匹敵する行為をB国で行った場合は、A国特許権の効力が及ばないから侵害とならないというA国の内国ルールを意味するものである。

　最一小判平成14・9・26民集56巻7号1551頁〔FM信号復調装置事件〕は、その原判決が、属地主義の原則を上記第1のルールとも第2のルールとも異なるルールとして適用した判断を否定した。すなわち、公法的法律関係の原則を定めたものとしてある国の特許法は他の国家を拘束しないという原判決の考え方を採用しない旨判示したものである。

4　木棚照一『国際工業所有権法の研究』71頁、同『国際知的財産法』363頁
5　齋藤彰「並行輸入による特許権侵害」関大法学研究叢書15冊100頁
6　田村善之『知的財産法〔第5版〕』527頁

2　特許権の有効性・登録に関する訴えの国際裁判管轄

(1) 有効性に関する訴訟

　国家の審査や登録という手続によって発生する特許権等の工業所有権の付与や有効無効に関する訴訟については、当該登録国の専属管轄とされている。特許権等の工業所有権の場合は、同一発明に関するものであっても、各国で行政処分により異なる権利がそれぞれ付与されたものと解されているからである。民事訴訟法3条の5第3項は、「知的財産権のうち設定の登録により発生するものの存否又は効力に関する訴えの管轄権は、その登録が日本においてされたものであるときは、日本の裁判所に専属する」旨規定している。

(2) 登録に関する訴訟

　下級審裁判例において、外国における特許権ないし商標権の登録関係訴訟について、従前、本案判決をした例として、米国特許権の移転登録手続請求を棄却した東京高判平成6・7・20知的裁集26巻2号717頁、ジョルダン・ハシェミット王国商標権の抹消登録手続請求を棄却した東京地判平成16・3・4（平成13年(ワ)第4044号）がある。上記いずれの判決でも、国際裁判管轄が問題とならず、管轄について何らの判断もされていないが、国際裁判管轄の有無は職権調査事項であり、当事者の処分権に委ねられるものではないし、専属管轄であれば、応訴管轄が生じる余地もない（民事訴訟法3条の10）。他方、東京地判平成15・9・26（平成15年(ワ)第14128号）は、米国特許権の返還を求めた事案において、傍論ながら、特許権の移転登録を求める趣旨であると善解したとしても、米国特許権の登録に係る訴えについて我が国の裁判所の国際裁判管轄を認める余地はないとしている。

　私人間の移転登録手続訴訟の中には、売買契約や営業譲渡契約に基づく請求であって、国家の関与が薄いものもある。そうすると、そのような訴訟に関しては、承認執行の問題を別にすると、専属管轄とする必要性が必

ずしも強くはないことから、専属管轄に反対する見解もある[7]。

しかしながら、民事訴訟法3条の5第2項においては、「登記又は登録に関する訴えの管轄権は、登記又は登録をすべき地が日本国内にあるときは、日本の裁判所に専属する」と規定して、不動産の登記と特許権の登録が同列に扱われることになったから、外国特許権の登録請求は、専属管轄違反として却下を免れない。

3 特許権侵害訴訟の国際裁判管轄

(1) 学説・判例

国際裁判管轄に関しては、ある渉外事件につき、いずれの国の裁判所で裁判をするのが当事者間の公平や裁判の適正・迅速の理念に適うか、また渉外的な私法関係に関する権利保護の適正に資するか等の視点からなされる、国際的規模での裁判管轄の場所的配分という基本認識に立って、決定されている（管轄配分説）。国際裁判管轄の具体的な決定について、近時の学説は、基本的に管轄配分説の認識に立ちながら、修正逆推知説、修正類推説、利益衡量説と分かれている。

判例は、「我が国の民訴法の規定する裁判籍のいずれかが我が国内にあるときは、原則として、我が国の裁判所に提起された訴訟事件につき、被告を我が国の裁判籍に服させるのが相当であるが、我が国で裁判を行うことが当事者間の公平、裁判の適正・迅速を期するという理念に反する特段の事情があると認められる場合には、我が国の国際裁判管轄を否定すべきである。」との基本的立場をとっている（最二小判昭和56・10・16民集35巻7号1224頁〔マレーシア航空事件〕、最二小判平成8・6・24民集50巻7号1451頁、最三小判平成9・11・11民集51巻10号4055頁）。

我が国の民事訴訟法の規定する裁判籍は、土地と事件との間に、当該裁

---

[7] 「座談会　知的財産実務にみる国際裁判管轄」L&T48号4頁〔大野聖二発言・末吉亙発言〕

判所で裁判することを正当付け、合理性を認め得る結びつきがあるものとして定められている。したがって、我が国内にこのような裁判籍が認められることは、原則として、当該事件と我が国との間に上記のような法的関連が存在することを示す徴表ということができよう。民事訴訟法第2章第1節においても、同様の考え方によって国際裁判管轄が規定されている。

(2) 特許権侵害訴訟の国際裁判管轄

権利の登録や有効性を目的とする手続とは異なり、特許権の侵害訴訟について、登録国の専属管轄とすべきか否かについては意見が分かれている[8]。

すなわち、侵害訴訟については、かつては、外国特許権の侵害訴訟の国際裁判管轄を否定する見解も見られ、現在でも立法論として登録国の専属管轄にすべきであるとの見解もある。

しかし、現在では、国際的に見ても、外国特許権の侵害訴訟につき、登録国の専属管轄と解することなく、国際裁判管轄を肯定する見解が有力である。判例の立場も同様であり、最一小判平成14・9・26民集56巻7号1551頁〔FM信号復調装置事件〕は、日本人と日本企業同士の外国特許権の侵害訴訟について、我が国の国際裁判管轄を肯定することを前提に判断したものである[9]。東京地判平成15・10・16判時1874号23頁〔サンゴ化石粉末事件〕も、日本法人に対する米国特許権に基づく差止請求権不存在確認請求訴訟について、我が国の国際裁判管轄を肯定した。

平成23年の民事訴訟法改正においても、特許権侵害訴訟の国際裁判管轄については規定が置かれなかった。したがって、通常の民事訴訟と同様の枠組みにより、国際裁判管轄を決定することになるから、(i)被告の普通裁判籍が我が国にある場合(民事訴訟法3条の2)、(ii)合意管轄(同法3条の7)

---

[8] 知的財産研究所『知的財産紛争を巡る国際的な諸課題に関する調査研究報告書』
[9] 高部眞規子「特許権等登録を要する知的財産権に関する訴訟の国際裁判管轄」知的財産研究所『知的財産紛争を巡る国際的な諸課題に関する調査研究報告書』64頁

又は応訴管轄（同法3条の8）が認められる場合、(iii)被告が日本に事務所又は営業所を有する場合でその事務所又は営業所の業務に関する場合（同法3条の3第4号）、(iv)被告が日本において事業を行う者で、日本における業務に関する場合（同条第5号）などには、我が国の裁判所の国際裁判管轄が肯定される。

上記(iv)は、被告が日本に事務所又は営業所を有しない外国法人であっても、例えば、日本からアクセスが可能なインターネット上のウェブサイトを開設して日本の法人や個人に対して製品を販売した場合等に、当該ウェブサイトが日本語で記載されているか、日本から申込みをできるか、製品を日本に送付することが可能か、事業者と日本の法人との取引実績等を総合考慮して、適用することが可能である[10]。

それ以外に特許権侵害訴訟において適用可能な裁判籍は、(v)不法行為地の裁判籍（同法3条の3第8号）及び(vi)併合請求の裁判籍（同法3条の6）である。この2つについては、最二小判平成13・6・8民集55巻4号727頁〔円谷プロダクション事件〕において重要な判断がなされており、その判断は、改正民事訴訟法においても妥当するとされているので[11]、以下に敷衍して説明する。

(3) 不法行為地の裁判籍について

ア　管轄原因と請求原因の符合

民事訴訟法3条の3第8号は、不法行為訴訟について不法行為地に裁判籍を認めている。上記規定の合理性は、事件との近接から証拠方法が集中しその収集が容易であることに求められる。そのほかにも、加害者の予測可能性を越えていないこと、被害者が提訴しやすい国に管轄原因を認めてその保護を図るべきこと、不法行為地国の公的秩序に関係することも、合理性の根拠として挙げられている。

10　佐藤達文ほか編『一問一答平成23年民事訴訟法等改正』57頁
11　佐藤達文ほか編『一問一答平成23年民事訴訟法等改正』71頁

不法行為地には、原因行為のあった地のみならず結果（損害）の発生地がある。不法行為が複数の国にまたがるいわゆる隔地的不法行為の場合には、原則として、そのいずれも不法行為地に当たると解されている。

　我が国の裁判所が国際裁判管轄を行使するためには、管轄原因事実が我が国にあることが証明されていなければならず、それは、職権調査事項である。その管轄原因事実が、例えば、被告の住所の存在であるような場合には、解釈上の困難な問題が生じることはない。これに対し、上記の不法行為地については、不法行為があったか否かが本案の審理事項であるため、管轄についての判断と本案の判断とが符合する。それゆえ、不法行為地の裁判籍が認められるためには、何をどの程度証明すべきかが問題となる。

　イ　学説・裁判例

　従前、不法行為の裁判籍を根拠とする国際裁判管轄の場合は、さまざまな学説が主張されており、下級審裁判例も分かれていた。

　(ア)　管轄原因仮定説（有理性説）

　原告が請求を理由付けるために主張した事実が存在するものと仮定して、管轄を肯定する見解である[12]（東京地判平成元・3・27判時1318号82頁）。原告の主張に有理性（首尾一貫している主張）があるかにより判断し、原告の主張それ自体理由がないとか何らの根拠がないことが明らかな場合を除き、不法行為がなされたと仮定し、不法行為地が我が国であるか否かについてのみ立証を必要とし、それ以外の証拠調べを要することなく、管轄を肯定する。

　しかし、この見解は、我が国との間に何らの法的関連が実在しない事件についてまで被告に我が国での応訴を強いる場合が生じ得ることになって、不当である。

　(イ)　管轄原因証明必要説

　仮定説とは対極的に、管轄原因事実（不法行為の成立要件）の証明が必要

12　渡辺惺之「判批」『昭和59年度重要判例解説』ジュリ838号291頁、岡野祐子「判批」『平成8年度重要判例解説』ジュリ1113号284頁

であるとする見解が考えられる。

　しかし、この見解は、訴訟要件たる管轄の有無の判断が本案審理を行う論理的前提であるという訴訟制度の基本構造に反する。国際裁判管轄の存在が訴訟要件であり、少なくとも論理的に本案審理に入るための前提であることからすれば、国際裁判管轄を肯定するために不法行為の存在を確定しなければならないとすることは矛盾であろう。不法行為の成立要件の全てを立証させると、本案についての請求原因事実の立証をさせるのと同じになり、被告の側も結局反証を強いられてかえって被告の保護にならない。そして、不法行為の要件事実の全てが証明されなければ、不法行為地としての我が国に法的関連がないということはできないのであって、証明の程度を緩和する一応の証明必要説と、証明の対象を緩和する客観的事実証明説が登場した。

　㈦　管轄原因審理説（一応の証明必要説）

　管轄原因事実につき一応の証明が必要であり、管轄原因について擬制自白の適用はなく、一応の証明がなされない場合には、訴えを却下するという見解である。従来の多数説であり、下級審裁判例の主流とされていた。

　一応の証明必要説をとる学説・裁判例のうち、証明の程度については、①「実体審理を必要ならしめる程度の心証を持つに至る場合」とする見解[13]（東京地判昭和59・3・27判時1113号26頁、東京地判平成7・4・25判時1561号84頁）、②「被告を当該法廷の審理のため呼び出しても被告にとって不当な負担を強いることにならない程度」とする見解[14]、③「被告を我が国で本案につき応訴させてよい合理性が出てくる程度」とする見解[15]（東京地判平成7・3・17判時1569号83頁）、④「疎明程度の一応の証明」とする見解[16]

---

[13]　小原喜雄「判批」ジュリ852号227頁、『注釈民事訴訟法⑴』141頁〔道垣内正人〕、神前禎「判批」ジュリ1118号131頁

[14]　後藤明史「判批」ジュリ580号142頁、平塚真「判批」『昭和49年度重要判例解説』ジュリ590号230頁、道垣内正人「判批」判例評論310号45頁

[15]　高橋宏志「国際裁判管轄権」澤木敬郎ほか編『国際民事訴訟法の理論』31頁、松岡博「判批」リマークス1990年274頁

等の諸説がある。

　しかし、不法行為の存在又は不存在を一応の証明によって判断するというのでは、その証明の程度の基準が不明確であって、本来の証明に比し、裁判所間の判断が平準され難く、当事者ことに外国にある被告がその結果を予測することも著しく困難となり、かえって不相当である。国際裁判管轄の決定には、明確性及び予測可能性が重要であるところ、一応の証明必要説は、その証明の程度が定かでない点において問題がある。また、それ以外の裁判籍（例えば、手形又は小切手の支払地、船舶の船籍の所在地、船舶の所在地）については、これを証明する必要があるのに対し、管轄原因事実と請求原因事実とが符合する不法行為地の裁判籍に限って、管轄原因事実の証明の程度を「一応の証明」で足りるとするのはバランスを欠くといわざるを得ない。

　⑷　管轄原因審理説（客観的事実証明説）

　客観的事実証明説をとる学説のうち、立証すべき事実については、①「不法行為に該当する加害行為（又は侵害行為）であると原告が評価するような行為があったこと」とする見解[17]、②「不法行為と評価されることにつながる事象経過（原因発生地の場合）又はこれによる損害発生の事実（結果発生地の場合）」とする見解[18]、③「不法行為と主張されている行為が当該管轄区域内で行われたこと又は不法行為と主張されている行為に基づく損害が当該管轄区域内で生じたこと」とする見解[19]等の諸説がある。

　ウ　最高裁の立場

　最二小判平成13・6・8民集55巻4号727頁〔円谷プロダクション事件〕は、「我が国に住所等を有しない被告に対し提起された不法行為に基づく損害

16　小林秀之「外国判決の承認・執行についての一考察—米国判決を例として」判タ467号21頁
17　山田恒久「渉外的要素を含む不法行為訴訟の管轄の主張と立証」『伊東古稀』285頁
18　森勇「土地管轄および国際裁判管轄原因が請求原因と符合する場合における管轄審査」『中村古稀』343頁、越山和広「判批」判例評論456号204頁、高橋宏志「国際裁判管轄における原因符合」『原井古稀』312頁
19　『注解民事訴訟法(5)〔第2版〕』449頁〔山本和彦〕

賠償請求訴訟につき、民訴法の不法行為地の裁判籍の規定に依拠して我が国の裁判所の国際裁判管轄を肯定するためには、原則として、被告が我が国においてした行為により原告の法益について損害が生じたとの客観的事実関係が証明されれば足りる。」と判示して、近時の有力説である客観的事実証明説を採用することを明らかにした。その理由として、(i)この事実関係の存在が証明されれば、通常、被告を本案につき応訴させることに合理的な理由があること、(ii)国際社会における裁判機能の分配の観点から見ても、我が国の裁判権の行使を正当とするに十分な法的関連があるということができることを挙げている。

また、間接管轄に関するものであるが、最一小判平成26・4・24民集68巻4号329頁〔眉トリートメント事件〕において、差止請求の場合は、「被告が原告の権利利益を侵害する行為を同国内で行うおそれがあるか、原告の権利利益が同国内で侵害されるおそれがあるとの客観的事実関係」が証明されれば足りると判示された。

　エ　証明すべき事項
　(ア)　損害賠償請求の場合

損害賠償請求の場合に不法行為地の裁判籍について証明すべき事項を、要件事実に分説すれば、以下のとおりである。

(a)　原告の被侵害利益の存在
(b)　被侵害利益に対する被告の行為
(c)　損害の発生
(d)　上記(b)と上記(c)との因果関係

以上のとおり、国際裁判管轄の場面では、上記(a)ないし(d)が証明されれば足り、不法行為の要件事実のうち、故意過失や違法性の立証を管轄の段階では必要としないこととしたものである。まして、本案の抗弁となる違法性阻却事由がないことは管轄の審理において問題となり得ない。したがって、例えば、被告が具体的な製品を製造販売しているという客観的事実が上記(b)の行為に当たり、それが原告の特許権を侵害するか否かは、違

法性の問題として、本案の審理において行うべきである。また、上記(c)の損害は、法益侵害と評価され得る結果、すなわち損害発生の原因となり得る事実であり、具体的に特定された金銭損害の発生をも意味するものではない。さらに、上記(d)の因果関係についても、事実的因果関係で足り、相当因果関係の立証は、本案の審理において行う趣旨であろう[20]。

不法行為地には、①原因行為のあった地のみならず、②結果（損害）の発生地がある。①の原因行為地が我が国である場合は、上記(a)、(b)、(c)、(d)の事実を立証し、かつ、(b)の行為地が我が国であることの立証があれば足りるということになろう。他方、②の結果発生地が我が国である場合は、上記(a)、(b)、(c)、(d)の事実を立証し、かつ、(c)の損害発生地が我が国であることの立証があれば足りる。

したがって、例えば、特許権侵害に基づく損害賠償請求訴訟においては、以下の事実を証明できれば、日本の裁判所に国際裁判管轄が認められ、被告製品が特許発明の技術的範囲に属するか否かの点や、行為と損害との相当因果関係は、本来の審理において行われるべきであろう。

(a) 原告が日本における特許権を有すること
(b) 被告が、対象製品を日本において製造販売していること
(c) 原告の同種商品の販売量が減少したこと
(d) 被告の(b)の行為により原告に(c)の損害が発生したこと

なお、損害発生地については、これを無制限に不法行為地と認めるときは、加害者が予見不可能な地（国）での応訴を強いられる結果になり得るので、一定の条件付きで認めるべきである。例えば、ここでいう「損害」の中に二次的・派生的な経済上の損害まで含めると損害発生地が際限なく広がる危険があるので、直接的な損害に限るべきであろう[21]（東京地判平成18・10・31判タ1241号338頁）。そこで、民事訴訟法3条の3第8号は、括弧書において、「外国で行われた加害行為の結果が日本国内で発生した場

---

20 髙部眞規子「判解」最高裁判所判例解説民事篇〔平成13年度〕〔16〕事件
21 髙橋宏志「国際裁判管轄権」澤木敬郎ほか編『国際民事訴訟法の理論』31頁

合において、日本国内におけるその結果の発生が通常予見することのできないものであったときを除く」と規定している。括弧書については、当事者間の衡平を図る観点から、加害行為者、行為の性質・態様、被害発生の状況等を総合して客観的、類型的に判断すべきである[22]。よって、原告が結果発生地を根拠に国際裁判管轄を肯定するために必要な事実を証明しても、被告において、「日本国内におけるその結果の発生が通常予見することのできないものであったこと」を立証すれば、我が国の国際裁判管轄を否定することになる。

(イ) 差止請求の場合

差止請求の要件事実は、以下のとおりである。

(a) 原告の被侵害利益の存在

(b) 被告が被侵害利益に対する侵害行為を行うおそれがあること

そして、最一小判平成26・4・24民集68巻4号329頁〔眉トリートメント事件〕は、間接管轄について、①被告が原告の権利利益を侵害する行為を判決国内で行うおそれがあるか、又は②原告の権利利益が同国内で侵害されるおそれがあることを証明すべきであるという。

同判決では、「侵害」という言葉が用いられている。同判決が最二小判平成13・6・8民集55巻4号727頁〔円谷プロダクション事件〕を引用し、これと「別異に解する必要はない」としていることからすると、違法性については、本案に委ねる趣旨とも考えられる。もっとも、間接管轄に関しては、違法性まで証明させるべきであるとの見解も有力である。

特許権侵害訴訟において差止請求の国際裁判管轄（直接管轄）が認められるためには、

(a) 原告が日本における特許権を有すること

(b) 被告が上記特許権に関する行為を日本で行うおそれがあること

を証明すべきことになる。

---

[22] 佐藤達文ほか編『一問一答平成23年民事訴訟法等改正』71頁

なお、最一小判平成14・9・26民集56巻7号1551頁〔FM信号復調装置事件〕の考え方によれば、日本の特許権の侵害が問題になる場合に、被告の予想される行為が日本で行われるのではない場合（上記①が成り立たない場合）には、上記②のおそれを認める余地はないように思われる。

被告が製造しようとしている製品が原告の特許発明の技術的範囲に属するか否かの請求原因事実や、当該特許発明を実施する行為に特許権の効力が及ぶか否か、また実施権があるか否か、といった抗弁事由については、本案の審理において行われるべきであろう。

(4) 併合請求の裁判籍について

ア　学説・判例

客観的併合の場合、かつては、1つの請求について我が国に国際裁判管轄があれば、原告の起訴の便宜に適い、被告もいずれにせよ応訴を余儀なくされているのであれば、他の請求について管轄を認めても著しい不利益にはならないとして、特段の要件なく無限定にこれを肯定する見解もあった[23]。しかし、同一当事者間のある請求について我が国の裁判所の国際裁判管轄が肯定されるとしても、これと密接な関係のない請求を併合することは、国際社会における裁判機能の合理的な分配の観点から見て相当ではない。また、これにより裁判が複雑長期化するおそれがある。

そこで、近時は、国際的訴訟における管轄問題の重要性及び恣意的な併合による管轄詐取のおそれを考慮し、一定の関連性を要求する見解が有力であり[24]（東京地判平成10・11・27判タ1037号235頁）、最二小判平成13・6・8民集55巻4号727頁〔円谷プロダクション事件〕は、「ある管轄原因により我が国の裁判所の国際裁判管轄が肯定される請求の当事者間における他の請求につき、民訴法の併合請求の裁判籍の規定に依拠して我が国の裁判所

---

[23] 池原季雄「国際的裁判管轄権」新実務民訴講座『国際民事訴訟・会社訴訟』3頁
[24] 長瀬弘毅「裁判管轄(2)」裁判実務大系『渉外訴訟法』28頁、野村美明「判批」『昭和63年度重要判例解説』ジュリ935号265頁

の国際裁判管轄を肯定するためには、両請求間に密接な関係が認められることを要する。」旨判示した。

そして、民事訴訟法3条の6においても、「密接な関連があるときに限り」併合請求の裁判籍を肯定する旨規定されることになった。密接な関連を要求した理由として、①国際的な事案では被告の応訴の負担が大きく、国際裁判管轄が認められる請求とは関連性のない請求についてまで、法令や言語の異なる他国の裁判所で応訴することを求めるのは酷であること、②争点が異なるため審理の長期化を招くおそれがあること、を挙げている[25]。

イ 関連性の程度

関連性の程度については、①「訴えの変更に準じ請求の基礎の同一性を基準とする」とする見解[26]（東京地判平成元・6・19判タ703号246頁）、②「紛争の合理的な解決のために統一的な裁判により判決の内容上の齟齬を避ける必要性が高い場合」とする見解[27]等の諸説がある。

そこで、どの程度の関連性があれば併合請求の裁判籍が認められる「密接な関連」といえるかが問題となる。最二小判平成13・6・8民集55巻4号727頁〔円谷プロダクション事件〕は、同一の著作物の著作権の帰属ないしその独占的利用権の有無をめぐる紛争として、実質的に争点を同じくしていることを例示している。同判決は、この程度の関連性があれば、併合請求の裁判籍による国際裁判管轄を認める趣旨であろう[28]。

「密接な関連」の有無は、併合する請求と併合される請求との関連性、その請求の基礎となる事実関係の関連性等を総合的に考慮して、日本の裁判所において同一訴訟手続で審理されるべきか否かという観点から判断されるべきである[29]。

---

25 佐藤達文ほか編『一問一答平成23年民事訴訟法等改正』119頁
26 木棚照一ほか『国際私法概論〔第4版〕』269頁
27 渡辺惺之「判批」ジュリ1223号106頁
28 髙部眞規子「判解」最高裁判所判例解説民事篇〔平成13年度〕〔16〕事件
29 佐藤達文ほか編『一問一答平成23年民事訴訟法等改正』119頁

ウ　主観的併合

　なお、主観的併合の場合については、別個の考慮が必要であり、客観的併合に関する上記最高裁判決の判示するところではない。

　最三小判平成10・4・28民集52巻3号853頁〔サドワニ事件〕は、間接管轄に関してであるが、甲及び甲が代表者を務める乙会社とAとの間の起訴契約に基づき、Aが丙に対して香港の裁判所に保証債務の履行を求める第1訴訟を提起したところ、丙が、第1訴訟が認容された場合に備えて、甲に対して根抵当権の代位行使ができることの確認を求める第2訴訟を、甲及び乙会社に対して求償請求ができることの確認を求める第3訴訟を提起し、第1訴訟及び第2訴訟については香港に国際裁判管轄が存在するなど判示の事実関係の下においては、第3訴訟については、民事訴訟法7条の規定の趣旨に照らし、第2訴訟との間の併合請求の裁判籍が香港に存在することを肯認して、香港の裁判所のした判決を我が国で承認することが、当事者間の公平、裁判の適正・迅速の理念に合致し、条理にかなうものであるとして、管轄を肯定した[30]。

　民事訴訟法3条の6ただし書においては、「38条前段に定める場合に限る」とされている。併合される被告にとっての応訴の負担が大きいことから、その要件を厳格にすべきであるが、同法38条前段の要件は十分に厳格であり、これをさらに限定すると適切な範囲を画することが難しく、訴訟の目的につき合一にのみ確定すべき場合という要件を課するのは、関連性を有する紛争について同一訴訟手続で審理する要請に照らすと厳格すぎるためである[31]。

(5) 特許権侵害訴訟の国際裁判管轄

　以上によれば、特許権侵害訴訟は、(i)被告の普通裁判籍が我が国にある場合、(ii)合意管轄又は応訴管轄が認められる場合、(iii)被告が日本に事務所

30　河邉義典「判解」最高裁判所判例解説民事篇〔平成10年度〕〔19〕事件
31　佐藤達文ほか編『一問一答平成23年民事訴訟法等改正』119頁

又は営業所を有する場合でその事務所の業務に関する場合、(iv)被告が日本において事業を行う者で、日本の業務に関する場合等に、特別の事情がない限り、我が国の裁判所に国際裁判管轄を認めることができよう。また、我が国の特許権の侵害が問題となる場合には、通常、被告の実施行為が我が国において行われ、我が国の特許権が侵害されることによる損害が発生するから、不法行為地の裁判籍によって、特別の事情がない限り、我が国の裁判所に国際裁判管轄を認めることができよう。

他方、外国特許権に基づく侵害訴訟であっても、上記(i)ないし(iv)の場合に、特別の事情がない限り、我が国の裁判所の国際裁判管轄を肯定することができる。外国特許権の侵害が問題となる場合は、最一小判平成14・9・26民集56巻7号1551頁〔FM信号復調装置事件〕の考え方によれば、被告が我が国においてした行為により原告の法益（外国特許権）について損害が生じたとの客観的事実関係が証明されるのは、困難というべきであるから、不法行為地の裁判籍を根拠として我が国に国際裁判管轄を肯定するのは難しい場合が多かろう。また、併合請求の裁判籍については、我が国の特許権侵害訴訟と対応する外国特許権侵害が併合して請求される場合が考えられる。この場合は、それぞれの国の法律を準拠法として、特許独立の原則によるそれぞれの特許権についてクレーム解釈や無効の判断をすべきことになるが、国際裁判管轄を否定する必要はないと思われる。

(6) 外国にある者を当事者とする場合の留意点

ア　原告の場合

外国企業が原告となって、我が国の裁判所に訴訟を提起するときは、外国企業の法人資格証明書・委任状及びそれらの訳文を提出する必要がある。

イ　被告の場合

外国にある者を被告として、我が国の裁判所に訴訟を提起するときも、法人であれば同様に当該企業の資格証明書及びその訳文が必要である。

また、外国にいる当事者への裁判書類の送達は、「民事訴訟手続に関す

る条約」、「民事又は商事に関する裁判上及び裁判外の文書の外国における送達及び告知に関する条約」及びその実施に伴う「民事訴訟手続に関する条約等の実施に伴う民事訴訟手続の特例等に関する法律」等が根拠となる。

　具体的には、領事送達、指定当局送達、中央当局送達、民訴条約に基づく外交上の経路による送達、管轄裁判所送達がある。実務上もっとも利用される領事送達は、受訴裁判所、最高裁判所、外務省を経て日本の領事館に転送され、領事官が自ら送達実施機関となり外国国内において相手方に対する送達を実施する。この場合に相手方が日本語を解する場合には翻訳文の添付は不要であるが、任意の送達しかできないので、相手方が受領を拒んだ場合は、改めて強制的な送達手続を行う必要がある。

　送達条約に基づく中央当局送達は、外国の中央当局に対し要請して送達を行い、強制的な送達手続をとることができ、受訴裁判所、最高裁判所、相手方の中央当局に転送される。民訴条約に基づく指定当局送達は、受訴裁判所、最高裁判所、外務省を経て日本の領事館に転送され、領事官から指定当局に送達が要請され、受託当局が送達を実施する。いずれの場合も、翻訳文が必要である。

　しかも、訴状の送達には、国にもよるが、4ないし12か月を要することがあり、第1回口頭弁論期日も、それを見越した時期に指定されることに留意が必要である。被告が複数であり、そのうちの一部の者が外国にある場合には、訴訟を全体として進行することができず、一部の被告についてのみ訴訟を進行させ、外国にある被告との関係については、手続を分離せざるを得ない場合もあり、その分、手続の遅延を来す可能性がある。

　常にそのような手続をとることが可能か否かは別として、例えば、我が国の裁判所における管轄を合意した上、あらかじめ代理人として日本の弁護士を選任してもらうことが可能であれば、訴状等を当該代理人に送達することができ、外国への送達を要しないため、上記のような不都合を回避することも可能であろう。

　なお、合意の方式については、一定の法律関係に基づく訴えに関し、か

つ、書面でしなければ、その効力を生じない（民事訴訟法3条の7第2項）。国際的裁判管轄の合意は、両当事者の署名のある書面によってされることを要せず、特定国の裁判所を管轄裁判所として明示的に指定する当事者の一方が作成した書面に基づいて締結されれば足りる。ある訴訟事件について我が国の裁判権を排除し特定の外国の裁判所を第1審の専属的管轄裁判所と指定する国際的専属的裁判管轄の合意は、当該事件が我が国の裁判権に専属的に服するものではなく、かつ、指定された外国の裁判所がその外国法上当該事件につき管轄権を有する場合には、原則として有効であり、その外国法上上記合意が有効とされること又は当該外国裁判所の判決につき相互の保証のあることを要しない（最三小判昭和50・11・28民集29巻10号1554頁）。

4　外国判決の承認執行と間接管轄

(1)　承認執行の要件

外国判決について執行判決を得るためには、民事訴訟法118条各号に掲げる要件を具備する必要がある。すなわち、

①　法令又は条約により外国裁判所の裁判権が認められること（民事訴訟法118条1号）

②　敗訴の被告が訴訟の開始に必要な呼出し若しくは命令の送達（公示送達その他これに類する送達を除く。）を受けたこと又はこれを受けなかったが応訴したこと（同条2号）

③　判決の内容及び訴訟手続が日本における公の秩序又は善良の風俗に反しないこと（同条3号）

④　相互の保証があること（同条4号）

国内で提起された渉外的要素を含む訴訟において問題になる国際裁判管轄を「直接管轄」というのに対し、上記①で問題になる国際裁判管轄は、「間接管轄（承認管轄）」と呼ばれる。民事訴訟法118条1号は、このような

間接管轄が認められることを外国判決の承認執行の要件としており、我が国の国際民事訴訟法の原則から見て、当該外国裁判所の属する国（判決国）がその事件について国際裁判管轄を有すると積極的に認められることが必要である。

(2) 間接管轄の判断基準

ア　民事訴訟法は、平成23年改正により、国際裁判管轄の規定を新設した（同法3条の2以下）。ただし、これらの規定は、直接管轄についてのもので、間接管轄についての規定はない[32]。

ところで、間接管轄については、従前、最三小判平成10・4・28民集52巻3号853頁〔サドワニ事件〕が、当事者間の公平、裁判の適正・迅速を期するという理念により、条理に従って決定するのが相当であるとした上、「具体的には、基本的に我が国の民事訴訟法の定める土地管轄に関する規定に準拠しつつ、個々の事案における具体的事情に即して、当該外国判決を我が国が承認するのが適当か否かという観点から、条理に照らして」判断すべきものとしていた。

最一小判平成26・4・24民集68巻4号329頁〔眉トリートメント事件〕は、平成23年改正後においても、サドワニ事件最高裁判決の基準を踏襲することを明らかにしたものである。

イ　従前、直接管轄と間接管轄は、原則として一致するという「鏡像理論」が一般的であったが、近時は、間接管轄は直接管轄と必ずしも一致する必要がないとする学説が有力である[33]。

一致する必要がないという意味は、具体的には、「条理に照らして」間接管轄の方が直接管轄より広い場合があれば、狭い場合もあるという趣旨

---

[32] 佐藤達文ほか編『一問一答平成23年民事訴訟法等改正』18頁は、平成23年改正は、間接管轄の判断枠組みを改めようとするものではなく、ただ、具体的事案において間接管轄の有無を判断するに当たっては直接管轄の規定が参考にされるべきことから、その限度で影響するにすぎないとする。

であると思われる。間接管轄の方が狭い場合としては、事件と判決国の関連性が希薄であり、被告に管轄に服するように強いることを正当化することができない場合を排除する機能を有するものと考えられる。また、間接管轄の方が広い場合としては、管轄原因が認められないような場合であっても、国際的に見て当該判決国の管轄を否定すると、いずれの国にも管轄が認められないような裁判拒否の結果になるような場合に、特別の事情として考えられるともいわれている。

　ウ　よって、間接管轄の有無については、基本的に「我が国の民事訴訟法の定める国際裁判管轄に関する規定に準拠し、条理に照らして」決することになる。

(3)　特許権侵害訴訟に係る外国判決についての間接管轄

　ア　管轄原因

　特許権侵害訴訟について、間接管轄を肯定する原因としては、以下の国際裁判管轄に関する規定に準拠し、条理に照らして判断される。

（ⅰ）　被告の普通裁判籍が判決国にある場合（民事訴訟法3条の2）

（ⅱ）　合意管轄（同法3条の7）又は応訴管轄（同法3条の8）が判決国に認められる場合

（ⅲ）　被告が判決国に事務所又は営業所を有する場合でその事務所又は営業所の業務に関する場合（同法3条の3第4号）

（ⅳ）　被告が判決国において事業を行う者で、判決国における業務に関する場合（同条第5号）

（ⅴ）　不法行為地の裁判籍が判決国に認められる場合（同条第8号）

（ⅵ）　併合請求の裁判籍が判決国に認められる場合（同法3条の6）

33　直接管轄と同一の基準により決するべきであるとするのは、道垣内正人「判批」『民事執行・保全判例百選〔第2版〕』14頁。一致する必要がないとするのは、河邉義典「判解」最高裁判所判例解説民事篇〔平成10年度〕〔19〕事件、多田望「判批」『国際私法判例百選〔第2版〕』219頁、安達栄司「判批」ジュリ1440号317頁、木棚照一「知的財産権侵害訴訟に関する国際裁判管轄権」特許研究53号37頁。

イ　不法行為地

(ｱ)　損害賠償請求の場合

間接管轄についても、最二小判平成13・6・8民集55巻4号727頁〔円谷プロダクション事件〕によれば、不法行為の要件事実（請求原因事実）のうち、

(a)　原告の被侵害利益の存在

(b)　被侵害利益に対する被告の（侵害）行為

(c)　損害の発生

(d)　(b)と(c)との事実的因果関係

に加えて、(b)又は(c)が判決国であることが証明されれば、間接管轄を肯定することができよう[34]。

(ｲ)　差止請求の場合

また、差止請求については、最一小判平成26・4・24民集68巻4号329頁〔眉トリートメント事件〕によれば、被告が原告の権利利益を侵害する行為を同国内で行うおそれがあるか、原告の権利利益が同国内で侵害されるおそれがあるとの客観的事実関係が証明されれば足りる。

これを分説すると、

(a)　原告の被侵害利益の存在

(b)　被告が原告の権利利益を侵害する行為を判決国で行うおそれ

又は　原告の権利利益が判決国で侵害されるおそれ

が証明されれば足りる、ということになる。

違法性の問題は、直接管轄においては、管轄のレベルではなく、本案において審理判断すべきものとされている円谷プロダクション事件最高裁判決と異なり、「侵害」という文言が使われていることに照らすと、違法性も証明すべき趣旨であるとも考えられる[35]。他方、円谷プロダクション事件最高裁判決と「別異に解するのは相当でない」と判示されているところからすると、間接管轄の判断でも、故意過失や違法性についての証明まで

---

[34]　髙部眞規子「判解」最高裁判所判例解説民事篇〔平成13年度〕〔16〕事件
[35]　中野俊一郎「判批」判例評論672号20頁

は求めない趣旨とも解される[36]。

(ウ) 主張の要否

なお、以上は、証明すべき事実について述べたが、不法行為地の裁判籍の場合に、客観的事実関係についての当事者の主張をどのように捉えるべきかが問題になる。直接管轄の場面では、通常は、不法行為についての客観的事実関係は、差止請求や損害賠償請求の請求原因に現れてくる事実であろうから、管轄の審理のレベルで主張の要否を論ずる必要性は少ないかもしれない。

他方、間接管轄の場合における不法行為管轄で、当事者の主張の要否をどのように捉えるべきであろうか。外国判決を承認するための要件たる判決国の国際裁判管轄が、当事者の主張が不要な職権調査事項であるとすると、防御する側の立場からは、不意打ちになりかねないし、有効な反証を提出できないおそれがある。そして、直接管轄の場合の(b)被侵害利益に対する被告の(侵害)行為が我が国で行われたこと又は(c)損害が我が国で発生したことは、原告の主張（請求原因事実）に現れていることとの対比から、間接管轄の場合にもそれが判決国であることを主張させ、また、それが「おそれ」の場合にも、原告側が、少なくとも、上記被告が原告の権利利益を侵害する行為を判決国で行うおそれ又は原告の権利利益が判決国で侵害されるおそれ、という客観的事実関係を主張することが必要と解すべきではなかろうか。敗訴被告の利益保護の観点から、承認国の裁判所としては不法行為の客観的事実の主張立証を求めるべきであろう。特に、直接管轄と異なり、主張立証が尽くされ既に外国の判決が出された間接管轄の場面では、外国裁判所の管轄の適否を判断する上で、執行判決を求める当事者の証明すべき客観的事実関係の主張を要すると考えてよいと思われる。

---

36 髙部眞規子「判批」金判1458号8頁

Ⅱ 〔準 拠 法〕

1 差止請求の準拠法

(1) 準拠法決定の必要性

　ア　準拠法の意義

　私法的法律関係において、何らかの渉外的要素を含む場合には、いずれの国の法律を適用すべきかが問題となるが、これが準拠法の問題である。諸国の法律の内容が異なり、そのために法の抵触（conflict of laws）が生じるところ、そこで適用されるべき法（準拠法。Applicable law）を決定するルール（「抵触法」「国際私法」とも呼ばれる。）については、国際的基準があるわけではなく、抵触法は、法廷地で適用される国内法（条約を含む。）によって規律される。我が国では、法の適用に関する通則法（平成18年法律第78号。それ以前は法例）が抵触法に関する法典である。

　最一小判平成14・9・26民集56巻7号1551頁〔FM信号復調装置事件〕は、特許権の効力の準拠法は、当該特許権が登録された国の法律であること及び特許権に基づく差止め及び廃棄請求の準拠法は、当該特許権が登録された国の法律であることを判示して、特許権侵害訴訟における準拠法決定ルールを明確にした。

　イ　準拠法決定の要否

　⑺　準拠法決定不要説

　外国特許権に基づく差止め及び廃棄の請求権については、そもそも法の適用に関する通則法で規定する準拠法決定の問題が生ずる余地がないとする準拠法決定不要説がある[37]。

　その理由付けとして、まず、特許権が通常の物権と異なり特許付与手続

という国家行為を介在して発生し、各国の産業政策と密接な関係を有する「強行的適用法規」に該当すること、特許権侵害が懲役や罰金等の罰則に担保されていること（特許法196条）等により、特許権に基づく差止請求は、準拠法決定の必要がある私法的法律関係ではなく、国際私法の対象とはならない「公法的法律関係」であるとする見解がある。

しかしながら、所有権その他の典型的私権であっても、国家の法により権利とされ、その効果を実現するために罰則を用いるかどうかは各国内法による。例えば、我が国の刑法235条や252条は、他人の財物に対する窃盗罪や横領罪を規定するが、財物の所有権侵害が罰則で担保されているからといって、財物の所有権に関する法律関係が公法的法律関係であるという論者はいないと思われる。すなわち、罰則があること等から権利の公法性を帰結することはできず、権利自体が公法的性格を有するとしても私人間の差止め等の紛争を公法的法律関係とする理由にはならない。

また、別の理由付けとして、属地主義の原則により準拠法決定不要説をとる見解も見られる。属地主義の原則の意味内容は、前記Ⅰの1(2)のとおり、第1のルール（抵触法上の原則）と第2のルール（実質法上の原則）に整理されるが、準拠法決定不要説の根拠とするのは、そのいずれとも異なる公法的法律関係の原則を定めたと捉えたものと解され、公法的法律関係の枠組みにより外国法を適用しないという趣旨であると解される。

しかしながら、公法的性質があるとしても、私人間の権利紛争である特許権侵害に基づく差止請求や廃棄請求をもって、直ちに私法的法律関係に当たらないという結論を導くことは難しいと思われる。かえって、属地主

37　井関涼子「日本国内の行為に対する米国特許権に基づく差止及び損害賠償請求」知財管理50巻10号1559頁、紋谷暢男「知的財産権の国際的保護」『国際私法の争点〔新版〕』27頁、『基本法コンメンタール国際私法』74頁〔中野俊一郎〕、土井輝生「工業所有権」『国際私法講座3』825頁、道垣内正人「外国国家行為の尊重・外国特許の有効性」知的財産研究所『知的財産紛争を巡る国際的な諸課題に関する調査研究報告書』24頁。なお、横溝大「判批」ジュリ1184号141頁、同「電子商取引に関する抵触法上の諸問題」民商法雑誌124巻2号174頁は、国際裁判管轄を否定する趣旨と思われる。

義の原則を理由に、特許権に基づく差止請求や廃棄請求には国際私法の問題を生じないとすることは、上記各請求の法的性質が「特許権の効力」であることを所与の前提とし、既に法性決定をしているのにほかならないと思われる。日本法上、外国特許権の効力の問題を国際私法の問題として扱うことに制度的、論理的制約は存在しない。

(イ) 準拠法決定必要説

他方、準拠法を決定すべきであるとする見解もある[38]。

最一小判平成14・9・26民集56巻7号1551頁〔FM信号復調装置事件〕は、属地主義の原則を理由として準拠法決定不要説をとった原判決の考え方を否定したが、その理由としては、差止請求及び廃棄請求が私人の財産権に基づく請求であること、及び属地主義の原則から外国特許権に関する私人間の紛争において法例（現在の法の適用に関する通則法）で規定する準拠法の決定が不要となるものではないことを述べる。その意味するところは、特許権も私権の1つとして、他の財産権と同様に扱われ、特許権に基づく差止請求及び廃棄請求は、私人間における私法的法律関係に当たり、したがって、特許権侵害に基づく差止請求及び廃棄請求については、私人間の差止請求権の存否が問題となる、「私法的法律関係」の枠組みで処理するべきであるとの趣旨であると解される[39]。

(2) 法性決定

「私法的法律関係」の枠組みで処理する場合には、いかなる法性決定がされるかにより適用すべき法が異なってくる。特許権に基づく差止請求及び廃棄請求という法律関係については、次の3つの考え方がある。

---

[38] 大友信秀「判批」ジュリ1171号107頁、齋藤彰「判批」ジュリ1179号299頁、木棚照一「判批」判例評論498号27頁、同「判批」AIPPI45巻5号306頁、山田鐐一『国際私法〔第3版〕』385頁
[39] 髙部眞規子「判解」最高裁判所判例解説民事篇〔平成14年度〕〔30〕事件

(ア) 不法行為説

差止請求についても、損害賠償請求と同様不法行為（法の適用に関する通則法17条）の問題とする説である[40]。

しかし、上記最高裁判決は、「米国特許権に基づく差止め及び廃棄請求は、正義や公平の観念から被害者に生じた過去の損害のてん補を図ることを目的とする不法行為に基づく請求とは趣旨も性格も異にするものであり、米国特許権の独占的排他的効力に基づくものというべきである。」と判示して、不法行為説を採用しなかった。

(イ) 物権説

特許権による差止めは、排他性に基づく物権的妨害予防ないし妨害排除請求権類似のものとする物権の問題（法の適用に関する通則法13条）とする説である[41]。

上記最高裁判決は、物権説を採用しなかった理由を述べていないが、具体的に製造された特許製品については空間的に知覚できる形で存在し得るものの、特許権の客体は無体物であり、常にこのような無体物の利用が改めて問題になるから、その利用や、利用の制限等の問題を特定の場所に当然に連結できるものではないところ、かかる特許権の特性を考慮することなく、有体物に対する物権と同様の方法で特許権の客体たる無体物を特定の場所に所在するものとみなして所在地法に擬制的に連結するのは適切でない。

(ウ) 特許権の効力説

特許権者は、業として特許発明の実施をする権利を専有するから（特許法68条）、業として特許発明を実施する行為（同法2条3項各号所定の行為）は、当該特許権を侵害する。特許権侵害に対する差止請求（同法100条）は、

---

[40] 大友信秀「判批」ジュリ1171号109頁、石黒一憲「米国特許権の侵害を理由とする日本国内での行為の差止め及び損害賠償」リマークス21号151頁、木棚照一「判批」判例評論498号27頁

[41] 齋藤彰「並行輸入による特許権侵害」関大法学研究叢書15冊98頁

その排他的独占権から導かれるものである。したがって、特許権に基づく差止請求及びそれに伴う廃棄請求については、特許権の効力そのものの問題と捉えるのが相当であり、上記最高裁判決は、以上のような観点から、特許権の効力説を採用したものである[42]。

(3) 特許権の効力の準拠法

　特許権の効力の準拠法に関しては、法の適用に関する通則法等に直接の定めがないから、条理に基づいて、これを決定すべきである。上記最高裁判決は、特許権と最も密接な関係があるのは、当該特許権が登録された国であり、登録国の法律によるべきであるとした。その理由として、(i)特許権は、国ごとに出願及び登録を経て権利として認められるものであると、(ii)特許権について属地主義の原則を採用する国が多く、それによれば、各国の特許権が、その成立、移転、効力等につき当該国の法律によって定められ、特許権の効力が当該国の領域内においてのみ認められるとされていること、(iii)特許権の効力が当該国の領域内においてのみ認められる以上、当該特許権の保護が要求される国は、登録された国であること、以上の3点を挙げている。

　特許権は特許付与手続という国家行為を介在して発生し、その効力等も当該国によって定められるものであり、まさに当該登録国が一般的に特許権の効力について最も密接な関連を有する国である。なお、この点につき、「保護国法」すなわちその領域内において権利の保護が要求される国の法という表現が使用されることもある。通常は、属地主義の原則により特許権の効力が当該登録国において認められるから、権利の保護が要求される国と登録国、侵害行為の行われる国は一致するが、上記最高裁判決の事案のように、直接侵害行為ではなく、登録国外の行為を問題とする場合には、登録国と行為が行われる国が分離してしまう。学説は、「保護国法」とい

---

[42] 齋藤彰「判批」ジュリ1179号301頁も同旨

う用語を侵害行為の行われる国の法という意味や権利の登録国の法という意味など、さまざまな意味で使っており、上記最高裁判決は、混乱を避けてあえて「登録国」という表現を使用したものと思われる。

この法理は、A国特許権をA国で侵害する行為に対する差止請求及び廃棄請求にも及ぶと思われる。

2　特許権侵害を理由とする損害賠償請求の準拠法

(1) 準拠法決定の要否及び法性決定

まず、特許権侵害による損害賠償請求は、私人の有する財産権の侵害を理由とするもので、私人間において損害賠償請求権の存否が問題となるものであって、準拠法を決定する必要がある。

最一小判平成14・9・26民集56巻7号1551頁〔FM信号復調装置事件〕によれば、特許権侵害を理由とする損害賠償請求については、特許権特有の問題ではなく、財産権の侵害に対する民事上の救済の一環にほかならないから、法律関係の性質は不法行為であり、その準拠法については、法の適用に関する通則法17条によるべきである。

(2) 隔地的不法行為と法の適用に関する通則法17条

そして、上記最高裁判決は、アメリカ合衆国で販売される米国特許権の侵害品を我が国から同国に輸出した者に対する、米国特許権の侵害を積極的に誘導したことを理由とする損害賠償請求について、法例11条1項にいう「原因タル事実ノ発生シタル地」は、本件米国特許権の直接侵害行為が行われ、権利侵害という結果が生じたアメリカ合衆国と解すべきであり、同国の法律が準拠法であるとしたものである。

その後、法の適用に関する通則法が制定され、17条において、不法行為の原則的連結政策として、不法行為によって生ずる債権の成立及び効力を原則として侵害の結果が発生した地の法律によることとし、その地におけ

る結果の発生が通常予見することのできないものであったときは、加害行為がされた地の法律によるものとされたが、上記最高裁判決と同趣旨のものと解される。

3 特許無効の抗弁の準拠法

　外国特許権の侵害を理由とする差止請求・損害賠償請求やライセンス契約に基づく実施料請求において、当該特許の有効性（無効理由の存在、特許法104条の3）が問題となったときには、当該法律問題については、前提問題として、その準拠法を法廷地である我が国の国際私法により定めるべきである（最一小判平成12・1・27民集54巻1号1頁参照）。前提問題の解決に関してこのような法廷地国際私法説をとると、外国特許の有効性につき、特許権の効力の準拠法である当該特許権の登録国の法律に準拠して判断すべきことになる。

　外国特許権の侵害訴訟において特許の有効無効が問題となったときには、前提問題とはいえ、外国で行われた行政処分の有効無効を判断するのは妥当でないという考え方も根強い。しかし、外国特許権の侵害訴訟について一定の場合に国際裁判管轄を認めながら、無効の抗弁が主張された途端に訴訟手続を中止しなければならないというのは、特許権者の迅速な保護にも欠ける。他方、常に外国の国家行為として特許権を有効として扱うものとすれば、登録国において無効理由が存在する特許に基づいて、我が国では損害賠償請求等を認容する余地があることになり、その結果は衡平の理念に反する。そこで、少なくとも誰が見ても無効理由があることが明らかな場合には、請求を認容すべきではなかろうし、このような場合には、特許の有効無効の判断が本来登録国の専属管轄であること（民事訴訟法3条の5第3項）にかんがみ、当該特許の登録国の法律を準拠法として特許の有効無効についての判断を行い、その効力は、当事者間のその事件限りの相対的な効力を有するにすぎないものと解することも可能ではなかろう

か[43]（最三小判平成12・4・11民集54巻4号1368頁〔富士通半導体・キルビー特許事件〕参照。東京地判平成15・10・16判時1874号23頁〔サンゴ化石粉末事件〕）。

4　職務発明の対価請求の準拠法

(1) 学説・裁判例

　特許権侵害訴訟には直接関係しないが、属地主義や準拠法が議論された訴訟として、職務発明の対価請求（平成27年改正前の特許法35条）があるので、ここで簡単にふれておきたい。

　日本企業の日本人従業員が日本でした発明につき、外国において特許を受ける権利の承継の対価に我が国の特許法が適用されるか否かの問題に関しては、積極、消極の両説があり、裁判例も分かれていた。

　ア　消極説

　外国において特許を受ける権利が、使用者、従業者のいずれに帰属するか、帰属しない者に何らかの権利が認められるか、使用者と従業者の間における特許を受ける権利の譲渡が認められるか、認められる場合の要件及び対価の支払義務等については、属地主義の原則に照らし、それぞれの国の特許法を準拠法として定められるべきものであるとして、特許法35条は、我が国の特許を受ける権利にのみ適用され、外国における特許を受ける権利に適用又は類推適用されることはないとする見解である[44]（東京地判平成14・11・29判時1807号33頁〔光ディスク事件〕）。

　しかしながら、そのような解釈は、職務発明制度の利用を当該国を雇用関係の準拠法とする者に限定する法制をとる国が多数ある現状においては、法的安定性を害し、従業者に外国において特許を受ける権利の承継の

43　髙部眞規子「特許権等登録を要する知的財産権に関する訴訟の国際裁判管轄」知的財産研究所『知的財産紛争を巡る国際的な諸課題に関する調査研究報告書』64頁
44　島並良「外国特許を受ける権利に関する職務発明相当対価請求の可否」ジュリ1296号78頁

対価請求を事実上閉ざす結果となりかねない。また、ドイツの従業者発明法のように、所定の期間内に使用者側が手続を履践することを職務発明の要件とする立法例もあり、特許を受ける権利の予約承継を定めた使用者の期待を害するおそれもある。そして、属地主義の原則を理由として特許法35条が外国において特許を受ける権利に適用されないという考え方は、最一小判平成14・9・26民集56巻7号1551頁〔FM信号復調装置事件〕のいう属地主義の原則、すなわち前記Ⅰの1(2)の第1のルール及び第2のルールのいずれからも導かれるものではなく、上記最高裁判決を正解していないというべきであろう。

イ 積極説

東京高判平成16・1・29判時1848号25頁〔光ディスク事件〕は、特許を受ける権利の譲渡契約の準拠法は日本法であり、使用者と従業者とが属する国の法律により一元的に定めるべき問題であり、特許法35条は、職務発明の譲渡契約における相当の対価について定めた強行法規であるから、外国の特許を受ける権利をも含むものであるとして、積極説を採用した。

また、東京地判平成16・2・24判時1853号38頁〔味の素アスパルテーム事件〕も、我が国の法律を準拠法とすべきであると判示した上、我が国の特許法35条3項は、特許出願後の特許を受ける権利及び特許権のみならず、特許出願前の特許を受ける権利についても規定していること、問題となっているのは、発明の完成により発生した特許出願前における特許を受ける権利の承継であり、特許出願前における特許を受ける権利について、我が国において特許を受ける権利と外国において特許を受ける権利とに区別することが可能であるとしても、同条3項にいう「特許を受ける権利」に、外国において特許を受ける権利が含まれないと解すべき理由はないとして、外国において特許を受ける権利の承継の対価を含めて、同項を適用して対価の額を算定すべきであるとした。

学説上は、積極説を採用する見解が多い[45]。

(2) 最三小判平成18・10・17民集60巻8号2853頁

　最三小判平成18・10・17民集60巻8号2853頁〔光ディスク事件〕は、「外国の特許を受ける権利の譲渡に伴って譲渡人が譲受人に対しその対価を請求できるかどうか、その対価の額はいくらであるかなどの特許を受ける権利の譲渡の対価に関する問題は、譲渡の当事者がどのような債権債務を有するのかという問題にほかならず、譲渡当事者間における譲渡の原因関係である契約その他の債権的法律行為の効力の問題である」として、その準拠法は、法例7条1項(法の適用に関する通則法7条)の規定により、「第1次的には当事者の意思に従って定められる」とした上、「譲渡の対象となる特許を受ける権利が諸外国においてどのように取り扱われ、どのような効力を有するのかという問題については、譲渡当事者間における譲渡の原因関係の問題と区別して考えるべきであり、その準拠法は、特許権についての属地主義の原則に照らし、当該特許を受ける権利に基づいて特許権が登録される国の法律である」と判示して、上記の問題に結着を付けた。

　その上で、同事案において、当事者間に準拠法を我が国の法律とする旨の黙示の合意が存在し、我が国の法律が準拠法となるとしたが、「従業者等が特許法35条1項所定の職務発明に係る外国の特許を受ける権利を使用者等に譲渡した場合において、当該外国の特許を受ける権利の譲渡に伴う対価請求については、同条3項及び4項の規定が類推適用される」と判示した。

45　小泉直樹「特許法35条の適用範囲」民商法雑誌128巻4・5号115頁、同「特許法35条の外国特許権に対する適用」L&T19号28頁、茶園成樹「職務発明の相当の対価」知財管理53巻11号1753頁、高畑洋文「判批」ジュリ1261号197頁、牧野利秋＝君嶋祐子「日本における職務発明と外国特許出願」特許ニュース11005号8頁

III 〔国境を越えた特許権侵害〕

1 複数主体による侵害

　特許権は、排他的独占的権利であり（特許法68条）、独占の対象となる実施行為の内容については、特許法2条3項に明文で規定されている。そして、第三者が許諾を受けることなく特許発明の実施をしたときは、特許権の侵害となり、差止め及び損害賠償の対象となる（同法100条、民法709条）。複数の者の行為がそれぞれ特許権侵害の要件を満たす限り、そのそれぞれが差止めの対象となるとともに、各人が不法行為責任を負う。

　従前は、複数主体による侵害として、例えば、1個の特許権を侵害する製造者と販売者等は、各自の行為がそれぞれ独立に特許権侵害を構成し、損害賠償責任を負うが、いかなる範囲で損害賠償が認められるかという、主として損害論ないし損害賠償請求権相互の関係という観点から、論じられることが多かった[46]。

　経済の急激な発展、企業形態の複雑化、企業間の交流や組織化等の社会状況の変化によって、1つの知的財産権の侵害が複数の関与者により引き起こされる場面が多く見られるようになった。ことに、ソフトウエア関連の特許権については、複数主体が関与する侵害の形態が想定され、また、直接の侵害行為を現実に行った者以外の者に責任を負わせるべき場合がある。しかも、グローバル化、ネットワーク化によって、そのような事態が、国境を越え国際的な様相を帯びてきた。

---

[46] 清永利亮「損害(4)―複数の侵害者」裁判実務大系『工業所有権訴訟法』350頁、新保克芳「権利者、侵害者側が複数の場合の問題点」民事弁護と実務『知的財産権』337頁、青柳昤子「複数の侵害者と損害賠償」現代裁判法大系『知的財産権』249頁等

侵害に関与する全ての者の行為が国内に限られる場合とは異なり、いずれかの行為者が国境を越えた場合には、属地主義の原則との関係もあって、問題が複雑になる。

2 属地主義の原則

(1) 属地主義の原則の意義

最三小判平成9・7・1民集51巻6号2299頁〔BBS並行輸入事件〕が示した特許権についての属地主義の原則について「各国の特許権が、その成立、移転、効力等につき当該国の法律によって定められ、特許権の効力が当該国の領域内においてのみ認められること」の意味するところは、以下のとおりのものと解される[47]。

① 前段部分（各国の特許権が、その成立、移転、効力等につき当該国の法律によって定められること）については、国際私法上の属地法主義、すなわち、人に着目する属人主義との対比において、土地に着目して（特許権の成立した国を連結点として）準拠法を決定する、抵触法上の原則を定めたものである。

② 後段部分（特許権の効力が当該国の領域内においてのみ認められること）については、特許権の効力は特許権が成立した国以外に及ばないという意味で、特許権の効力についての実質法上の原則を定めたものであるとともに、ある国の特許法は他の国家を拘束しないという、公法的法律関係としての属地主義を定めたものということができる。

(2) 属地主義の原則の帰結

属地主義の原則が、特許権の効力についての実質法上の原則を定めたも

---

[47] 髙部眞規子「特許権に基づく差止請求及び特許権侵害を理由とする損害賠償請求の準拠法」知的財産研究所『国際私法上の知的財産権をめぐる諸問題に関する調査研究報告書』104頁

のという見地からすれば、具体的には、①Ａ国特許権に係る特許発明をＡ国で実施する行為（例えば、製造、販売等）は、Ａ国特許権の侵害に当たるが、②Ａ国特許権に係る特許発明を実施する行為をＢ国で行った場合は、Ａ国特許権の侵害には当たらないということができる。

なお、前記①のケースで損害賠償請求がＡ国で提訴され、認容判決が確定した場合、被告の財産が我が国にあるとして、我が国に執行判決を求められたときには、民事訴訟法118条所定の要件を具備する限り、拒絶することはできない（民事執行法24条）。

(3) 属地主義の原則による限界

ところで、Ａ国特許権の侵害行為の一部がＡ国の領域外で行われた場合、例えば、a＋b＋c＋dを構成要件とする方法の発明において、構成要件a＋b＋cに該当する行為がＡ国で行われたが、dに該当する部分のみがＢ国で行われた場合、又は、物の発明の侵害品がＡ国で宣伝、展示（譲渡又は貸渡しの申出）されているがそれがＢ国に設置されたサーバーによって行われている場合等、Ａ国特許権の侵害といえるか否かが問題となる。そこで、Ａ国が我が国であるとして、我が国の特許法の解釈として、特許発明の実施行為の一部が国外で行われた場合に我が国の特許権の侵害といえるか否かについて検討する。

属地主義の原則を厳格な意味において貫けば、実施行為は全て我が国内で完結していることが必要であり（東京地判平成13・9・20判時1764号112頁〔電着画像の形成方法事件〕）、上記のような場合には、侵害に当たらないということになろう。しかし、ネットワーク社会においては、サーバーを国外に設置すること等により侵害の責任を回避することになり、不当な結果を生ずることもあり、システムを構成する発明については、その一部が国外に存在していても、全体の管理の場所が国内にある限り、特許権侵害に基づく損害賠償請求の対象となるという考え方もあり得よう[48]。なお、我が国の刑法は属地主義を採用しているが、犯罪行為の一部が国外で行われ

た場合であっても、国内犯と解されている。

　近時、知的財産権の属地主義の原則については、その内容の多義性や根拠のあいまいさ、結論と手法の混同等の理由から、鋭い批判にさらされており[49]、属地主義の原則が厳格に適用されて我が国の特許権を保護することができない場面が生ずることを危惧する学説もある。

　しかし、構成要件の一部に該当する実施行為が国外で行われるような場合であっても、侵害という結果との関連で実施行為が全体として見て我が国内で行われているのと同視し得る場合もあるのではなかろうか。あるいは、インターネット関連の場合について特別の立法が必要であろうか[50]。

3　国境を越えた侵害関与者の責任

(1)　共同で特許権を侵害すると評価される場合

　Xの有する我が国の特許権をYとZとが共同で侵害していると評価される場合（共同正犯型）であって、Yが外国において侵害行為の一部を行った場合も、同一人が実施行為の一部を国外で行った場合と同様に、属地主義の原則により我が国の特許権の効力は及ばないことになるのであろうか。しかし、このような考え方によると、ネットワーク社会において、不当な結果を生ずることがあり得る。

(2)　単独で特許権を侵害すると評価される場合

　Xの有する我が国の特許権を我が国で侵害しているのがZであるが、YがZを手足としていて、Zの行為が実質的にはYの行為であると評価されるような場合（間接正犯型）に、Yが外国にいるとき、属地主義の原則と

48　小泉直樹「いわゆる属地主義について」上智法学論集45巻1号1頁
49　石黒一憲ほか「特許製品の並行輸入」ジュリ1064号32頁、小泉直樹「いわゆる属地主義について」上智法学論集45巻1号1頁
50　髙部眞規子「国際化と複数主体による知的財産権の侵害」『秋吉喜寿』161頁

の関係でどう考えるべきかが問題となろう。

　Yが外国にいる場合には、支配管理の点で代位責任を認めることが困難な場合もあろうが、仮にYがZを手足として利用していると認められる場合には、Yを侵害の主体と同一視することができ、Y自身が我が国内で全ての実施行為を行った場合と同様に解することができよう。

(3) 権利侵害の教唆又は幇助の場合

　さらに、Xの有する我が国特許権を我が国で侵害しているのがZであるが、Yが外国においてこれを教唆又は幇助した場合（教唆・幇助型）、例えばYが外国から侵害の行為に供する機器を提供する場合を設例として検討すると、属地主義の原則からどう考えるべきであろうか。

ア　国際裁判管轄

　この点を検討するに当たっては、先に国際裁判管轄が問題となる。

　直接侵害者であるZについては、不法行為地の裁判籍等を根拠に、我が国の国際裁判管轄が認められるのが通常であろう。Yに対する訴訟については、Xの有する我が国の特許権をZが我が国で侵害する行為をYが外国で教唆又は幇助した場合において、Yが我が国に普通裁判籍を有する場合（民事訴訟法3条の2）には、我が国の裁判所に国際裁判管轄が認められる。Yが我が国に住所等を有しない場合であっても、Yが我が国に事務所又は営業所を有する場合でその事務所又は営業所における業務に関する訴えの場合（同法3条の3第4号）、日本において事業を行う者で日本における業務に関する場合（同法3条の3第5号）、合意管轄（同法3条の7）や応訴管轄（同法3条の8）が認められる場合は、特別の事情がない限り、我が国の裁判所に国際裁判管轄が認められる。また、不法行為地の裁判籍（同法3条の3第8号）の規定に依拠して我が国の裁判所の国際裁判管轄を肯定するためには、原則として、被告が我が国においてした行為により原告の法益について損害が生じたとの客観的事実関係が証明されれば足りるから〔最二小判平成13・6・8民集55巻4号727頁〔円谷プロダクション事件〕〕、Y

の教唆又は幇助行為により、Ｚの直接侵害行為が行われた我が国において損害が発生したとの客観的事実関係が証明されれば、我が国の裁判所に国際裁判管轄を認めてよいと思われる。なお、刑法上は、教唆犯、幇助犯については、自己の行為地のほか、正犯の行為地も犯罪地と解されている[51]。

東京地判平成13・5・14判時1754号148頁〔眼圧降下剤事件〕は、我が国における特許権を侵害する者の親会社である外国法人に対する請求につき、原告が同外国法人が具体的な行為をしたことの主張及び立証をしなかったとして、訴えを却下した。当該事案では主張立証がなかったから訴え却下はやむを得なかったものであるが、仮に原告が同外国法人の教唆又は幇助の具体的事実の主張をし、その客観的事実及びそれによる原告の損害の発生という客観的事実関係が証明されれば、通常は特許権侵害という行為の結果発生地は特許権の登録国である我が国であり、管轄が肯定される余地もあったと思われる。

イ　準　拠　法

我が国の裁判所に国際裁判管轄が認められると、次に、渉外的要素を含む法律関係については、準拠法が問題となる。

準拠法を定める法の適用に関する通則法には、特許権侵害訴訟についての直接の定めがないが、我が国の特許権の侵害を理由とする損害賠償請求の準拠法を定めるに当たっては、まず、法律関係の性質を決定しなければならない。

特許権侵害を理由とする損害賠償請求は、特許権に特有のものではなく、不法行為と法性決定すべきであり、法の適用に関する通則法17条によるべきである（最一小判平成14・9・26民集56巻7号1551頁〔FM信号復調装置事件〕）。隔地的不法行為について、同条は、結果発生地説を採用した。

我が国の特許権を我が国で侵害する行為を外国であるＢ国で教唆又は

51　『注釈刑法(1)』21頁〔福田平〕、『大コンメンタール刑法(1)〔第2版〕』79頁〔古田佑紀ほか〕

幇助したことによる損害賠償請求に関しては、結果発生地説によれば、我が国が原因事実発生地となる。我が国の法律を準拠法としても、我が国における直接侵害行為を認識している限り、適用法に関する予測可能性を害することはない。準拠法を我が国の法律と解することにより、我が国で直接侵害を行うZと同じ準拠法により紛争を解決することができよう。なお、特許権侵害訴訟の国際裁判管轄の議論をするに当たり、準拠法のルールについても、国際的に調和されることが望ましい[52]。

なお、差止請求の法律関係の性質は特許権の効力であり、特許権を連結点と解する場合には、特許権と最も密接な関係を有する地は、特許権の登録国である我が国であり、我が国の法律を準拠法とすることになる(最一小判平成14・9・26民集56巻7号1551頁〔FM信号復調装置事件〕)。

ウ　教唆者及び幇助者の責任

我が国の特許権を我が国で侵害する行為を外国において教唆・幇助した者が、共同不法行為による損害賠償責任を負うか否かについて、我が国の法律が準拠法となる場合、実体法上いかに解するべきであろうか。この点については、肯定、否定の両説が考えられる。

(ア)　否　定　説

外国における行為は、常に我が国の特許権の侵害とはなり得ないとする考え方である。特許権の属地主義の原則を徹底すれば、外国におけるいかなる行為も我が国の特許権侵害には関係せず、外国において我が国の特許権侵害の行為に供する機器を製造して我が国に向けて輸出することは禁止されないから、結果として我が国の特許権侵害を惹起しても不法行為責任を負うことはないという理由による。外国における行為について安易に共同不法行為の成立を認めて責任を認めると、輸出をする者全てに仕向国における特許権等についての調査義務を課すことになりかねず、事実上外国

---

[52] 髙部眞規子「「日本法の透明化」立法提案に対するコメント」河野俊行編『知的財産権と渉外民事訴訟』398頁

特許権を内国に及ぼすに等しいという指摘もある53。

(イ) 肯 定 説

外国における行為であっても、我が国の特許権侵害の教唆又は幇助となり得るとする考え方である。我が国の特許権侵害の教唆又は幇助行為が外国で行われた場合に、我が国の法律を適用して損害賠償を認めることは、外国における行為を我が国の特許権の侵害とするのではなく、我が国で生じた直接侵害に基づく責任を認めるものにすぎないから、属地主義の原則に反しないとし、もっとも、余り安易に共同不法行為の成立を認めると外国への効力拡張と変わらないことになるから、外国における行為については国内の行為者と侵害者に教唆・幇助・共謀といった意思的関与が存在する場合に限り共同不法行為責任を認めるべきであるとする54。

我が国の刑法は属地主義を原則としているが（刑法1条1項）、日本国外で幇助行為をした者であっても、正犯が日本国内で実行行為をした場合には、同項の「日本国内において罪を犯した者」に当たるとされている（最一小決平成6・12・9刑集48巻8号576頁）。特許権侵害は、懲役又は罰金の罰則を伴うものであり（特許法196条）、我が国における特許権侵害を国外で教唆又は幇助した者も、故意ある限り、上記判例により日本国内において罪を犯した者として処罰されることになる。

アメリカ合衆国においては、積極的誘導行為にも特許権の効力を及ぼすことを可能とする独自の規定を有し（米国特許法271条(b)項）、これを自国の領域外における行為にも域外適用している55。このような規定を持たない我が国の現行特許法の下において、この問題は、解釈論によって解決するには限界があり、産業政策上、我が国の特許権侵害を外国において教唆し

---

53 井関涼子「日本国内の行為に対する米国特許権に基づく差止及び損害賠償請求」知財管理50巻10号1559頁
54 茶園成樹「特許権侵害に関連する外国における行為」NBL679号13頁、松岡博編『現代国際取引法講義』194頁〔江口順一＝茶園成樹〕、田村善之『知的財産法〔第5版〕』528頁
55 尾崎英男『日本企業のための米国特許紛争対応ガイドブック』49頁

又は幇助した者に責任を負わせることが相当であるならば、いずれ立法的に解決するのが相当であろう。そして、この点についても諸外国の制度との調和を図ることが望まれる[56]。

4　今後の課題

　ネットワーク社会の到来とビジネスモデル特許の出現等により、複数主体が知的財産権の侵害に関与し、また今後ますます国を越えて知的財産権の保護が要求される場面が増える可能性がある。国境を越えた侵害関与者の民事上の責任については、困難な問題であるが、実施行為の一部が国外で行われる場合、属地主義の原則を余りに厳格に適用すると、不当な結果を生ずるおそれがある。また、外国にいる者が、教唆者・幇助者として、我が国の特許権の侵害に関与する場合に関しては、我が国の特許法をいかに解釈すべきか、あるいは今後の立法の在り方をいかなる方向で行うべきか、今後検討すべき課題である。そして、我が国として、我が国の知的財産権の効力範囲をいかに定めるべきか、属地主義の原則の有する意味を再考し、今後慎重に検討を要するものといえよう。

---

[56]　髙部眞規子「国際化と複数主体による知的財産権の侵害」『秋吉喜寿』161頁、髙部眞規子＝大野聖二「渉外事件のあるべき解決方法」パテント65巻3号95頁

第4章

審決取消訴訟の実務

I 訴訟手続の概要

1 審決取消訴訟の種類

　知的財産高等裁判所で扱う行政訴訟としては、審決等に対する訴えのほか、審判及び再審の請求書の却下の決定に対する訴えがある（特許法178条1項）。

　審決等に対する訴えとしては、①拒絶査定不服審判（同法121条）に対するもの、②特許異議申立て（同法113条）に対するもの、③特許無効審判（同法123条）に対するもの、④延長登録無効審判（同法125条の2）に対するもの、⑤訂正審判（同法126条）に対するものがあり、それぞれについての審決（②は決定）がその対象となる。上記①⑤は、いわゆる「査定系の審決取消訴訟」と呼ばれ、審判請求不成立審決のみが対象となり、上記②は取消決定のみが対象となる。また、上記③④は、いわゆる「当事者系の審決取消訴訟」と呼ばれ、請求不成立審決及び無効審決のいずれもがその対象となる。

2 手続の進行

　典型的な手続を見ると、集中的かつ計画的な審理が徹底され、迅速適正な裁判が行われている。

　特許審決取消訴訟の手続の基本スケジュールは以下のとおりである。

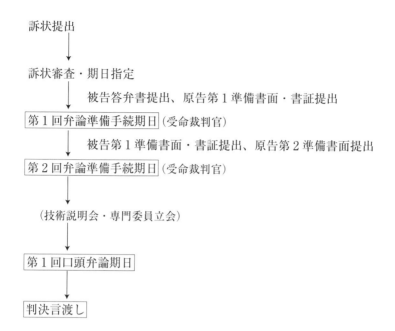

(1) 第1回弁論準備手続期日

ア　受命裁判官が主宰する第1回弁論準備手続期日において、原告は訴状及び第1準備書面を陳述する。訴状には、審決を添付する。この期日までに、原告の主張すべき取消事由の全てが主張されていることが必要とされている。取消事由を記載した第1準備書面は、訴状提出後約6週間の裁判所が定めた期日までに提出すべきものとされている。訴状及び第1準備書面の記載事項は、後記3のとおりである。

　第1回弁論準備手続期日において、原告主張の取消事由が裁判所によって釈明の上、整理されることが多い。

　原告側の証拠（基本的書証）を提出する。審決は訴状に添付するため証拠とはならないが、審判手続で提出され、審決に引用された証拠を基本的書証として、提出する。その番号は、少なくとも、審決時の甲号証の番号は、そのまま使用するが、審判における全ての証拠を提出する必要はなく、不要な証拠は欠番となる。なお、外国語の証拠には、訳文を添付する必要が

ある。

イ　被告は、答弁書を陳述する。答弁書には、請求の趣旨に対する答弁及び請求の原因の記載に対する認否を記載する。

(2) 第2回弁論準備手続期日

ア　受命裁判官が主宰する第2回弁論準備手続期日において、被告は、第1回準備書面を陳述する。被告の第1回準備書面は、弁論準備手続期日において裁判所が定めた期限（第1回弁論準備手続期日からおよそ1か月後）までに、原告の取消事由に対する反論を記載した書面とし、被告は、この書面をもって主張の全てを尽くすことになっている。

そして、被告は、被告側の証拠を提出する。

イ　原告は、被告の第1回準備書面に反論すべき点及び主張・立証として補足すべき点があれば、第2準備書面を陳述する。

ウ　その後、技術説明会が行われることもあるが、弁論準備手続としては、原則として第2回（技術説明会を開催する場合は第3回）で終結し、争点整理を終了する事案がほとんどである。技術説明会については、第1章Ⅵを参照されたい。

(3) 第1回口頭弁論期日

弁論準備手続の結果を陳述することにより、弁論準備手続で行われた内容を口頭弁論に上程して、口頭弁論を終結し、判決言渡期日を指定する。

なお、裁判手続のIT化に伴い、上記(1)(2)に代えて、当事者双方が出頭しないウェブ会議を利用して、書面による準備手続（民事訴訟法175条）として争点整理手続が行われることも多くなった。その場合は、第1回口頭弁論期日において、訴状、答弁書及び準備書面を陳述し、書証を提出することになる。

(4) 判決言渡し

口頭弁論の終結から約2ないし4週間後に判決が言い渡される。

3　訴状及び答弁書の記載例

(1) 査定系の訴状の記載例

訴　　状

令和〇〇年〇〇月〇〇日

知的財産高等裁判所　御中(注①)

〒100-8651　東京都千代田区隼町4番2号
　　　　原　　告　　はやぶさ株式会社(注②)
　　　　同代表者代表取締役　　甲野太郎

（送達場所）〒100-8651
　　　東京都千代田区隼町3番1号
　　　はやぶさ法律事務所
　　　　原告訴訟代理人弁護士　　乙野二郎　㊞
　　　　　　電　　話　　(03) 3264-8111
　　　　　　ファックス　(03) 3264-8111

〒100-8915　東京都千代田区霞が関3丁目4番3号
　　　　被　　告　　特許庁長官　　〇〇〇〇(注②)

審決取消請求事件
　　訴訟物の価額　算定困難
　　貼用印紙　　　1万3000円

　　　　　　請求の趣旨
1　特許庁が不服2019-1234号事件について令和3年9月1日にした審決を取り消す。(注③)

2 訴訟費用は被告の負担とする。
との判決を求める。

　　　　　　　　請求の原因
1　特許庁における手続の経緯
　　原告は、発明の名称を「温熱ラップ」とする発明について、平成29年1月4日に特許出願をしたが、平成31年1月4日付けの拒絶査定を受けたので、同年8月1日、これに対する不服の審判を請求した。
　　特許庁は上記請求を不服2019－1234号事件として審理をした上、令和3年9月1日、「本件審判の請求は、成り立たない。」との審決をし、その謄本は同月10日原告に送達された(注④)。
2　審決の理由は、審決謄本記載のとおりであるが、その認定判断には誤りがあり、違法として取り消されるべきである。
3　審決の理由に対する認否
　(1)　「1．手続の経緯及び本願発明」については、認める。
　(2)　「2．引用例の記載事項」については、認める。
　(3)　「3．対比・判断」のうち、(1)は認め、(2)は争う。
　(4)　「4．むすび」については、争う。
4　取消事由(注⑤)
　　取消事由は、引用発明1に基づいて本願発明を容易に想到できるとした判断の誤りである。
　(1)　本願発明と引用発明1との相違点の看過
　　　本件審決は、本願発明と引用発明1との相違点につき、審決3頁2行～7行記載の相違点1及び2であると認定したが、本願発明には〇〇の構成があり、この点が不明である引用発明とは、この点についても相違する。そして、看過された相違点〇〇について、当業者が容易に発明することはできないから、上記相違点の看過は、審決の結論に影響を及ぼす違法がある。
　(2)　本願発明と引用発明1との相違点1の判断の誤り
　　　本件審決は、本願発明と引用発明1との相違点1について、引用発明2を組み合わせれば、本件発明の構成を想到することは、容易であると判断したが（審決5頁2行～20行）、引用発明1と引用発明2とは、技術分野が異なり、これを組み合わせることは、困難である。
5　結論

よって、本件審決の取消しを求める。

　　　　添付書類
1　訴訟委任状(注⑥)　　　　　　　　　　　1通
2　資格証明書（登記事項証明書）(注⑥)　　1通
3　審決謄本(注⑦)　　　　　　　　　　　　1通

(2) 当事者系（請求不成立審決）の訴状の記載例

　　　　　　　　　　　訴　　　状
　　　　　　　　　　　　　　　　　令和○○年○○月○○日

知的財産高等裁判所　御中(注①)

〒100-8651　東京都千代田区隼町4番2号
　　　　　　　原　　　　告　　はやぶさ株式会社(注②)
　　　　　　　同代表者代表取締役　　甲野太郎

　（送達場所）〒100-8651
　　　　　　　東京都千代田区隼町3番1号
　　　　　　　はやぶさ法律事務所
　　　　　　　　原告訴訟代理人弁護士　　乙野二郎　　㊞
　　　　　　　　　　電　　話　　（03）3264-8111
　　　　　　　　　　ファックス　（03）3264-8111

〒100-8915　東京都千代田区霞が関3丁目4番4号
　　　　　　　被　　　　告　　かすみ株式会社(注②)
　　　　　　　同代表者代表取締役　　丙野三郎

審決取消請求事件
　　訴訟物の価額　算定困難
　　貼用印紙　　　1万3000円

　　　　　　　請求の趣旨
1　特許庁が無効2019-10111号事件について令和3年9月1日にした審

決を取り消す。(注③)
2　訴訟費用は被告の負担とする。
との判決を求める。

　　　　　　　　請求の原因
1　特許庁における手続の経緯
　　被告は、発明の名称を「温熱ラップ」とする発明についての特許権を有する（特許第10203040号。平成29年1月4日特許出願、平成31年1月4日特許査定）。原告は、令和元年8月1日、上記特許の無効審判を請求した。
　　特許庁は上記請求を無効2019－10111号事件として審理をした上、令和3年9月1日、「本件審判の請求は、成り立たない。」との審決をし、その謄本は同月10日原告に送達された(注④)。
2　審決の理由は、審決謄本記載のとおりであるが、その認定判断には誤りがあり、違法として取り消されるべきである。
3　審決の理由に対する認否
　(1)　「1．手続の経緯及び本件発明」については、認める。
　(2)　「2．引用例の記載事項」については、認める。
　(3)　「3．対比・判断」のうち、(1)は認め、(2)は争う。
　(4)　「4．むすび」については、争う。
4　取消事由(注⑤)
　　取消事由は、引用発明1に基づいて本件発明を容易に想到できないとした判断の誤りである。
　(1)　本件発明と引用発明1との相違点2の認定の誤り
　　　本件審決が認定した本件発明と引用発明1との相違点2は、出願時の技術常識に照らすと、実質的には同一の構成である。よって、上記相違点の認定は、審決の結論に影響を及ぼす違法がある。
　(2)　本件発明と引用発明1との相違点1の判断の誤り
　　　本件審決は、本件発明と引用発明1との相違点1について、本件発明の構成を想到することは、容易でないと判断したが（審決5頁2行～20行）、引用発明2は出願当時の周知技術であり、これを組み合わせることは、容易である。
5　結論
　　よって、本件審決の取消しを求める。

```
          添付書類
1  訴訟委任状(注⑥)              1 通
2  資格証明書（登記事項証明書）(注⑥)  2 通
3  審決謄本(注⑦)                1 通
```

(3) 当事者系（請求不成立審決）の答弁書の記載例

```
令和○年(行ケ)第10000号　審決取消請求事件
　原告　　はやぶさ株式会社
　被告　　かすみ株式会社
                    答　弁　書
                                    令和○○年○○月○○日
知的財産高等裁判所第4部　御中


  （送達場所）〒100－8651
           東京都千代田区隼町3番1号
           かすみ法律事務所
               被告訴訟代理人弁護士　　丁野四郎　㊞
                 電　　話　（03）3264－5111
                 ファックス　（03）3264－5111


第1　請求の趣旨に対する答弁
 1　原告の請求を棄却する。
 2　訴訟費用は被告の負担とする。
 との判決を求める。

第2　請求の原因に対する認否
 1　請求原因1の事実は認める。
 2　請求原因2のうち、審決の理由は認め、その余は争う。
 3　請求原因4、5は、争う。

第3　被告の主張(注⑤)
 1　取消事由(1)について
```

I　訴訟手続の概要

……
  2 取消事由(2)について
……
          添付書類
1 訴訟委任状(注⑥)   1通

- 注① 管轄裁判所については、後記Ⅱに詳述する。
- 注② 当事者については、後記Ⅱに詳述する。なお、審決に記載がないためか、外国法人の代表者の記載が欠けている訴状が散見される。この点は訴状の必要的記載事項であり（民事訴訟法133条2項）、その不備は、裁判長の訴状審査権の対象となり、補正命令の対象となる（同法137条1項）。
- 注③ 請求の趣旨に掲げる事件の表示は、「不服〇〇〇〇－〇〇〇〇〇号事件」「無効〇〇〇〇－〇〇〇〇〇号事件」「異議〇〇〇〇－〇〇〇〇〇号事件」「訂正〇〇〇〇－〇〇〇〇〇号事件」などとなる。

  また、請求の趣旨は、事案に応じて以下のようなものが考えられる。

  審決の結論が、「特許第〇〇〇号の請求項1に係る発明についての特許を無効とする。同請求項2に係る発明についての審判請求は成り立たない。」という場合に、特許権者が請求項1について不服を申し立てるときは、「特許庁が無効2019－2345号事件について令和3年9月1日にした審決中、請求項1に係る部分を取り消す。」となり、請求人側が請求項2について不服を申し立てるときは、「特許庁が無効2019－2345号事件について令和3年9月1日にした審決中、請求項2に係る部分を取り消す。」となる。

  請求項が複数の場合にその全部について無効審決がされた場合であっても、その一部の請求項についてのみ不服を申し立てる場合は、上記と同様である。

  無効審判において訂正請求が認められた上で、上記と同様に、請求項1について無効審決、請求項2について請求不成立審決がされた場合、訂正の可否について争わない場合であっても、「特許庁が無効2019－2345号事件について令和3年9月1日にした審決中、請求項1に係る部分を取り消す。」「特許庁が無効2019－2345号事件について令和3年9月1日にした審決中、請求項2に係る部分を取り消す。」などとなる。原告が、訂正を認めた部分について争わないとしても、訂正の可否は独立して確定するわけではなく、請求項ごと又は一群の請求項ごとに確定するから（特許法167条の2）、再度の審決で、改めて訂正の可否を判断した上、特許の有効無効について一体的に判断されるべきだからである。
- 注④ 出訴期間は、審決の謄本の送達があった日から30日の不変期間である（特許法178条3、4項）。
- 注⑤ 取消事由については、訴状ではなく第1回準備書面に記載されることが多い。これに対応して、取消事由に対する被告の主張は、答弁書でなく被告の第1回準備書面に記載されることが多い。取消事由についての詳細は、後記Ⅲを参照されたい。
- 注⑥ 代理権及び代表者であることを証する書面の提出は必要的である（民事訴訟

規則23条、18条、15条）。外国法人については、審決に出訴期間として90日が付加されているから、その間に代理権を証する委任状及び法人の場合の資格証明書を準備しておくべきである。委任状等の提出がない場合には、補正命令の対象となり得る。

注⑦　審決の謄本は、訴状の添付書類として扱い、別途書証にはしない取扱いとなっている。審判手続で提出され審決で認定判断に用いられた証拠は、甲号証として提出する。不要な証拠は欠番とし、審判で乙号証として提出されたものは、甲号証に続ける。証拠については、証拠説明書を作成し、証拠の標目・作成者・作成年月日・立証趣旨・審判時の証拠番号との対応等を記載する。

4　上訴審における手続

　審決取消訴訟は、第1審が知的財産高等裁判所であるため、第1審判決に不服のある者は、判決の送達を受けた日から2週間以内に上告又は上告受理の申立てをすることができる（民事訴訟法313条、285条）。上告状は、第1審である知的財産高等裁判所に提出しなければならず、当事者及び法定代理人、第1審判決の表示及びその判決に対し上告をする旨の記載が必要である（同法313条、286条）。

　上告期間が経過した場合等不適法なものであって、その不備を補正することができないことが明らかな場合は、第1審である知的財産高等裁判所が、上告却下の決定をしなければならない（同法313条、287条）。上告は、民事訴訟法312条所定の絶対的上告理由がある場合でなければならない。したがって、上告状にも上告理由書にも同条所定の絶対的上告理由が記載されていなければ、不適法であり、原審却下を免れない（同法316条）。上告受理の申立ては、逆に、民事訴訟法312条所定の絶対的上告理由をもって理由とすることができず、法令の解釈に関する重要な事項を含むものでなければ上告が受理されることは考えられない（同法318条）。なお、法令違反を主張する場合には、当該法令の条項又は内容を、判例の相反を主張する場合には、最高裁判例や控訴裁判所である高裁判例を、具体的に摘示しなければならない（民事訴訟規則191条、192条、199条）。

II 〔裁判所及び当事者〕

1 裁判所

　審決に対する訴えは、東京高等裁判所の専属管轄である（特許法178条1項）。この訴えは、知的財産高等裁判所設置法2条2号により、知的財産高等裁判所が取り扱う。

2 訴訟の性質と要件

(1) 訴訟の性質

　査定系の訴えは、抗告訴訟としての取消訴訟（行政事件訴訟法3条3項）であり、当事者系の訴えは、形式的当事者訴訟（同法4条）といわれている[1]。行政事件において、取消訴訟の訴訟物は行政処分の違法一般であると解されており、審決取消訴訟の訴訟物は、審決の違法一般ということができる[2]。審決取消訴訟の原告適格が当事者、参加人等法定されていることも考慮すると（特許法178条2項）、審決取消訴訟の提起は、特許法の設ける不服申立制度に基づく権利行使として、審決の違法を主張するものということができる。

　なお、審決取消訴訟は、原処分である特許又は拒絶査定の処分に対してではなく、審決に対してのみこれを認め、専ら審決の適法違法のみを争わせ、特許又は拒絶査定の適否は、審決の適否を通じてのみ間接にこれを争わせるにとどめている（最大判昭和51・3・10民集30巻2号79頁〔メリヤス編

---

[1] 小酒禮「特許関係審決取消訴訟」新実務民訴講座『行政訴訟Ⅱ』217頁
[2] 松野嘉貞「審決取消訴訟における主張立証責任」『三宅喜寿』511頁

機事件〕)。

(2) 当事者適格

　審決取消訴訟の原告は、当事者、参加人又は参加を申請してその申請を拒否された者であり（特許法178条2項）、被告は、特許庁長官であるが、特許無効審判に対するものにあっては、審判の請求人又は被請求人とされている（同法179条）。

　したがって、査定系の場合は、原告となるのは請求人（出願人）であり、被告は特許庁長官である。

　無効審判請求不成立審決の場合は、原告となるのは請求人（参加人又は参加を申請してその申請を拒否された者も含む。以下同じ）であり、被告は特許権者である。また、無効審決の場合は、原告となるのは特許権者であり、被告は請求人である。

　なお、特許無効審判は、利害関係人に限り請求できるが（特許法123条2項）、和解契約において特許無効審判を請求しない旨の合意が成立している場合において利害関係人に当たらないと判断した事例がある（知財高判令和元・12・19（平成31年（行ケ）第10053号）〔二重瞼形成用テープ事件〕）。このような不争条項については、無効にされるべき権利が存続することにより当該権利に係る技術の利用が制限されることから、公正競争阻害性を有するものとして不公正な取引方法に該当する場合もあるが（一般指定第12項）、有効な不争義務がある場合における無効審判請求は、信義則上許されないと解する余地がある。

(3) 期　　間

　審決取消訴訟は、審決の謄本の送達があった日から30日の不変期間に提起しなければならない（特許法178条3、4項）。

　無効審判請求不成立審決の取消訴訟の訴えの利益は、特許権の存続期間が満了したからといって消滅するわけではないが、特許権の存続期間中に

された行為について、何人に対しても、損害賠償又は不当利得返還の請求が行われたり、刑事罰が科されたりする可能性が全くなくなったと認められる特段の事情がある場合には、訴えの利益がない（知財高判平成30・4・13判時2427号91頁〔ピリミジン誘導体事件〕）。

3 権利が共有に係る場合の審判手続

(1) 共有者が被請求人となる場合

　共有に係る特許権について特許権者に対し審判を請求するときは、共有者の全員を被請求人として請求しなければならない（特許法132条2項）。したがって、共有に係る特許権についての無効審判（同法123条）においては、共有者の全員を被請求人としなければならない。

(2) 共有者が請求人となる場合

　　ア　特許を受ける権利が共有の場合
　特許を受ける権利の共有者がその共有に係る権利について審判を請求するときは、共有者の全員が共同して請求しなければならない（特許法132条3項）。特許を受ける権利が共有に係る場合、すなわち、権利の成立過程における拒絶査定不服の審判（同法121条）は、共有者の全員が請求人とならなければならない。したがって、共有に係る出願の場合に、共有者の一部のみによる不服審判請求は、不適法であることは、法文上明らかである。
　共有者の一部のみが請求書に記載された場合に不適法却下審決を維持したものとして、東京高判昭和52・7・27判タ359号295頁（最二小判昭和53・3・24判例集未登載により例文棄却）、東京高判昭和63・7・27無体裁集20巻2号346頁（最三小判平成2・10・2判例集未登載により上告棄却）がある。
　なお、却下審決を取り消したものとして、東京高判昭和53・10・25判タ373号160頁、東京高判昭和54・11・20無体裁集11巻2号608頁、知財高判平成21・11・19判時2072号129頁があるが、代理人の過誤により共有者の

一部のみ記載されているものの、実質上共同審判との意思が表示されていると認められるとして、救済したものもある。

　　イ　特許権が共有の場合

　他方、特許法132条3項は、特許権が共有に係る場合について特許権者が特許権について審判を請求する場合にも、共有者の全員が共同して請求しなければならないと規定しているから、特許権の存続期間の延長登録の出願についての拒絶査定不服の審判（特許法67条の3、121条）や訂正の審判（同法126条）も、共有者の全員が共同して請求しなければならない。

4　共有に係る権利と審決取消訴訟

(1)　査定系の訴えの場合

　　ア　特許を受ける権利が共有に係るときの査定系の訴えの場合については、固有必要的共同訴訟であり、単独での訴え提起は不適法であるとするのが、最高裁判例の立場である。すなわち、最一小判昭和36・8・31民集15巻7号2040頁は、出訴期間経過後に実用新案登録の出願人の名義変更届出をしても、訴えが不適法であるとの判示の前提として、拒絶査定に対する抗告審判の審決取消訴訟が固有必要的共同訴訟であると述べる。最二小判昭和55・1・18裁判集民事129号43頁は、実用新案を受ける権利の共有者の一員が拒絶査定不服の審判に対する請求不成立審決につき審決取消訴訟を提起することは、保存行為に当たらないとする。最三小判平成7・3・7民集49巻3号944頁〔磁気治療器事件〕は、実用新案を受ける権利の共有者が拒絶査定不服の審判に対する請求不成立審決につき提起する審決取消訴訟は、固有必要的共同訴訟であるとする。

　　イ　理由としては、以下の2点に集約される。

　(a)　特許を受ける権利の対象である発明は1個の技術的思想の創作であるから、これが2人以上の共有に属する場合でも、それが有効か無効かの審決の違法性の有無の判断は、共有者全員の有する1個の権利の

成否を決めるものであり、審決を取り消すか否かは全員につき合一に確定する必要があり、共有者ごとに区々別々に確定される余地はないこと。
　(b)　権利が共有に係る場合でも、その共有は民法所定の共有と異なり、権利は全部が不可分的に共有者全員に帰属するから、1人が単独で審決取消訴訟を提起することは許されないこと。

　ウ　この見解に対しては、訴訟提起について他の共有者の協力が得られないと、出訴期間満了と同時に審決が確定し、権利が遡及的に消滅してしまうという、致命的な結果をもたらす難点があると批判されている。

　この批判に対する反論としては、出願時及び審判請求時に共有者全員の権利取得への意見の合致を要求している法制下（特許法38条、132条3項）では、取消訴訟提起時にもこれを要求することが不合理ではないし、出願当初の段階で共有者間で権利取得の意思を翻す場合の方策を取り決めることが可能であること、持分譲渡を受けたにもかかわらず効力要件である届出を失念した者を保護する必要性は少ないことという2点が挙げられている[3]。

(2) 無効審決取消訴訟の場合

　ア　抗告審判の続審が大審院への上告であるという制度をとっていた昭和23年改正前の旧特許法（大正10年法律第96号）においては、大判昭和8・7・7民集12巻1849頁は、当事者系の訴えにつき固有必要的共同訴訟であるとした。当時は、抗告審判の続審が大審院への上告であり、固有必要的共同訴訟と解しても、共有者の1人の提起した上告の効力が、旧民事訴訟法62条の適用により、他の共有者のため効力を生じ、適法と解されるものであり、むしろ、共有者の1人の上告を適法とするために固有必要的共同訴訟であると判示したものと解される。

3　高林龍「判解」最高裁判所判例解説民事篇〔平成7年度〕〔15〕事件

しかし、旧憲法下とは異なり、現行法の下では、行政処分である審決を司法機関が審査する関係を１審と控訴審のような続審の関係になぞらえることは難しいとされ、固有必要的共同訴訟であることを否定し、共有者の１人が保存行為として審決取消訴訟を提起することができるとする保存行為説が、学説上は多数説である[4]。

　イ　最高裁判例も、当事者系の訴えについて、共有者の１人は、共有に係る権利の無効審決がされたときは、単独で無効審決の取消訴訟を提起することができるとした（最二小判平成14・2・22民集56巻2号348頁〔ETNIES事件〕、最一小判平成14・2・28裁判集民事205号825頁〔水沢うどん事件〕は、商標登録無効審決に対するものである。最二小判平成14・3・25民集56巻3号574頁〔パチンコ装置事件〕は、特許取消決定に対するものである。）。

　ウ　その理由は、以下の３点にある。
(a)　いったん特許権の設定登録がされた後は、特許権の共有者は、持分の譲渡や専用実施権の設定等の処分については他の共有者の同意を必要とするものの、他の共有者の同意を得ないで特許発明を実施することができる（特許法73条）。いったん登録された特許権について特許の無効審決がされた場合に、これに対する取消訴訟を提起することなく出訴期間を経過したときは、特許権が初めから存在しなかったこととなり、特許発明を排他的に実施する権利が遡及的に消滅するものとされている（同法125条）。したがって、上記取消訴訟の提起は、特許権の消滅を防ぐ保存行為に当たるから、特許権の共有者の１人が単独でもすることができるものと解される。そして、特許権の共有者の１人が単独で上記取消訴訟を提起することができるとしても、訴え提起をしなかった共有者の権利を害することはない。
(b)　無効審判は、特許権の消滅後においても請求することができるとされており（特許法123条3項）、特許権の設定登録から長期間経過した

4　中山信弘「特許を受ける権利の共有者の１人による審決取消訴訟の適格性」『田倉古稀』556頁、瀧川叡一『特許訴訟手続論考』31頁

後に他の共有者が所在不明等の事態に陥る場合や、また、共有に係る特許権に対する共有者それぞれの利益や関心の状況が異なることからすれば、訴訟提起について他の共有者の協力が得られない場合なども考えられるところ、このような場合に、共有に係る特許の無効審決に対する取消訴訟が固有必要的共同訴訟であると解して、共有者の1人が単独で提起した訴えは不適法であるとすると、出訴期間の満了と同時に無効審決が確定し、特許権が初めから存在しなかったこととなり、不当な結果となりかねない。

(c) 特許権の共有者の1人が単独で無効審決の取消訴訟を提起することができると解しても、その訴訟で請求認容の判決が確定した場合には、その取消しの効力は他の共有者にも及び（行政事件訴訟法32条1項）、再度、特許庁で共有者全員との関係で審判手続が行われることになる（特許法181条5項）。他方、その訴訟で請求棄却の判決が確定した場合には、他の共有者の出訴期間の満了により、無効審決が確定し、権利は初めから存在しなかったものとみなされることになる（同法125条）。いずれの場合にも、合一確定の要請に反する事態は生じない。さらに、各共有者が共同して又は各別に取消訴訟を提起した場合には、これらの訴訟は、類似必要的共同訴訟に当たると解すべきであるから、併合の上審理判断されることになり、合一確定の要請は満たされる。

(3) 査定系の判例と当事者系の判例との関係

以上のとおり、査定系の訴えの場合について固有必要的共同訴訟であるとする最高裁判決と、当事者系の訴えの場合について保存行為であるとした最高裁判決との関係が問題になる。従前の学説が査定系の訴えと当事者系の訴えとを十分区別することなく展開されてきたために、それぞれの訴えに係る判例の射程についても、十分に検討されていなかった感があるが、当事者系に係る最二小判平成14・2・22民集56巻2号348頁〔ETNIES

事件〕は、査定系の訴えに係る各判例とは事案を異にすると判示した。

その趣旨は、特許法は、複数の者がした特許を受ける権利は、全員の意思が一致しない限りその一部を他に譲渡することはできず(特許法33条3項)、共有に係る特許を受ける権利について審判を請求するときは、共有者の全員が共同してしなければならない(同法132条3項)として、権利の取得の場面では、出願者の意思の合致を要求したものであるのに対し、いったん特許権の設定登録がされた後は、特許権の共有者は、持分の譲渡や専用実施権の設定等の処分については他の共有者の同意を必要とするものの、他の共有者の同意を得ないで特許発明を実施することができる(同法73条)ところからすれば、権利の成立後は、常に共有者全員が共同して行動することを要求されているわけではない。このことを前提に、当事者系の訴えである無効審決取消訴訟は、査定系の訴えの「共有物の対外的主張」とは異なったものであると解したものと思われる。すなわち、当事者系の無効審決取消訴訟の提起は、既に権利として設定登録された特許権を消滅させないように「保存」する行為であるのに対し、査定系の訴えは、未だ設定登録されていない特許を受ける権利を、性質も効力も違う特許権にまで高める場面のものである。そして、特許を受ける権利については共有者間の牽制が強く特許庁における手続も全員ですることを法律上要求されている(同法132条3項)のに対し、特許権の共有者は自由に全部について実施することができる(同法73条)。さらに、利益状況という観点からも、査定系の訴えは、権利の取得を目指す能動的な場面であるのに対し、当事者系の訴えは、受動的な立場であって降りかかった火の粉を払い落とさなければ、権利が消滅してしまうという場面のものである。このような意味で、査定系の訴えに係る判例と事案が異なるとされたものと思われる[5]。

以上の次第で、査定系の訴えに関する判例理論は、当事者系の無効審決取消訴訟には及ばないとされたものである。

---

5 高部眞規子「判解」最高裁判所判例解説民事篇〔平成14年度〕〔9〕事件

なお、当事者系に関する審決取消訴訟を単独で提起できるとすると、査定系にもこれを及ぼす余地があると考える学説もあるが[6]、実務上は、査定系に係る最高裁判例の判例変更があるまでは、共有者全員で訴えを提起すべきであろう[7]。

(4) 無効審判請求不成立審決の取消訴訟の場合

他方、当事者系の訴えのうち、無効審判請求不成立審決の取消訴訟については、共有者全員を被告としなければならない。すなわち、特許権が共有に係る場合には、全員を被請求人として無効審判を請求すべきである（特許法132条2項）。審決取消訴訟の被告適格は、その審判の請求人又は被請求人と規定されているから（同法179条ただし書）、共有に係る特許の無効審判請求不成立審決については、その審判の被請求人、すなわち特許権者であり審決の名宛人である共有者全員を被告としなければならないものと解される[8]。そのように解さなければ、共有者全員の手続保障に欠けるおそれがある。

(5) 特許取消決定の取消訴訟の場合

特許権の共有者の1人は、取消決定につき、特許異議の申立てに基づき当該特許を取り消すべき旨の決定がされたときは、単独で取消決定の取消訴訟を提起することができる（最二小判平成14・3・25民集56巻3号574頁〔パチンコ装置事件〕）。

(6) その余の訴えについて

このように、審決等に対する訴えにもさまざまな類型のものがあり、権

---

6 中山信弘『特許法〔第3版〕』293頁、大渕哲也「審決取消訴訟(2)」法学教室339号124頁
7 髙部眞規子「特許の共有をめぐる諸問題」『中山古稀』214頁
8 『注解商標法（下）〔新版〕』1245頁〔瀧川叙一〕、仁木弘明「特許制度における必要的共同審判と必要的共同訴訟」『三宅喜寿』561頁

利が共有の場合に共有者の1人が提起する訴えの適法性は、それぞれの訴えごとに、個別に検討する必要があると思われる。

例えば、商標の登録異議の申立てに対する取消決定（商標法43条の3第2項）や、商標取消審判（同法50条ないし53条の2）に対する取消審決も、確定により商標権を消滅させるものであり（同法54条）、当事者系の判決の射程が及ぶと解される（不使用取消審決につき、知財高判平成30・1・15判タ1451号147頁〔緑健青汁事件〕）。これに対し、特許法132条3項により共有者全員で審判を請求することが法律上要求されている特許権の存続期間の延長登録の拒絶査定に対する不服の審判（特許法67条の3第1項、121条）、訂正の審判（同法126条）に対し、その審判請求が成り立たない旨の審決の取消訴訟については、上記判例の射程が及ぶといえるか否か、慎重に検討することが必要であろう[9]。

5　審判請求人が複数の場合

無効審判請求不成立審決の取消訴訟であっても、権利が共有の場合ではなく、請求人が複数の共同審判請求の場合は、固有必要的共同訴訟ではないから、1人のみでその審決の取消訴訟を提起することも、適法である（最二小判平成12・2・18判時1703号159頁〔嗜好食品の製造方法事件〕）。複数の無効審判請求が併合された場合も、同様である（最一小判平成12・1・27民集54巻1号69頁〔クロム酸鉛顔料及びその製法事件〕）。

なお、共同無効審判請求に係る無効審決に対し、特許権者が共同審判請求人の1人のみを相手方として審決取消訴訟を提起した場合において、被告とされなかった共同審判請求人との関係で出訴期間を経過したときは、上記審決取消訴訟は、訴えの利益を欠く不適法なものとして却下される（知財高判平成30・12・18判時2412号43頁〔二次元バーコード事件〕）。

---

[9]　髙部眞規子「判解」最高裁判所判例解説民事篇〔平成14年度〕〔13〕事件

6 承継の場合

(1) 承継の実体法上の効力

承継には、合併や相続のような一般承継（包括承継）の場合と、権利の譲渡のような特定承継の2種類がある。

特許権又は特許を受ける権利が一般承継された場合であれば、当然に承継の効力が生じる。その場合、一般承継人は、遅滞なく、一般承継の事実を特許庁長官に届け出なければならない（特許法34条5項、98条2項）。

他方、特許を受ける権利の特定承継の場合は、特許庁長官への届出が効力要件であり、届出がなければ効力を生じない（同法34条4項）。また、特許権の特定承継の場合は、登録が効力要件であり、登録をしなければ効力を生じない（同法98条1項）。

(2) 承継の手続上の効力

ア 審決取消訴訟係属中の承継

訴え提起後の当事者の承継は、民事訴訟の例による（行政事件訴訟法7条）。

一般承継の場合は、訴訟代理人がない場合には訴訟手続が中断し、承継人の受継が必要である（民事訴訟法124条）。なお、無効審判請求人の地位も一般承継される（最一小判昭和55・12・18裁判集民事131号345頁）。

権利の特定承継の場合は、譲受人において、訴訟に参加することができる（民事訴訟法47条、51条）。この場合は、譲渡人は、相手方の承諾を得て訴訟から脱退することができる（同法48条）。

また、義務の特定承継の場合は、譲受人に訴訟を引き受けさせることができる（同法50条）。この場合は、譲渡人は、相手方の承諾を得て訴訟から脱退することができる（同法48条）。

イ 審決後取消訴訟提起前の承継

審決後に一般承継があった場合は、承継人が当事者の地位を当然に承継

するから、取消訴訟の当事者となるべき者は承継人である。もっとも、被告側に一般承継の事実があったことを原告が故意又は重大な過失によらないで知らなかったために被告とすべき者を誤った場合には、被告の変更が許される（行政事件訴訟法15条1項）。

　審決後に、特許庁長官への届出又は登録により特定承継の効力が生じた場合には、譲受人が当事者となる。もっとも、譲渡人を当事者とした訴訟については、不適法であるとする見解もあるが[10]、譲受人に受継させれば足りるのではなかろうか[11]。

　　ウ　手　　続

　承継があった場合には、承継の原因事実を主張し、それを証する書面（一般承継であれば商業登記簿謄本や戸籍謄本、特定承継であれば譲渡契約書等）を提出するとともに、登録が効力要件の場合には登録原簿の写しを、届出が効力要件であれば特許庁への届出書面等を提出する必要がある。

10　竹田稔『特許審決取消訴訟の実務』22頁
11　山田知司「当事者」竹田稔ほか編『特許審決取消訴訟の実務と法理』118頁

III 〔取消事由〕

1 手続上の瑕疵

(1) 取消事由としての手続上の瑕疵

　審決取消訴訟の訴訟物は、審決の違法性一般であるといわれている。よって、審決の取消事由は、当該審決を違法とする瑕疵である。審決取消事由としては、多岐にわたるが、大別すると、実体法上の瑕疵のほか、手続上の瑕疵がある。なお、瑕疵があったとしても、その瑕疵が審決に影響を及ぼさない場合には、審決を取り消すべき事由とはいえない。

　手続上の瑕疵とは、審決がその認定判断を行うに至るまでの、審判の審理過程における手続に存する瑕疵である。特許庁の審決は、行政処分の1つであるところ、行政処分に手続上の瑕疵がある場合に処分を取り消すべきか否かについては、一律に論ずるのは困難であり、当該処分の目的・性質や、問題とされた手続が要求された趣旨・瑕疵の軽重等を勘案して、判断すべきものである（最一小判昭和46・10・28民集25巻7号1037頁、最一小判昭和50・5・29民集29巻5号662頁）。

　取消事由としては、手続上の瑕疵があっても、それが審決の結論に影響するものであることが必要である[12]。

(2) 審判手続の瑕疵

　従前、手続上の瑕疵を理由として審決が取り消された事例として、審判

---

[12] 山下和明「審決（決定）取消事由」竹田稔ほか編『特許審決取消訴訟の実務と法理』162頁

請求書における共同審判請求人の1人の記載が欠落しているときに補正を命じることなく却下した場合（知財高判平成21・11・19判時2072号129頁）、拒絶理由に対する意見書や手続補正書の看過（東京高判昭和60・7・9判タ579号79頁）、公示送達が要件を欠き答弁書提出の機会を与えられなかった場合（最二小判昭和56・3・27民集35巻2号417頁）、従前引用された文献と異なる刊行物を拒絶理由として通知し更なる補正及び意見書提出の機会を与えることなく補正を却下した場合（知財高判平成23・10・4判時2139号77頁）、拒絶査定と異なる主引用例を引用しながら意見書提出の機会を与えなかった場合（知財高判平成24・10・17判時2174号94頁〔建設機械事件〕）、拒絶査定において「現時点では、拒絶の理由を発見しない」と記載された請求項について、特許を受けることができない旨の判断をした場合（知財高判平成29・7・18（平成28年（行ケ）第10238号）〔遊技機事件〕）、特許法50条ただし書に当たる場合であっても、審査段階において提示されていなかった新規の文献を主引用例とするなど、特許出願に対する審査・審判手続の具体的経過に照らし、出願人の防御の機会が実質的に保障されていないと認められるような場合に拒絶理由通知をしなかったとき（知財高判平成30・9・10判時2411号86頁〔スロットマシン事件〕）等がある。

　他方、拒絶理由通知及び拒絶査定において引用発明とされた化合物とは異なる化合物をも引用発明とし、これに基づき進歩性を否定したことは、特許法159条2項所定の「査定の理由と異なる拒絶の理由」に該当し、これを出願人に通知して意見書提出の機会を与えなかったことは、同法50条に反するが、本願発明が、拒絶理由通知及び拒絶査定に記載されていた化合物に基づき進歩性を欠くものである場合は、同法50条違反の点は、審決の結論に影響を及ぼすものではない（知財高判平成29・2・14（平成28年（行ケ）第10112号）〔ピペリジンジオン多結晶体事件〕）。また、特許法153条2項所定の手続を欠くという瑕疵がある場合であっても、当事者の申し立てない理由について審理することが当事者にとって不意打ちにならないと認められる事情のあるときは、上記瑕疵は審決を取り消すべき違法には当たらない

（最三小判平成14・9・17裁判集民事207号155頁〔mosrite事件〕）。特許法153条2項所定の「当事者の申し立てない理由」とは、新たな無効理由の根拠法条の追加や引用例の追加等、不利な結果を受ける当事者にとって不意打ちとなりあらかじめ通知を受けて意見を述べる機会を与えなければ著しく不公平となるような重大な理由を意味し、容易想到性の判断の過程における相違点の認定や相違点認定の判断過程における証拠に基づく事実の認定は、上記の「当事者の申し立てない理由」には当たらない（知財高判令和元・8・8（平成30年（行ケ）第10106号）〔油冷式スクリュ圧縮機事件〕）。

(3) 審決の理由不備

ア 理由付記の趣旨

民事訴訟法312条1項6号により上告理由の一事由とされている「判決に理由を付さないこと」（理由不備）とは、主文を導き出すための理由の全部又は一部が欠けていることをいうものである。

特許に無効理由があるかどうかについては、審判手続において法律上及び事実上の争点について十分な審理判断をすべきものとすることにあり、審決取消訴訟を東京高等裁判所の専属管轄として事実審を一審級省略していることは、特許の無効理由の存否については、既に審判手続において当事者の関与の下に十分な審理判断がされていることを前提としているからにほかならない。これらのことにかんがみると、特許法157条2項4号が審決をする場合には審決書に理由を記載すべき旨定めている趣旨は、審判官の判断の慎重、合理性を担保しその恣意を抑制して審決の公正を保障すること、当事者が審決に対する取消訴訟を提起するかどうかを考慮するのに便宜を与えること及び審決の適否に関する裁判所の審査の対象を明確にすることにあると解される。したがって、審決書に記載すべき理由としては、当該発明の属する技術の分野における通常の知識を有する者の技術上の常識又は技術水準とされる事実などこれらの者にとって顕著な事実について判断を示す場合であるなど特段の事由がない限り、審判における最終

的な判断として、その判断の根拠を証拠による認定事実に基づき具体的に明示することを要するものと解される。

　イ　裁判例

審決の理由不備に関する判例としては、以下のものがある。

特許が特許法29条2項の規定に違反し無効であるとする審決の審決書に、その理由として、「本件特許…発明において、その余の成分を使用する場合については、該成分はいずれも上記成分と同様に使用できる相互置換容易の化合物であり、さらに生成染料について、本件特許明細書には、該染料が、ある特定の成分を使用した場合のみ著しく価値あるものとすべき十分の根拠を示していないことから判断して、それぞれの生成染料は上記染料と同程度の価値のものとしての認識を出ていないものと解するのを相当とする。」と記載されているだけで、上記判断の根拠が証拠による認定事実に基づき具体的に明示されていない場合には、審決書は特許法157条2項4号の要求する審決理由の記載を欠くとされた（最三小判昭和59・3・13裁判集民事141号339頁〔モノアゾ染料の製法事件〕）。また、引用発明の内容を確定し、本願発明と引用発明の相違点を認定したところまでは説明をしているものの、同相違点に係る本願発明の構成が、当業者において容易に想到し得るか否かについては、何らの説明もしていない場合は、審決書において理由を記載すべきことを定めた特許法157条2項4号に反することになり、理由不備の違法がある（知財高判平成22・12・28（平成22年（行ケ）第10229号）〔プラスチック成形品の成形方法事件〕）。

他方、引用発明を無効審判請求人の主張と異なる認定をしたとしても、そのことのみをもって理由不備の違法があるとはいえない（知財高判平成28・5・18（平成27年（行ケ）第10139号）〔スロットマシン事件〕）。また、特許法157条2項4号の趣旨に照らせば、引用例に記載された発明の内容の特定等に係る当事者の主張を採用しないときは、その理由を明示することが好ましいものの、この点が不十分で措辞必ずしも適切とはいえない場合でも、必ずしも取り消すべき違法があるとはいえない（知財高判平成28・10・

12(平成27年(行ケ)第10178号)〔アモルファス酸化物薄膜事件〕)。

　さらに、審決の理由は、最終的な結論を導き出すのに必要な限度で示されるものであって、その判断の過程において認定された全ての事実についてそれを認定する根拠となった証拠を事実毎に全て示さなければ、審決の理由を記載したことにならないというものではなく、技術常識は、当業者に一般的に知られている技術又は経験則から明らかな事項であるから、その根拠となった証拠を挙げなかったからといって、必ずしも審決の理由を記載しなかったことにはならない(知財高判平成30・11・26(平成30年(行ケ)第10016号)〔多成分物質の計量事件〕)。特許権者が審判において阻害要因があることを基礎付ける事実を主張しているのに、阻害要因の有無について審決書に具体的に説示しなかった審決は、特許法157条2項4号の要求する理由が十分に記載されていないものとして、違法なものといわざるを得ないが、かかる手続違反のみをもって、実体と無関係に本件審決を取り消すべきものということはできないとして、前記違法は結論に影響を及ぼすものではないとした裁判例もある(知財高判平成31・2・6(平成30年(行ケ)第10031号)〔携帯用グリップ事件〕)。

　このように、最近の裁判例は、審決書の記載が、審決の公正を保障し、当事者が審決に対する取消訴訟を提起するかどうかを考慮するのに便宜を与え、審決の適否に関する裁判所の審査の対象を明確にするという趣旨に反するか否かという基準によって検討され、審決の結論に影響する違法があるか否かという判断がされているといえよう。

(4) 審決における判断遺脱

ア　判断遺脱の意義

　審決取消事由として、判断遺脱が主張されることがある。民事訴訟法においては、抗弁をいれながらこれに対する再抗弁事実を摘示せずその判断を遺脱した判決自体はその理由において論理的に完結しており、主文を導き出すための理由の全部又は一部が欠けているとはいえず、判断遺脱に

よって、判決に影響を及ぼすことが明らかな法令の違反がある場合に破棄される（最三小判平成11・6・29裁判集民事193号411頁）。

イ　審決における判断の遺脱

　審決についても、請求人の主張した無効理由について、「請求人の主張」にも「合議体の判断」にも記載がなければ、その判断がされたと評価することはできない。もっとも、そのような判断の遺脱があっても、無効理由によっては、常に審決が違法となるわけではない。すなわち、補正要件の適否は、当該補正に係る全ての補正事項について全体として判断されるべきものであり、一部の構成要件について明示的な判断がなかったとしても、判断遺脱ではなく補正要件について実質的に判断されたといえる場合があるし、分割要件やサポート要件についても、同様である（知財高判令和2・1・21（平成31年（行ケ）第10042号）〔マッサージ機事件〕）。

　また、拒絶査定不服審判請求不成立審決では、複数の請求項のうちの1つに拒絶理由があると認める場合は、1つの請求項についてのみ判断し、従属項については判断しないことが多いが、その点を判断遺脱ないし手続違反と主張する事案もある。しかし、特許法は、一つの特許出願に対し、一つの行政処分としての特許査定又は特許審決がされ、これに基づいて一つの特許が付与され、一つの特許権が発生するという基本構造を前提としており、請求項ごとに個別に特許が付与されるものではない。このような構造に基づき、複数の請求項に係る特許出願であっても、特許出願の分割をしない限り、当該特許出願の全体を一体不可分のものとして特許査定又は拒絶査定をするほかなく、一部の請求項に係る特許出願について特許査定をし、他の請求項に係る特許出願について拒絶査定をするというような可分的な取扱いは予定されていない。このことは、特許法49条、51条の文言のほか、特許出願の分割という制度の存在自体に照らしても明らかである。したがって、1つの請求項について拒絶理由があるとする以上、従属項に記載された発明や補正により追加された請求項についての判断遺脱や手続違反の違法は存しない（知財高判平成27・9・10（平成26年（行ケ）第

10277号)〔隔壁付きベッド事件〕、知財高判平成31・4・12(平成30年(行ケ)第10117号)〔脂質含有組成物事件〕)。

2 審決取消訴訟の審理範囲

(1) メリヤス編機事件大法廷判決

ア　最大判昭和51・3・10民集30巻2号79頁〔メリヤス編機事件〕は、以下のとおり判示する。

①　無効原因の特定について、特許法123条1項各号は、特許の無効原因を抽象的に列記しているが、そこに掲げられている各事由は、いずれも特許の無効原因をなすものとしてその性質及び内容を異にするものであるから、そのそれぞれが別個独立の無効原因となる。

②　特許法123条1項2号の場合についても、そこに掲げられている各規定違反は、それぞれその性質及び内容を異にするから、規定違反ごとに無効原因が異なる。

③　無効原因を単に該当条項ないしは違反規定のみによって抽象的に特定することで足りるかどうかは、特許制度に関する法の仕組みの全体に照らし、特に167条が、確定審決における一事不再理の効果の及ぶ範囲を同一の事実及び証拠によって限定すべきものとしていることとの関連を考慮して、慎重に決定されなければならない。

④　特許無効審判の審決取消訴訟においてその判断の違法が争われる場合には、専ら当該審判手続において現実に争われ、かつ、審理判断された特定の無効原因に関するもののみが審理の対象とされるべきものであり、それ以外の無効原因については、右訴訟においてこれを審決の違法事由として主張し、裁判所の判断を求めることを許さない。

⑤　新規性の有無は、引用された特定の公知事実に示される具体的な技術内容との対比において個別的に判断すべきであり、無効原因もまた、具体的に特定された公知事実であることを要する。

イ　審理対象

　メリヤス編機事件大法廷判決では、審判で審理判断された無効理由のみが審決取消訴訟の審理の対象となるため、審判で審理判断されなかった無効理由を主張することは許されないとされている。

　この点は、一般の行政処分の取消訴訟が審査請求時に主張した違法事由に限定されず、あらゆる違法事由を主張し得ることとの、大きな相違点である。上記大法廷判決に対しては、学説上強力な反対意見があるが[13]、実務上は、上記大法廷判決を前提とした取扱いがされている。

　上記大法廷判決は、「審判手続において現実に争われ、審理判断された特定の無効原因」について、まず、特許法123条1項各号に掲げられている各事由、同項2号に掲げられている各規定違反は、それぞれその性質及び内容を異にするから、該当条項ないしは規定違反ごとに無効理由が異なると解すべきであることを述べている。その上で、新規性の有無については、具体的に特定された無効原因であることを要し、公知事実ごとに別個独立の無効理由となることを明らかにしている。進歩性についても、主たる引用例（公知技術）が異なれば、異なる無効理由となるが、上記大法廷判決は、主引用例が同じで、組み合わせるべき副引用例や周知技術が異なる場合、異なる無効理由ととらえるのか否かについては、明言していない。また、記載要件について、実施可能要件、サポート要件、明確性要件は、それぞれ違反する規定の性質及び内容を異にするから、規定違反ごとに無効理由が異なるが、それ以上細かくクレームの文言ごとに異なる無効理由ととらえるのか否かについても、明言していない。

ウ　例　　外

　もっとも、最高裁自ら、以下の2つの例外を肯定している。

　その1は、技術常識の認定のための証拠の提出であり、最一小判昭和55・1・24民集34巻1号80頁〔食品包装容器事件〕が、審判の手続において

---

[13] 大渕哲也『特許審決取消訴訟基本構造論』221頁以下

審理判断されていた刊行物記載の考案との対比における無効原因の存否を認定して審決の適法、違法を判断するにあたり、審判の手続にはあらわれていなかった資料に基づき右考案の属する技術の分野における通常の知識を有する者（当業者）の実用新案登録出願当時における技術常識を認定し、これによって同考案のもつ意義を明らかにした上無効原因の存否を認定したとしても、このことから審判の手続において審理判断されていなかった刊行物記載の考案との対比における無効原因の存否を認定して審決の適法、違法を判断したものということはできないとした点である（知財高判平成28・7・13（平成27年（行ケ）第10186号）〔アンカーピン事件〕も同旨）。

その2は、商標登録の不使用取消審判の審決取消訴訟における主張立証であり、最三小判平成3・4・23民集45巻4号538頁〔シェトワ事件〕が、上記審決取消訴訟において、審判の対象となる審判請求の登録前3年以内における使用の事実の存否の立証は、口頭弁論終結時まで許されるとした点である。

そのほか、審判時における主引用例と副引用例との差替えについては、これを否定した裁判例があるが（知財高判平成18・6・29（平成17年（行ケ）第10490号）〔紙葉類識別装置の光学検出部事件〕）、複数の公知事実が審理判断されている場合にあっては、その組合せにつき審決と異なる主張をすることは、それだけで直ちに審判についての審理で審理判断された公知事実との対比の枠を超えるとはいえないとして、これを肯定する裁判例（知財高判平成18・7・11判タ1268号295頁〔おしゃれ増毛装具事件〕）、審決において副引用例とされた発明について、当事者双方が、上記副引用例を主引用例とする予備的主張を審決取消訴訟において審理判断することを認め、特許庁における審理判断を経由することを望んでおらず、その点についての当事者の主張立証が尽くされているという事案の下において、上記主張を審理判断することは、紛争の一回的解決の観点からも許されるとした裁判例（知財高判平成29・1・17判タ1440号137頁〔物品の表面装飾構造事件〕）がある。

(2) 審決取消訴訟における審理判断の対象

メリヤス編機事件大法廷判決のいう「審判手続において現実に争われ、かつ、審理判断された特定の無効原因に関するもの」とは何かが問題となる。

ア 別個の無効理由

(ア) 審決が判断していない無効理由

例えば、審判において無効理由Aも無効理由Bも主張・反論が尽くされていたのに、審決では、無効理由Aのみを判断し、Bを判断するまでもなく無効審決がされた場合、その取消訴訟では、原告特許権者としては無効理由Aについての審決の違法を主張する。この審決取消訴訟において、無効理由Aの判断が誤りであった場合には、審決取消しとなり、再度の審判手続においては、拘束力により無効理由Aについては請求が成り立たないとしつつ、無効理由Bについて判断される。しかし、無効理由Bについての判断について不服のある当事者は、再度の審決取消訴訟を提起することになり、キャッチボール現象が生じる。これを避けるために、請求人たる被告が、無効理由Aについての審決の判断が誤りであった場合に備えて予備的に無効理由Bが成り立つことを主張し、裁判所が、これを判断すること（無効理由Bが成り立てば、審決は結論において正当であり、取り消されない。）は、意義がある。もっとも、メリヤス編機事件大法廷判決が、審判で審理「判断」した無効理由が審理の対象となる、と判示した点と抵触するのではないかという疑いが生じる。

(イ) 審決の結論を導かない無効理由

他方、無効審判請求において、無効理由Aと無効理由Bを主張していたところ、特許庁が無効理由Bは成り立たないが無効理由Aが成り立つとして無効審決をした場合、その取消訴訟では、原告特許権者としては無効理由Aについての審決の違法を主張する。これに対し、請求人たる被告は、無効理由Aについての審決の判断が誤りであった場合に備えて、予備的に

無効理由Bについての審決の違法を主張することが許されるであろうか、また、裁判所は、これを判断できるであろうか。

このケースで無効理由Bの成否について主張・判断できると解しても、審決で審理判断されている以上、上記大法廷判決に抵触することはなく、一回的解決に資する。

(ウ) 小　　括

そうすると、無効理由が複数主張されている無効審判請求において、まず、特許庁は、全ての無効理由について判断することが必要である。

イ　進歩性欠如の無効審判請求に対する審決取消訴訟の審理対象

(ア) 進　歩　性

進歩性については、通常、①本件発明の認定、②引用発明の認定、③本件発明と引用発明の対比（一致点及び相違点の認定）、④相違点の容易想到性の判断という順序で行われる。なお、上記④の相違点については、主引用発明又は副引用発明の内容中の示唆、技術分野の関連性、課題や作用・機能の共通性等を総合的に考慮して、主引用発明に副引用発明を適用して本願発明に至る動機付けがあるかどうかを判断するとともに、適用を阻害する要因の有無、予測できない顕著な効果の有無等を併せ考慮して判断すべきである（知財高判平成30・4・13判時2427号91頁〔ピリミジン誘導体事件〕）。

ここで、引用発明の認定の誤り、本件発明と引用発明の相違点の看過、動機付けがあるとした判断の誤りというような、進歩性の判断に至る各過程における誤りのみを理由として審決を取り消すという事案がみられる。

例えば、引用例1に基づく進歩性欠如を理由とする無効審決がされた場合、原告は、相違点の看過を理由とする取消事由を主張したとする。相違点の看過のみを理由として審決を取り消すと、再度の審判手続で当該相違点の容易想到性について判断され、それについて同一の進歩性について再度の審決取消訴訟が提起される可能性がある。しかし、請求人たる被告が、審決に相違点の看過という誤りであった場合に備えて、当該相違点が容易に想到できると主張し、裁判所が、この点についても判断すれば、特許庁

とのキャッチボールを防ぎ、再度の審決取消訴訟を防止することができる。すなわち、仮に当初の審決が相違点を看過していたとしても、当該相違点が容易でないといえなければ引用例1に基づく進歩性欠如の審決の結論が取り消される必要はない。これを主張・判断できると解しても、もとよりメリヤス編機事件大法廷判決に抵触することはない。近時は、一致点及び相違点の認定に誤りがあっても直ちに審決の結論に影響を及ぼすとはいえないとし、進んで裁判所が認定した相違点について容易想到性を判断して結論を導く裁判例がみられ（知財高判令和元・10・2（平成30年（行ケ）第10108号）〔重金属類を含む廃棄物の処理装置事件〕）、一回的解決に資するものである。

同様に、進歩性欠如における本件発明や引用発明の認定誤りを理由とする取消事由を主張したとする。本件発明や引用発明の認定誤りのみを理由として審決を取り消すと、同一の無効理由について、再度の審決に対する再度の審決取消訴訟が提起される可能性がある。当初の審決取消訴訟で、正しく認定した本件発明や引用発明に基づいて、正しく相違点を認定し直せば、特許庁とのキャッチボールを防ぎ、再度の審決取消訴訟を防止することができる（知財高判平成24・2・8判時2150号103頁〔電池式警報機事件〕、知財高判平成29・10・3（平成28年（行ケ）第10183号）〔負極、二次電池事件〕、知財高判令和元・10・2（平成30年（行ケ）第10108号）〔重金属類を含む廃棄物の処理装置事件〕）。

相違点の容易想到性の判断における、更に一要素にすぎない動機付けの有無のみを理由とする取消判決や、顕著な効果の有無のみを理由とする取消判決（知財高判平成28・3・30（平成27年（行ケ）第10054号）〔モメタゾンフロエート事件〕）にも、同様の問題がある。

(ウ) 異なる相違点の判断

同様に、無効審判請求において、本件発明と引用例1との相違点1が容易で相違点2が非容易であるとして、特許庁が請求不成立審決をした場合に、原告は相違点2の判断誤りを理由とする取消事由を主張する。これに

対し、特許権者たる被告は、これが誤りであった場合に備えて、相違点1についての判断の違法を主張することが許され、裁判所は、これを判断できると解しても、メリヤス編機事件大法廷判決に抵触することはない。

相違点2について当業者が容易に想到し得ないと判断して、相違点1については判断するまでもなく、無効審判請求不成立とした審決の取消訴訟の場合も同様である（東京高判平成16・12・27（平成13年（行ケ）第278号）〔カードゲーム玩具事件〕、知財高判平成17・10・6（平成17年（行ケ）第10366号）〔炭酸飲料ボトル製造方法事件〕）。

(エ)　訂正がからむ場合

訂正要件が不適法であるとして、訂正前の発明の進歩性欠如を理由として無効審決がされた場合、訂正要件の判断の誤りを取消事由として主張するほか、さらに進んで訂正後の発明が進歩性を有することを主張し、又は訂正要件違反が入れられなかった場合に備えて、訂正前の発明が進歩性を有することの主張をすることが許されるであろうか。

この点について、従前、最三小判平成11・3・9民集53巻3号303頁〔大径角形鋼管事件〕が、「明細書の特許請求の範囲が訂正審決により減縮された場合には、減縮後の特許請求の範囲に新たな要件が付加されているから、…右発明が特許を受けることができるかどうかの…審理判断を、特許庁における審判の手続を経ることなく、審決取消訴訟の係属する裁判所において第一次的に行うことはできないと解すべきであるから、訂正後の明細書に基づく発明が特許を受けることができるかどうかは、当該特許権についてされた無効審決を取り消した上、改めてまず特許庁における審判の手続によってこれを審理判断すべきものである。」などと判示していた。しかし、同判決の訂正審決の確定による当然取消説は、無効審判請求中に訂正審判請求ができなくなったことにより、意義を失った。また、同判決の理由とする、特許庁における第一次的判断については、キルビー事件最高裁判決後の侵害訴訟における特許無効の抗弁との対比から、絶対的に必要とまではいえなくなっている。

したがって、前記の設例についても、訂正要件の判断に加えて、訂正前又は訂正後の発明の進歩性についても判断を加えて、最終的な無効理由の存否について判断をすることが、審決取消訴訟の紛争解決機能を高めるものと思われる（知財高判平成29・11・7（平成29年（行ケ）第10032号）〔導電性材料の製造方法事件〕）。

(オ)　小　括

審決取消訴訟で主引用例を追加することは、審判で審理判断されていない新たな無効理由ということになり、メリヤス編機事件大法廷判決により許されない。しかし、少なくとも一つの無効理由たる「引用例１に基づく進歩性」という枠組みの中で、主張立証を貫徹させ、結論を導くことをも上記大法廷判決が制限しているとは考え難い。無効審判請求についての審決取消訴訟では、このような主張立証を行わせ、裁判所も判断するという運用が、無駄なキャッチボールを避ける意味でも、望まれる[14]。

ウ　記載要件違反の無効審判請求に対する審決取消訴訟の審理対象

(ア)　サポート要件・明確性要件違反の無効理由の単位

さらに進んで、クレームのＡという文言、Ｂという文言についての明確性要件違反を理由とする無効審判請求について、いずれも明確性要件を満たすとして不成立審決がされた場合、原告である無効審判請求人は、Ａ、Ｂの文言のほか、Ｃの文言も不明確であるという主張を追加することができるか、裁判所は、これを判断できるかについては、サポート要件違反の場合も含め、難問であり、見解も分かれる。すなわち、サポート要件又は

14　塚原朋一「無効審決取消訴訟の審理の範囲とその制限事由」『理論と実務２』342頁は、ある引用発明から特許発明が容易に想到できるとする審決の取消訴訟において、容易に想到できるとの部分が主要事実であり、その個別具体的な推論過程に関する主張は主要事実でないとする。塚原朋一「審決取消訴訟の審理の範囲」金判1236号100頁も、従前の実務に対する批判的な反省から、できる限り、当該発明と当該引用発明との間の進歩性の有無そのものを判断する方向に傾いてきていると述べる。また、塩月秀平「審決取消訴訟における審理の範囲」パテント64巻15号120頁は、発明の要旨認定に誤りがあっても、正しい要旨認定に基づいて、次のステップに移り、一致点相違点の認定のための審理をさらに進め、発明の進歩性、新規性の判断に導くことは、メリヤス編機事件大法廷判決の審理の範囲内のものであると述べている。

明確性要件に関し、メリヤス編機事件大法廷判決にいう「審判で審理判断されて具体的に特定された理由」が何かについては、下位概念（クレームのうちのＡ、Ｂ、Ｃという文言）の単位で考える見解もある（東京高判昭和62・6・30（昭和58年（行ケ）第69号）審決取消判決集昭和62年1084頁〔芯上下式石油燃焼器事件〕、知財高判平成29・1・23（平成27年（行ケ）第10010号）〔成形部品の製造方法事件〕）。しかし、サポート要件又は明確性要件といった特許法36条6項2号の法条単位で捉えることも考えられよう（知財高判平成27・10・29（平成26年（行ケ）第10195号）〔無線発信装置事件〕、知財高判令和2・1・21（平成31年（行ケ）第10042号）〔マッサージ機事件〕）。

　これらの記載要件は、特許請求の範囲の記載及び明細書の発明の詳細な説明の記載並びに技術常識から判断されるものであるから、請求人に、当初から網羅的な主張を求め、職権でも審理することができる審判官に、網羅的な審理を行うような審判指揮を求めても不合理ではない。また、審理範囲は明確に定めるべきところ、記載要件の審理範囲を法条単位から更に細分化するとすれば、どのような基準で細分化するのか、一義的に明確な基準を立てるのは困難である。このように、審判時において請求人の側で考えられる事由を指摘することは、困難なこととは思えないし、職権で審理判断すべき職責を負う特許庁としても（特許法153条1項）、請求人が指摘した部分以外についても判断することが、審判の紛争解決機能を高めることにつながる。審決取消訴訟における取消事由も同様と考えられる。なお、このような場合に、訂正をする機会を与えるため、審決を取り消すことも考えられる。

　(イ)　新規性との対比

　記載要件が争われた場合の「審判手続において現実に争われ、かつ、審理判断された特定の無効原因」について、審判請求書には「請求の理由」が記載されるから（特許法131条1項）、この請求の理由が上記特定の無効原因になるものと解されるが、かかる請求の理由について、特許法上、明確な定めはない。新規性の場合と対比して、記載要件違反の無効原因につ

いては、以下の点を指摘できる。

①　記載要件適合性は、特許請求の範囲の記載及び明細書の発明の詳細な説明の記載及び技術常識から判断されるものであるから、直ちに探知困難で種々様々な技術内容が記載されている公知事実との対比において検討判断すべき新規性とは異なり、請求人に、当初から網羅的な主張立証を求め（主張立証責任は特許権者にあるが、請求人が指摘する必要がある。）、また、専門的知識経験を有し、職権審理をすることができる審判官に、網羅的な審理を行うような審判指揮を求めても不合理ではない。

②　審理範囲は明確に定めるべきところ、記載要件の審理範囲を更に細分化するとすれば、どのような基準で細分化するのか、一義的に明確な基準を立てるのは困難である。そもそも、請求項に記載された発明は、その全体によって技術的意義を有するもので、その技術事項を細分化してよいのか、どこまで細分化するのか、疑問がある。これに対し、当該特許の明確性要件（あるいは実施可能要件）の充足といった単位で審理範囲を決するのは、一義的に明確である。

③　特許権の安定化の見地からは、一回的な審判が望まれる。また、特許権者の応訴の負担を考慮すれば、請求人の手続保障をより保護して、請求人に数次にわたる審判請求を許すべきとはいえない。

④　侵害訴訟における無効の抗弁との対比からも、審決取消訴訟の紛争解決機能も重視していくべきであり、メリヤス編機大法廷判決よりさらに狭める必要はない。

⑤　訂正の機会を確保すべき事案（Aという理由で無効とした審決について、Aの判断は誤りだがBという理由で無効とする場合）については、例外的に、審決を取り消して、その機会を与えることは可能であろう。

以上によれば、記載要件が争われた審判手続において現実に争われ、かつ、審理判断された特定の無効原因とは、法条単位ごとに存在すると考えられ、審決取消訴訟において、記載要件について審理の対象とされるべきものは、原則として、記載箇所を問わず、同一の特許請求の範囲又は明細

書の記載不備の有無をいうものと解し、訂正の機会を確保すべき事案については、例外的に審決を取り消してその機会を与えることとして、法条単位を原則とすることが、紛争解決機能を強化するものである[15]。

(ウ)　不成立審決の確定と一事不再理

法条単位で考えると、クレームのＡ、Ｂ部分についてのみ明確性要件違反を主張していたが請求不成立審決が確定した場合に、再度Ｃ部分についての明確性違反を理由とする無効審判請求が一事不再理によりできなくなる。しかし、記載要件については、新規性等と異なり、１回目の審判請求で主張立証しなかった請求人の落ち度は大きいと評価することが可能であり、請求人に対する実質的な手続保障に欠けるとまではいえないように思われる。

(エ)　小　　括

以上によれば、審決取消訴訟において、記載要件について審理の対象とされるべきものは、原則として、クレームにおける記載箇所を問わず、同一の特許請求の範囲又は明細書の記載不備の有無をいうものと解し、訂正の機会を確保すべき事案については、例外的に審決を取り消してその機会を与えることとして、法条単位を原則とすべきものと解する。

(オ)　実施可能要件

実施可能要件は、発明の詳細な説明の記載要件であり、記載された内容から発明を実施できるか否かが問題になるのであり、より法条単位が妥当するのではなかろうか。

(3)　原告の取消事由の捉え方と被告の防御方法

以上のとおり、進歩性の欠如を理由とする特許無効審決の取消訴訟においては、特定の引用例に記載された発明から本件発明を容易に想到することができたか否かという１個の無効理由の結論にかかわる判断が取消事由

15　髙部眞規子「審決取消訴訟の紛争解決機能強化に向けて」『片山古稀』343頁

とされるべきであろう。すなわち、原告は、本件発明と引用発明との相違点の看過があると主張する場合、当該相違点が容易に想到できないものであることをも主張すべきであろう。この場合、取消事由として相違点１の判断誤りのみを主張し、相違点２の判断誤りを主張しない場合、差戻し後の審決では、相違点２について、前審決と同じ判断がされる可能性が高く、再度の審決取消訴訟が提起される可能性が高いことを考慮しておくべきであろう。１個の無効理由の成否についての判断誤りを単位として捉えるべきと考える。

そして、審決取消訴訟では、裁判所としても、１個の無効理由の成否についての判断誤りを単位として審理判断すべきであろう。例えば、進歩性の欠如を理由とする特許無効審決の取消訴訟において、「特定の引用例に記載された発明から本件発明を容易に想到することができたか否か」という取消事由の整理によって、取消判決の拘束力が当該引用発明からの容易想到性という単位で及び、それにより、無駄なキャッチボールを防止することが可能である。そして、審決を取り消すには、審決の瑕疵が審決の結論に影響するものであることが必要であるから、単に相違点を看過したという一事をもって結論に影響するというのは困難である。

このことは、侵害訴訟における無効の抗弁の判断においては、仮に１審判決が相違点を看過して無効という判断をしていた場合には、控訴審において、当該相違点が容易に想到できるものか否かを判断していることとの対比からも、当然のことのように思われ、審決取消訴訟の紛争解決機能を高めるものと思われる[16]。

---

16 髙部眞規子「審決取消訴訟の紛争解決機能強化に向けて」『片山古稀』343頁

IV 〔拒絶理由・無効理由〕

1 発明該当性

(1) 自然法則の利用

ア 自然法則の利用の意義

特許法2条1項は、発明を「自然法則を利用した技術的思想の創作のうち高度のもの」と規定する。ここに「自然法則の利用」とは、自然力の利用と同義に解され、自然力を利用して一定の効果を反復継続して得ることを意味する。自然法則とは、単なる精神活動、純然たる学問上の法則、人為的な取決め等を除外するものと解されている。

特許法上の発明は、自然法則を利用した技術であるので、ある課題解決を目的とした技術的思想の創作が、いかに、具体的であり有益かつ有用なものであったとしても、その課題解決に当たって、自然法則を利用した手段が何ら含まれていない場合には、そのような技術的思想の創作は、特許法2条1項所定の「発明」には該当しない（東京地判平成15・1・20判タ1114号145頁〔資金別貸借対照表事件〕、知財高判平成20・8・26判タ1296号263頁〔対訳辞書事件〕）。なお、自然法則と自然法則でないものの双方を利用した場合は、クレームの記載を全体的に観察して課題解決の主要な手段ないし発明の本質がどこにあるかをみて、判断されている（知財高判平成25・3・6判時2187号71頁〔偉人カレンダー事件〕、知財高判平成28・2・24判タ1437号130頁〔第2次省エネ行動シート事件〕）。

このように、「自然法則の利用」の要件は、「発明」に該当するか否かについて重要な役割を果たしている。「自然法則の利用」とは、自然現象の裏にある因果律の利用を意味する要件ととらえられており[17]、人の精神活

動や人為的な取決めそれ自体は、自然法則とはいえず、また、自然法則を利用するものでもないことは、異論がない[18]。したがって、何らかの技術的思想が提示されているとしても、その技術的意義に照らし、全体として考察した結果、その課題解決に当たって、専ら、人の精神活動、意思決定、抽象的な概念や人為的な取決めそれ自体に向けられ、自然法則を利用したものといえない場合には、特許法2条1項所定の「発明」に該当するとはいえない（知財高判平成24・12・5判タ1392号267頁〔省エネ行動シート事件〕、知財高判平成28・2・24判タ1437号130頁〔第2次省エネ行動シート事件〕）。ここで発明該当性を判断するにあたって請求項のみを対象にするか明細書も参照するかの問題について、近時の裁判例は、明細書も参酌し、発明の技術的課題、課題を解決するための技術的手段の構成及びその構成から導かれる効果等の技術的意義に照らして、全体としてみて自然法則を利用しているといえるか否かを決している（知財高判平成19・10・31（平成19年（行ケ）第10056号）〔切取線付き薬袋事件〕、知財高判平成20・8・26判タ1296号263頁〔対訳辞書事件〕、知財高判平成28・2・24判タ1437号130頁〔第2次省エネ行動シート事件〕、知財高判平成30・10・17（平成29年（行ケ）第10232号）〔ステーキの提供システム事件〕）。

　また、創作された技術的思想の内容は、特許制度の趣旨にかんがみれば、その技術分野における通常の知識・経験を持つ者であれば何人でもこれを反復実施してその目的とする技術効果を挙げることができる程度にまで具体化され、客観化されたものでなければならないとされている（最三小判昭和44・1・28民集23巻1号54頁〔原子力エネルギー発生装置事件〕、最一小判昭和52・10・13民集31巻6号805頁〔薬物製品事件〕、最三小判平成12・2・29民集54巻2号709頁〔桃の新品種黄桃の育種増殖法事件〕）。すなわち、発明は、ある目的を達成するための合理的な手段で、それによれば所期の一定の成果

17　中山信弘『特許法〔第3版〕』94頁
18　平嶋竜太「自然法則の利用の判断」『特許判例百選〔第4版〕』7頁、西井志織「技術的思想の創作が自然法則を利用したと判断される分岐点」知財管理67巻3号365頁

を生じるよう仕組まれたもの、換言すれば、その手段によれば当業者が同様の成果を挙げ得るものでなければならず、特殊な個人的技巧や技量を要するものであってはならない。よって、この程度に具体性、客観性を持たない技術の構想は、なお未完成の域にあるものとして、発明に当たらない。

イ 反復可能性の位置付け

「自然法則を利用した」技術であるために、反復可能性が必要であり、自然法則の利用といえるか否かにおいて、反復可能性を位置付けることができる。他方、反復可能性は、第三者が特許の対象となっている技術を利用することができるようにするところに実質的な意義があり、発明を再現することに基礎を置くものであるとした上、反復可能性が再現性の問題であるとすると、明細書の記載と寄託によって発明が再現できるかという問題であり、開示要件は、反復可能性を前提としており、反復可能性は開示の問題として考えられるという見解[19]がある。この見解に対しては、反復可能性は保護対象の性質であり、開示とは保護される発明が明確かつ十分に記載されているか否かの問題であり、理論的には別個の問題であるとの批判がある。ただ、反復可能性要件と開示要件を厳格に峻別して適用することは、実際には実益が少ないであろう。

前記のとおり、明細書において、発明の技術的内容がその技術分野における通常の知識経験を持つ者にとって反復実施できる程度にまで具体化、客観化されて記述されていないものは、技術的に未完成で、特許法2条1項にいう「発明」に当たらない（前掲最三小判昭和44・1・28〔原子力エネルギー発生装置事件〕）。そして、特許出願に係る発明が発明として未完成のものである場合には、特許法29条1項柱書にいう発明に当たらないことを理由として、特許出願について拒絶をすべきであり（前掲最一小判昭和52・10・13〔薬物製品事件〕）、反復可能性を欠く発明については、同法29条違反として特許を無効にすべきである（同法123条1項2号該当）。

---

19 相澤英孝『バイオテクノロジーと特許法』58頁

ウ　植物特許の反復可能性

なお、生物の場合、自己増殖作用があるため、一度創生された生物それ自体は増殖により再生産できるが、この点を捉えて反復可能性を論ずるべきではなかろう。したがって、「育種・増殖方法」を内容とする発明についても、育種過程そのものの反復可能性が問題となる。

学説は、表現は多少異なるものの、生物の場合には、反復可能性を厳格に要求せず、その結果が得られる確率が高いことを要求しないとする点で一致している[20]。

最三小判平成12・2・29民集54巻2号709頁〔桃の新品種黄桃の育種増殖法事件〕は、植物の新品種を育種し増殖する方法に係る発明の育種過程に関する反復可能性については、その特性にかんがみ、科学的にその植物を再現することが当業者において可能であれば足り、その確率が高いことを要しないものと判断した。それは、このような発明においては、新品種が育種されれば、その後は従来用いられている増殖方法により再生産することができるのであって、確率が低くても新品種の育種が可能であれば、当該発明の目的とする技術効果を挙げることができるからである[21]。

エ　ソフトウェアと自然法則の利用

特許法2条3項は、「物」には「プログラム等」を含むこと、実施行為の中にプログラムを電気通信回線を通じて提供することを含むことを規定し、同条4項において、プログラム等とは、プログラム（電子計算機に対する指令であって、一の結果を得ることができるように組み合わされたもの）その他電子計算機による処理の用に供する情報であってプログラムに準ずるものと定義されている。これによって、プログラムのうち、自然法則を利

---

[20] 中山信弘『特許法〔第3版〕』100頁、相澤英孝『バイオテクノロジーと特許法』57頁、『注解特許法（上）〔第3版〕』30頁〔中山信弘〕、小泉直樹「バイオテクノロジー成果物の法的保護の必要性」ジュリ990号19頁、斎藤誠「植物新品種の種苗法による保護と特許法による保護」裁判実務大系『知的財産関係訴訟法』476頁、紋谷暢男「植物品種保護の現代的課題」『鴻古稀』854頁
[21] 高部眞規子「判解」最高裁判所判例解説民事篇〔平成12年度〕〔7〕事件

用した技術的思想といえるものについては、物の発明と同じに扱われることになった。

東京高判平成16・12・21判時1891号139頁は、「回路のシミュレーション方法」は数学的な解法を示したにすぎず、「自然法則を利用した技術的思想の創作」に当たらないとした。知財高判平成20・2・29判時2012号97頁は、「ビットの集まりの短縮表現方法」は既存の演算装置を用いて数式を演算するもので、数学的課題の解法又は数学的な計算手順を実現するものであるから、発明に当たらないとされた。他方、知財高判平成20・6・24判時2026号123頁は、人の精神活動による行為が含まれていても、発明の本質が人の精神活動を支援し、あるいはこれに置き換わる技術的手段を提供するものである場合は発明に当たるとして、「双方向歯科治療ネットワーク」に係る発明が、全体として歯科治療を支援するための技術的手段を提供するものであるとして、発明性を肯定した。

特許法は、人の精神的活動の成果の全てに法的保護を与えるものではなく、保護されるべき成果と保護されてはならない成果とを画するために「自然法則の利用」あるいは「産業上の利用可能性」といった要件が採用され、保護の限界を画しているが、近時は、「自然法則の利用」の概念が緩やかに解されるようになり、この要件がどのような機能を果たしているのか、さらにこのような要件が必要なのかということが改めて問われている[22]。

アメリカ合衆国では、2010年6月、特許法上カテゴリカルにビジネス方法を排除しているとまではいえないが、ビジネス方法に関する発明の特許法による保護に伴う弊害を避けるための限定手法として、機械変換テスト（machine-or-transformation test）が唯一の判断基準ではなく、抽象的なアイデアは特許法の保護対象とならないという考え方の有効性を指摘した最高裁判決が言い渡された〔Bilski vs Kappos事件〕。

さらに、2014年6月、米国特許法101条に規定された4つのカテゴリー（方

---

[22] 中山信弘『特許法〔第3版〕』103頁、156頁

法、機械、生産物、組成物）に該当するクレームについて、①判例上の3つの司法例外（抽象的アイデア、自然法則、自然現象）に向けられているかどうか、②クレームが上記司法例外に向けられている場合に、それをはるかに超える追加の要素が存在するかどうかという、2つのステップを示した〔Alice vs CLS Bank事件〕。

(2) 産業上の利用可能性

　特許法29条1項柱書は、特許要件として「産業上利用することができる発明」であることを挙げている。

　産業上の利用可能性の意義については、①物の生産に直接関係のある技術のみを指すとの見解[23]、②経営的すなわち反復継続的に利用され得るものを指すとの見解[24]、③学術的・実験的にのみ利用することができる発明を排除することを意味するとの見解[25]等、種々の学説がある。なお、経済的意味における利用可能性が問題にならないことは、学説上異論がない[26]。

　「産業」は、工業のみならず、農林水産業、鉱業、商業等を含む広い概念であり、「産業上の利用可能性」も広い概念として捉えるべきであり、前記①説のような限定解釈は相当でないであろう。また、②説は、産業上の利用可能性を反復可能性と混同するものである。したがって、③説のように、特許要件に関する消極的要件と解するのが相当であろう。

　特許庁の実務は、産業上利用することができる発明に該当しない類型のもの、すなわち、(a)人間を手術、治療又は診断する方法、(b)その発明が業として利用できない発明、(c)実際上明らかに実施できない発明のいずれにも当たらないものは、原則として産業上利用することができる発明に該当

---

[23] 兼子一ほか『工業所有権法〔改訂版〕』89頁
[24] 紋谷暢男「植物品種保護の現代的課題」『鴻古稀』855頁、豊崎光衛『工業所有権法〔新版増補〕』153頁
[25] 『工業所有権法逐条解説〔第19版〕』81頁、中山信弘『特許法〔第3版〕』114頁、光石士郎『特許法詳説〔新版〕』133頁
[26] 『注解特許法（上）〔第3版〕』226頁〔中山信弘〕

するとして運用されている[27]。

　なお、東京高判平成14・4・11判時1828号99頁〔外科手術の光学的表示方法及び装置事件〕は、産業の意味を一般的に狭く解さなければならない理由は本来的にはないが、医療行為そのものに特許の効力が及ばないという措置を講じていない以上、医療行為に関する発明は、「産業上利用することができる発明」といえないと解するほかないとした。

　もっとも、医療機器・医薬等の物の発明、医療機器の作動方法、人間から採取したものを処理する方法、医薬品の用法用量に係る物の発明には、特許性が認められている[28]。

2　新　規　性

(1)　新規な発明

　特許法は、発明の公開を代償として独占権を付与するものであるから、それは新規な発明でなければならない。したがって、①特許出願前に日本国内又は外国において公然知られた発明（公知）、②特許出願前に日本国内又は外国において公然実施をされた発明（公用）、③特許出願前に日本国内又は外国において、頒布された刊行物に記載された発明又は電気通信回線を通じて公衆に利用可能となった発明は、特許を受けることができない（特許法29条1項）。上記①ないし③は、進歩性判断の基礎にもなる。

(2)　公　　　知

　「公然知られた発明」とは、不特定の者に秘密でないものとしてその内容が知られた発明を意味するとされている[29]。

　発明を知った者がいても、その者が守秘義務を負っている場合には公知

27　『特許・実用新案審査基準』第Ⅱ部第1章2
28　『特許・実用新案審査基準』第Ⅲ部第1章3
29　『特許・実用新案審査基準』第Ⅱ部第2章1

とならない（東京高判平成12・12・25（平成11年（行ケ）第368号）〔6本ロールカレンダー事件〕）。

　他方、不特定かつ多数の者に現実に知られている場合には、「公然知られた」ことに異論はないが、特定又は少数の者の場合や、現実に知られたことが必要か知られ得る状態にあれば足りるかについては争いがある。

　「公然」とは、他の法令用語では不特定又は多数の人が認識することができる状態をいうとされている（公然猥褻につき、最二小決昭和32・5・22刑集11巻5号1526頁、名誉毀損につき、最二小判昭和36・10・13刑集15巻9号1586頁、礼拝所不敬につき、最二小決昭和43・6・5刑集22巻6号427頁）。これとパラレルに考えると、当該発明が不特定又は多数の人が認識することができる状態に至った場合には、特許法29条1項1号に該当するということになろうが、公然「知られた」という文言や、同号の外に、公用や刊行物記載の発明が挙げられていること（同項2号、3号）との対比からすれば、これらの人に現実に知られたことを意味するものと解するのが相当である。なお、このように解しても、知られ得る状態にあれば公知と推定され、反証がなければ公然知られたものと認定することは可能であろう[30]。

(3) 公　　　用

　「公然実施をされた発明」とは、その内容が公然知られる状況又は公然知られるおそれのある状況で実施された発明を意味する[31]。

　既に公衆にとって利用可能な状態に置かれた技術的思想は、独占を許容してその創作や公開を奨励する必要がないからである。

　機械の発明のように実施品と技術的思想が一体化している物の発明であれば、その実施品が譲渡された場合には、譲受人がその発明について守秘義務を負い又はリバースエンジニアリングを禁止されているなどの特段の事情がなければ、公然実施に当たる。もっとも、譲受人が解析したり分解

---

[30] 『注解特許法（上）〔第3版〕』230頁〔中山信弘〕
[31] 『特許・実用新案審査基準』第Ⅱ部第2章1

したりしても発明の内容を知ることができない場合には、公然実施には当たらない（東京地判平成17・6・17判時1920号121頁〔低周波治療器事件〕、東京地判平成17・2・10判時1906号144頁〔医薬用顆粒製剤事件〕）。

実施品はピンポイントの具体的製品そのものであり、特許公報のように技術的思想として表現されたものではないため、数値限定発明やパラメータ発明など技術的思想が抽象化された発明においては、実施品の構成を、対比すべき発明の特許請求の範囲の記載に即して言語化して文章で表現する過程で、後知恵が入りこんだ不当な拡大がされる可能性を指摘されている。そこで、当業者にとって、①その技術的思想の内容を認識することができ（認識可能性）、②その認識できた技術的思想を再現できること（再現可能性）が必要と解される[32]。そうすると、当業者が認識し得なかった技術的思想や公衆に利用可能になったといえない技術的思想は、公然実施発明ということができない。公然実施発明に基づいて発明の新規性や進歩性の欠如を論理付けるには、実施品から出願時における技術常識を前提に後知恵なく認識することができる技術的思想を基礎とする必要がある。

(4) 刊行物記載

ア　頒布の意義

「頒布された刊行物」とは、公衆に対し頒布することにより公開することを目的として複製された文書・図面その他これに類する情報伝達媒体であって、頒布されたものをいう[33]（最二小判昭和55・7・4民集34巻4号570頁〔一眼レフカメラ事件〕）。不特定の者が見得るような状態に置かれることをいい、現実にだれかがこれを見たという事実を要しない[34]。また、必ずしも公衆の閲覧を期待してあらかじめ公衆の要求を満たすことができる

---

[32] 前田健「公然実施に基づく新規性・進歩性判断」AIPPI61巻11号12頁、黒川恵「公然実施発明に基づく進歩性判断」パテント69巻5号97頁
[33] 『特許・実用新案審査基準』第Ⅱ部第2章1
[34] 『特許・実用新案審査基準』第Ⅱ部第2章1

と見られる相当程度の部数が原本から複製されて広く公衆に提供されているようなものに限られず、原本自体が公開されて公衆の自由な閲覧に供され、かつ、その複写物が公衆からの要求に即応して遅滞なく交付される態勢が整っているならば、公衆からの要求をまってその都度原本から複写して交付されるものであっても差し支えない（前掲最二小判昭和55・7・4、最一小判昭和61・7・17民集40巻5号961頁〔箱尺事件〕）。

知財高判平成27・11・5（平成26年(ネ)10082号）〔4H型単結晶炭化珪素の製造方法事件〕は、特許法29条1項3号に該当するというためには、刊行物が不特定又は多数の者において閲覧可能な状態になることを要するとした上、米国国防技術情報センター（DTIC）が引用文献を受領し、その電子文書管理システムに格納し、DTIC目録に載せて索引を付した段階では、引用文献にアクセスをすることができた者は、「DTICの登録ユーザである国防省及び連邦職員、並びにその契約者（一般市民は含まれない）」に限られていたという事案の下で、引用文献が、上記当時、不特定又は多数の者において閲覧可能な状態であったとの事実を認めるに足りないとした。

イ　記載の程度

刊行物記載の程度については、以下の裁判例がある。特許出願前に頒布された刊行物にある技術的思想が記載されているというためには、特許出願当時の技術水準を基礎として、当業者が刊行物をみるならば特別の思考を要することなく容易にその技術的思想を実施し得る程度に技術的思想の内容が開示されていればよい（知財高判平成28・12・26（平成28年（行ケ）第10118号）〔高効率プロペラ事件〕）。他方、当業者にとって実施不能である場合は、刊行物に記載された発明とはいえない（東京高判平成14・4・25（平成11年（行ケ）第285号）〔ヒト白血球インタフェロン事件〕）。

ウ　刊行物記載の発明の意義

特許法29条1項3号の「刊行物に記載された発明」については、当業者が、出願時の技術水準に基づいて本件発明を容易に発明することができたかどうかを判断する基礎となるべきものであるから、当該刊行物の記載か

ら抽出し得る具体的な技術的思想でなければならない。

　例えば、引用例となる刊行物に化合物が一般式の形式で記載され、当該一般式が膨大な数の選択肢を有する場合には、特定の選択肢に係る技術的思想を積極的あるいは優先的に選択すべき事情がない限り、当該特定の選択肢に係る具体的な技術的思想を抽出することはできず、これを引用発明と認定することはできない（知財高判平成30・4・13判時2427号91頁〔ピリミジン誘導体事件〕）。

　ここで、刊行物が引用例となる場合には、刊行物に記載されている事項のみならず、刊行物に記載されているに等しい事項から把握される発明をいう。後者は、刊行物に記載されている事項から出願時における技術常識を参酌することにより導き出せるものをいう[35]。

　なお、特許法29条1項3号所定の「刊行物に記載された発明」の認定に当たり、特定の刊行物の記載事項とこれとは別個独立の刊行物の記載事項を組み合わせて認定することは、原則として許されない（知財高判令和元・12・4（平成30年（行ケ）第10175号）〔アクセスポート事件〕）。すなわち、刊行物に記載された発明を引用発明として本件発明が容易に発明をすることができたか否かを判断する場合には、その内容や作成の趣旨に照らして互いに一体と評価されるような場合はともかく、原則として、1つの刊行物から引用発明を認定すべきである（知財高判令和2・1・28（平成31年（行ケ）第10064号）〔椅子型マッサージ機事件〕）。引用発明を2つの文献を組み合わせて認定することにより、2つの文献を容易に組み合わせた引用発明に、さらに副引用発明等を組み合わせることが容易に想到できるか否かを判断することになり、いわゆる容易の容易を認めることにつながりかねない。引用例1に記載された発明（A）と、引用例2に記載された事項（B）により、引用発明をA＋Bと認定するのでなく、引用発明としては、あくまでもAと認定すべきであろう。刊行物の1つに接した当業者が、それに別の

---

[35] 『特許・実用新案審査基準』第Ⅱ部第2章1

刊行物に記載された副引用発明又は周知技術を適用して本件発明を想到できるかが問題にされるべきである。

エ　特許出願前

また、特許出願前か否かが問題となるところ、適法な分割出願が行われると、出願日が遡及する。分割出願が適法であるための実体的要件としては、①もとの出願の明細書又は図面に二以上の発明が包含されていたこと、②新たな出願に係る発明は、もとの出願の明細書又は図面に記載されていること又は記載から自明であること、③新たな出願に係る発明は、もとの出願の当初明細書等に記載された事項の範囲内であることを要する。数次にわたる分割が行われた出願が第1出願の出願時にしたものとみなされるには、全ての出願が、それぞれ、もとの出願との関係で、上記①ないし③の分割の要件を満たし、かつ、本件発明が第1出願の出願当初の明細書等に記載した事項の範囲内のものであること、という要件を満たさなければならない（知財高判平成29・9・26（平成28年（行ケ）第10263号）〔配線ボックス事件〕、最二小判昭和56・3・13判時1001号41頁）。

(5) 判断手法

新規性は、本件発明を認定し、特許法29条1項に規定された引用発明を認定した上、両者を対比して、全ての構成が一致すると認定することによって行われる（後記3⑴の進歩性の判断手法のうち、①ないし③と同様である）。

(6) 拡大先願

ア　拡大先願の趣旨

特許法29条の2は、特許出願に係る発明が、先願明細書等に記載された発明又は考案と同一であるときは、その発明について特許を受けることができないと規定する。同条は、昭和45年改正により新たに制定された。同改正前は、先後願関係の拒絶理由としては、いわゆる二重特許を規定する

特許法39条のみが存在していたところ、同条は、原則として、特許請求の範囲に記載された発明の関係について規定するものであるため、後願に係る発明が、先願の明細書又は図面に開示されているが特許請求の範囲には記載されていない場合に、同条に基づいて後願を拒絶することは法解釈上困難であるとされていた。審査期間が長くなるにつれて、同条で後願を拒絶できる範囲に限界があることの問題が浮上するようになり、このような背景の下で同法29条の2が新設され、これによって先願の開示全体が後願に対して排除効果を持つようになった。

このように、同条の趣旨は、先願明細書等に記載されている発明は、特許請求の範囲以外の記載であっても、出願公開等により一般にその内容は公表されるので、たとえ先願が出願公開等をされる前に出願された後願であっても、その内容が先願と同一内容の発明である以上、さらに出願公開等をしても、新しい技術をなんら公開するものではないから、このような発明に特許権を与えることは、新しい発明の公表の代償として発明を保護しようとする特許制度の趣旨からみて妥当でない、というものである[36]。

　イ　拡大先願における発明の認定

そのような趣旨から、特許法29条の2にいう先願明細書等に記載された「発明」とは、先願明細書等に記載されている事項及び記載されているに等しい事項から把握される発明をいい、記載されているに等しい事項とは、出願時における当業者の有する技術常識を参酌することにより記載されている事項から導き出せるものをいうものと解される（知財高判令和2・2・25（平成31年（行ケ）第10010号）〔CRISPR-Cas事件〕）。

　ウ　発明の同一性

また、同条における「発明の同一性」は、上記のように認定した先願発明と本願発明とを対比し、両者の一致点及び相違点を抽出し、相違点がある場合、当該相違点が、周知技術、慣用技術の付加、削除、転換等であっ

36　『工業所有権法逐条解説〔第21版〕』89頁

て、新たな効果を奏するものではなく、課題解決のための具体化手段における微差といえるようなときに実質同一であると判断される（知財高判平成30・5・30（平成29年（行ケ）第10167号）〔積層フィルム事件〕）。

　エ　先願発明の技術内容の開示の程度

　拡大先願に係る特許法29条の2所定の「発明」が完成しているものでなければならないかについては、抽象的であり、あるいは当業者の有する技術常識を参酌してもなお技術内容の開示が不十分であるような発明は、ここでいう「発明」には該当せず、同条の定める後願を排除する効果を有しないとし、創作された技術内容がその技術分野における通常の知識・経験を持つ者であれば何人でもこれを反覆実施してその目的とする技術効果をあげることができる程度に構成されていないものは、「発明」としては未完成であり、特許法29条の2にいう「発明」に該当しない（知財高判令和2・11・10（令和2年（行ケ）第10005号）〔ガラス板合紙用木材パルプ事件〕）。また、同条にいう発明が実施可能であることが必要であるか否かについては、同条で求められる技術内容の開示の程度は、当業者が、先願発明がそこに示されていること及びそれが実施可能であることを理解し得る程度に記載されていれば足りると解される（知財高判令和2・2・25（平成31年（行ケ）第10010号）〔CRISPR-Cas事件〕）。

3　進　歩　性

(1)　判断手法

　特許要件のうちでも、最も多く引用されるのが、特許法29条2項の進歩性（同条1項記載の発明からの容易想到性）である。

　進歩性に係る要件が認められるかどうかは、①特許請求の範囲に基づいて特許出願に係る発明（本願発明）を認定した上で、②同条1項各号所定の発明（引用発明）を認定し、③本願発明と引用発明と対比して、一致する点及び相違する点を認定し、④相違する点が存する場合には、当業者

が、出願時（又は優先権主張日）の技術水準に基づいて、当該相違点に対応する本願発明を容易に想到することができたかどうかを判断することとなる（知財高判平成30・4・13判時2427号91頁〔ピリミジン誘導体事件〕）。

(2) 本件発明の認定

ア　リパーゼ事件最高裁判決

発明の要旨の認定については、特許請求の範囲の記載の技術的意義が一義的に理解することができないとか、あるいは一見してその記載が誤記であることが発明の詳細な説明の記載に照らして明らかであるなど、発明の詳細な説明の記載を参酌することが許される特段の事情のない限り、特許請求の範囲の記載に基づいてされるべきである（最二小判平成3・3・8民集45巻3号123頁〔リパーゼ事件〕）。

イ　特許請求の範囲と発明の詳細な説明の関係

発明とは、自然法則を利用した技術的思想の創作のうち高度のものであって（特許法2条）、特許請求の範囲は、これを具体的に表現し、明確化したものである。特許請求の範囲には、請求項に区分して、各請求項ごとに特許出願人が特許権を受けようとする発明を特定するために必要と認める事項の全てを記載しなければならない上（同法36条5項）、特許請求の範囲に記載された発明は発明の詳細な説明に記載したものでなければならないし（同条6項1号）、当該発明が明確でなければならない（同条6項2号）。したがって、特許請求の範囲は、出願人が発明の詳細な説明に記載した発明について、何を特許を受けようとする発明として請求項に掲げるのか、そして、請求項ごとに特許を受けようとする発明を特定するために必要とする事項は何かを決定し、この事項の全てを、明確に、簡潔に記載したものということができる。

また、発明の詳細な説明には、その発明の属する技術の分野における通常の知識を有する者が容易にその実施をすることができる程度に、その発明の目的、構成及び効果を記載しなければならないから（同条4項1号）、

特許請求の範囲に記載された用語の意味や技術内容は、明細書の発明の詳細な説明を考慮しなければ、正確に理解することができないものと思われる。のみならず、願書には、明細書のほか、必要な図面を添付しなければならず（同条2項）、明細書には図面の簡単な説明を記載しなければならないとされ（同条3項2号）、さらに、願書に添付すべき明細書の用語・文章については、用語を特定の意味で使用する場合にはその意味を定義して使用することとされている（特許法施行規則24条、様式第29、第29の2参照）。したがって、特許請求の範囲に記載された用語の意味及び技術内容は、明細書の発明の詳細な説明や図面の記載を考慮しなければ、正確に理解することは困難であろう。

　ウ　リパーゼ事件最高裁判決の趣旨

　リパーゼ事件最高裁判決は、判文上、原則として明細書の詳細な説明を参酌してはならず、参酌が許されるのは特段の事情、それも「技術的意義が一義的に明確に理解することができないとき」や、「一見してその記載が誤記であることが…明らかであるとき」という限定的な場合のみであると、いかにも厳しい判示をしている。もっとも、同判決の趣旨は、発明の要旨を認定する過程においては、発明に関わる技術内容を明らかにするために、発明の詳細な説明や図面の記載に目を通すことは必要であるが、しかし、技術内容を理解した上で発明の要旨となる技術的事項を確定する段階においては、特許請求の範囲の記載を越えて、発明の詳細な説明や図面にだけ記載されたところの構成要素を付加してはならないというところにあったと思われる[37]。

　特許請求の範囲に記載される用語が、特許法施行規則24条、24条の2が定めるところに従い、様式第29及び第29の2に従って記載されていれば疑義はないので、特許請求の範囲に記載されたとおりに発明の要旨を認定すべきではあるが、実際には、明細書や特許請求の範囲に記載された用語が、

---

[37] 塩月秀平「判解」最高裁判所判例解説民事篇〔平成3年度〕〔3〕事件

常に学術用語であるとは限らず、明確に定義をされることなく、かつその有する普通の意味で使用されているとも限らないために、この場合は、特許発明の技術的意義が一義的に明確に理解することができないから、詳細な説明を考慮して解釈せざるを得ない。

　リパーゼ事件最高裁判決は、このような趣旨のものと解され、同判決が、特許請求の範囲の記載に疑義がなければ発明の詳細な説明を見る必要がないとしたものとはいえない[38]。そして、発明の要旨の認定は、特許請求の範囲の記載に基づいて行うべきであり、特許請求の範囲に記載がなく発明の詳細な説明にのみ記載された技術的事項を読み取り特許請求の範囲の記載と異なる認定をすることは、許されない。

　なお、最高裁は、同判決の直後に、特許請求の範囲の記載文言自体は訂正されていない場合でも、特許請求の範囲に記載されている「固定部材」の技術的意義が一義的に明確とはいえず、発明の詳細な説明及び図面から接着剤をもって「固定部材」とする記載を全て削除する訂正審決が確定したときは、特許請求の範囲に記載されている「固定部材」が、接着剤を含まないものに減縮される旨の最三小判平成3・3・19民集45巻3号209頁〔クリップ事件〕を言い渡した。上記判決は、発明の要旨認定についてリパーゼ事件最高裁判決と同一の立場を採用していると解説されているものである[39]。クリップ事件判決は、特許請求の範囲の記載文言自体は訂正されていなくても発明の詳細な説明及び図面の訂正により特許請求の範囲を減縮して発明の要旨認定をしたものということになり、まさしく発明の詳細な説明を参酌したものということができる。

(3) 引用発明の認定

　特許法29条1項各号に該当する発明（引用発明）は、前記2のとおりであり、本件発明と対比するのに適したものを、1つ又は複数認定する。

38　知的財産裁判実務研究会編『知的財産訴訟の実務』246頁〔田中孝一〕
39　高林龍「判解」最高裁判所判例解説民事篇〔平成3年度〕〔5〕事件

進歩性の判断に際し、本件発明（本願発明）と対比すべき特許法29条1項各号所定の発明を、主引用発明と呼んでいる。主引用発明は、通常、本件発明と技術分野が関連し、当該技術分野における当業者が検討対象とする範囲内のものから選択される。主引用発明は、当業者が、出願時の技術水準に基づいて本件発明を容易に発明することができたかどうかを判断する基礎となるべきものである。

(4) 本件発明と引用発明との対比

　本件発明と引用発明とを対比して、一致点と相違点を認定する。それぞれの発明に記載された表現が異なったとしても、同様の技術的意義を有することはよくあることであり、その対比のため、何が何に相当するかの説明を加えた上で、一致点と相違点を認定すべきことになる。

　相違点を細分化して認定すると、相違点の一つは副引用例に記載があり、別の相違点は周知技術であるなどとして、進歩性欠如が認定しやすくなるのに対し、相違点を全体で認定すると、その相違点に係る構成が全て記載されている副引用例が見つからないといった結果になりかねない。技術的にまとまりのある構成が複数認識できるときは、便宜的に複数の相違点として認定するのが普通であるが、構成要件が互いに関連しているものであるときは、各構成要件の比較検討に当たっても構成要件相互の関係を考慮すべきである（知財高判平成18・3・13（平成17年（行ケ）第10596号）〔データ転送システム事件〕）。そして、相違点は発明の技術的課題の解決の観点から、まとまりのある構成を単位として認定するのが相当であり、かかる観点を考慮することなく、相違点をことさらに細かく分けて認定し、各相違点の容易想到性を個々に判断することは、適切でない（知財高判平成30・5・14（平成29年（行ケ）第10087号）〔建築板事件〕、知財高判令和2・6・11（令和元年（行ケ）第10077号）〔平底幅広浚渫用グラブバケット事件〕）。

　同様に、複数の相違点に係る構成が、完全に独立したものではなく、相互に密接に関係したものである場合、これを別個の文献にそれぞれが記載

されていることから、それぞれ容易に想到できるという判断をしたのでは、発明の構成を的確にとらえたことにはならない（知財高判平成30・9・4（平成29年（行ケ）第10201号）〔美容器事件〕）。

さらに、一致点を上位概念によって認定する場合は、相違点の認定をより具体的に正しく認定しなければ、容易想到性の判断を誤る可能性がある。

(5) 相違点の判断

ア 相違点の容易想到性の判断枠組み

(ｱ) 進歩性の判断は、出願時を判断の基準時とし、その発明の属する技術の分野における通常の知識を有する者（当業者）を基準とする。なお、出願当時の技術水準を出願後に頒布された刊行物によって認定することは、許される（最二小判昭和51・4・30判タ360号148頁〔気体レーザ放電装置事件〕）。

(ｲ) まず、本件発明と引用発明との相違点に係る本件発明の構成が、別の引用例（副引用例）に記載されているとき又は周知技術であるときは、そのような構成の組合せ又は置換が容易か否かを判断する。その判断の際には、引用例の内容中の示唆、技術分野の関連性、課題や作用・機能の共通性等の観点から動機付けの有無を検討し、他方、構成の組合せ又は置換を阻害する要因があるか否かを検討する。その結果、構成の組合せ又は置換が容易でない場合や、それが容易であっても予測できない顕著な効果がある場合には、進歩性が肯定される。

(ｳ) 他方、本件発明と引用発明との相違点に係る本件発明の構成が記載されている証拠がない場合においても、公知材料の中からの最適材料の選択・数値範囲の最適化好適化・均等物による置換・技術の具体的適用に伴う設計変更等、相違点に係る構成が設計事項であると認められるときは、進歩性が否定される。

(ｴ) 引用発明に基づいて相違点に係る本件発明の構成が容易に想到できたか否かを判断するにあたって、相違点は、当該発明が目的とした課題を

解決するためのものであるから、容易想到性の有無を客観的に判断するためには、当該発明の特徴点を的確に把握すること、すなわち、当該発明が目的とする課題を的確に把握することが必要不可欠である。そして、容易想到性の判断の過程においては、事後分析的かつ非論理的思考（いわゆる後知恵）は排除されなければならないが、そのためには、当該発明が目的とする「課題」の把握に当たって、その中に無意識的に「解決手段」ないし「解決結果」の要素が入り込むことがないよう留意することが必要となる（知財高判平成21・1・28判時2043号117頁〔回路用接続部材事件〕）。課題・解決手段の把握の重要性と後知恵防止の判断手法は、ヨーロッパ特許庁の「課題・解決アプローチ」との類似性が指摘されている[40]。

イ　副引用発明又は周知技術との組合せ又は置換

(ア)　副引用発明又は周知技術の認定

副引用発明についても上位概念化・一般化して認定することは、常に誤りとはいえないが、これが許されるのは、本件発明との対比における特徴的部分に相違がないような場合に限られよう。そうでなければ、本来、正しく認定した当該副引用発明だけでは本件発明に想到できない場合にも、容易に想到できるという判断になりかねない（東京高判平成16・11・8（平成15年（行ケ）第498号）〔3－5族化合物半導体結晶事件〕）。

また、引用発明に組み合わせるべき又は置換すべき周知技術は、証拠に基づいて認定すべきであり、上位概念化すべきでない。証拠上認められる技術から上位概念化して周知技術を認定すると、後知恵に陥る危険があるからである（知財高判平成29・6・15（平成28年（行ケ）第10214号）〔駐車ブレーキ事件〕、知財高判平成29・7・4判時2360号80頁〔給与計算方法事件〕）。

主引用発明に副引用発明を組み合わせた場合に、相違点に係る本件発明の構成に至らなければ、容易に「想到」できたものとはいえない（知財高判平成29・10・3（平成28年（行ケ）第10265号）〔盗難防止タグ事件〕、知財高判平

---

[40]　大野聖二「進歩性の判断基準」『特許判例百選〔第4版〕』34頁

成29・3・21判時2363号62頁〔摩擦熱変色性筆記具事件〕、知財高判令和元・10・2（平成30年（行ケ）第10108号）〔重金属類を含む廃棄物の処理装置事件〕）。このことは、副引用発明をどのように認定するか、という点にもかかわる問題である。

(イ) 容易想到性の判断

容易想到性に関しては、数多くの裁判例があり、従前、裁判所による進歩性判断が厳格すぎるとの批判が各界各層から寄せられたり、その後緩すぎるとの批判があったりと、進歩性判断の法的ルールの明確性の向上が求められるようになった。

知財高判平成30・4・13判時2427号91頁〔ピリミジン誘導体事件〕の示した一般論は、多くの裁判例が最大公約数的に、これを前提にして判断している。

同判決は、主引用発明に副引用発明を適用することにより本件発明を容易に発明することができたかどうかを判断する場合には、①主引用発明又は副引用発明の内容中の示唆、技術分野の関連性、課題や作用・機能の共通性等を総合的に考慮して、主引用発明に副引用発明を適用して本件発明に至る動機付けがあるかどうかを判断するとともに、②適用を阻害する要因の有無、予測できない顕著な効果の有無等を併せ考慮して判断することとなる旨判示した。特許無効審判の審決に対する取消訴訟においては、上記①については、特許の無効を主張する者（特許拒絶査定不服審判の審決に対する取消訴訟及び特許異議の申立てに係る取消決定に対する取消訴訟においては、特許庁長官）が、上記②については、特許権者（又は特許出願人）に主張立証責任がある。

(ウ) 動機付け

上記のとおり、主引用発明に副引用発明を適用して本願発明に至る動機付けがあるかどうかを判断する際には、主引用発明又は副引用発明の内容中の示唆、技術分野の関連性、課題や作用・機能の共通性等を総合的に考慮する（知財高判平成30・4・13判時2427号91頁〔ピリミジン誘導体事件〕）。

当業者は、引用発明と正反対の技術思想を有する副引用性や周知技術を適用することは考え難く、そのような適用をする動機付けはないとされることが多かろう（知財高判平成30・3・26（平成29年（行ケ）第10085号）〔電力変換装置事件〕）。

動機付けの重要性を指摘した裁判例として、知財高判平成18・6・29判タ1229号306頁〔紙葉類識別装置事件〕、知財高判平成21・1・28判時2043号117頁〔回路用接続部材事件〕等がある。

　(エ)　阻害要因

本件発明に至る複数の引用発明の組合せに関し、このような組合せを阻害する要因（組合せの動機付けを否定する要因）が存在する場合には、このような阻害要因の存在は進歩性を肯定する要素となる。例えば、主引用発明に副引用発明又は周知技術を組み合わせるに際して、副引用発明が本件発明の目指す作用効果と両立しない構成を備えている場合や、適用しようとする周知技術の有する問題が、引用発明がその解決を課題とし課題解決手段の採用によって解決しようとした問題にほかならないために、主引用発明に周知技術を適用すれば、引用発明の課題を解決することができなくなることが明らかである場合には、阻害要因がある（知財高判平成27・12・17（平成27年（行ケ）第10018号）〔マルチデバイスに対応したシステム事件〕）。また、適用により引用発明の作用効果に支障が生じる場合や、目的を達することを阻害する欠点がある場合も、阻害要因がある（知財高判令和3・6・24（令和2年（行ケ）第10115号）〔美容器事件〕、知財高判令和2・8・27（令和元年（行ケ）第10139号）〔メタルマスク及びその製造方法事件〕）。

他方、引用発明に周知技術を適用しても、課題解決のための作用・機能が何ら阻害されるものではない場合は、阻害要因があるということはできない（知財高判平成31・2・6（平成30年（行ケ）第10031号）〔携帯用グリップ事件〕）。

阻害要因を基礎付ける事実については、特許権者（又は特許出願人）の側で主張立証すべきである。

(オ) 予測できない顕著な効果

　引用発明と比較して請求項に係る発明の有する作用効果が、技術水準から予測される範囲を超えた顕著なものである場合、進歩性を肯定する要素となる。なお、顕著な効果の有無は、出願当時の技術水準を前提に判断される。

　理論上は、複数の引用発明の組合せ自体は容易であっても、組み合わされた結果生ずる作用効果が一般的に当該組合せから予想される作用効果を大きく上回るものである場合には、顕著な作用効果を有するものとして、本件発明の進歩性が肯定されるが、実際の事案において、顕著な作用効果を理由に進歩性を肯定した裁判例は稀である。

　予測できない顕著な効果の位置付けについては、①相違点に至る構成が容易に想到できるとしても、当該発明の効果が当業者の予測し得ない顕著なものである場合には、進歩性を認めるという独立要件説[41]と、②進歩性の判断では、「予測できない顕著な効果」も含め、全判断要素が総合的に考慮されるなどとする総合考慮説（二次的考慮説、間接事実説、評価障害事実説）[42]の見解の対立がある。

　予測できない顕著な効果として認められるためには、当該効果が明細書に記載されているか、あるいは、当業者が、明細書の記載に当業者が技術常識を当てはめれば読み取ることができるものであることが必要であるとする見解（知財高判平成28・3・30（平成27年（行ケ）第10054号）〔モメタゾンフロエート事件〕）と、明細書に当業者において発明の効果を認識できる程度の記載又はこれを推論できる記載がある場合には、記載の範囲を超えない限り、出願の後に補充した実験結果等を参酌することも許されるとする

---

[41] 山下和明「審決（決定）取消事由」竹田稔ほか編『特許審決取消訴訟の実務と法理』146頁、玉井克哉「判批」自治研究94巻6号136頁、岡田吉美「新規性・進歩性、記載要件について（下）」特許研究42号21頁

[42] 田村善之「『進歩性』（非容易推考性）要件の意義：顕著な効果の取扱い」パテント69巻5号1頁、前田健「進歩性判断における『効果』の意義」L&T82号33頁、加藤志麻子「化学分野の発明における進歩性の考え方」パテント61巻10号86頁、篠原勝美「わが国の進歩性の審理判断に関する若干の考察」知財管理70巻6号743頁

見解（知財高判平成22・7・15判時2088号124頁〔日焼け止め剤組成物事件〕）がある。

また、最三小判令和元・8・27裁判集民事262号51頁〔アレルギー性眼疾患眼科用処方物事件〕は、化合物の医薬用途に係る特許発明については、その効果が、その進歩性の有無の判断基準時当時、当該特許発明の構成が奏するものとして当業者が予測することができなかったものか否か、当該構成から当業者が予測することができた範囲の効果を超える顕著なものであるか否かという観点から検討すべきであると判示した[43]。

(カ) 容易の容易

相違点の容易想到性については、主引用例に係る構成に副引用例又は周知技術を適用することにより容易に本件発明に至ることができるかを検討するのが通常であるが、主引用発明に係る構成から二段階を経て相違点に係る本件発明の構成を想到するといった論理付けは、いわゆる「容易の容易」に当たり、このような二段の容易については、容易想到性を認めることは困難であり、格別な努力を要するものといえ、当業者にとって容易であったということはできない。すなわち、主引用発明と副引用発明を組み合わせることを想到し得たとしても、両発明を組み合わせた上で、さらに本件発明に至るためにさらにもう1段の周知技術等を組み合わせるといった判断手法は、いわゆる容易の容易として、許されない（知財高判平成28・8・10（平成27年（行ケ）10149号）〔平底幅広浚渫用グラブバケット事件〕、知財高判平成28・3・30（平成27年（行ケ）第10094号）〔ロータリ作業機のシールドカバー事件〕、知財高判平成29・3・21判時2363号62頁〔摩擦熱変色性筆記具事件〕、知財高判平成26・11・26（平成26年（行ケ）第10079号）〔窒化ガリウム系発光素子事件〕、知財高判平成22・5・12判時2095号108頁〔光照射処理装置事件〕）。

ウ 設計事項

公知発明から最適材料の選択や設計変更を行うことは、通常は当業者に

---

43 前田健「進歩性判断における『効果』の意義」L&T82号33頁

とって容易なことであるため、本件発明がこれらに該当することは、進歩性を否定する要素となる。また、組み合わせた複数の公知発明が機能的又は作用的に関連しておらず、単なる複数の発明の寄せ集めにすぎない場合にも、進歩性を否定することになる。

　当業者にとって当然の創作能力の発揮である場合は、設計事項として、進歩性が否定される。例えば、操作部材について、本件発明では、操作部材の直径や軸方向長さの数値が規定されているが、引用発明にはその寸法が明記されていない場合において、当業者において、指や手の無理のない姿勢で操作することができるようにそれが適した寸法にすることは、当業者であれば当然に考慮することであり、その数値範囲は、人の指先の可動域及び親指の幅から通常想定される範囲を規定した設計事項にすぎない（知財高判平成29・3・14（平成28年㈱第10100号）〔魚釣用電動リール事件〕）。また、引用発明の記載をもとに、好適なものを選択し、相違点に係るものとすることは、適宜選択し得る設計事項にすぎない（知財高判平成28・9・21（平成27年（行ケ）第10244号）〔離型フィルム事件〕）。

4　記載要件

(1)　サポート要件

　特許請求の範囲の記載は、特許を受けようとする発明が発明の詳細な説明に記載したものであることを要する（特許法36条6項1号）。いわゆるサポート要件である。

　知財高判平成17・11・11判時1911号48頁〔パラメータ特許事件〕は、特許請求の範囲の記載がサポート要件に適合することを要するとされるのは、特許を受けようとする発明の技術的内容を一般的に開示するとともに、特許権として成立した後にその効力の及ぶ範囲（特許発明の技術的範囲）を明らかにするという明細書の本来の役割に基づくものであるとし、その制度趣旨に反するか否かを基準として前記記載外での補足の可否を判

断したものである。特許法が先願主義及び書面主義を採用していることを根拠に、明細書の記載要件は、当然のことながら明細書の記載に基づいて審査されるべきで、出願後に提出される実験成績証明書等は、あくまでも明細書の記載の参考資料であるとする見解もあるが[44]、これも同趣旨をいうものと解される。

　同判決は、特性値を表す2つの技術的な変数（パラメータ）を用いた一定の数式により示される範囲をもって特定した物を構成要件とする、いわゆるパラメータ発明において、特許請求の範囲の記載が、明細書のサポート要件に適合するためには、発明の詳細な説明は、その数式が示す範囲と得られる効果（性能）との関係の技術的な意味が、特許出願時において、具体例の開示がなくとも当業者に理解できる程度に記載するか、又は、特許出願時の技術常識を参酌して、当該数式が示す範囲内であれば、所望の効果（性能）が得られると当業者において認識できる程度に、具体例を開示して記載することを要すると判示した。

　この判断によれば、明細書の発明の詳細な説明に、当業者が当該発明の課題を解決できると認識できる程度に、具体例を開示せず、特許出願時の当業者の技術常識を参酌しても、特許請求の範囲に記載された発明の範囲まで、発明の詳細な説明に開示された内容を拡張ないし一般化できるとはいえない場合には、事後のデータを提出して明細書の記載を記載外で補足することは許されない。他方、明細書に具体例を開示しないか、少数しか開示されていない場合において、明細書のその他の記載と出願時の技術常識から、特許請求の範囲の記載に係るパラメータと効果（課題解決）との関係が一応理解でき、かつ、事後の実験が明細書に具体的に開示されていたパラメータの組合せについて行われたものである場合には、当該事後の実験データを明細書の記載を記載外で補足するものとして参酌し得るものと解される。

44　竹田和彦「明細書に於ける開示とクレームの広さ」パテント53巻1号46頁

なお、サポート要件を充足するには、明細書に接した当業者が、特許請求された発明が明細書に記載されていると合理的に認識できれば足り、また、課題の解決についても、当業者において、技術常識も踏まえて課題が解決できるであろうとの合理的な期待が得られる程度の記載があれば足りるとされ、厳密な科学的な証明に達する程度の記載までは不要とされている。なぜなら、サポート要件は、発明の公開の代償として特許権を与えるという特許制度の本質に由来するものであるから、明細書に接した当業者が当該発明の追試や分析をすることによって更なる技術の発展に資することができれば、サポート要件を課したことの目的は一応達せられるからであり、また、明細書が、先願主義の下での時間的制約もある中で作成されるものであることも考慮すれば、その記載内容が、科学論文において要求されるほどの厳密さをもって論証されることまで要求するのは相当ではないからである（知財高判令和2・7・2判時2477号81頁〔ボロン酸化合物製剤事件〕）。

(2) 実施可能要件

　明細書の発明の詳細な説明の記載については、経済産業省令で定めるところにより、その発明の属する技術の分野における通常の知識を有する者（当業者）がその実施をすることができる程度に明確かつ十分に記載したものであるとの要件に適合するものでなければならない（特許法36条4項1号。いわゆる実施可能要件）。その趣旨は、明細書の発明の詳細な説明に、当業者が容易にその実施をできる程度に発明の構成等が記載されていない場合には、発明が公開されていないことに帰し、発明者に対して特許法の規定する独占的な権利を付与する前提を欠くことになるからである。

　物の発明における発明の実施とは、その物の生産、使用等をする行為をいい（特許法2条3項1号）、方法の発明の実施とは、その方法の使用をする行為であるから（同項2号）、物の発明について実施可能要件を充足するためには、当業者が、明細書の発明の詳細な説明の記載及び出願当時の技

術常識とに基づいて、過度の試行錯誤を要することなく、その物を製造し、使用することができる程度の記載があること、方法の発明については、その方法を使用することができる程度の記載があることを要する（知財高判平成28・8・3（平成27年（行ケ）第10148号）〔分散型プレディケート予測実現方法事件〕、知財高判平成29・2・2（平成28年（行ケ）第10001号ほか）〔葉酸代謝拮抗薬の組合せ療法事件〕）。物を生産する方法の発明についても、同様に考えられる。

　実施可能要件とサポート要件の関係については、①二つの要件は、同じ問題を明細書側から見るのとクレームの側から見るように、違う角度から規定しているにすぎない表裏一体のものと考える見解、②前者は実質的な審査、後者は形式的な審査をするものとして区別する見解、③前者は発明の構成を物理的に再現できるかを見るもので、作用効果を発揮できるかは後者の要件でみるとして区別する見解がある[45]。

　そして、特許出願が実施可能要件を満たすものであることは、特許出願に際して出願人が立証すべきであり、拒絶査定不服審判、無効審判や、これらの審判の審決に対する取消訴訟等においても、出願人ないし特許権者がその主張立証責任を負担する（知財高判平成18・2・16（平成17年（行ケ）第10205号））。

(3) 明確性要件

ア　明確性要件の趣旨

　特許法36条6項2号によれば、特許請求の範囲の記載は、「発明が明確であること」という要件に適合するものでなければならない。特許制度は、発明を公開した者に独占的な権利である特許権を付与することによって、特許権者についてはその発明を保護し、一方で第三者については特許に係る発明の内容を把握させることにより、その発明の利用を図ることを通じ

---

[45]　前田健「実施可能要件とサポート要件」『特許判例百選〔第4版〕』46頁

て、発明を奨励し、もって産業の発達に寄与することを目的とするものであるところ（特許法1条参照）、同法36条6項2号が特許請求の範囲の記載において発明の明確性を要求しているのは、この目的を踏まえたものであると解することができる。

　明確性が要件になっている趣旨は、仮に、特許請求の範囲に記載された発明が明確でない場合には、特許が付与された発明の技術的範囲が不明確となり、第三者に不測の不利益を及ぼすことがあり得るので、そのような不都合な結果を防止することにあると解される。そして、特許を受けようとする発明が明確であるか否かは、特許請求の範囲の記載だけではなく、願書に添付した明細書の記載及び図面を考慮し、また、当業者の出願当時における技術常識を基礎として、特許請求の範囲の記載が、第三者に不測の不利益を及ぼすほどに不明確であるか否かという観点から判断されるべきである（知財高判平成27・11・26（平成26年（行ケ）第10254号）〔青果物用包装袋及び青果物包装体事件〕、知財高判平成31・4・12（平成30年（行ケ）第10117号）〔脂質含有組成物事件〕）。

　イ　方法的記載のある物の発明の明確性

　最二小判平成27・6・5民集69巻4号700頁〔プラバスタチンナトリウム事件〕は、物の発明についての特許に係る特許請求の範囲において、その製造方法が記載されていると、一般的には、当該製造方法が当該物のどのような構造若しくは特性を表しているのか、又は物の発明であってもその特許発明の技術的範囲を当該製造方法により製造された物に限定しているのかが不明であり、特許請求の範囲等の記載を読む者において、当該発明の内容を明確に理解することができず、権利者がどの範囲において独占権を有するのかについて予測可能性を奪うことになり、適当ではないとして、物の発明についての特許に係る特許請求の範囲にその物の製造方法が記載されている場合（いわゆるプロダクト・バイ・プロセス・クレーム）において、当該特許請求の範囲の記載が特許法36条6項2号にいう「発明が明確であること」という要件に適合するといえるのは、出願時において当該物をその

構造又は特性により直接特定することが不可能であるか、又はおよそ実際的でないという事情が存在するときに限られると判断した。

いわゆるプロダクト・バイ・プロセス・クレームに係る上記最高裁判決後、特許庁の審査実務を含めて、物の発明についての特許に係る特許請求の範囲にその物の製造方法が記載されている場合に、明確性要件が問題にされることが急増した。

しかし、上記最高裁判決の射程は広くはなく、現在では、物の発明についての特許に係る特許請求の範囲に方法的な記載があることの一事をもって明確性要件を欠くとまでは解されていない。一見形式的にはプロダクト・バイ・プロセス・クレームに見えるが、実際にはプロダクト・バイ・プロセス・クレームとはいえない場合には、最高裁判決の上記基準には当てはまらない、というものである[46]。すなわち、特許請求の範囲に形式的に見ると経時的な記載がある場合であっても、明細書の記載及び技術常識を加えて判断すれば当該製造方法による物の構造又は特性等が一義的に明らかである場合には、物の製造方法の記載には当たらず、明確性要件を充足するというべきである（知財高判平成28・9・20（平成27年（行ケ）第10242号）〔二重瞼形成用テープ事件〕）。

このように、近時は、物の発明についての特許に係る特許請求の範囲に方法的な記載がある場合であっても、当該製造方法が当該物のどのような構造又は特性を表しているのかが、特許請求の範囲、明細書、図面の記載や技術常識から一義的に明らかな場合には、第三者が不測の不利益を被ることはないから、明確性要件違反には当たらないと解する裁判例が多数である（知財高判平成29・12・21（平成29年（行ケ）第10083号）〔旨み成分と栄養成分を保持した無洗米事件〕）。

---

46 設樂隆一「PBP最高裁判決と実務上の課題」L&T73号42頁

5　冒認と共同出願違反

(1) 拒絶理由・無効理由としての冒認・共同出願違反

　特許権を取得し得る者は、発明者及びその承継人に限定されている（特許法29条1項、34条1項参照）。このような、「発明者主義」を採用する特許制度の下において、その要件を欠く出願、すなわち、発明について正当な権原を有しない者（特許を受ける権利を有していない者）が特許出願人となっている出願のことを「冒認出願」という。冒認は、拒絶理由であり（同法49条7号）、これに違反して特許されたときは、無効審判を請求することができる（同法123条1項6号）。

　また、特許を受ける権利が共有に係る場合は、全員で特許出願しなければならない（特許法38条）。つまり、特許を受ける権利が共有に係るときは、各共有者は、他の共有者と共同でなければ、特許出願をすることができない。そして、同条に違反する特許出願、すなわち「共同出願違反」は拒絶理由であり（同法49条2号）、これに違反して特許されたときは、無効審判を請求することができる（同法123条1項2号）。

(2) 発明者の意義

　「発明」とは、「自然法則を利用した技術的思想の創作のうち高度のもの」をいうから（特許法2条1項）、真の「発明者」といえるためには、当該発明における技術的思想の創作行為に現実に加担したことが必要である。すなわち、技術的思想の創作行為、とりわけ従前の技術的課題の解決手段に係る発明の特徴的部分の完成に現実に関与することが必要である。したがって、①発明者に対して一般的管理をしたにすぎない者（単なる管理者）、例えば、具体的着想を示さずに、単に通常の研究テーマを与えたり、発明の過程において単に一般的な指導を与えたり、課題の解決のための抽象的助言を与えたにすぎない者、②発明者の指示に従い、補助したにすぎない者（単なる補助者）、例えば、単にデータをまとめたり、文書を作成したり、

実験を行ったにすぎない者、③発明者による発明の完成を援助したにすぎない者（単なる後援者）、例えば、発明者に資金を提供したり、設備利用の便宜を与えたにすぎない者等は、技術的思想の創作行為に現実に加担したとはいえないから、発明者ということはできない（東京地判平成17・9・13判時1916号133頁〔分割錠剤事件〕）。なお、発明者となるためには、一人の者が全ての過程に関与することが必要なわけではなく、共同で関与することでも足りるが、複数の者が共同発明者となるためには、課題を解決するための着想及びその具体化の過程において、一体的・連続的な協力関係の下に、それぞれが重要な貢献をなすことを要する（知財高判平成20・5・29判タ1317号235頁〔ガラス多孔体及びその製造方法事件〕）。

　共同発明者についても、当該技術的思想を当業者が実施できる程度にまで具体的客観的なものとして構成する創作活動に関与していることが必要であろう。

(3) 発明者の認定

　発明者がだれかの認定判断は、しばしば困難な事実認定を伴う。近時の裁判例においても、事案に応じ、判断の手法は、必ずしも同じではない。

　　ア　発明者の判断手法

　㈠　間接事実の積み重ねにより発明者を認定する手法では、まず、①明細書の記載から発明の技術的思想や発明の特徴的部分を認定し、②発明に至る経緯、③関係者の技術的知識や経験の程度、④関係者との相互関係やそれぞれの関与の内容等を認定した上で、上記の各事実から、当該発明における技術的思想の創作に現実に関与した者がだれか、すなわち、当該技術的思想を当業者が実施できる程度にまで具体的客観的なものとして構成する創作活動に関与した者といえるかを判断することにより、認定している（知財高判平成20・5・29判タ1317号235頁〔ガラス多孔体及びその製造方法事件〕、東京地判平成27・4・24判時2304号87頁〔横電界方式液晶表示装置事件〕、知財高判平成28・2・24（平成26年（行ケ）第10275号）〔歯列矯正ブラケット事

件〕)。

　また、真の「共同発明者」というためには、当該技術的思想を当業者が実施できる程度にまで具体的客観的なものとして構成する創作活動において、他の共同発明者と一体的な協力関係の下に相応の貢献をすることが必要である。したがって、共同発明者の認定においても、上記①ないし④等を認定した上で、上記の各事実から、共同発明者と主張する者が当該発明における技術的思想の創作に現実に関与したといえるか、すなわち、当該技術的思想を当業者が実施できる程度にまで具体的客観的なものとして構成する創作活動に加担した者といえるかを判断することにより、共同発明者が認定されている。

　(イ)　また、上記の判断手法を基本としつつ、当事者の主張立証活動の時期や内容等から、その信用性を問題とする手法もある（知財高判平成27・6・24判時2274号103頁〔袋入り抗菌剤事件〕、東京地判平成26・12・18（平成25年(ワ)第32721号）〔コンクリート製サイロビンの内壁の検査方法事件〕、東京地判平成26・12・25（平成25年(ワ)第10151号）〔カラーアクティブマトリックス型液晶表示装置事件〕)。

　(ウ)　そのほか、冒認を理由とする無効審判請求において、まずは、冒認を主張する者が、どの程度特許権者が発明者であることを疑わせる事情を具体的に主張し、かつ、これを裏付ける証拠を提出しているかを検討し、次いで、特許権者が相手方の主張立証を凌ぎ、特許権者が発明者であることを認定し得るだけの主張立証をしているか否かを検討する手法もある（知財高判平成29・1・25（平成27年（行ケ）第10230号）〔噴出ノズル管の製造方法事件〕、知財高判平成29・3・27（平成27年（行ケ）第10252号）〔浄化槽保護用コンクリート体の構築方法事件〕)。そこでは、特許権者において、自らが発明者であることの主張立証責任を負うものであることを前提としつつ、先に出願したという事実は、出願人が発明者又は発明者から特許を受ける権利を承継した者であるとの事実を推認させる上でそれなりに意味のある事実であるとして、特許権者の行うべき主張立証の内容、程度は、冒認出願

を疑わせる具体的な事情の内容及び無効審判請求人の主張立証活動の内容、程度がどのようなものかによって左右されるという立場が採られている。そして、仮に無効審判請求人が冒認を疑わせる具体的な事情を何ら指摘することなく、かつ、その裏付けとなる証拠を提出していないような場合は、特許権者が行う主張立証の程度は比較的簡易なもので足りるのに対し、無効審判請求人が冒認を裏付ける事情を具体的に指摘し、その裏付けとなる証拠を提出するような場合は、特許権者において、これを凌ぐ主張立証をしない限り、主張立証責任が尽くされたと判断されることはないとするものである。

㈎　このように、事案ごとにさまざまな判断手法はあるものの、真の発明者は誰か、正当な者によって特許出願がされたか否かは、より具体的にいえば、①発明の属する技術分野が先端的な技術分野か否か、②発明が専門的な技術、知識、経験を有することを前提とするか否か、③実施例の検証等に大規模な設備や長い時間を要する性質のものであるか否か、④発明者とされている者が発明の属する技術分野についてどの程度の知見を有しているか、⑤発明者と主張する者が複数存在する場合に、その間の具体的実情や相互関係がどのようなものであったか等、事案ごとの個別的な事情を総合考慮して、認定すべきものと解される（知財高判平成21・6・29判時2104号101頁〔基盤処理装置事件〕、知財高判平成22・11・30判時2116号107頁〔貝係止具事件〕）。

イ　発明の属する技術分野との関係

発明は、その技術内容が、当該技術分野における通常の知識を有する者（当業者）が反復実施して目的とする技術効果を上げることができることができる程度にまで具体的客観的なものとして構成されたときに、完成したと解すべきであるから（最一小判昭和52・10・13民集31巻6号805頁〔薬物製品事件〕）、発明者は、当該技術的思想を当業者が実施できる程度にまで具体的客観的なものとして構成する創作活動に関与した者である。もっとも、発明者の認定は、発明の属する技術分野によっても異なる考慮が必要なこ

ともある。

　例えば、化学分野においては、ある特異な現象が確認されたとしても、そのことのみによって直ちに、当該技術的思想を当業者が実施できる程度に具体的・客観的なものとして利用できることを意味するものではないというべきであり、その再現性、効果の確認等の解明が必要な場合が生ずる。知財高判平成20・5・29判タ1317号235頁〔ガラス多孔体及びその製造方法事件〕は、報告書において多孔性現象が確認された段階では、いまだ、当業者が実施できる程度の具体性、客観性をもった技術的思想を確認できる程度に至ったというべきではないから、原告が、Aによる、上記報告書における本件多孔化技術の確認に対して、何らかの寄与・貢献があったからといって、そのことが、直ちに、原告が発明者であると認定する根拠となるものではないとした。

　これに対し、機械の分野では、具体的な構成が解決手段であり、着想の段階でこれを具体化した結果を予測することが可能である。知財高判平成20・7・17（平成19年(ネ)第10099号）〔既設コンクリート杭の撤去装置事件〕は、具体的構成の決定に関与した者を共同発明者であると認定し、知財高判平成27・6・24判時2274号103頁〔袋入り抗菌剤事件〕は、発明の着想を提供したにとどまる者であっても共同発明者であると認定した。

　電気の分野では、ある程度抽象的な着想であっても、それ自体が課題の解決手段として発明と評価され得るケースもある。この分野では、課題の発見自体がそのまま発明になることもあり、課題の設定者と発明者を判然と区別することが難しいからである[47]。なお、知財高判平成20・2・7判時2024号115頁〔違反証拠作成システム事件〕は、電子機器の場合、一般に、公知技術を組み合わせる段階で、既に、工夫が必要となることが多く、具体化が当業者にとって自明といえる可能性はそう多くはないとしつつ、本件において機能を果たさせているのは、ソフトウェアであって、そのために

47　三村量一「発明者の意義」金判1236号123頁

試作、テストを積み重ねる必要があるのであって、具体化が当業者にとって自明なものとはいえないとして、試作機の製作、その改良を重ね、テストを行った者を発明者と認定した。

(4) 主張立証責任

ア　主張立証責任の所在

　冒認及び共同出願違反に係る主張立証責任については、議論が多いが、まず、出願過程においては、発明者主義の下では、特許出願に当たって、出願人は、発明者又はその承継人であるという要件を満たしていることを、自ら主張立証する責めを負うものである。冒認を理由とする拒絶査定に対する不服審判請求及びその不成立審決の取消訴訟を提起する場合にも、出願人の側で、自らが発明者又はその承継人であるという要件を満たしていることを主張立証すべきであろう。

　特許法123条1項は、その特許がその発明について特許を受ける権利を有しない者の特許出願に対してされたとき等は、その特許を無効にすることについて特許無効審判を請求することができると規定しており、そのような文言の体裁から、無効審判請求やその審決取消訴訟においては、「その特許がその発明について特許を受ける権利を有しない者の特許出願に対してされた」ことを、無効審判請求人側において立証責任を負うように理解することができなくない。しかも、行政処分には公定力があり、適法性の推定が働くと考えれば、なおさらである。

　これに対し、同法123条の規定は、無効事由に該当する事項を列挙する趣旨で設けられた規定であるとして、上記規定ぶりから立証責任の配分を導くのは相当でなく[48]、出願人ないしその承継者である特許権者は、特許出願が当該特許に係る発明の発明者自身又は発明者から特許を受ける権利を承継した者によりされたことについての主張立証責任を負担する旨の裁

---

[48] 飯村敏明「審決取消訴訟及び特許権侵害訴訟における冒認出願に関する審理について」『竹田傘寿』29頁

判例もある（知財高判平成18・1・19（平成17年（行ケ）第10193号）〔緑化吹付資材事件〕）。もっとも、形式的には主張立証責任が特許権者の側にあると解する立場からも、「出願人が発明者であること又は発明者から特許を受ける権利を承継した者である」ことは、先に出願されたことによって、事実上の推定が働き、無効審判請求人の側が実質的な立証責任を負担するとし[49]、そのように解したとしても、そのことは、「出願人が発明者であること又は発明者から特許を受ける権利を承継した者である」との事実を、特許権者において、全ての過程を個別的、具体的に主張立証しない限り立証が成功しないことを意味するものではなく、むしろ、特段の事情のない限り、上記事実は、先に出願されたことによって、事実上の推定が働くことが少なくなく、無効審判請求において、特許権者が、正当な者によって当該特許出願がされたとの事実をどの程度、具体的に主張立証すべきかは、無効審判請求人のした冒認出願を疑わせる事実に関する主張や立証の内容及び程度に左右されるという（知財高判平成22・11・30判時2116号107頁〔貝係止具事件〕）。

　他方、冒認を理由とする無効審判請求における主張責任の所在と立証責任の所在を別異に解し、法律効果の発生を求める者は要件に該当する事実を少なくとも主張すべきであるとして、無効審判請求は、特許庁の特許付与処分を前提に、特定の無効理由を基礎に特許の遡及的消滅を求めるものであるから、無効審判請求人側が、無効理由を基礎付ける事実、すなわち「その特許が発明者でない者であってその発明について特許を受ける権利を有しない者の特許出願に対してされた」ことを主張すべきであるが、上記事実の証明責任については、特許権者が負担するという見解も唱えられている[50]。この見解は、冒認が消極的事実であるため、すなわち出願人がその発明について特許を受ける権利を有しないという消極的事実について

49　飯村敏明「審決取消訴訟及び特許権侵害訴訟における冒認出願に関する審理について」『竹田傘寿』29頁
50　愛知靖之「冒認を理由とする無効審判と主張立証責任」L&T52号90頁

無効審判請求人に主張立証させるのは、発明に至る経緯等の多くの証拠が出願人側にあることにもかんがみて、酷であり、無効審判請求人に無理を強いることになるとし、立証の難易という実質的・訴訟法的な考慮をするものである。

なお、共同出願違反については、特許無効審判を請求する場合及びその審決取消訴訟においても、無効審判請求人が「特許を受ける権利が共有に係ること」について主張立証責任を負担すると解する見解がある[51]（知財高判平成25・3・13判タ1414号244頁〔二重瞼形成用テープ事件〕）。

イ 主張立証上の留意点

上記のように、主張立証責任の所在については諸説あるが、その一般論についていずれの見解を採用するにせよ、実際の訴訟においては、真の発明者であると主張する当事者は、真の発明者が行った発明の過程について、具体的に主張し、その裏付けになる適切な証拠を準備することが重要である[52]。

まず、発明の経緯に関する主張の変遷は、不利に働く（東京地判平成26・12・18（平成25年(ワ)第32721号）〔コンクリート製サイロビンの内壁の検査方法事件〕、東京地判平成26・12・25（平成25年(ワ)第10151号）〔カラーアクティブマトリックス型液晶表示装置事件〕）。

また、従前の技術的課題の解決手段に係る発明の特徴的部分の完成に現実に関与することが必要であるから、このような部分の創作行為に現実的に関与したことを示す客観的な証拠の提出が不可欠である。例えば、実験ノート（ラボノート）が重要な証拠となるところ、手書きの図面が加除可能なバインダーに綴られており、前後の日付も統一性がなかったことから、ラボノートの信用性が否定された例もある（知財高判平成22・11・30判時

---

[51] 武宮英子「発明者性の立証責任の分配」L&T59号22頁。なお、冒認の場合と同様に、特許権者が立証責任を負うとする見解として、松野嘉貞「審決取消訴訟における主張立証責任」『三宅喜寿』514頁、藤川義人「冒認出願に関する主張立証責任」知財管理61巻7号1057頁。

[52] 髙部眞規子「特許権の帰属をめぐる訴訟上の諸問題」学会年報39号229頁

2116号107頁〔貝係止具事件〕）。そこで、ラボノートの日時の記載や差替えができない形式のものであることが重要であるとの指摘もある[53]。また、着想に至るメモやノートといった客観的証拠が提出されていないことを判断の要素の１つにした裁判例もある（東京地判平成27・4・24判時2304号87頁〔横電界方式液晶表示装置事件〕）。

　外部との共同発明の場合には、連絡会議の議事録や、発明の過程における双方の連絡文書や電子メール等が重要な証拠となり得る（知財高判平成25・3・28判タ1416号116頁〔動態管理システム事件〕）。

　さらに、真の発明者と主張する者の陳述書の提出及び当事者尋問等の証拠調べが行われることが少なくないが、その尋問において発明の特徴的部分の完成に至る経過が具体的に説明できず、当然検討すべきテーマについて具体的に説明できないなど、発明者であれば具体的に説明できる事項が説明できないか不自然な供述にとどまる場合も、発明者性の認定に影響を与える（東京地判平成27・4・24判時2304号87頁〔横電界方式液晶表示装置事件〕、東京地判平成26・12・25（平成25年(ワ)第10151号）〔カラーアクティブマトリックス型液晶表示装置事件〕）。出頭に支障がある事情を明らかにすることなく尋問の申請意思がないという態度も影響を与えるし、尋問を経ていない陳述書の信用性は、低いとされる場合もある（知財高判平成27・6・24判時2274号103頁〔袋入り抗菌剤事件〕）。陳述書や尋問において真の発明者と主張する者の専門的知識を立証することも重要である。

　なお、特許を受ける権利の譲渡が介在する場合はさらに立証が困難な場合も想定されるところ、譲渡の際に譲渡人に真の発明者からの譲渡であることの保証義務を負わせることなどの工夫が考えられよう[54]。

53　藤川義人「冒認出願に関する主張立証責任」知財管理61巻７号1057頁
54　藤川義人「冒認出願に関する主張立証責任」知財管理61巻７号1057頁

6 補正要件

(1) 補正要件

　明細書、特許請求の範囲又は図面の補正は、特許法17条の2第1項所定の時期において、①当初明細書に記載した事項の範囲内において、②特許請求の範囲の補正の目的要件を満たすものでなければならない（同条3～5項）。

　なお、一度に複数の箇所の補正がされることも少なくないが、補正要件の適否は、当該補正に係る全ての補正事項について全体として判断されるべきものである。補正事項のうちの一部の追加が新規事項に当たるという主張は、補正要件違反という無効理由を基礎付ける攻撃防御方法の一部にすぎず、これと独立した別個の無効理由であるとまではいえない。補正事項のうちの一部の判断を欠いたとしても、直ちに当該無効理由について判断の遺脱があったということはできないとし、全体としてみて実質的に判断されていると評価された事例もある（知財高判令和2・1・21（平成31年（行ケ）第10042号）〔マッサージ機事件〕）。

(2) 新規事項の追加禁止

　特許請求の範囲等の補正は、願書に最初に添付した明細書、特許請求の範囲又は図面に記載した事項の範囲内においてしなければならない（特許法17条の2第3項）。上記の「最初に添付した明細書、特許請求の範囲又は図面に記載した事項」とは、当業者によって、明細書、特許請求の範囲又は図面の全ての記載を総合することにより導かれる技術的事項を意味し、当該補正が、このようにして導かれる技術的事項との関係において、新たな技術的事項を導入しないものであるときは、当該補正は「明細書、特許請求の範囲又は図面に記載した事項の範囲内において」するものということができる（知財高判令和2・1・28（平成31年（行ケ）第10064号）〔椅子型マッサージ機事件〕、知財高判令和2・1・21（平成31年（行ケ）第10042号）〔マッサ

ージ機事件〕）。

　補正が新規事項を追加するものであるか否かは、当初明細書の記載に基づいてなされるべきものである（知財高判令和2・3・17（令和元年（行ケ）第10123号）〔低エネルギー粒子放出装置事件〕）。

(3) 補正の目的

　特許請求の範囲についてする補正は、①請求項の削除、②特許請求の範囲の減縮、③誤記の訂正、④明瞭でない記載の釈明（拒絶理由通知に対するもの）を目的とするものでなければならない（特許法17条の2第5項）。

　同項2号に規定する特許請求の範囲の減縮は、同法36条5項の規定により請求項に記載した発明を特定するために必要な事項を限定するもの、すなわち特許請求の範囲の限定的減縮に限られる（知財高判平成27・9・10（平成26年（行ケ）第10277号）〔隔壁付きベッド事件〕）。

(4) 補正却下をする場合の拒絶理由通知

　最後の拒絶理由通知に対する補正について、明細書及び図面に新規事項を追加しないものであるほか、特許請求の範囲の減縮に当たる補正がされた場合においても、補正後の発明が独立して特許を受けることができるもののみが許容される（独立特許要件。特許法17条の2第6項）。同法17条の2第1項2号に係る補正が、同条3項から第5項までの規定に違反している場合には、補正が却下される（同法53条）。このため、拒絶査定不服審判請求と同時にした補正が、独立特許要件を満たさない場合には、当該補正を却下しなければならず、その場合には、拒絶査定不服審判において査定の理由と異なる拒絶の理由を発見したときであっても、特許出願人に対して、拒絶の理由を通知して意見書提出の機会を与える必要はないとされている（特許法159条2項後段、50条ただし書）。

　このように、最後の拒絶理由通知に対する補正が独立特許要件を含めて特許法17条の2の規定に違反する不適法なものであることが認められた場

合に、拒絶理由を通知することなく当該補正を却下することとしたのは、審理が繰り返し行われることを回避して審理の迅速化を図るとともに、出願間の公平性の確保及び第三者の監視負担の軽減等を図るためである（知財高判平成26・3・26（平成24年（行ケ）第10406号）〔DSPコード生成装置事件〕）。もっとも、新規の引用文献に基づく独立特許要件違反を理由として、審判請求時補正が却下されるなど、出願人の防御の機会が実質的に保障されていないと認められるようなときは、拒絶理由通知をすべきであるとの裁判例もある（知財高判平成30・9・10判時2411号86頁〔スロットマシン事件〕）。

7　訂正要件

(1)　訂正審判請求と訂正請求

　訂正の制度については、ここ20年余りの間に何回か大改正が行われている。しかも、改正法の適用は、出願中のものについてはなお従前の例によるとされている場合が多いので、適用法については、注意が必要である。

　　ア　訂正の制度の変遷
　　(ア)　平成5年改正
　まず、従前は、無効審判請求中でも別途訂正審判請求をすることができ、さらに訂正無効の審判が存在した。

　平成5年改正後は、訂正無効審判がなくなり、訂正の要件違反については、訂正された特許の無効理由と位置付けて、無効審判で争うことになった（特許法123条1項8号）。

　　(イ)　平成15年改正
　最三小判平成11・3・9民集53巻3号303頁〔大径角形鋼管事件〕が、無効審決取消訴訟の係属中に当該特許権について特許請求の範囲の減縮を目的とする訂正審決が確定した場合には、無効審決は取り消されなければならない旨の当然取消説を採用したため、無効審決がされると、特許権者は、その取消訴訟を提起するとともに、特許請求の範囲の減縮を目的とする訂

正審判を請求し、その結果、特許庁と裁判所において、頻繁にキャッチボール現象が生じることとなった。

　そこで、平成15年改正後は、訂正審判が請求できるのを一定の時期に制限し、無効審判手続中の訂正審判請求を認めず、無効審判手続において訂正の許否を審理することになった（同法134条の2第1項）。そして、訂正審判の請求時期が、審決取消訴訟の提起日から起算して90日の期間内に制限され（平成23年改正前の特許法126条2項）、特許無効審判の審決の取消訴訟の提起があった場合において、特許権者が訂正審判を請求し、又は請求しようとしていることにより、当該特許を無効にすることについて特許無効審判においてさらに審理させることが相当であると認めるときは、事件を審判官に差し戻すため、決定をもって当該審決を取り消すことができる旨の規定（平成23年改正前の特許法181条2項）が新設された。

　(ｳ)　平成23年改正

　ところが、同項による取消決定の規定の新設後は、取消決定により、無効審判がさらに審理されるという事案も相当数見られるところとなり、特許庁と裁判所のキャッチボールとして当該特許の有効無効の決着を遅らせる原因となった。しかも、取消訴訟の提起が訂正の機会を得るという目的のために行われ、裁判体によっては実質的な審理判断がされない状態で取消決定がされる事態も見られたようである。

　訂正の回数に制限がないため、訂正を認めないとされた場合や、訂正を認めた上で当該特許を無効とする旨の審決がされた場合に、2度目、3度目の訂正を請求する例も見られ、1つの権利の有効無効の争いが中々結着せず、そのクレームの範囲も結着しないという事態が生じている。

　そこで、平成23年改正により、無効審判と訂正の在り方について、再び大きな改正が行われることとなった。

　イ　改善多項制の下における訂正の許否判断

　　(ｱ)　訂正請求の場合

　改善多項制の下では、訂正の許否を請求項ごとに判断するか、一体とし

て判断するかの問題もある。

　この点について、従前は、訂正請求は一体的なものと取り扱われていたが、最一小判平成20・7・10民集62巻7号1905頁〔発光ダイオード事件〕は、訂正請求について請求項ごとに個別に訂正の許否を判断すべきであるとした。すなわち、特許無効審判の請求については、請求項ごとに個別に無効審判を請求することが許されており（特許法123条1項柱書）、請求項ごとに特許無効の当否が個別に判断されることに対応して、無効審判が請求されている請求項についての特許請求の範囲の減縮を目的とする訂正請求についても、請求項ごとに個別に訂正請求をすることが許容され、その許否も請求項ごとに個別に判断されるべきである。

　その理由は、①無効審判が請求されている請求項についての特許請求の範囲の減縮を目的とする訂正請求は、請求項ごとに請求することができる特許無効審判に対する防御手段としての実質を有するものであるから、このような訂正請求をする特許権者は、請求項ごとに個別に訂正を求めるものと理解するのが相当であること、②このような請求項ごとの個別の訂正が認められないと、特許無効審判事件における攻撃防御の均衡を著しく欠くこと、の2点にある。

　(イ)　訂正審判請求の場合

　最一小判平成20・7・10民集62巻7号1905頁〔発光ダイオード事件〕は、傍論ながら、訂正審判請求については、訂正請求と異なり、複数の請求項に係る特許出願の手続と同様、その全体を一体不可分のものとして取り扱うことが予定されている旨判示した。

　しかし、この点については、訂正審判請求と訂正請求を区別することの妥当性といった観点からも、請求項を基準とすべきであるとの批判的な見解も有力であり[55]、訂正審判請求についても請求項ごとに個別に判断すべ

---

[55] 三村量一「改善多項制の下におけるクレーム訂正」知的財産法政策学研究22号1頁、田中昌利「複数の請求項に係る訂正請求がされた場合、請求項ごとに許否判断をすべきものとした最高裁判決」特許研究48号71頁

きであるとする裁判例も登場した（知財高決平成19・6・20判時1997号119頁、知財高判平成20・2・12判時1999号115頁）。

　この問題は、無効審判の審決と訂正認容についての部分確定の可否における一体不可分説と請求項単位説の対立にも関連するほか、明細書の公示機能との関係にも関連する、重要な問題であり、平成23年改正の１つの項目となった。

(2) 平成23年改正後の訂正制度

ア　無効審判事件における訂正の在り方

　平成23年改正により、訂正審判は、特許無効審判が特許庁に係属した時からその審決（請求項ごとに請求がされた場合にあっては、その全ての審決）が確定するまでの間は、請求することができないことになった（特許法126条２項）。そして、新たに、特許無効審判の事件が審決をするのに熟した場合において、審判の請求に理由があると認めるときについて、審決の予告制度を設け、更なる訂正の機会を与えることとされ（同法164条の２）、特許法181条２項の取消決定が廃止された。

　したがって、特許無効審判が特許庁に係属した時からその審決が確定するまでの間は、訂正審判を請求することができない（同法126条２項）。特許無効審判が係属している場合には、①請求に対する答弁書提出期間、②無効審判の請求不成立審決の取消訴訟において審決が取り消された場合に指定された期間、③職権による無効理由通知があった場合に指定された期間、④審決の予告がされた場合に指定された期間等に、訂正請求をすることができる（同法134条の２第１項）。

イ　訂正及び審決の確定の範囲

(ア)　訂正審判請求について

　２以上の請求項に係る願書に添付した特許請求の範囲の訂正をする場合には、請求項ごとに訂正審判の請求をすることができるが、その場合、当該請求項の中に一の請求項の記載を他の請求項が引用する関係等の関係を

有する一群の請求項があるときは、当該一群の請求項ごとに当該請求をしなければならない。

また、願書に添付した明細書又は図面の訂正をする場合であって、請求項ごとに訂正審判の請求をしようとするときは、当該明細書又は図面の訂正に係る請求項の全て（一群の請求項ごとに訂正審判の請求をする場合にあっては、当該明細書又は図面の訂正に係る請求項を含む一群の請求項の全て）について行わなければならないこととなった（特許法126条3項、4項）。

(イ) 訂正請求について

2以上の請求項に係る願書に添付した特許請求の範囲の訂正をする場合には、請求項ごとに訂正の請求をすることができる。ただし、特許無効審判が請求項ごとに請求された場合にあっては、請求項ごとに訂正の請求をしなければならない。この場合において、当該請求項の中に一群の請求項があるときは、当該一群の請求項ごとに当該請求をしなければならない（特許法134条の2第2項、3項）。

なお、訂正請求の取下げについても、訂正請求を請求項ごとに又は一群の請求項ごとにしたときは、その全ての請求を取り下げなければならないとされ、特許無効審判の請求が請求項ごとに取り下げられたときは、訂正請求は、当該請求項ごとに取り下げられたものとみなし、特許無効審判の審判事件に係る全ての請求が取り下げられたときは、当該審判事件に係る訂正の請求は、全て取り下げられたものとみなすこととなった（特許法134条の2第7項、8項）。

(ウ) 審決の確定範囲

審決は、審判事件ごとに確定することが原則であるが、①請求項ごとに特許無効審判の請求がされた場合であって、一群の請求項ごとに訂正の請求がされた場合は当該一群の請求項ごと、②一群の請求項ごとに訂正審判の請求がされた場合は当該一群の請求項ごと、③請求項ごとに審判の請求がされた場合であって、①以外の場合は当該請求項ごとであることが定められた（特許法167条の2）。

ウ　平成23年改正の実務に与える影響

(ｱ)　審決取消訴訟

　平成23年改正前の特許法181条2項の取消決定の廃止により、無効審判ルートにおけるキャッチボールの一部がなくなる。したがって、今後は、無効審決取消訴訟係属中の訂正審判の確定による当然取消し（最三小判平成11・3・9民集53巻3号303頁〔大径角形鋼管事件〕）、無効審決の取消請求の棄却判決の上告審係属中の訂正審決による審決取消し（最三小判平成17・10・18判タ1197号114頁〔クリーニングファブリック事件〕）のケースは、発生しなくなるはずである。

(ｲ)　侵害訴訟

　被告がいったんダブルトラックを選択して無効審判を請求すると、特許権者は、それが確定するまでもはや訂正審判は請求できず、訂正請求をすることになる。訂正審判請求と異なり、訂正請求の可否は、無効審判の審決が確定するまでは確定しないため、侵害訴訟の基礎となるクレームがなかなか確定しないという状態を招く。したがって、今後は、訂正の対抗主張の判断をする必要のある事案が増えるものと思われる。

　被告が無効審判請求をしたためダブルトラックになった場合には、訂正審判の機会が制限されていることを考慮し、訂正の対抗主張の要件の在り方について検討の余地がある。詳細は、第2章Ⅳ4を参照されたい。

(ｳ)　予告審決

　平成23年改正後は、審判長は、特許無効審判の事件が審決をするのに熟した場合、審判の請求に理由があると認めるときその他の経済産業省令で定めるときは、審決の予告を当事者等にしなければならない旨を規定し（特許法164条の2第1項）、上記「経済産業省令で定めるとき」として、特許法施行規則50条の6の2が規定されている。

　それによれば、被請求人が審決の予告を希望しない旨を申し出なかったときであって、かつ、①審判の請求があって審理を開始してから最初に事件が審決をするのに熟した場合にあっては、審判官が審判の請求に理由が

あると認めるとき又は訂正請求を認めないとき（1号）、②特許法181条2項の規定により審理を開始してから最初に事件が審決をするのに熟した場合にあっては、審判官が審判の請求に理由があると認めるとき又は訂正の請求を認めないとき（2号）が規定されている。そして、同3号は、①又は②に掲げる審決の予告をした後であって事件が審決をするのに熟した場合にあっては、「当該審決の予告をしたときまでに当事者…が申し立てた理由又は特許法153条第2項の規定により審理の結果が通知された理由（当該理由により審判の請求を理由があるとする審決の予告をしていないものに限る。）によって、審判官が審判の請求に理由があると認めるとき」は、審決の予告をしなければならない旨規定する。

　特許法施行規則50条の6の2第3号について、先に行われた審決の予告までに当事者が申し立てた理由のうち、①当該予告において判断が留保され又は有効と判断された理由につき特許を無効にすべきものと判断する場合など、「当該理由により審判の請求を理由があるとする審決の予告をしていない」場合は、実質的に訂正の機会が与えられなかったものであり、再度の審決の予告をしなければならないのに対し、②そうでない場合、すなわち先に行われた審決の予告と実質的に同じ内容の理由により特許を無効にすべきものと判断する場合など、実質的に訂正の機会が与えられていた場合は、審判長は、更に審決の予告をする必要はない（知財高判平成31・3・20（平成30年（行ケ）第10034号）〔液晶表示デバイス事件〕）。

(3) 訂正の要件

　願書に添付した明細書、特許請求の範囲又は図面の訂正は、訂正審判請求の場合も訂正請求の場合も、以下の要件を満たすものでなければならない。

　　ア　訂正の目的

　①特許請求の範囲の減縮、②誤記又は誤訳の訂正、③明瞭でない記載の釈明又は④引用形式の請求項の記載を他の請求項の記載を引用しないもの

にすることを目的とするものであることが必要である（特許法126条1項、134条の2第1項）。

　イ　新規事項の追加禁止要件

　願書に添付した明細書、特許請求の範囲又は図面に記載した事項の範囲内であること（誤記又は誤訳の訂正を目的とする訂正の場合は、願書に最初に添付した明細書、特許請求の範囲又は図面に記載した事項の範囲内であること）が必要である（特許法126条5項、134条の2第9項）。

　「明細書、特許請求の範囲又は図面に記載した事項の範囲内」といういわゆる新規事項の追加禁止要件については、当業者によって、明細書又は図面の全ての記載を総合することにより導かれる技術的事項との関係において、新たな技術的事項を導入しないものであることをいう（知財高判平成20・5・30判時2009号47頁〔ソルダーレジスト・除くクレーム事件〕）。そして、特許請求の範囲の減縮を目的として、特許請求の範囲に限定を付加する積極的な記載により訂正を行う場合において、付加される訂正事項が当該明細書又は図面に明示的に記載されている場合、その記載から自明である事項である場合のほか、「ただし、…を除く。」などの消極的表現（いわゆる除くクレーム）となっている場合においても同様である。

　特許請求の範囲に限定を付加する訂正事項が、明細書に明示的に記載された事項ないし明細書の記載から自明な事項である場合、上記訂正は、特段の事情のない限り、新たな技術的事項を導入しないと解される（知財高判平成28・12・21（平成27年（行ケ）第10261号）〔スパッタリングターゲット事件〕）。

　ウ　特許請求の範囲の拡張変更

　訂正は、実質上特許請求の範囲を拡張し変更するものでないことが必要である（特許法126条6項、134条の2第9項）。

　実質上拡張変更するか否かは、特許請求の範囲の記載を基準として判断すべきである（最一小判昭和47・12・14民集26巻10号1888頁〔フェノチアジン誘導体製法事件〕）。

特許請求の範囲の記載が、特許発明の構成に欠くことのできない事項の一に属するものであって、それ自体明瞭で、明細書中の他の項の記載等を参酌しなければ理解し得ない性質のものではなく、当業者であれば容易にその誤記であることに気付いて訂正後のものと趣旨を理解することが当然であるとはいえない場合には、誤記の訂正は、特許請求の範囲を拡張するものとして、許されない（最一小判昭和47・12・14民集26巻10号1888頁〔フェノチアジン誘導体製法事件〕、最一小判昭和47・12・14民集26巻10号1909頁〔あられ菓子の製造方法事件〕）。

エ　訂正審判請求についての独立特許要件

　なお、特許請求の範囲の減縮、誤記又は誤訳の訂正を目的とする訂正審判請求の場合は、独立に特許を受けることができることも、要件である（特許法126条7項）。

V 〔判決の効力〕

1 既判力

(1) 既判力の意義

　行政事件訴訟法には、形成力（32条）及び拘束力（33条）についての規定はあるが、既判力についての規定はなく、民事訴訟法の一般理論に委ねられている。既判力（民事訴訟法114条）とは、訴訟物に関する確定した終局判決の内容である判断の通用力あるいは拘束力をいうものと解されており、両当事者が終局判決中の訴訟物に関する判断を争うことは許されず、他の裁判所もその判断に拘束されなければならない[56]。

　行政処分の取消訴訟については、請求棄却判決が確定すれば、処分に違法性がないことについて既判力が生じる。また、請求認容判決については、既判力を認めることの実益について問題視する見解もあるが、既判力を認める見解が多数である[57]。

　審決取消訴訟の判決についても、同様に考えられる。

(2) 既判力の範囲

　審決取消訴訟の訴訟物は、対象となっている審決の違法性一般とされているから、請求棄却判決が確定すると、審決に違法性がないことについて既判力が生じる。訴訟の当事者等民事訴訟法115条1項所定の者が、終局判決中の訴訟物に関する判断を争うことは許されず、後訴でその審決に前

---

[56] 伊藤眞『民事訴訟法〔第7版〕』545頁
[57] 南博方ほか編『条解行政事件訴訟法〔第3版補正版〕』563頁〔東亜由美〕

訴で主張されたのと同一の主張をすることはできないし、裁判所も、矛盾する判断をすることができなくなる。例えば、拒絶査定不服審判請求不成立審決の取消訴訟において、請求棄却の判決が確定した後、本来特許すべき出願を違法に不成立とした審決が違法であるとして国家賠償請求訴訟を提起した場合、裁判所は、審決に違法性がないという判断に拘束される。

また、請求認容判決が確定すると、審決に違法性があることについて、既判力が生じる。

2　形成力

(1) 形成力の意義

審決取消訴訟は、審決という行政処分に基づく法律関係の変動を目的とする、形成の訴えであり、その請求を認容する取消判決には、形成力がある。形成力とは、形成の訴えの判決の主文中で法律関係の変動の宣言を行い、判決の確定に伴って法律関係を変動させる効力をいう[58]。

(2) 形成力の範囲

審決を取り消す旨の判決が確定すると、形成力により、当該審決は取り消されて審決がなかったものとされる。また、訴訟法的にも、同一当事者は後訴において当該審決が有効に存続していることを主張することはできず、後訴の裁判所も当該審決が有効に存続しているとの判断をなし得ない。取消判決の形成力は第三者効を有し（行政事件訴訟法32条1項）、遡及効を有するのが原則である。審決を取り消す旨の判決が確定すると、審判官は、さらに審理を行い、審決をしなければならない（特許法181条2項）。

---

[58] 伊藤眞『民事訴訟法〔第7版〕』168頁

3 拘束力

(1) 拘束力の意義

　取消判決には、拘束力もある。行政事件訴訟法33条は、取消判決には、「その事件について、処分又は裁決をした行政庁その他の関係行政庁を拘束する」効力があることを定めており、これを拘束力という。形成力のほかに拘束力を認めることによって、取消判決の効力の実効性を確保するものである。行政庁は、同一の事情の下で、同一の理由により、同一人に対し、同一内容の処分をしてはならないという拘束力であり、同一処分の繰り返し禁止又は同一過誤の反復禁止のための制度である。

(2) 拘束力の範囲

　行政事件訴訟法33条1項による取消判決の拘束力は、「判決主文が導き出されるのに必要な事実認定及び法律判断」にわたる（最三小判平成4・4・28民集46巻4号245頁〔高速旋回式バレル研磨法事件〕）。

　同判決によれば、特定の引用例に基づいて当該特許発明を容易に発明することができたとはいえないとした審決を、容易に発明することができたとして取り消す判決が確定した場合には、再度の審判手続において、当該引用例に基づいて容易に発明することができたとはいえないとする当事者の主張や審決が封じられる結果、無効審決がされることになる。再度の審決の取消訴訟において、新たな証拠を提出して、同一の引用例から容易に発明することができたとの主張立証をすることも、許されない（知財高裁平成30・4・27（平成29年（行ケ）第10202号）〔平底幅広浚渫用グラブバケット事件〕）。

　他方、特定の引用例に基づいて当該特許発明を容易に発明することができたとした審決を、容易に発明することができないとして取り消す判決が確定した場合には、再度の審判手続において、当該引用例に基づいて容易に発明することができたとする審決はできないが、別の引用例に基づいて

容易に発明することができたという理由や、法条の異なる無効理由により再度無効審決をすることは、拘束力に反するものではない[59]。

他方、判決の傍論や間接事実には拘束力は及ばない（最二小判平成4・7・17裁判集民事165号283頁〔ガラス板面取り加工方法事件〕）。

「判決主文が導き出されるのに必要な事実認定及び法律判断」とは何かが問題になるところ、例えば、審決においてある引用例からの進歩性についての判断がされた場合に、①特定の引用例からの容易想到性と考えるか、②特定の引用例と対象とされる発明との一致点又は相違点の認定や個々の相違点についての判断と捉えるかも、余り明確ではない。取消判決が、例えば、特定の引用例と対象とされる発明との一致点又は相違点の認定誤りのみを理由に審決を取り消した場合には、判断された上記②の範囲を超えて拘束力は生じないであろう。しかし、それでは再度の審決に対する取消訴訟において相違点の判断の誤りが争点になる可能性があり、紛争の一回的解決にはならない。単に引用例との一致点又は相違点の認定誤りといった事由ではなく、当該引用例からの容易想到性という次元で独立した取消事由として構成する運用にするのであれば、自ずから拘束力の範囲は、上記①の判断ということになるのではなかろうか。もっとも、次の訂正の場面を考えると、上記②の意味での個々の相違点についての判断にも拘束力ないしそれに準じる効力が及ぶと解することもできよう。

近時の裁判例としては、知財高判平成25・8・1（平成24年（行ケ）第10237号）〔麦芽発酵飲料事件〕（拘束力違反を否定）、知財高判平成25・4・24（平成24年（行ケ）第10270号）〔気相成長結晶薄膜製造装置事件〕（実質的に拘束力違反を肯定）、知財高判平成25・4・10（平成24年（行ケ）第10328号）〔臭気中和化及び液体吸収性廃棄物袋事件〕（主引用例を入れ替えたことにより、後の審決は取消判決とは判断対象を異にするとして、拘束力違反を否定）、知財高判平成25・3・6判時2197号119頁〔換気扇フィルター及びその製造方法事件〕（拘束力

---

[59] 高林龍「拘束力の範囲」金判1236号115頁

違反を否定）等がある。

(3) 訂正と拘束力

　ところで、取消判決の拘束力は、行政庁は、同一の事情の下で、同一の理由により、同一人に対し、同一内容の処分をしてはならないという拘束力であり、同一処分の繰り返し禁止又は同一過誤の反復禁止のための制度である。訂正を認めて訂正後の発明について同一の引用例に基づく進歩性の判断をする場合には、発明の要旨が変更され同一の事情の下とはいえなくなる。このような場合に、発明の要旨の認定が変更される以上、「同一の事情の下」とはいえないし、新たな相違点が生じているから、拘束力が及ぶ余地がないとする裁判例もある（知財高判平成20・3・27（平成19年(行ケ)第10106号））。他方、知財高判平成27・1・28判時2270号23頁〔ポリウレタンフォーム及び発泡された熱可塑性プラスチックの製造事件〕は、取消判決後の訂正により、先の審決及び取消判決の対象となった発明と、その後の審決の対象となった発明とが異なることとなった場合について、当該訂正は特許請求の範囲を減縮するものであり、先の審決及び取消判決の対象となった発明は、その後の審決の対象となった発明を包含し、引用発明との相違点は共通するから、当該相違点に関する取消判決の判断は後の審判手続において拘束力を有する旨判示した。しかしながら、取消判決の確定後、特許請求の範囲の減縮を目的とする訂正審決が確定した場合には、訂正前の特許請求の範囲に基づく発明の要旨を前提にした取消判決の拘束力は遮断され、再度の審決に対し当然に拘束力が及ぶということはできないと解すべきであろう（知財高判平成21・10・29判タ1341号240頁〔第2次パンチプレス事件〕、知財高判平成23・9・8判時2137号111頁〔第3次パンチプレス事件〕）。

　このように、訂正により、発明の要旨が変更される以上、取消判決の拘束力（特に前記(2)の①の意味での拘束力）を正面から認めるのは難しい。しかしながら、拘束力が、違法であるとして取り消された行政処分について実質的かつ実効ある是正を迅速に図るための制度であることに照らすと、

以下のような拘束力に準ずる効力を認めてよいのではなかろうか。

すなわち、例えば、特許請求の範囲がA＋B＋Cである本件発明が、引用例に記載されたA′＋B′＋Cなる発明から容易に想到できると判断して、無効審判請求不成立審決を取り消す判決がされた場合を考えてみたい。同判決において、本件発明と引用例に記載された発明とは、相違点1（AとA′との相違に係るもの）と相違点2（BとB′との相違に係るもの）があり、相違点1及び2はいずれも当業者が容易に想到できると判断されたとする。取消判決後の審判手続において、特許権者が特許請求の範囲A＋B＋Cをa＋B＋Cに減縮する訂正をしたときは、訂正前のAとA′との相違点1が、訂正によりaとA′との相違点1′に変化したのであるから、相違点1に関する判断部分については、取消判決の拘束力が及ぶ余地はないが、BとB′との相違点2については訂正の前後で変更はないのであるから、相違点2についての取消判決の判断は尊重されてしかるべきであり、この部分についての論争は最早できないものと解すべきではなかろうか。すなわち、上記のケースで訂正がなければ、再度の審決は、拘束力により相違点1及び2はいずれも当業者が容易に想到できると判断され無効審決という結論しかなかったはずであるのに対し、訂正をした場合は、相違点1′については新たに判断されるが相違点2については審決は取消判決に従った判断をするしかなく、これを再度の取消訴訟において再度争うこともできないと解される。再度同一の相違点についての判断についても争うことができるとすれば、特許庁と裁判所のキャッチボールが続き、同一の引用例からの容易想到性の争いが決着しないことになるからである。

このような効力は、前記(2)の②にいう「拘束力」と同義かもしれないが、その点の判断を争うことが蒸し返しに当たるという説明も可能かもしれない。知財高判平成21・10・29判タ1341号240頁〔第2次パンチプレス事件〕、知財高判平成23・9・8判時2137号111頁〔第3次パンチプレス事件〕が、「訂正によっても影響を受けない範囲における認定判断については格別」という留保を付けて、訂正後の発明の容易想到性の判断に拘束力が及ばないと

したのは、そのような趣旨のものと解される。

　以上のとおり、確定した前訴判決において、相違点が容易に想到できる旨の判断がされた後、訂正により発明の要旨が変更されたことから、訂正後の発明を審理対象とする審決において、確定した前訴判決の拘束力が及ぶものとはいい難いが、訂正の前後で実質的に変更がない上記相違点についての確定した前訴判決の判断は尊重されるべきであり、訂正後の発明に係る審決取消訴訟において上記相違点の容易想到性を争うこと自体、訴訟上の信義則に反する（知財高判平成28・8・10（平成27年（行ケ）10149号）〔平底幅広浚渫用グラブバケット事件〕）。

(4) 新たな引用例と拘束力

　主引用例の差替えを当然に否定する見解に立つときは、審決で判断されていない新たな引用例に基づく進歩性については、判断の対象とすることはできないことになる。他方、紛争の一回的解決の要請を考えると、引用例1を主引用例とし、引用例2を組み合わせることにより進歩性を判断した審決において、審判段階で一致点相違点が認定され実質的な対比判断が行われた場合においては、主引用例を引用例2にして引用例1との組合せを判断することが、常に許されないとまではいえないだろう。そのようなケースでは、主引用例の差替えを認めた場合には差替え後の主引用例との対比についても拘束力が及び、そうでない場合には拘束力が及ばないとする学説がある[60]。

4　特許法167条

(1) 特許法167条の規定

　特許法167条は、特許無効審判又は延長登録無効審判の審決が確定した

---

[60] 玉井克哉「審決取消判決の拘束力」パテント62巻4号73頁

ときは、同一の事実及び同一の証拠に基づいてその審判を請求することができない旨規定する。

　従前、同条については、「何人も」と規定され、違憲論すらあったが、「特許法167条は、無効審判請求をする者の固有の利益と特許権の安定という利益との調整を図るため、同条所定の場合に限って利害関係人の無効審判請求をする権利を制限したものであるから、この規定が適用される場合を拡張して解釈すべきではなく、文理に則して解釈することが相当である」とされていた（最一小判平成12・1・27民集54巻1号69頁〔クロム酸鉛顔料及びその製法事件〕）。

　平成23年改正により、第三者効の部分が削除され、当事者及び参加人のみが、同一の事実及び同一の証拠に基づく無効審判請求を制限されることになった。

　同条の趣旨は、①同一争点による紛争の蒸し返しを許さないことにより無効審判請求等の濫用を防止すること、②権利者の被る無効審判手続等に対応する煩雑さを回避すること、③紛争の一回的解決を図ること等にあると解される（知財高判平成26・3・13判時2227号120頁〔KAMUI事件〕）。

(2) 同一事実同一証拠の意義

　したがって、当事者及び参加人以外の第三者は、請求不成立審決が確定したのと「同一の事実及び同一の証拠」に基づいても、無効審判を請求できるほか、特許法104条の3の抗弁も主張することができる。他方、当事者及び参加人は、「同一の事実及び同一の証拠」に基づく無効審判を請求することができない（一事不再理）。

　特許法167条にいう「同一の事実」とは、同一の無効理由に係る主張事実を指し、「同一の証拠」とは、当該主張事実を根拠づけるための実質的に同一の証拠を指すものと解される。

　ところで、無効理由として進歩性の欠如が主張される場合において、特許発明が出願時における公知技術から容易に想到できたというためには、

当該特許発明と、引用例（主引用例）に記載された発明（主引用発明）とを対比して、当該特許発明と主引用発明との一致点及び相違点を認定した上で、当業者が主引用発明に他の公知技術又は周知技術とを組み合わせることによって、主引用発明と相違点に係る他の公知技術又は周知技術の構成を組み合わせることが当業者において容易に想到できたことを示す必要がある。そうすると、主引用発明が異なれば、特許発明との一致点及び相違点の認定が異なり、これに基づいて行われる容易想到性の判断の内容も異なってくるから、無効理由としても異なることになる。したがって、進歩性の欠如という無効理由について、主引用発明が異なるときは、「同一の事実」に当たらないことになる（知財高判令和2・6・11（令和元年（行ケ）第10077号）〔平底幅広浚渫用グラブバケット事件〕）。

　もっとも、第三者効が廃止されたことにより、ダミーが何度も無効審判請求をするデメリットより、同一人については、より拡張的に解釈することが可能になったのではないかと解される。例えば主引用例が同一であれば、副引用例を追加する程度のことでは、なお特許法167条に該当すると解釈してよいのではなかろうか。

　そして、平成23年改正後は、同一の事実（同一の立証命題）を根拠付けるための証拠である以上、証拠方法が相違することは、直ちには、証拠の実質的同一性を否定する理由にはならないと解すべきであり、形式的に第一次無効審判請求で提出されたものと異なる証拠が提出されてさえいれば再度の無効審判請求が許されることとなるわけではなく、新たに提出された証拠が、実質的に見て、これまでの無効原因を基礎付ける事情以外の新たな事実関係を証明する価値を有する証拠といえない場合には、再度の無効審判請求は許されないと解される（知財高判平成26・2・5判時2227号109頁〔Meiji事件〕）。また、確定した前件審決と主引用例が同一であり、多数の副引用例も共通し、証拠を一部追加したにすぎない無効審判の請求は、「同一の事実及び同一の証拠」に基づくものと解するのが、特許法167条の趣旨にかなう（知財高判平成28・9・28判タ1434号148頁〔ロータリーディスクタ

ンブラー錠事件〕)。

　このように、紛争の一回的解決を実現させた平成23年改正の趣旨を重視して、同一の当事者間については、より拡張的に解釈することを指向している。ダミーの問題は、審判請求人適格の問題として、将来の課題であり、同条の一事不再理は、無効審判の一回的紛争解決への第一歩と位置付けられる[61]。

61　髙部眞規子「平成23年特許法改正後の裁判実務」L&T53号20頁、中山信弘『特許法〔第3版〕』281頁

第5章

契約関係訴訟及び登録関係訴訟

I 〔契約関係訴訟〕

1　実施権設定契約をめぐる訴訟

(1) 特許権に基づく請求と契約に基づく請求の相違

　特許権の実施許諾契約（ライセンス契約）において、ライセンスの範囲を逸脱した実施について、契約上の義務として不作為義務を課することがある。その場合、実施権者（ライセンシー）が契約条項に違反し、ライセンスの範囲を逸脱した実施をしているときは、特許権者としては、①特許権に基づく差止め・損害賠償を請求できるほか、②契約に基づく差止め・損害賠償を請求することも可能である。

　①の特許権に基づく請求では、特許権者は、特許権と被告の行為、それが技術的範囲に属することを主張し、これに対しては、被告である実施権者（ライセンシー）は、抗弁として実施許諾契約及びその範囲に属することを主張立証すべきことになるのに対し、②の契約に基づく請求では、特許権者は、実施許諾契約を締結したこと及びその内容、被告の行為がライセンスの範囲を逸脱したものであることを主張立証しなければならない。

　例えば、物を生産する方法の発明において、①の特許権に基づく請求では、実施行為が被告の工場内における製造工程である場合など、立証が困難な場合もあり得るが、②の契約に基づく請求では、契約上、工程ではなく最終製品レベルで不作為義務の範囲を特定することも可能であり、そのような契約内容の場合は、主張立証が②の方が容易なケースもある。なお、損害賠償の遅延損害金は、いずれも年3％である。

　契約関係訴訟においては契約条項の解釈が重要になるが、契約書の特定の条項の意味内容を解釈する場合、その条項中の文言の文理、他の条項と

の整合性、当該契約の締結に至る経緯等の事情を総合的に考慮して判断すべきである (最二小判平成19・6・11裁判集民事224号521頁)。そもそも、法律行為の解釈にあたっては、当事者の目的、当該法律行為をするに至った事情、慣習及取引の通念などを斟酌しながら合理的にその意味を明らかにすべきものである (最一小判昭和51・7・19裁判集民事118号291頁)。

(2) 許諾の範囲を逸脱した実施と特許権侵害

特許権の実施許諾契約の契約条項に違反して製造又は販売したことが、特許権侵害に当たるか否かが問題となる。許諾契約にも種々の条項があり、契約違反を一律に取り扱うことは相当でなく、個別に契約条項を解釈すべきであろう。

実施権者は、実施許諾の範囲内、すなわち、契約で定められた時間的制限、場所的制限、内容的制限の範囲内で実施しても、特許権者から差止請求等権利行使をされないというにすぎない。したがって、例えば、実施権者が許諾を受けた種類以外の製品を製造販売した場合、許諾製品の種類に関する条項は、契約における本質的条項であるから、その条項違反による製品は、特許権を侵害する。当該製品について許諾を受けていない以上、実施権者が製造販売した行為は、特許権侵害となることは明らかであろう。

ライセンス料を支払わない行為は、単に債務不履行の状態にあるだけで、契約が解除されていない以上、他の要件を満たしている限り、特許権を侵害することはない。

原材料の購入先、製品規格、販路、標識の使用等についての約定の違反についても、単なる契約上の債務不履行となるにとどまる (大阪高判平成15・5・27 (平成15年(ネ)第320号) 〔育苗ポット事件〕)。

最高製造数量の制限についての条項については、数量制限内の製品か否か第三者に判別困難で取引の安全を害すること等を理由として、通常実施権の範囲外であるとする見解もあるが[1]、通常実施権の範囲の合意とみて、その違反は、特許権侵害に当たると解すべきであろう[2] (大阪地判平成20・6・

26（平成19年㈲第3485号））。

　なお、商標権に係る並行輸入に関する判例であるが、最一小判平成15・2・27民集57巻2号125頁〔フレッドペリー事件〕は、外国における商標権者から商標の使用許諾を受けた者により我が国における登録商標と同一の商標を付された商品を輸入することは、被許諾者が、製造等を許諾する国を制限し商標権者の同意のない下請製造を制限する旨の使用許諾契約に定められた条項に違反して、商標権者の同意なく、許諾されていない国にある工場に下請製造させ商標を付したなど判示の事情の下においては、いわゆる真正商品の並行輸入として商標権侵害としての違法性を欠く場合に当たらないと判示し、製造地域制限違反及び下請制限違反について商標権侵害を肯定した[3]。

(3) 特許請求の範囲の減縮と実施の範囲

　最三小判平成5・10・19判時1492号134頁〔アンカー付掘削装置事件〕は、実施契約の対象となった発明が出願の過程で明細書の特許請求の範囲が補正された結果、特許請求の範囲が減縮されて設定登録されたという事案において、将来特許権として独占権が与えられることを前提として契約が締結されたとして、契約によって義務の対象となる装置もその範囲のものになるとした。もっとも、契約後に特許請求の範囲が減縮された場合に不作為義務の範囲をどのようなものとして捉えるかは、あくまでも、具体的事案における契約の意思解釈によるものである。

(4) 専用実施権者の実施義務

　特許権者は、その特許権について専用実施権を設定することができ、専

1　田村善之『市場・自由・知的財産』160頁
2　小泉直樹「数量制限違反の特許法上の評価」『牧野退官』354頁、平嶋竜太「特許ライセンス契約違反と特許権侵害の調整法理に関する一考察」『中山還暦』260頁
3　髙部眞規子「判解」最高裁判所判例解説民事篇〔平成15年度〕〔4〕事件

用実施権者は、設定行為で定めた範囲内において、業としてその特許発明の実施をする権利を専有する（特許法77条1、2項）。専用実施権者は、特許権者の承諾を得た場合に限り、その専用実施権について質権を設定し、又は他人に通常実施権を許諾することができる（同条4項）。特許権者は、業として特許発明の実施をする権利を専有するが、その特許権について専用実施権を設定したときは、専用実施権者がその特許発明の実施をする権利を専有する範囲については、この限りでない（同法68条）。

専用実施権の設定に当たっては、一時金として実施料を支払う場合もあるし、一時金とランニング実施料を併用する場合、許諾に係る対価としてランニング実施料のみを支払う場合もある。

専用実施権を設定した特許権者は、専用実施権の範囲で、自ら実施することができないのみならず、専用実施権者以外の者に実施の許諾をして実施料を得ることができないにもかかわらず、特許維持費用を負担する義務を負う。そこで、専用実施権者の実施義務の有無が問題となるケースがある。

実施義務が問題になった裁判例として、東京地判平成19・8・24（平成18年(ワ)第9708号ほか）は、範囲を全部、対価の額を無償とする専用実施権設定契約において、専用実施権者が専用実施の権利を有するからといって、当然に実施の義務までも負うものと解すべき根拠はないとし、専用実施権設定契約中に専用実施権者が実施の義務を負う旨が定められていたなどの事情の主張立証のない当該事案においては、特許権に基づく事業を継続すべき義務を負っていたと認めることはできないとした。

他方、知財高判令和元・9・18（平成31年(ネ)第10032号）〔ちりめんの製造法事件〕は、ランニング実施料のみを定めた専用実施権設定契約において、特許権者は、自ら実施することができないのみならず、専用実施権者以外の者に実施の許諾をして実施料を得ることができないにもかかわらず、特許維持費用を負担する義務を負うなどの当事者双方の法的地位に照らすと、専用実施権者においてこれを実施する義務を負う旨の黙示の合意があ

るものと認めるのが衡平にかなうとした上で、契約の趣旨に加え、実施品の製造及び販売に係る実施権者の態度を具体的な事情の下で総合的に検討することにより、実施義務の違反による損害賠償請求権が発生するか否かを検討すべきであるとした。

さらに、東京地判平成16・9・24（平成15年(ワ)第5212号）〔洗い米事件〕は、一時金及びランニングの実施料の支払を内容とする独占的通常実施権設定契約について、実施権者の最低販売台数や最低販売金額は全く定められていないこと、実施契約の締結に当たっては、別件特許との抵触の問題が協議されており、この問題が解決しない限り、実施権者自身が特許権侵害を理由に損害賠償等を求められるおそれがあったことが双方当事者の間で共通の認識となっていたこと、実施契約の締結は、特許権者の窮状を救う目的もあったこと、特許権者としては、実施権者が実施しなくても、自ら実施品を販売する方法があることなどを考慮して、実施義務を否定した。

(5) 実施料請求

ア　特許の有効性についての誤信

特許権の実施許諾契約（ライセンス契約）を締結した場合、特許権者（ライセンサー）は、実施権者（ライセンシー）に対し、当該契約に基づいて実施料を請求することができる。このような場合において、当該特許の有効性等に疑義が存在するときに、特許法104条の3は直接適用されないが、これを抗弁とすることができるであろうか。

ライセンス契約に、実施権者において当該特許の有効性を争ってはならない旨の不争条項が入っていない場合には、実施権者が、特許無効審判を請求することができ、無効審決が確定した場合に、契約の錯誤無効や権利濫用といった主張をすることも考えられる。しかしながら、特許権の有効性に関する誤信は、動機の錯誤にすぎない場合が多いであろうし、実施権者がある製品について特許権の行使を受けない対価として実施料を支払うという意思に基づいて実施契約が締結されると解されるから、契約の締結

との因果関係や重要性の観点から、錯誤無効が認められるような事案は少ないと思われる。契約締結時から権利の有効性について紛争が存在することを認識しながら既払実施料を返還しない旨の約定がされていた事例（東京地判昭和57・11・29判時1070号94頁）でも、既払実施料の不当利得返還請求は認められていない。なお、実施権者は、特許無効審決が確定するまでは、事実上特許権の排他権の恩恵を受けていた可能性があり、その観点からも、実施料の支払を拒むことはできないと解される。

　これに対し、不争条項が入っている場合には、実施権者は、当該特許が無効であるとの主張をすることはできないと解され、ライセンス料支払条項の効力を否定するのは、難しい場合が多いであろう。

　イ　技術的範囲への属否に関する誤信

　技術的範囲の属否に関する錯誤について、実施権者が製造する当該技術分野に属する製品をそれが対象特許発明の技術的範囲に属するか否かを問わず、実施料支払の対象とするいわゆるオーバーオール方式においては錯誤無効とする余地がないが、実施権者が製造販売する製品のうち対象特許発明の技術的範囲に属するものに限り、実施料の支払の対象にするいわゆるイフ・ユーズド方式においては錯誤無効となり得るとし、実施料が固定額方式で定められている場合には、実施権が付与された以上、実施権者側の事情で現実に実施がされなくとも実施権者は実施料支払義務を免れず、実施権者の製造販売する製品が当該特許発明の技術的範囲に属しなくとも錯誤無効にならないが、実施権者の製品が具体的に特定され、その製品が当該特許発明の技術的範囲に属することを明示の前提として専ら当該製品の製造販売のために特許実施契約が締結されたという事情があるときには、錯誤無効とする余地があるとする見解がある[4]。また、実施権者が当該特許発明の技術的範囲に属することを前提にして実施契約を締結した場合に限り、錯誤無効を肯定する見解もある[5]。

---

[4]　雨宮正彦「実施契約」裁判実務大系『工業所有権訴訟法』384頁
[5]　石村智「実施契約」新裁判実務大系『知的財産関係訴訟法』361頁

裁判例においても、実施契約が、営利を目的とする事業を遂行する当事者同士により締結されたものであり、契約の当事者としては、取引の通念として、契約を締結する際に、発明の技術的範囲の広狭及び無効の可能性については、評価をすることは可能であったとして、錯誤無効を認めなかったものがある（知財高判平成21・1・28判時2044号130頁〔石風呂装置事件〕）。

　　ウ　独占禁止法との関係

　なお、ライセンサーが特許権の期間満了後についてもライセンシーに対して発明の実施制限やロイヤルティ支払義務を課す場合には、不公正な取引方法（独禁法2条9項、昭和57年公委告示第15号）に該当し違法（独禁法19条）となるおそれがあることに、留意すべきである。

2　特許権の共有をめぐる訴訟

(1)　特許権共有の規律

　権利の対象となる発明は1個であり、権利の全部が不可分的に共有者全員に帰属し、複数の者がした特許を受ける権利は、全員の意思が一致しない限り、その一部を他に譲渡することはできない（特許法33条3項）。また、特許権が共有に係るときは、他の共有者の同意を得なければ持分譲渡・質権設定、専用実施権設定・通常実施権許諾をすることができず（同法73条1、3項）、その意味で共有者相互間の牽制が強く、特許権の成立と帰属については、合有に近い性質を有している。これは、特許権の対象の性質それ自体、すなわち無体の財貨の特殊性に由来する。つまり、共有関係に入るときに予期しなかったような第三者が実施権者の中に入ってくることは他の共有者への経済的な影響が大きいため、他の共有者の保護のため政策的に持分権の譲渡等を禁じたものであるといわれている[6]。このように、特

---

[6] 『注解特許法（上）〔第3版〕』802頁〔中山信弘〕

許発明の実施が有体物の使用と異なり、一人が使用したため、他人が使用できなくなるものではなく、しかも投下する資本と特許発明を実施する技術者いかんによって効果が著しく違い、他の共有者の持分の経済的価値にも変動をきたすことになることから、特許権の共有者は互いに信頼関係があることが必要である[7]。

　他方、共有に係る特許権を、各共有者は、その持分に関係なく、その全部について原則として自由に実施することができる（同条2項）。この点では、各自が重畳的利用権を持つ物的共有に近いということができる。

(2) 共有者の実施と別段の定め

　特許法73条2項によれば、各共有者が自らする特許発明の実施については、他の共有者の同意を要しないことをもって原則とした上、共有者間の契約によってこれと異なる定め（別段の定め）をすることができる。

　同条所定の「別段の定め」に該当するとされた裁判例としては、共有者間の専売契約中の、加工機械の製造はAが担当し、販売はBが専ら担当する旨の合意（知財高判平成30・3・14（平成29年(ネ)第10059号ほか）〔切断装置事件〕）、共有者間の共同出願契約書中の、原告が発明を実施しない代わりに、被告が実施した際には別途協議して定める対価を支払う旨の合意（大阪地判平成16・3・25（平成12年(ワ)第5238号）〔生体内分解吸収性外科用材料事件〕）、共同出願契約中の、「本件発明の実施」との見出しを有する条項で共有者が協議の上で別途定めるとし、事前の協議・許可なく、本件特許権を実施して生産・販売行為を行った場合、その特許権が剥奪される旨の合意（知財高判令和2・8・20（令和2年(ネ)第10016号）〔結ばない靴紐事件〕）などがある。

---

[7] 特許庁編『工業所有権法逐条解説〔第20版〕』286頁

3　売買契約をめぐる訴訟

　物品の売買契約において、売主は、売主の納入する物品並びにその製造方法及びその使用方法が第三者の特許権を侵害しないことを保証すること、同物品に関して第三者との間で特許権侵害を理由とする紛争が生じた場合、売主の費用と責任でこれを解決し、又は買主に協力し、買主に一切迷惑をかけないものとし、損害が生じた場合には、その損害を賠償することを契約条項とすることがある。同条項の性質は、契約上、取引の対象となる販売製品などが表明し約束した性状等であることに相違ないことを約束する、表明保証に係る条項であると解される（いわゆる「損害塡補保証条項」）。

　特許権侵害に係る損害塡補保証条項が訴訟において問題になった事例として、知財高判平成27・12・24判タ1425号146頁〔チップセット事件〕がある。同判決は、契約解釈として、当該条項に基づく具体的な義務として、①買主において特許権者との間でライセンス契約を締結することが必要か否かを判断するため、特許の技術分析を行い、特許の有効性、対象商品が当該特許権を侵害するか否か等についての見解を、裏付けとなる資料とともに提示し、また、②買主において特許権者とライセンス契約を締結する場合に備えて、合理的なライセンス料を算定するために必要な資料等を収集、提供しなければならない義務を負っていたものと判断し、その義務違反を肯定した。

II 〔冒認による移転登録〕

1　冒認を理由とする移転制度の立法趣旨

(1)　冒認・共同出願違反の意義

　特許権は、特許出願人が特許を受ける権利を有する者である場合に付与されるものであるところ(特許法49条7号)、「冒認」とは、発明について正当な権原を有しない者、すなわち、特許を受ける権利を有していない者が、特許出願人となっている出願をいう。また、特許を受ける権利が共有に係るときは、各共有者は、他の共有者と共同でなければ、特許出願をすることができないところ(同法38条)、「共同出願違反」とは、同条に違反する特許出願をいう。詳細は、第4章IV5を参照されたい。

(2)　真の権利者の救済手段

　冒認又は共同出願違反は、拒絶理由に該当するが(特許法49条7号、2号)、特許査定された場合に真の権利者が採り得る手段としては、従前、以下のものがあった。

　　ア　無効審判請求

　冒認又は共同出願違反の出願に係る特許は、無効理由を有するものとされているため(特許法123条1項2号、6号)、真の権利者は、無効審判を請求することにより当該特許を無効にすることが可能である。特許法123条2項ただし書の平成23年改正により、このような無効理由に基づく特許無効審判は、真の権利者のみが請求できることになった。

　もっとも、当該特許を無効にしたところで真の権利者の権利が回復するわけではないし、競業会社を含め何人も当該発明を実施できることから、

冒認出願がなければ独占的実施により得られたであろう利益を享受することができない。特に共同出願違反の場合には、真の権利者であることが争いのない共有者についてまで権利を無効とされてしまい、不合理である。

なお、特許権侵害訴訟の被告は、真の権利者でなくても、当該特許が冒認又は共同出願違反により無効にされるべきものであるとの抗弁（特許法104条の3第3項）を主張することができる。

イ　損害賠償請求

真の権利者から、冒認又は共同出願違反をした者に対し、不法行為に基づく損害賠償請求が認められる可能性がある（民法709条）。

もっとも、損害の立証は困難な場合が多いと思われるし、冒認者の資力が十分でない場合には、実益に乏しい。

ウ　新規性喪失の例外を利用した新たな特許出願

真の権利者は、新規性喪失の例外（特許法30条2項）により、冒認出願の公開等から6月以内に出願をすることで特許権を取得できる可能性がある。

しかし、真の権利者が自ら出願して特許権を取得することについては、出願期間の制約があり、冒認に気付いた時点では、真の権利者が出願したとしても特許を受けることができなくなっている場合がある。

エ　特許権の取戻し

以上アないしウのような従前の救済手段には、限界があり、端的に特許権の取戻しを認めるべきではないかという議論があった。特許権の取戻しに関する従前の取扱いは、特許権の設定登録の前後で分かれていた。

(ｱ)　設定登録前

まず、特許権設定登録前の出願人名義変更については、特許出願後における特許を受ける権利の承継は、相続等の一般承継の場合を除き、特許庁長官への届出により効力を有する（特許法34条4項）。出願人名義の変更手続については、新名義人が特許庁長官に「権利の承継を証明する書面」を添付することにより届け出れば足り、旧名義人の協力を要するものではな

いから（特許法施行規則5条1項、12条1項、様式第18）、旧名義人に対し特許を受ける権利の出願人名義変更手続を求める請求は、認められていない。

　譲渡人の協力が得られない場合には、上記証明書（譲渡証書）に代わるものとして、従前から、真の権利者は、特許を受ける権利（又はその持分）を有することの確認訴訟の確定判決を得ることにより、単独で、冒認又は共同出願違反の出願について出願人名義を変更することが認められている[8]（東京地判昭和38・6・5下民集14巻6号1074頁〔自動連続給粉機事件〕）。なお、この場合において、真の権利者が自ら出願していたかは問われていない。

　このように、設定登録の前であれば、真の権利者は、無権利者に対して特許を受ける権利を有することの確認を求める訴訟を提起し、その勝訴判決を特許庁長官に提出することにより、出願人名義を変更し、特許を受けることができるとされてきた。もっとも、その理論的根拠は明らかではない。

　(イ)　設定登録後

　次に、特許権設定登録後の特許権の移転登録手続については、学説では、冒認出願された特許権が登録された後に本来特許権を取得するべきであった者から特許権者に対する特許権移転（取戻し）登録請求を否定する見解が多数であった。その理由は、①明文の規定がないこと、②特許を受ける権利と特許権との間には決定的な差違があること、③特許法が冒認を無効としていること、④特許の同一性の判断が困難であることなどであった[9]。

　そのような中で、最三小判平成13・6・12民集55巻4号793頁〔生ゴミ処理装置事件〕は、特許出願をした特許を受ける権利の共有者の一人から同人の承継人と称して特許権の設定の登録を受けた無権利者に対する当該特許権の持分の移転登録手続請求を認容すべきものと判断した。上記判例は、真の権利者が出願していた事案であり、また共同出願違反の事案であった[10]。

8　『特許庁方式審査便覧』45.25
9　『注解特許法（上）〔第3版〕』320頁〔中山信弘〕

しかし、その後の裁判例では、真の権利者が自ら出願していなかったこと等を理由に、特許権の移転登録手続請求が否定された事例が多かった（東京地判平成14・7・17判時1799号155頁〔ブラジャー事件〕、東京地判平成19・7・26（平成19年(ワ)第1623号）、大阪地判平成22・11・18（平成21年(ワ)第297号））。

(3) 立法の経緯

冒認及び共同出願違反は、企業・大学において少なからず発生しており、訴訟に至るケースも存在するが、現行制度における救済手段には限界があり、諸外国では、移転請求や出願日遡及制度があることに照らし、産業界等から、真の権利者による特許権の移転登録制度の導入を希望する声があったという。

そこで、平成23年改正では、設定登録前に出願人の名義変更が認められるのと同様に、設定登録後にも、真の権利者が出願していなかった場合を含めて、移転登録手続を認める制度が導入されることになった（特許法74条）。

2　平成23年改正法の内容

(1) 移転登録制度の新設

特許法74条（特許権の移転の特例）は、冒認又は共同出願違反に該当するときは、「当該特許に係る発明について特許を受ける権利を有する者は、…その特許権者に対し、当該特許権の移転を請求することができる」こと（1項）、「前項の規定による請求に基づく特許権の移転の登録があつたときは、その特許権は、初めから当該登録を受けた者に帰属していたものとみなす」こと（2項第1文）等を規定している。

特許法79条の2（移転の登録前の実施による通常実施権）は、「第74条第1

10　長谷川浩二「判解」最高裁判所判例解説民事篇〔平成13年度〕〔17〕事件

項の規定による請求に基づく特許権の移転の登録の際現にその特許権、その特許権についての専用実施権又はその特許権若しくは専用実施権についての通常実施権を有していた者」について、一定の要件の下で通常実施権を有することとし（1項）、その場合、真の特許権者は、通常実施権を有する者から相当の対価を受ける権利を有することを規定している（2項）。

(2) 冒認出願の場合の権利帰属

ア　移転請求の理論構成

最三小判平成13・6・12民集55巻4号793頁〔生ゴミ処理装置事件〕は、一定の具体的事実関係の下で移転登録請求を認容すべきものとしたところ、その実体法上の根拠として、不当利得返還請求権を念頭に置くものと説明され、また、その射程についても慎重な検討が必要であると解説されている[11]。

特許処分と権利帰属についての関係は、以下のような考え方が可能である[12]。

① 第1の見解は、特許処分は、特許権を発生させるという客観面についてのみ法効果を有し、権利帰属という主観面については特段の法効果を有せず、特許権は、実体的には、特許権が本来帰属すべき真の権利者に原始的に帰属するという考え方である。

② 第2の見解は、特許処分により、権利は暫定的に出願人に帰属するが、不当利得返還請求等により、最終的には真の権利者に帰属するという考え方である。

特許法74条の規定は、必ずしもその法的性質を明示することなく、いわば立法によって、真の権利者から冒認者に対する移転請求権を創設したものということができよう。

11　長谷川浩二「判解」最高裁判所判例解説民事篇〔平成13年度〕〔17〕事件
12　大渕哲也「特許処分・特許権と特許無効の本質に関する基礎理論」学会年報34号63頁

イ　移転登録の方法

登録は、特許権移転の効力発生要件であり（特許法98条1項1号）、同法74条による特許権の移転請求権による特許権移転の効果を主張するためには、移転登録をすることが必要である。

登録は、法令に別段の定めがある場合を除き、登録権利者及び登録義務者が申請しなければならないとされ（特許登録令18条）、冒認及び共同出願違反の場合も、訴訟外でも移転登録が可能であるとされている。

判決又は相続その他の一般承継による登録は、登録権利者だけで申請することができるとされている（同令20条）。したがって、登録義務者に登録移転の意思表示の給付を命ずる判決があれば、登録権利者だけで登録申請することができる。

ウ　移転登録の遡及効

冒認出願に係る特許権の帰属については、冒認を理由に特許が無効にされた場合、特許権は初めから存在しなかったものとみなされる（特許法125条）。すなわち、冒認者は遡及して特許権を失うことになる。これと同様に、冒認を理由に移転請求権が行使されて真の権利者による移転登録手続が行われた場合には、特許権は冒認者には初めから帰属していなかったものとして扱われ、遡及して初めから真の権利者に帰属していたものとして扱われることになる（同法74条2項）。

以上のとおり、真の権利者の移転登録により、真の権利者に特許権が移転するとともに、遡及して真の権利者に特許権が帰属していたものとみなされることになる。

最三小判平成13・6・12民集55巻4号793頁〔生ゴミ処理装置事件〕が判示するように、冒認は、権利帰属の問題であるから、特許法74条1項が、「特許を受ける権利を有する者は、…その特許権者に対し、当該特許権の移転を請求することができる。」と規定し、同条2項が、「前項の規定による請求に基づく特許権の移転の登録があったときは」と規定したことについては、前記アの2つの見解のいずれによっても、説明が可能であると思われ

る。

　すなわち、上記①の第1の見解により、当然に真の権利者に権利が原始的に帰属するとしても、登録によって初めて権利行使が認められると解することも可能であるし、上記②の第2の見解により、特許法74条2項による移転登録をすれば、遡及的に最初から真の権利者に権利が帰属していたと解することも可能である。このように、特許法74条の規定は、いずれの立場からも説明することができるものと思われる。

　共同発明であるにもかかわらず、一部の発明者が単独で特許出願した場合には、特許法74条3項も特許権の持分の移転を前提とし、省令にも一部の移転が規定されたことから、権利者の共同出願違反者に対する特許権の持分移転請求権が認められたものと解される。

(3) 第三者（冒認者からの特許権の譲受人等）の扱い

ア　第三者の権利

　冒認出願に係る特許権に関して、特許権設定登録後冒認者から譲り受けた者や、実施権又は質権の登録を有する者等の第三者が存在する場合がある。

　冒認を理由に特許が無効にされた場合には、冒認出願に係る特許権は、初めから存在しなかったものとみなされ、冒認者から特許権を譲り受けた者や実施権等の設定を受けた者も、同様に権利を失うことになる。

　冒認を理由に移転登録手続が行われることによって、特許権は初めから冒認者には帰属していなかったこととなるから、冒認者による譲渡や実施権及び質権の設定は、無権利者による無効な設定行為であったこととなる。

イ　法定通常実施権

　他方、冒認を理由に特許が無効にされる場合に第三者が発明を自由に実施可能となるのとは異なり、冒認を理由に移転登録手続が行われる場合には、真の権利者が新たに独占排他性を有する特許権を取得することになるため、当該発明を実施している第三者は真の権利者から権利行使を受ける

可能性があることとなる。このため、冒認者から特許権を譲り受けた者がいる場合や、専用実施権又は通常実施権が設定・許諾されている場合においては、特許が無効にされた場合と同様に、当該権利は無効なものとして扱われるが、これらの者を保護するため、中用権（特許法80条）の例に倣い、譲受人又は実施権者が善意で当該発明を実施又は実施の準備をしていた場合には、これらの者は通常実施権を有するものとして扱われることになった（同法79条の２）。

(4) 無効審判制度及び無効の抗弁との関係

ア　無効審判請求

特許法123条２項ただし書により、冒認及び共同出願違反を理由とする無効審判請求は、当該特許に係る発明について特許を受ける権利を有する者に限り請求することができる旨改正された。なお、真の権利者が移転登録を受けたときは、無効理由に当たらないことが規定された（同条１項２号括弧書、６号括弧書）。

イ　特許無効の抗弁

他方、特許法104条の３第３項において、上記規定は、当該特許に係る発明について特許を受ける権利を有する者以外の者が特許法104条の３第１項の規定による攻撃又は防御の方法を提出することを妨げないことを明文で規定している。

このように、冒認及び共同出願違反について、無効審判請求人適格は、真の権利者に限定されたが、侵害訴訟における無効の抗弁は、被告となった者全てが主張することができる。

なお、無効の抗弁の主張は、無効審判請求とは異なり、特許権を対世的に無効にするものではないため、真の権利者による移転登録手続の機会が失われることにはならない。

3 特許権の移転登録訴訟

(1) 請求の趣旨

ア　冒認（基本型）

> 被告は、原告に対し、別紙特許権目録記載の特許権につき、特許法74条1項を原因とする移転登録手続をせよ。

(ア)　冒認を理由とする移転請求について、前記2(2)の第2の見解により、特許処分により暫定的に冒認者に権利が帰属したという考え方をとると、特許法74条1項の文言から、「被告は、原告に対し、特許権を移転せよ。」といった主文が必要であるという考え方もあり得ないではない[13]。しかし、第2の見解をとっても、同条2項が、登録さえすれば遡及的に初めから真の権利者に帰属することを規定していると解すれば、そのような主文が必要とはいえないし、前記第1の見解によれば、上記主文は不要である。そして、特許権の移転というような意思表示を、移転登録手続と別個に求める必要性があるのか疑問であり、また、特許権の移転の実現方法は、特許権の移転登録手続によることが同条2項の規定により明らかであって、さらに、特許権の移転が訴訟外でも行使可能であるとされていることからすると、冒認を理由とする「特許権の移転」を求めるためには、特許法74条2項の規定から、より直接的に移転登録請求を認めることも可能であると解される。

不動産について、不実の所有権移転登記がされているときにこれを取り戻す場合の主文は、

> 「被告は、原告に対し、別紙物件目録記載の不動産につき、真正な登記名義の回復を原因とする所有権移転登記手続をせよ。」

13　中山信弘ほか「座談会　特許法改正の意義と課題」ジュリ1436号24頁〔山本和彦発言〕

とされている[14]。

　これを参考にすれば、まず、真実は原告の発明であるのに被告が冒認により出願し、登録を得た場合の請求の趣旨及び判決主文は、端的に移転登録手続を求めることで足り、上記のとおりとなるものと考えられる[15]。特許法74条2項により移転登録の効力が遡及することに照らすと、登録原因については、同条1項を明示すべきであろう。なお、判決主文に登録原因が記載された場合には、それが登録原簿に記載される。

　(イ)　冒認者BからDに譲渡された場合

　冒認者Bが特許権をDに譲渡し、その旨の移転登録がされた場合、真の発明者が提起する移転登録手続請求の被告は、現在の名義人であるDとなる。しかし、Dは真の発明者が誰か証拠を有していないし、将来Bに損害賠償請求をするためにも、Dは、例えばBに訴訟告知をしておくことが考えられる。移転登録手続請求が認容された場合、Dは、特許法79条の2の要件の下に法定通常実施権を有することになる。

　イ　共同出願違反の場合

> 被告は、原告に対し、別紙特許権目録記載の特許権につき、特許法74条1項を原因として、被告の持分〇分の1の移転登録手続をせよ。

　共同出願違反の場合については、最三小判平成13・6・12民集55巻4号793頁〔生ゴミ処理装置事件〕が、

　「被告は、原告に対し、Aと被告の名義で登録されている別紙目録記載の特許権について、被告の共有持分について原告に移転登録手続をせよ。」という第1審判決に対する控訴を棄却する自判をしていることが参考になる。AとXの共同発明であるのにAとYの名義で登録されている場合、

---

[14] 塚原朋一編著『事例と解説　民事裁判の主文』143頁〔杉田薫〕
[15] 中山信弘ほか「座談会　特許法改正の意義と課題」ジュリ1436号24頁〔飯村敏明発言〕も同旨

XとYの共同発明であるのにY単独名義で登録されている場合は、特許法74条1項に基づく特許権の一部（持分）移転を求めることができる。よって、請求の趣旨又は判決主文としては、上記のとおりとすることが考えられる。

なお、特許権が共有の場合に、持分が判明していればその割合を登録原簿に記載することが可能であり、記載がなければ民法250条に従い、持分が相等しいものと推定される。後の紛争を生まないためにも、移転登録すべき特許権の持分割合を記載することが可能な場合には、これを記載するのが相当であろう。

原告が全部自ら発明したものと主張して、特許権の移転登録請求をしたのに対し、裁判所が、原告と被告がいずれも発明の創作行為に寄与していて共同発明であると認定した場合には、一部認容として、それぞれの寄与の割合に応じて、持分の移転登録手続を認容することも可能であると解したい。

ウ　冒認者BがEに専用実施権・質権を設定した場合の抹消登録請求

> 1　被告Bは、原告に対し、別紙特許権目録記載の特許権につき、特許法74条1項を原因とする移転登録手続をせよ。
> 2　被告Eは、別紙特許権目録記載の特許権につき、第1項の移転登録がされた場合には、抹消登録手続をせよ。

冒認者から真の権利者に移転登録が認められると、遡及して冒認者が権利を有していなかったことになり、冒認者から設定を受けた専用実施権や質権は、無権利者からの設定になり、無効となる。しかし、特許法には、真の権利者への移転登録が認められても、当然にはEの専用実施権・質権を抹消する制度は規定されていない。移転登録後は上記権利は無効であるから抹消しなくてもよいという考え方もあり得るかもしれないが、登録原簿上、専用実施権や質権を抹消するには、Eを被告として、抹消登録手続

請求をする必要がある。

　前記2(2)の第1の見解によれば、真の権利者がEに対し単純に抹消登録請求をすることも可能かもしれないが、真の権利者が移転登録をした場合にEの権利を抹消するのが、実態には合うものと解される。その際、真の権利者は、Bから移転登録を受けて効力要件を得てから再度抹消登録請求をするのは迂遠であり、Bに対する移転登録手続請求に併合して、Eに対する条件付きの抹消登録手続請求（移転登録がされた場合に抹消登録を命じる）をすれば足りると思われる。

(2) 要件事実

　　ア　主張立証責任

　特許法74条1項による移転を請求する原告は真の権利者であり、被告は登録名義人であるから、原告は、請求原因として、以下の事実を主張立証すべきである。

---

① 　原告は、○年○月○日、別紙特許権目録記載の特許権に係る発明をした。
② 　被告は、本件特許権の登録名義人である。
③ 　よって、原告は、被告に対し、特許法74条1項に基づき、本件特許権の移転登録手続を求める。

また、上記①に代えて、

---

①′－1　Aは、○年○月○日、別紙特許権目録記載の特許権に係る発明をした。
①′－2　原告は、○年○月○日、Aから、上記発明に係る特許を受ける権利を譲り受けた。

との事実を主張立証することもできる。

　上記要件①①′の「発明」とは「自然法則を利用した技術的思想の創作のうち高度のもの」をいうから（特許法2条1項）、真の発明者（共同発明者）といえるためには、当該発明における技術的思想の創作行為に現実に加担したことが必要である。したがって、(i)発明者に対して一般的管理をしたにすぎない者（単なる管理者）、例えば、具体的着想を示さずに、単に通常の研究テーマを与えたり、発明の過程において単に一般的な指導を与えたり、課題の解決のための抽象的助言を与えたにすぎない者、(ii)発明者の指示に従い、補助したにすぎない者（単なる補助者）、例えば、単にデータをまとめたり、文書を作成したり、実験を行ったにすぎない者、(iii)発明者による発明の完成を援助したにすぎない者（単なる後援者）、例えば、発明者に資金を提供したり、設備利用の便宜を与えたにすぎない者等は、技術的思想の創作行為に現実に加担したとはいえないから、発明者ということはできない（東京地判平成17・9・13判時1916号133頁〔分割錠剤事件〕）。発明者の認定については、前記第4章Ⅳの5を参照されたい。

　イ　無効審判請求との相違

　なお、無効審判請求及びその審決取消訴訟等における冒認の主張立証責任について、知財高判平成22・11・30判時2116号107頁〔貝係止具事件〕は、「特許法123条1項6号を理由として請求された特許無効審判において、「特許出願がその特許に係る発明の発明者自身又は発明者から特許を受ける権利を承継した者によりされたこと」についての主張立証責任は、少なくとも形式的には、特許権者が負担すると解すべきである。もっとも、…そのことは、「出願人が発明者であること又は発明者から特許を受ける権利を承継した者である」との事実を、特許権者において、全ての過程を個別的、具体的に主張立証しない限り立証が成功しないことを意味するものではなく、むしろ、特段の事情のない限り、「出願人が発明者であること又は発明者から特許を受ける権利を承継した者である」ことは、先に出願されたことによって、事実上の推定が働くことが少なくないというべきである。

無効審判請求において、特許権者が、正当な者によって当該特許出願がされたとの事実をどの程度、具体的に主張立証すべきかは、無効審判請求人のした冒認出願を疑わせる事実に関する主張や立証の内容及び程度に左右される」旨判示している。

上記判決は、事実上の推定という手法により、実質的には、冒認であると主張する者に立証責任を負わせたものと評価することもできるところ、特許法74条1項を理由として移転登録を求める場合には、原告の側で自らが真の発明者であること又は真の発明者から特許を受ける権利を譲り受けたことを主張立証をすべきであろう。冒認による移転登録請求に期間制限がないことからも、登録名義人の側に立証責任を課するのは妥当でないケースがあろう。

(3) 実務上の問題点

ア 請求項ごとに発明者が異なる場合の取扱い

特許権は、1つの特許出願に対して、1つの特許査定がされるとともに、1つの登録がされ、その結果、1つの特許権が発生するものとされ、改善多項制の下でも同様に考えられているようである（特許法185条）。また、特許権の現物分割は、事実上、同一の特許権が複数生じてしまうのと同じことになることから、否定されている。さらに、請求項ごとに権利者が異なるような公示は現行制度の下ではできないため、立法論としてはともかく、現段階では、請求項ごとに発明者が異なる場合には、共有にするしかないと思われる。

この問題は、冒認に特有の問題ではなく、例えば、ある会社の従業員がある請求項についての発明者であった場合に、当該請求項は実施されず、共同研究の相手方である大学が発明した別の請求項のみが実施されているときに、これを共有にした場合、職務発明の対価を請求できるかという問題にもつながる。また、共有にした場合、真の権利者は自己が発明していない冒認出願者が付加した発明についても実施することができ、相当でな

いとの批判も考えられる。

　イ　冒認者が侵害訴訟を提起している場合

　真の権利者が侵害訴訟の被告とされている場合、真の権利者たる被告は、冒認を理由として、無効の抗弁や帰属の抗弁を主張することができるほか、反訴として、移転登録手続を求めることも可能であると思われる。冒認であることが認められれば、侵害訴訟は請求が棄却され、移転登録請求の反訴が認容されることになる。

　また、侵害訴訟の当事者ではない第三者が真の権利者である場合、真の権利者は、自ら侵害訴訟に参加して、冒認者である原告には特許権の移転登録手続を求め、被告には自己に損害賠償金を支払うことを求めるなどして、三者間の法律関係を一挙に解決する方法も考えられる。

4　仮処分

(1) 当事者恒定のための処分禁止の仮処分

　ア　当事者恒定の必要性

　特許権について、真の権利者が移転登録請求訴訟を提起した場合に、冒認者が特許権を他者に譲渡したり放棄したりすることにより、真の権利者による特許権の取得を妨害することが考えられ、判決前に特許権が移転されてしまうと、再提訴が必要になりかねない。このような事態を防ぐために、当事者恒定のための処分禁止の仮処分の必要性が高い。

　イ　被保全権利

　特許法74条1項に基づく請求は、移転登録請求訴訟となるので、その執行保全は、当事者恒定のための処分禁止の仮処分が考えられる。その被保全権利は、特許法74条に基づく移転登録請求権であると解される。

(2) 仮処分の発令と執行

ア 仮処分の主文

不動産の所有権についての登記請求権を保全するための処分禁止の仮処分は、

「債務者は、別紙物件目録記載の不動産について、譲渡並びに質権、抵当権及び賃借権の設定その他一切の処分をしてはならない。」

とされている[16]。そして、上記処分禁止の仮処分の執行は、処分禁止の登記をすることにより行う(民事保全法53条1項)。

上記の不動産の処分禁止の仮処分を参考に考えると、特許権の移転を求めるのに先立ち、当事者恒定のため命ずるべき処分禁止の仮処分(民事保全法23条1項、61条)の申請の趣旨及び決定主文は、

> 債務者は、別紙特許権目録記載の特許権について、譲渡、放棄及び専用実施権又は質権の設定その他一切の処分をしてはならない。

とすることが考えられる。

なお、禁止する処分の対象としては、特許法98条1項によれば、特許権の処分は登録が効力発生要件とされているから、これら各号に規定する処分の制限を命じることになる。具体的には、特許権の移転、信託による変更、放棄(1号)、専用実施権の設定、移転、変更(2号)、特許権を目的とする質権の設定、移転、変更(3号)が制限されることになる。

イ 仮処分の執行

登録を請求する権利を保全するための処分禁止の仮処分の執行については、民事保全法54条により、53条が準用されているから、処分禁止の登記をすることにより行う。

---

[16] 東京地裁保全研究会編『書式 民事保全の実務〔全訂五版〕』83頁

そして、上記のような処分禁止の登録後にされた特許権の移転や専用実施権等の設定に関しては、債権者がする特許権の移転登録をする場合に、これと抵触する限度で債権者に対抗できず、抹消されることになる（民事保全法61条、58条、特許登録令55条の2）。特許権の取引に際しては、登録原簿に処分禁止が記載されている場合には、上記のような事態に留意すべきことになる。

5　特許権設定登録前の救済

(1)　本案訴訟

　特許法74条は、あくまで冒認出願者等に設定登録がされた場合の救済方法を定めたにすぎない。このため、設定登録前の救済方法は、従前どおりであり、本案は、特許を受ける権利の確認請求訴訟によることになる。すなわち、「特許を受ける権利の確認」を求めることにより、単独で出願名義を変更することになる（東京地判昭和38・6・5下民集14巻6号1074頁〔自動連続給粉機事件〕）。

(2)　仮処分

　ア　保全の必要性

　平成23年改正では、冒認の問題がクローズアップされたところから、今後、設定登録前についても訴訟が提起される可能性も多くなろうし、設定登録前においても、判決前に特許を受ける権利が移転されてしまうと、再提訴が必要になってしまうため、当事者恒定のための処分禁止の仮処分の必要性は、設定登録後と同様に存在すると思われる。すなわち、被告となった出願名義人が、名義変更をすることで訴訟を無意味ならしめることができ、これが繰り返されると、原告は実効性のある判決をいつまでも得ることができないから、当事者恒定の必要性は明らかである。そこで、本案訴訟で「特許を受ける権利の確認」を求めるに先立ち、特許出願名義人

に対し、処分（出願名義の変更・出願の放棄取下げ）を禁止する仮処分が発令できるような法律構成が考えられるか否か、検討してみたい。

　イ　係争物の仮処分の可否

　まず、係争物の仮処分（民事保全法23条1項）として検討するに、係争物に関する仮処分の被保全権利となるのは、特定物について、引渡しや登記手続等、特定の給付を求める権利であるとされている[17]。

　登録後の仮処分の被保全権利について、上記のとおり、「特許法74条1項に基づく移転登録請求権」と解すると、登録前においては、同条が適用されず、「特許を受ける権利の移転請求権」は観念することができないから、難しい。なお、登録後の74条の規定を登録前について類推適用するという考え方が採用できれば、別かもしれないが、登録を効力要件としており、特許権と特許を受ける権利が明確に峻別されている法制度の下では、それも難しく、執行する方法も、間接強制が考えられるのみであり（民事保全法52条）、仮に発令しても、当事者恒定効が生じるわけではない。

　また、特許を受ける権利そのものから冒認出願者に対する具体的な給付請求権の存在を基礎付けることはできないから、そのような請求権を訴訟物とする本案訴訟ひいてはその執行を観念できず、また、民事保全の側面では、そもそも被保全権利が存しないというべきことから、係争物の仮処分は、肯定する余地がない。

　ウ　仮の地位を定める仮処分の可否

　次に、仮の地位を定める仮処分（民事保全法23条2項）として検討すると、まず、被保全権利が何か問題となる。

　現行法では、本案訴訟も「原告が〇〇の特許を受ける権利を有することを確認する」という主文によっており、改正法にも、特許権の設定登録前についての移転の規定は設けられていない。民事保全法1条所定の「民事訴訟の本案の権利関係につき仮の地位を定める」内容として、被告に対す

---

[17]　原井龍一郎ほか編著『実務民事保全法〔3訂版〕』75頁

る財産処分を禁じる地位を定める内容を認めることは予定されていないものと解される。

　そもそも、冒認者に対する名義変更請求権があるわけではないから（東京地判昭和38・6・5下民集14巻6号1074頁〔自動連続給粉機事件〕）、確認判決という主文をもって、特許庁が特許を受ける権利の名義を変更しているという従来の実務は、法的根拠が明らかとはいえず、本来は便宜的なもので、いわば真の権利者を保護するために行っている行政サービスにすぎないようにも思われる。

　特許を受ける権利についても、登録システムが整備され、新設された特許法74条のような「移転制度」が創設されれば、その「移転請求権」なるものを観念できたと思われるが、平成23年改正では、そのような手当てはされなかった。現行法の下では、いずれにせよ、「特許を受ける権利の名義変更請求権」なるものは、観念するのが難しいし、それ以外の権利を被保全権利にできるのか、疑問である。

　なお、特許を受ける権利そのものを被保全権利とする仮処分については、特許を受ける権利自体は冒認出願者等に対する請求権ではなく、妨害排除請求権が生じるわけでもなく、その意味で出願名義人の処分（出願名義の変更・出願の放棄取下げ）を差し止めるような冒認出願者に対する請求権があるわけでもなく、また、保全執行の方法もないため、処分禁止の仮処分は認められていない（民事保全法23条1項）。仮に「特許を受ける権利そのもの」を被保全権利にするというのであれば、その性質は何なのか、明らかにする必要があると思われる。

　エ　任意の履行を求める仮処分

　登記特約のない賃借権に基づく不動産の引渡請求権を被保全権利とする処分禁止の仮処分や債権の処分禁止の仮処分等の、任意の履行に期待する仮処分は、以下のメルクマールにより許容性を認められるとされている[18]。

18　瀬木比呂志『民事保全法〔第3版〕』373頁

①債務者が任意に履行する可能性が高いこと
②紛争解決のために適切であること
③被保全権利として具体的な権利又は権利関係が想定できること
④被保全権利と仮処分の結びつきが明確であること

　上記①はともかく、③④は被保全権利の点から難しいし、登録後の処分禁止と異なり、登録の形式で執行により当事者恒定効が生じるわけではないことは、上記と同様であり、②も難しいことになる。

　保全を一切認めないと、特許を受ける権利の確認請求訴訟の弁論終結前に冒認出願者等が出願名義を変更した場合、それまでの訴訟活動が無駄になってしまうことから、任意の履行に期待する仮処分として、出願名義変更等禁止の仮処分を発令する考え方もあり得ようが、当事者の恒定ではなく、心理的な強制にすぎないのであれば、任意の履行を求める他の仮処分が一般的に肯定されにくいのに比べ、バランスを欠くと思われる。

　特許法34条によると、特許を受ける権利の承継は、特許庁長官に対する届出によりできるとされているところ、これを登録する方法がないから、類型としては、任意の履行に期待する仮処分ということになり、実効性が乏しいといわざるを得ない。なお、実効性を求めるため特許庁を第三債務者として仮処分命令を発することも、行政法の観点からおよそ認め難いと解される（行政事件訴訟法3条6項）。

　対抗力がなく、実効性に乏しいとして、東京地裁、大阪地裁ともに、これを認めていないのが実情である[19]。

　オ　登録前の仮処分を肯定することの手続上の問題点

　仮に登録前の仮処分を認めるとすると、上記のような理論的問題のほか、手続的にも問題がある。

　(ア)　それが仮の地位を定める仮処分であれば、民事保全法23条4項により、審尋が必要であろうが、審尋を行うと、発令以前に譲渡・取下げをさ

19　『工業所有権関係民事事件の処理に関する諸問題』292頁

れてしまう可能性を否定できない。本案訴訟で発明者性が争われる事案では、大多数の事案で証拠調べが行われているが、仮処分では即時に取調べ可能な証拠に限られるため、陳述書に頼った審尋の結果真の権利者であることの疎明が成功するのは、わずかな事案に留まると思われる。特に、YZ2名の出願に対し、XもYZとともに発明者であるなどという主張をしてきた場合には、YZ2名の発明かXYZ3名の発明かといった微妙な判断をすべき場合もあるため、審尋のための審理期間は、かなりの時間を要する結果とならざるを得ない。

　他方、係争物の仮処分と同様に審尋を行わないとすると、債権者側の言い分（疎明）のみで、とても真の権利者がだれなのかの認定判断はできない。

　なお、仮に和解によって特許を受ける権利を譲渡しないという約束をしたとしても、対特許庁との関係（補正等の手続）は、どうなるのか、約束に反して登場した名義人との関係はどうなるのか、疑問が多い。

　(イ)　次に、発令の内容についても、問題がある。すなわち、発令の際に必要な保全の必要性は、譲渡されたりしては、本案で勝訴しても、判決の効力を現在の名義人に及ぼすことができないということに尽きるのではないかと思われる（取り下げられた場合には、確認の利益がなくなる）。なお、本案の確認訴訟で勝訴しても、登録後の特許法74条のような遡及効があるわけではないと解される。

　特許を受ける権利の譲渡・放棄を禁止したとして、例えば、出願人たる債務者は、補正とか、意見書の提出はできるのか、拒絶査定に対して不服審判を請求してもよいのか、逆に、審査請求をしないとか拒絶査定に対し不服審判を請求しないという選択をしてもよいのか、共同出願違反を理由とする場合には、どうなるのか等、疑問が多い。

　真の権利者と名乗る債権者が補正の手続をしても、特許庁との関係では、特許を受ける権利を有する者が債務者であるために、特許庁がそれを受け付けることは考え難い。

　(ウ)　最後に、執行の方法についても問題がある。すなわち、譲渡や取下

げの禁止の執行方法については、間接強制しか考えられないが、その仮処分に違反する事実（特許を受ける権利の譲渡、放棄）が１回でも発生してしまったら、もうそれ以上、何かを強制することはできない性質のものである。

　もともと、当事者恒定のための制度が考えられないか、が問題提起の出発点だったのであり、特許を受ける権利の段階では、公示の方法がなく、当事者恒定の仮処分の方法はない。登録及びその後の抹消という制度がないところで、仮処分の目的は達せられない。将来、特許を受ける権利の登録制度が導入されれば、移転請求権も観念できることになり、登録後と同様の方法が可能である。

　仮に発令後に譲り受けた者が、特許を受ける権利の譲渡を原因として、特許庁に名義変更を届け出た場合、特許庁はその届出を拒否できないのではないかと思われ、発令後に名義人となった譲受人に、仮処分があったことを対抗できないのでは、上記のような仮処分を発令することに意味がない結果となる。

　　カ　小　括
　以上のとおり、必要性はあるものの、現行法の下で、登録前の仮処分を認めることは困難であろう。

(3) 特許権設定登録前の救済の在り方

　産業構造審議会特許制度小委員会においては、「真の権利者が特許を受ける権利を有することの確認訴訟を提起した場合、冒認者が他者に冒認出願の名義を変更したり、冒認出願の放棄・取下げ等をしたりすることにより、真の権利者による冒認出願の出願人名義の変更を妨害することが考えられる。この点、真の権利者には、特許を受ける権利を有することの確認訴訟の確定判決を得ることによって、単独で冒認出願の出願人名義を変更することが認められており、冒認者の協力を要しないことから、冒認者に対して出願人名義の変更手続を請求する権利は認められていない。この場

合において、仮処分や特許法上の手当てにより、冒認者による出願人名義の変更、出願の放棄・取下げ等を防止することについて検討する必要があるのではないか。」などとされていた[20]。しかし、その後の審議会の報告書では、最終的に被保全権利の不存在を理由に否定される可能性が高いとした上で、中長期的な課題として今後検討するとされ、結局、設定登録前については、手当てがされなかった。

　特許権が設定登録されていない時点では、従前から「特許を受ける権利の確認」を求めることにより、単独で出願名義を変更することが認められており、その当事者肯定の必要性があるものの、特許を受ける権利の移転（名義変更）請求権がない以上、当事者恒定効を有するような仮処分の発令は理論的にも実際的にも困難であって、これを否定せざるを得ない。よって、早期に登録システムを整備することが望まれる[21]。

20　第25回配付資料3、14頁
21　髙部眞規子「冒認による移転登録の実務」L&T55号1頁

事項索引

A～Z
FRAND 条件 182, 283
FRAND 宣言 182, 283

あ
後知恵 425
一応の証明 330
一群の請求項 451
一事不再理 234, 463
逸失利益 286
違法仮処分 124, 251, 255
インカメラ 63, 66
引用発明 422
ウェブ会議 368
営業秘密 84, 93
延長登録 166, 260, 281, 282

か
外国判決 340
蓋然性 75
改善多項制 448
拡大先願 417
隔地的不法行為 329, 350
貸渡し 38, 289
課題解決原理抽出説 201
仮処分 122, 247, 251, 255, 491, 493
管轄原因仮定説 329
管轄配分説 326
刊行物 414
間接管轄 322, 340
間接強制 113, 126, 247, 251, 498
間接侵害 146, 161, 193
間接正犯型 149
技術型知財訴訟 2, 3
技術説明会 137, 368
技術的範囲確定不能説 224
機能的クレーム 218
既判力 111, 121, 456

基本的書証 14, 21, 367
客観的共同説 148
客観的事実証明説 331
キャッチボール現象 245, 448
競合管轄 2
教唆 151, 311, 359
鏡像理論 341
共同出願違反 233, 436, 477, 486
共同侵害 147
共同正犯型 146
共同直接侵害 147
共同発明者 437, 438
共同不法行為 148, 310
業として 158
共有 143, 306, 378
協力義務 77, 312
寄与度 293, 295, 303
寄与率 293, 295, 303
均等侵害 163
均等論 165, 199
禁反言 189, 206
具体的態様の明示義務 58, 85
クレーム解釈 185, 187, 212
計算鑑定 287, 311
経時的要素 35
形成力 457
結果発生地 333, 360
原因行為地 333
限界利益 290, 301
限定解釈 190, 192, 213, 220
限定解釈説 224
限定的減縮 446
権利行使阻止の抗弁 168
権利消滅の抗弁 166
権利喪失の抗弁 167
権利濫用説 225
権利濫用の抗弁 181
公開停止 104
公然実施 413

控訴　24
拘束力　458
公知　412
公知技術の抗弁　179, 206, 225
公知技術の参酌　181, 190
公知部分除外説　190
口頭弁論期日　14, 368
後発医薬品　269
公用　413
国際裁判管轄　322, 359
国際的専属的裁判管轄の合意　340
固有必要的共同訴訟　379

さ

再審事由　229, 248, 256
裁判所調査官　66, 129, 130, 132, 133
裁判手続のIT化　368
債務不存在確認請求　30
差止請求　28, 47, 334, 345
査証人　76
査証報告書　77
査証命令　70, 74
査定系　366, 379, 382
査定系の審決取消訴訟　7
サポート要件　218, 430
作用効果　161, 204
産業上の利用可能性　411
時機に後れた攻撃防御方法　24, 121, 242
試験又は研究　172, 198, 267
自然法則の利用　406
執行判決　340
執行力　113, 120
実施　36, 158, 185
実施可能要件　218, 432
実施相応数量　288
実施に対し受けるべき金銭の額　304
実施の能力　290
実施例限定説　224
釈明処分としての鑑定　129
主引用例と副引用例との差替え　396
自由技術の抗弁　179, 206
自由技術の抗弁説　225
充足論　186

従属説　197
出願経過の参酌　180, 188, 206
出願時同効材　206
準拠法　345, 360
使用　38
承継　386
上告　25, 375
上告受理の申立て　26, 375
証拠収集手続　58, 64
証拠調べの必要性　61, 64
消尽　172, 173, 274
譲渡　38, 288
植物特許　409
職務発明の対価請求　352
職権調査事項　323, 325, 329, 344
書面による準備手続　14, 368
書類提出命令　58, 68, 108, 287
侵害行為がなければ販売することができた物　289
侵害行為により侵害者が受けた利益の額　301
侵害行為の立証又は侵害行為による損害の計算のための必要性　61, 65, 68
侵害の行為に供した設備　43
侵害の行為を組成した物　43
侵害の主体　144, 150, 151
侵害の予防に必要な行為　44
侵害品の生産にのみ用いる物　193
侵害論　16
新規事項の追加　445, 454
新規性　168, 412
審査経過エストッペル　180, 189
審尋　122
進歩性　171, 419
信用回復措置請求　29
推定覆滅　302
生産　37, 276
生産方法の推定　160
正当な理由　62, 78
製法限定説　216
積極的財産損害　305
設計事項　429
説明義務　313
先願発明　419

先使用権 176, 279
専属管轄 12, 325, 351, 376
専門委員 66, 128, 134
専門家調停委員による調停 129
専門的知見 68, 129
専用実施権 142, 143, 158, 174, 308, 470
専用品 162, 193
相当性 75
阻害要因 171, 427
遡及効 246, 252, 253, 258, 260, 265, 266, 482
属地主義の原則 199, 323, 346, 356
訴訟記録の閲覧等の制限 80
訴訟経済 226, 262
訴訟上の信義則 111, 190, 234, 245, 249, 252, 258, 462
訴訟手続の中止 224
訴訟物 27, 28, 47
訴訟物の価格 20
ソフトウェア 409
損害塡補保証条項 476
損害賠償請求 29, 48, 332
損害又は遅滞を避けるための移送 13
損害論 16, 285, 314
存続期間 166
存続期間の延長 167, 271, 281

た

大合議 4
第三者意見募集制度 16
第三者効 234, 463
対象製品の特定 46
代替執行 113
ダブルトラック 245, 261, 264, 452
単純方法の発明 31, 40
置換可能性 204
置換容易性 205
知財調停 130
知的財産権 1
知的財産高等裁判所 1
中央当局送達 339
中間判決 113
調査費用 305

直接管轄 322
陳述要領記載文書 85
通常実施権 143, 175, 308, 483
手足理論 149
抵触法 345
訂正審決の確定 253, 256, 265, 400, 452
訂正審判請求 169, 447, 448, 449, 450
訂正請求 169, 448, 451
訂正の対抗主張 169, 192, 237
適時提出主義 241
同一事実 233, 463
同一証拠 233, 463
動機付け 171, 426
当業者 206, 424, 431, 432, 434, 439
道具理論 149
当事者系 366, 382
当事者系の審決取消訴訟 7
当事者適格 377
当然対抗 175
当然無効説 225
独占的通常実施権 143, 309
特段の事情 168
特定数量 288, 296
特定論 46
独立説 197
独立特許要件 446, 455
特許権に関する訴え 12
特許権の効力 36, 281, 349
特許請求の範囲 186, 420, 430, 433
特許発明の技術的範囲 185, 212
特許発明の本質的部分 164, 201, 277
特許無効の抗弁 168, 212, 232, 351
取消事由 388

な

二段階審理 15, 62, 114, 285

は

廃棄請求 28, 43, 47, 113
発明 30, 489
発明該当性 406
発明者 436, 489
発明の完成 177

発明の実施である事業　177
発明の詳細な説明　420，430，432
発明の要旨の認定　186，212，420
パラメータ発明　431
半製品　43，113
判断遺脱　392
判断齟齬　229，230，244，264
販売することができないとする事情　291
販売の申出　39
反復可能性　408
判例相反　26
非技術型知財訴訟　2
必須宣言特許　182，283
必要性　75
必要的審尋事件　123
秘密条項　118
秘密保持契約　108
秘密保持命令　66，79，83
広すぎるクレーム　218
不開示決定　79
複数主体　144，355
不公正な取引方法　377，474
不争条項　118，377，472
物件目録　48，49，50，51
不当な取引妨害　284
部品特許　294
不法行為地の裁判籍　328，342，359
プロダクト・バイ・プロセス・クレーム　35，215，434
紛争の一回的解決　227，234，262，463
併合請求の裁判籍　335，342
併用型　53
弁護士費用　306
弁論準備手続期日　14，367
幇助　151，311，359
法性決定　347，350，360
包袋禁反言　180，189，206
法廷地国際私法説　322，351
法定通常実施権　176，483
冒認　178，233，436，477，485
方法の発明　30，33，159，196
法律上の事実推定　298
法令違反　26

保護国法　349
補充性　75
補償金請求　158
補償金請求訴訟　253
保存行為　381
本質的部分　200，276

ま

未完成　408，419
密接な関連　336
無効審決の確定　167，246，265
無効審判請求人適格　232
無効論　223
明確性要件　217，433
明細書　188
物同一説　216
物の発明　30，34，37，158，193
物を生産する方法の発明　30，34，41，159
文言侵害　160，186

や

輸出　38
輸入　38
容易想到　171
容易の容易　416，429
予告審決　452
予測できない顕著な効果　428

ら

ライセンス契約　468
理由不備　390
領事送達　339

わ

和解　115

判例索引

大判明治34・3・29刑録7巻72頁 ……………………………………………… 151
大判明治37・9・15刑録10輯1679頁 …………………………………………… 223
大判大正3・5・7刑録20巻790頁 ……………………………………………… 151
大判大正6・4・23民録23輯654頁 ……………………………………………… 223
大判大正7・12・17法律新聞1528号24頁 ……………………………………… 152
大判昭和8・7・7民集12巻1849頁 ……………………………………………… 380
大判昭和18・4・28民集22巻9号315頁 ………………………………………… 34
最三小判昭和30・4・5民集9巻4号439頁 …………………………………… 242
最三小判昭和32・3・26民集11巻3号543頁 …………………………… 148, 311
東京高判昭和32・5・21行裁例集8巻8号1463頁〔放射作用の遮断方法事件〕 …… 35
最小小決昭和32・5・22刑集11巻5号1526頁 ………………………………… 413
最 大 判昭和33・3・5民集12巻3号381頁 ………………………………… 121
最一小判昭和33・6・14民集12巻9号1492頁 ………………………………… 121
大阪地昭和36・5・4下民集12巻5号937頁 ………………………… 147, 152
最一小判昭和36・8・31民集15巻7号2040頁 ………………………………… 379
最二小判昭和36・10・13刑集15巻9号1586頁 ………………………………… 413
最二小判昭和37・12・7民集16巻12号2321号〔炭トロ事件〕 …………… 181, 190
東京地判昭和38・6・5下民集14巻6号1074頁〔自動連続給粉機事件〕 …… 479, 493, 495
最三小判昭和39・8・4民集18巻7号1319頁〔回転式重油燃焼装置事件〕 ………… 190
東京地判昭和40・8・31判タ185号209頁〔カム装置事件〕 …………………… 144
最三小判昭和43・4・23民集22巻4号964頁〔山王川事件〕 ……………… 148, 311
最小小決昭和43・6・5刑集22巻6号427頁 …………………………………… 413
最三小判昭和43・12・24民集22巻13号3428頁 ……………………………… 125, 247
最三小判昭和44・1・28民集23巻1号54頁〔原子力エネルギー発生装置事件〕 …… 407, 408
最一小判昭和44・2・27民集23巻2号441頁 …………………………………… 306
最二小判昭和44・10・17民集23巻10号1777頁〔地球儀型ラジオ事件〕 …… 177, 280, 281
東京地判昭和44・12・22無体裁集1巻396頁〔折畳自在脚事件〕 ……………… 307
最三小判昭和46・4・20裁判集民事102号491頁 ……………………………… 265
最一小判昭和46・10・28民集25巻7号1037頁 ………………………………… 388
最一小判昭和47・12・14民集26巻10号1888頁〔フェノチアジン誘導体製法事件〕 …… 454, 455
最一小判昭和47・12・14民集26巻10号1909頁〔あられ菓子の製造方法事件〕 ………… 455
最二小判昭和48・4・20民集27巻3号580頁〔隧道管押抜工法事件〕 …… 143, 308
最二小判昭和49・6・28裁判集民事112号155頁〔一眼レフカメラ事件〕 ………… 190
最三小判昭和50・5・27裁判集民事115号1頁〔オール事件〕 ………………… 188
最一小判昭和50・5・29民集29巻5号662頁 …………………………………… 388
最三小判昭和50・11・28民集29巻10号1554頁 ……………………………… 340
最 大 判昭和51・3・10民集30巻2号79頁〔メリヤス編機事件〕 …… 234, 245, 376, 394
最二小判昭和51・4・30判タ360号148頁〔気体レーザ放電装置事件〕 ………… 424

最一小判昭和51・7・19裁判集民事118号291頁 ……………………………………… 469
最一小判昭和51・9・30民集30巻8号799頁 ………………………………………… 112
最一小判昭和52・3・24裁判集民事120号299頁 ……………………………………… 112
東京高判昭和52・7・27判タ359号295頁 …………………………………………… 378
最一小判昭和52・10・13民集31巻6号805頁〔薬物製品事件〕 ……… 177, 279, 407, 408, 439
東京高判昭和53・10・25判タ373号160頁 …………………………………………… 378
東京高判昭和54・11・20無体裁集11巻2号608頁 …………………………………… 378
最二小判昭和55・1・18裁判集民事129号43頁 ……………………………………… 379
最一小判昭和55・1・24民集34巻1号80頁〔食品包装容器事件〕 ………………… 395
最二小判昭和55・7・4民集34巻4号570頁〔一眼レフカメラ事件〕 ……… 414, 415
最一小判昭和55・12・18裁判集民事131号345頁 …………………………………… 386
東京地判昭和56・2・25無体裁集13巻1号139頁〔交換レンズ事件〕 … 162, 193, 198
最二小判昭和56・3・13判時1001号41頁 …………………………………………… 417
最二小判昭和56・3・27民集35巻2号417頁 ………………………………………… 389
最二小判昭和56・10・16民集35巻7号1224頁〔マレーシア航空事件〕 ………… 326
東京地判昭和57・11・29判時1070号94頁 …………………………………………… 473
最一小判昭和58・9・29刑集37巻7号1110頁 ………………………………………… 38
最三小判昭和59・3・13裁判集民事141号339頁〔モノアゾ染料の製法事件〕 …… 391
東京地判昭和59・3・27判時1113号26頁 …………………………………………… 330
大阪地判昭和59・4・26無体裁集16巻1号248頁〔合成樹脂射出成型用型事件〕 … 62
大阪地判昭和59・12・20判時1138号137頁〔ヘアブラシ事件〕 …………………… 144
東京高判昭和60・7・9判タ579号79頁 ……………………………………………… 389
大阪地判昭和61・5・23無体裁集18巻2号133頁〔繊維分離装置事件〕 ………… 190
最一小判昭和61・7・17民集40巻5号961頁〔箱尺事件〕 ………………………… 415
最二小判昭和61・10・3民集40巻6号1068頁
　〔ウオーキングビーム事件〕 ………………………………… 177, 178, 279, 280, 281
東京高判昭和62・6・30（昭和58年（行ケ）第69号）審決取消判決集昭和62年1084頁
　〔芯上下式石油燃焼器事件〕 ……………………………………………………… 402
大阪地判昭和62・11・25無体裁集19巻3号434頁 …………………………………… 55
最三小判昭和63・3・15民集42巻3号199頁〔クラブキャッツアイ事件〕 ……… 150
最三小判昭和63・7・19民集42巻6号489頁 ………………………………………… 158
東京高判昭和63・7・27無体裁集20巻2号346頁 …………………………………… 378
最　大　判平成元・3・8民集43巻2号89頁 …………………………………………… 104
東京地判平成元・3・27判時1318号82頁 …………………………………………… 329
東京地判平成元・6・19判タ703号246頁 …………………………………………… 336
最二小判平成3・3・8民集45巻3号123頁〔リパーゼ事件〕 …… 33, 186, 188, 212, 214, 219, 420
最三小判平成3・3・19民集45巻3号209頁〔クリップ事件〕 ……………………… 422
最三小判平成3・4・23民集45巻4号538頁〔シェトワ事件〕 ……………………… 396
最二小判平成3・10・25民集45巻7号1173頁 ………………………………………… 311
最三小判平成4・4・28民集46巻4号245頁〔高速旋回式バレル研磨法事件〕 …… 458
最二小判平成4・7・17裁判集民事165号283頁〔ガラス板面取り加工方法事件〕 … 459
最三小判平成5・10・19判時1492号134頁〔アンカー付掘削装置事件〕 ………… 470

判例	頁
東京高判平成6・7・20知的裁集26巻2号717頁	325
最一小決平成6・12・9刑集48巻8号576頁	362
最三小判平成7・3・7民集49巻3号944頁〔磁気治療器事件〕	379
東京地判平成7・3・17判時1569号83頁	330
東京地判平成7・4・25判時1561号84頁	330
最二小判平成8・6・24民集50巻7号1451頁	326
東京高決平成9・5・20判時1601号143頁	62, 107, 108
最三小判平成9・7・1民集51巻6号2299頁〔BBS並行輸入事件〕	172, 173, 274, 278, 324, 356
東京地決平成9・7・22判タ961号277頁	107, 108
最三小判平成9・11・11民集51巻10号4055頁	326
東京地判平成10・2・9判タ966号263頁〔コンセンサス・インターフェロン事件〕	274
最三小判平成10・2・24民集52巻1号113頁〔ボールスプライン軸受事件〕	164, 200
最二小判平成10・4・28民集52巻3号853頁〔サドワニ事件〕	337, 341
東京地判平成10・5・29判時1663号129頁〔O脚歩行矯正具事件〕	301
最二小判平成10・6・12民集52巻4号1147頁	112
東京高決平成10・7・16金判1055号39頁〔ナブトピン注事件〕	64
東京地判平成10・10・7判時1657号122頁〔負荷装置システム事件〕	165
東京地判平成10・11・27判タ1037号235頁	335
最三小判平成11・3・9民集53巻3号303頁〔大径角形鋼管事件〕	400, 447, 452
最二小判平成11・4・16民集53巻4号627頁〔メシル酸カモスタット事件〕	172, 269, 273
東京高判平成11・6・15判時1697号96頁〔スミターマル事件〕	292
最三小判平成11・6・29裁判集民事193号411頁	393
東京地判平成11・6・29判時1686号111頁〔脇の下用汗吸収パット事件〕	212
最二小判平成11・7・16民集53巻6号957頁〔生理活性物質測定法事件〕	20, 33, 34, 40, 44, 45, 73
東京地決平成11・9・20判時1696号76頁〔iMac事件〕	127
大阪地決平成11・9・21判時1785号78頁	13
最二小判平成11・10・22民集53巻7号1270頁	167
最一小判平成12・1・27民集54巻1号1頁	351
最一小判平成12・1・27民集54巻1号69頁〔クロム酸鉛顔料及びその製法事件〕	385, 463
東京高判平成12・2・1判時1712号167頁〔血清CRPの簡易迅速定量法事件〕	190
最二小判平成12・2・18判時1703号159頁〔嗜好食品の製造方法事件〕	385
最三小判平成12・2・29民集54巻2号709頁〔桃の新品種黄桃の育種増殖法事件〕	407, 409
最三小判平成12・4・11民集54巻4号1368頁〔富士通半導体・キルビー特許事件〕	168, 181, 182, 190, 191, 192, 212, 213, 225, 229, 352
東京高判平成12・4・27（平成11年(ネ)第4056号ほか）〔悪路脱出具事件〕	292
大阪地判平成12・5・23（平成7年(ワ)第1110号ほか）〔召合せ部材取付用ヒンジ事件〕	211
東京地判平成12・6・23（平成8年(ワ)第17460号）〔血液採取器事件〕	292
東京地判平成12・9・27判タ1042号260頁〔連続壁体の造成工法事件〕	190
大阪地判平成12・10・24判タ1081号241頁〔製パン器事件〕	193
最一小決平成12・12・14民集54巻9号2743頁	100
大阪地判平成12・12・21判タ1104号270頁〔ポリオレフィン透明剤事件〕	194

東京高判平成12・12・25（平成11年（行ケ）第368号）〔6本ロールカレンダー事件〕………413
東京地判平成13・2・8判時1773号130頁〔第1次玩具銃事件〕………………………………310
最一小決平成13・2・22判時1742号89頁……………………………………………………………107
最二小判平成13・3・2民集55巻2号185頁〔パブハウスG7事件〕……………………………152
最三小判平成13・3・13民集55巻2号328頁………………………………………………148, 311
東京地判平成13・5・14判時1754号148頁〔眼圧降下剤事件〕…………………………………360
最二小判平成13・6・8民集55巻4号727頁
　　〔円谷プロダクション事件〕………………………… 328, 331, 334, 335, 336, 343, 359
最三小判平成13・6・12民集55巻4号793頁〔生ゴミ処理装置事件〕……………479, 481, 482
東京地判平成13・9・20判時1764号112頁〔電着画像の形成方法事件〕……………………149, 357
東京地判平成13・9・28判タ1095号240頁〔モズライト事件〕…………………………………236
大阪地判平成13・10・30判タ1102号270頁…………………………………………………………161
最三小決平成13・11・14刑集55巻6号763頁………………………………………………………38
最二小判平成14・2・22民集56巻2号348頁〔ETNIES事件〕………………………………381, 382
最一小判平成14・2・28裁判集民事205号825頁〔水沢うどん事件〕…………………………381
東京地判平成14・3・19判タ1119号222頁〔スロットマシン事件〕……………………………286
最二小判平成14・3・25民集56巻3号574頁〔パチンコ装置事件〕………………………381, 384
東京高判平成14・4・11判時1828号99頁〔外科手術の光学的表示方法及び装置事件〕……412
東京高判平成14・4・25（平成11年（行ケ）第285号）〔ヒト白血球インタフェロン事件〕…415
東京地判平成14・6・27（平成12年（ワ）第14499号）〔生海苔の異物分離除去装置事件〕………286
東京地判平成14・7・17判時1799号155頁〔ブラジャー事件〕…………………………………480
最三小判平成14・9・17裁判集民事207号155頁〔mosrite事件〕………………………………390
東京地判平成14・9・19判時1802号30頁…………………………………………………………114
最一小判平成14・9・26民集56巻7号1551頁
　　〔FM信号復調装置事件〕………………………… 152, 324, 327, 335, 338, 345, 347, 350, 353, 360, 361
東京高判平成14・10・31判タ1138号276頁
　　〔新規芳香族カルボン酸アミド誘導体の製造方法事件〕…………………………………286
東京地判平成14・11・29判時1807号33頁〔光ディスク事件〕…………………………………352
東京地判平成15・1・20判タ1114号145頁〔資金別貸借対照表事件〕…………………………406
名古屋地判平成15・2・10判時1880号95頁〔スチールバンド事件〕…………………………207
大阪地判平成15・2・13判タ1124号285頁〔ヒットワン事件〕…………………………………152
最一小判平成15・2・27民集57巻2号125頁〔フレッドペリー事件〕…………………………470
大阪高判平成15・5・27（平成15年（ネ）第320号）〔育苗ポット事件〕…………………175, 469
東京地判平成15・6・27判時1840号92頁〔花粉のど飴事件〕…………………………………144
東京地判平成15・9・26（平成15年（ワ）第14128号）………………………………………………325
東京地判平成15・10・16判時1874号23頁〔サンゴ化石粉末事件〕………………………327, 352
東京地判平成15・11・26（平成13年（ワ）第3764号）〔AMP事件〕………………………………37
東京地判平成15・12・26（平成8年（ワ）第14026号）……………………………………………114
東京高判平成16・1・29判時1848号25頁〔光ディスク事件〕…………………………………353
東京地判平成16・2・20（平成14年（ワ）第12858号）〔第2次玩具銃事件〕…………………310
東京地判平成16・2・24判時1853号38頁〔味の素アスパルテーム事件〕……………………353
東京地判平成16・3・4（平成13年（ワ）第4044号）……………………………………………325

大阪地判平成16・3・25（平成12年(ワ)第5238号）〔生体内分解吸収性外科用材料事件〕……… 475
東京地判平成16・4・23判時1892号89頁〔プリント基板用治具用クリップ事件〕……………… 195
東京地判平成16・8・17判時1873号153頁〔切削オーバーレイ工法事件〕…………………… 152
東京地判平成16・9・24（平成15年(ワ)第5212号）〔洗い米事件〕……………………… 472
大阪高判平成16・10・15判時1912号107頁 ………………………………………………………… 125, 247
東京高判平成16・11・8（平成15年（行ケ）第498号）〔3－5族化合物半導体結晶事件〕……… 425
東京高判平成16・12・21判時1891号139頁 ………………………………………………………… 410
東京高判平成16・12・27（平成13年（行ケ）第278号）〔カードゲーム玩具事件〕…………… 400
大阪地判平成17・2・10判時1909号78頁〔病理組織検査標本作成用トレー事件〕………… 292
東京地判平成17・2・10判時1906号144頁〔医薬用顆粒製剤事件〕…………………………… 414
東京地判平成17・2・25判タ1196号193頁〔コンテンツ中継サービス装置事件〕……… 49, 57
東京地判平成17・4・8判タ1203号273頁〔水晶振動子事件〕………………………………… 317
東京地判平成17・5・31判タ1257号283頁〔誘導電力分配システム事件〕……………………… 309
最二小判平成17・6・17民集59巻5号1074頁
　　〔生体高分子・リガンド分子の安定複合体構造の探索方法事件〕……………………………… 143
東京地判平成17・6・17判時1920号121頁〔低周波治療器事件〕……………………………… 414
最二小判平成17・7・11判タ1189号185頁 ………………………………………………………… 235
東京地判平成17・9・13判時1916号133頁〔分割錠剤事件〕…………………………… 437, 489
知財高判平成17・9・30判時1904号47頁〔一太郎事件〕…………………… 4, 195, 197, 198, 242
知財高判平成17・10・6（平成17年（行ケ）第10366号）〔炭酸飲料ボトル製造方法事件〕…… 400
最三小判平成17・10・18判タ1197号114頁〔クリーニングファブリック事件〕………………… 452
東京地判平成17・11・1判タ1216号291頁
　　〔電話番号リストのクリーニング装置事件〕………………………………… 28, 47, 54, 55, 112
知財高判平成17・11・11判時1911号48頁〔パラメータ特許事件〕……………………………… 4, 430
最二小決平成17・12・9民集59巻10号2889頁 …………………………………………………… 113
知財高判平成18・1・19（平成17年（行ケ）第10193号）〔緑化吹付資材事件〕……………… 442
知財高判平成18・1・31判時1922号30頁〔インクカートリッジ事件〕……………………… 4, 276
知財高判平成18・2・16（平成17年（行ケ）第10205号）……………………………………… 433
知財高判平成18・3・13（平成17年（行ケ）第10596号）〔データ転送システム事件〕……… 423
知財高判平成18・6・29（平成17年（行ケ）第10490号）
　　〔紙葉類識別装置の光学検出部事件〕………………………………………………………… 396
知財高判平成18・7・11判タ1268号295頁〔おしゃれ増毛装具事件〕………………………… 396
大阪地判平成18・7・20判時1968号164頁〔台車固定装置事件〕……………………………… 38
東京地決平成18・9・15判タ1250号300頁 ………………………………………………… 92, 96
知財高判平成18・9・25（平成17年(ネ)第10047号）〔椅子式マッサージ機事件〕……… 292, 296
最三小判平成18・10・17民集60巻8号2853頁〔光ディスク事件〕…………………………… 354
東京地判平成18・10・31判タ1241号338頁 ……………………………………………………… 333
東京地判平成19・2・27判タ1253号241頁〔多関節搬送装置事件〕…………………………… 199
東京地判平成19・4・24（平成17年(ワ)第15327号）〔レンズ付フィルムユニット事件〕…… 317
最二小判平成19・6・11裁判集民事224号521頁 ………………………………………………… 469
知財高決平成19・6・20判時1997号119頁 ……………………………………………………… 450
大阪地判平成19・6・21（平成18年(ワ)第2810号）〔衝撃式破砕機におけるハンマ事件〕…… 305

東京地判平成19・7・26（平成19年(ワ)第1623号）…………………………… 480
東京地判平成19・8・24（平成18年(ワ)第9708号ほか）…………………………… 471
知財高判平成19・10・31（平成19年（行ケ）第10056号）〔切取線付き薬袋事件〕…………… 407
最一小判平成19・11・8民集61巻8号2989頁
　〔インクカートリッジ事件〕………………………………… 37, 172, 174, 275, 278, 279
東京地判平成19・12・14（平成16年(ワ)第25576号）〔眼鏡レンズの供給システム事件〕……… 150
東京地判平成19・12・21（平成19年(ワ)第6214号）〔マッキントッシュ事件〕……………… 236
東京地判平成19・12・25判時2014号127頁〔マンホール継手事件〕…………………… 317
知財高判平成20・2・7判時2024号115頁〔違反証拠作成システム事件〕……………… 440
知財高判平成20・2・12判時1999号115頁 ………………………………………………… 450
知財高判平成20・2・29判時2012号97頁 ………………………………………………… 410
知財高判平成20・3・27（平成19年（行ケ）第10106号）…………………………… 460
最一小判平成20・4・24民集62巻5号1262頁
　〔ナイフの加工装置事件〕………………………………… 229, 238, 240, 242, 256, 265
知財高判平成20・5・29判タ1317号235頁〔ガラス多孔体及びその製造方法事件〕……437, 440
知財高判平成20・5・30判時2009号47頁〔ソルダーレジスト・除くクレーム事件〕……… 4, 454
知財高判平成20・6・24判時2026号123頁 ……………………………………………… 410
大阪地判平成20・6・26（平成19年(ワ)第3485号）………………………………… 469
最一小判平成20・7・10民集62巻7号1905頁〔発光ダイオード事件〕…………………… 449
知財高判平成20・7・14判タ1307号295頁〔生海苔の異物分離除去装置事件〕………246, 247
知財高判平成20・7・17（平成19年(ネ)第10099号）〔既設コンクリート杭の撤去装置事件〕…… 440
知財高判平成20・8・26判タ1296号263頁〔対訳辞書事件〕…………………………406, 407
知財高決平成20・9・29判タ1290号296頁 …………………………………………………… 13
最三小決平成20・11・25民集62巻10号2507頁 ……………………………………………… 65
大阪地決平成20・12・25判タ1287号220頁 ……………………………………………… 98, 101
最三小決平成21・1・27民集63巻1号271頁〔液晶テレビ事件〕……………… 84, 85, 123
知財高判平成21・1・28判時2043号117頁〔回路用接続部材事件〕…………………425, 427
知財高判平成21・1・28判時2044号130頁〔石風呂装置事件〕……………………… 474
知財高判平成21・1・29判タ1291号286頁 ……………………………………………… 13, 14
最二小判平成21・4・24民集63巻4号765頁 …………………………………………… 247
知財高判平成21・6・29判時2077号123頁〔中空ゴルフクラブヘッド事件〕…………… 114
知財高判平成21・6・29判時2104号101頁〔基盤処理装置事件〕…………………… 439
知財高判平成21・8・18判タ1323号256頁〔化粧品事件〕…………………………… 309
知財高判平成21・8・25判タ1319号246頁〔切削方法事件〕……………… 170, 208, 238
知財高判平成21・10・29判タ1341号240頁〔第2次パンチプレス事件〕……………460, 461
知財高判平成21・11・19判時2072号129頁 ……………………………………………378, 389
東京地判平成22・1・22判時2808号105頁 ……………………………………………… 242
東京地判平成22・2・26（平成17年(ワ)第26473号）〔ゴルフボール事件〕…………… 317
知財高判平成22・3・24判タ1358号184頁〔インターネットナンバー事件〕…………… 149
知財高判平成22・5・12判時2095号108頁〔光照射処理装置事件〕………………… 429
知財高決平成22・5・26判時2108号65頁 ………………………………………………… 127
知財高判平成22・7・15判時2088号124頁〔日焼け止め剤組成物事件〕………………… 429

判例索引　■　509

知財高判平成22・9・15判タ1340号265頁 39
大阪地判平成22・11・18（平成21年(ワ)第297号） 480
知財高判平成22・11・30判時2116号107頁〔貝係止具事件〕 439, 442, 443, 489
知財高判平成22・12・28（平成22年（行ケ）第10229号）
　〔プラスチック成形品の成形方法事件〕 391
最一小判平成23・4・28民集65巻3号1654頁〔放出制御組成物事件〕 282
知財高判平成23・6・23判時2131号109頁〔食品の包み込み成形方法事件〕 197
知財高判平成23・9・7判時2144号121頁〔切餅事件〕 114, 115
知財高判平成23・9・8判時2137号111頁〔第3次パンチプレス事件〕 460, 461
知財高判平成23・10・4判時2139号77頁 389
最三小決平成23・12・19刑集65巻9号1380頁〔Winny事件〕 151
知財高判平成23・12・22判時2152号69頁〔飛灰事件〕 286, 296, 317
知財高判平成24・1・27判時2144号51頁〔プラバスタチンナトリウム事件〕 5, 216
知財高判平成24・2・8判時2150号103頁〔電池式警報機事件〕 399
知財高判平成24・9・26判タ1407号167頁〔医療用可視画像の生成方法事件〕 208
知財高判平成24・10・17判時2174号94頁〔建設機械事件〕 389
知財高判平成24・12・5判タ1392号267頁〔省エネ行動シート事件〕 407
知財高判平成25・2・1判タ1388号77頁〔ごみ貯蔵機器事件〕 5, 298, 299, 302
知財高判平成25・3・6判タ2187号71頁〔偉人カレンダー事件〕 406
知財高判平成25・3・6判時2197号119頁〔換気扇フィルター及びその製造方法事件〕 459
知財高判平成25・3・13判タ1414号244頁〔二重瞼形成用テープ事件〕 443
知財高判平成25・3・28判タ1416号116頁〔動態管理システム事件〕 444
知財高判平成25・4・10（平成24年（行ケ）第10328号）
　〔臭気中和化及び液体吸収性廃棄物袋事件〕 459
知財高判平成25・4・24（平成24年（行ケ）第10270号）
　〔気相成長結晶薄膜製造装置事件〕 459
知財高判平成25・8・1（平成24年（行ケ）第10237号）〔麦芽発酵飲料事件〕 459
知財高判平成25・12・19判タ1419号179頁〔ヒト疾患に対するモデル動物事件〕 112
知財高判平成26・2・5判時2227号109頁〔Meiji事件〕 464
東京地判平成26・2・20判時2256号74頁〔レーザ加工方法事件〕 149
知財高判平成26・3・13判時2227号120頁〔KAMUI事件〕 463
知財高判平成26・3・13（平成25年(ネ)第10091号）〔スプレー式美顔器事件〕 211
知財高判平成26・3・26（平成24年（行ケ）第10406号）〔DSPコード生成装置事件〕 447
最一小判平成26・4・24民集68巻4号329頁〔眉トリートメント事件〕 332, 334, 341, 343
知財高判平成26・5・16判時2224号146頁〔アップルサムスン事件〕 5, 182, 283, 284, 295
知財高判平成26・5・30判時2232号3頁〔ベバシズマブ事件〕 5
知財高判平成26・11・26（平成26年（行ケ）第10079号）〔窒化ガリウム系発光素子事件〕 429
東京地判平成26・12・18（平成25年(ワ)第32721号）
　〔コンクリート製サイロビンの内壁の検査方法事件〕 438, 443
東京地判平成26・12・25（平成25年(ワ)第10151号）
　〔カラーアクティブマトリックス型液晶表示装置事件〕 438, 443, 444

知財高判平成27・1・28判時2270号23頁
　　〔ポリウレタンフォーム及び発泡された熱可塑性プラスチックの製造事件〕·················· 460
東京地判平成27・4・24判時2304号87頁〔横電界方式液晶表示装置事件〕··················· 437, 444
最二小判平成27・6・5民集69巻4号700頁
　　〔プラバスタチンナトリウム事件〕······································· 36, 214, 217, 434
知財高判平成27・6・24判時2274号103頁〔袋入り抗菌剤事件〕················· 438, 440, 444
東京地決平成27・7・27判時2280号120頁〔新日鉄ポスコ事件〕······························ 62
知財高判平成27・9・10（平成26年（行ケ）第10277号）〔隔壁付きベッド事件〕···· 393, 446
知財高判平成27・10・8（平成26年(ネ)第10111号）〔粉粒体の混合方法事件〕············· 25
知財高判平成27・10・8（平成27年(ネ)第10097号）〔洗浄剤事件〕······················· 152
知財高判平成27・10・29（平成26年（行ケ）第10195号）〔無線発信装置事件〕············ 402
知財高判平成27・11・5（平成26年(ネ)10082号）
　　〔4H型単結晶炭化珪素の製造方法事件〕····································· 94, 415
知財高判平成27・11・12判時2287号91頁〔生海苔の共回り防止装置事件〕············· 38, 45
知財高判平成27・11・12（平成27年(ネ)第10076号）〔円テーブル装置事件〕·············· 25
最三小判平成27・11・17民集69巻7号1912頁〔ベバシズマブ事件〕····················· 282
知財高判平成27・11・19判タ1425号179頁〔オフセット輪転機版胴事件〕···· 37, 289, 290, 291, 292
知財高判平成27・11・26（平成26年（行ケ）第10254号）
　　〔青果物用包装袋及び青果物包装体事件〕··· 434
最一小判平成27・11・30民集69巻7号2154頁···121
知財高判平成27・12・17（平成27年（行ケ）第10018号）
　　〔マルチデバイスに対応したシステム事件〕······································· 427
知財高判平成27・12・24判タ1425号146頁〔チップセット事件〕························· 476
知財高判平成28・2・24判タ1437号130頁〔第2次省エネ行動シート事件〕········· 406, 407
知財高判平成28・2・24（平成26年（行ケ）第10275号）〔歯列矯正ブラケット事件〕··· 437
知財高判平成28・3・25判時2306号87頁
　　〔マキサカルシトール事件〕··································· 5, 165, 201, 202, 203, 205, 208
知財高判平成28・3・28判タ1428号53頁〔通信網の作動方法事件〕····················· 62, 64
知財高判平成28・3・30（平成27年(ネ)第10098号）
　　〔エミュレーションシステム用集積回路事件〕····································· 203
知財高判平成28・3・30（平成27年（行ケ）第10054号）
　　〔モメタゾンフロエート事件〕··· 399, 428
知財高判平成28・3・30（平成27年（行ケ）第10094号）
　　〔ロータリ作業機のシールドカバー事件〕··· 429
知財高判平成28・4・27判時2321号85頁〔接触角計算プログラム事件〕··················· 305
知財高判平成28・4・27（平成27年(ネ)第10127号）〔Web-POS方式事件〕············· 210
知財高判平成28・5・18（平成27年（行ケ）第10139号）〔スロットマシン事件〕········· 391
知財高判平成28・6・29判タ1438号102頁〔振動機能付き椅子事件〕····················· 203
知財高判平成28・6・29（平成28年(ネ)10017号）〔Web-POS方式ECサイト事件〕····· 211
知財高判平成28・7・13（平成27年（行ケ）第10186号）〔アンカーピン事件〕··········· 396
知財高判平成28・8・3（平成27年（行ケ）第10148号）
　　〔分散型プレディケート予測実現方法事件〕······································· 433

知財高判平成28・8・10（平成27年（行ケ）10149号）
　　〔平底幅広浚渫用グラブバケット事件〕·································· 429, 462
知財高判平成28・9・20（平成27年（行ケ）第10242号）〔二重瞼形成用テープ事件〕········ 435
知財高判平成28・9・21（平成27年（行ケ）第10244号）〔離型フィルム事件〕············ 430
知財高判平成28・9・28判タ1434号148頁〔ロータリーディスクタンブラー錠事件〕·········· 464
知財高判平成28・10・12（平成27年（行ケ）第10178号）〔アモルファス酸化物薄膜事件〕···· 391
知財高判平成28・10・19（平成28年(ネ)第10047号）〔電気コネクタ組立体事件〕········214, 235
知財高判平成28・12・8　（平成28年(ネ)第10031号）〔オキサリプラチン溶液組成物事件〕········ 27
知財高判平成28・12・21（平成27年（行ケ）第10261号）
　　〔スパッタリングターゲット事件〕··· 454
知財高判平成28・12・26（平成28年（行ケ）第10118号）〔高効率プロペラ事件〕·············· 415
知財高判平成29・1・17判タ1440号137頁〔物品の表面装飾構造事件〕····················· 396
知財高判平成29・1・20判時2361号73頁〔オキサリプラティヌム事件〕················· 6, 283
知財高判平成29・1・23（平成27年（行ケ）第10010号）〔成形部品の製造方法事件〕·········· 402
知財高判平成29・1・25（平成27年（行ケ）第10230号）〔噴出ノズル管の製造方法事件〕···· 438
知財高判平成29・2・2　（平成28年（行ケ）第10001号ほか）
　　〔葉酸代謝拮抗薬の組合せ療法事件〕·· 433
知財高判平成29・2・14（平成28年（行ケ）第10112号）
　　〔ピペリジンジオン多結晶体事件〕·· 389
最三小判平成29・2・28民集71巻2号221頁〔エマックス事件〕······················· 236
知財高判平成29・3・14（平成28年(ネ)第10100号）〔魚釣用電動リール事件〕·········239, 430
知財高判平成29・3・21判時2363号62頁〔摩擦熱変色性筆記具事件〕·············· 425, 429
最二小判平成29・3・24民集71巻3号359頁〔マキサカルシトール事件〕··············· 208
知財高判平成29・3・27（平成27年（行ケ）第10252号）
　　〔浄化槽保護用コンクリート体の構築方法事件〕···································· 438
知財高判平成29・6・15（平成28年（行ケ）第10214号）〔駐車ブレーキ事件〕············· 425
知財高判平成29・7・4判時2360号80頁〔給与計算方法事件〕························· 425
最二小判平成29・7・10民集71巻6号861頁〔シートカッター事件〕··················· 266
知財高判平成29・7・18（平成28年（行ケ）第10238号）〔遊技機事件〕··················· 389
知財高判平成29・9・26（平成28年（行ケ）第10263号）〔配線ボックス事件〕············· 417
知財高判平成29・10・3　（平成28年（行ケ）第10183号）〔負極、二次電池事件〕············· 399
知財高判平成29・10・3　（平成28年（行ケ）第10265号）〔盗難防止タグ事件〕············· 425
知財高判平成29・11・7　（平成29年（行ケ）第10032号）〔導電性材料の製造方法事件〕······ 401
知財高判平成29・12・21（平成29年（行ケ）第10083号）
　　〔旨み成分と栄養成分を保持した無洗米事件〕······································ 435
知財高判平成30・1・15判タ1451号147頁〔緑健青汁事件〕··························· 385
知財高判平成30・3・14（平成29年(ネ)第10059号ほか）〔切断装置事件〕··············· 475
知財高判平成30・3・26（平成29年（行ケ）第10085号）〔電力変換装置事件〕············· 427
知財高判平成30・4・4　（平成29年(ネ)第10090号）〔ピタバスタチン事件〕··············· 280
知財高判平成30・4・13判時2427号91頁〔ピリミジン誘導体事件〕······ 6, 378, 398, 416, 420, 426
知財高裁平成30・4・27（平成29年（行ケ）第10202号）
　　〔平底幅広浚渫用グラブバケット事件〕·· 458

知財高判平成30・5・14（平成29年（行ケ）第10087号）〔建築板事件〕·················· 423
知財高判平成30・5・30（平成29年（行ケ）第10167号）〔積層フィルム事件〕············· 419
知財高判平成30・6・19（平成29年(ネ)第10096号）〔携帯端末サービスシステム事件〕····203, 211
知財高判平成30・9・4（平成29年（行ケ）第10201号）〔美容器事件〕·················· 424
知財高判平成30・9・10判時2411号86頁〔スロットマシン事件〕················389, 447
知財高判平成30・9・25（平成29年(ネ)第10064号）〔掘削装置事件〕·················· 204
知財高判平成30・10・17（平成29年（行ケ）第10232号）〔ステーキの提供システム事件〕····407
知財高判平成30・11・20判時2413号136頁〔下肢用衣料事件〕···············235, 307
知財高判平成30・11・26（平成30年（行ケ）第10016号）〔多成分物質の計量事件〕········ 392
知財高判平成30・12・18判時2412号43頁〔二次元バーコード事件〕················ 385
大阪地判平成30・12・25判時2478号74頁〔画面定義装置事件〕·················· 196
知財高判平成31・2・6（平成30年（行ケ）第10031号）〔携帯用グリップ事件〕··········392, 427
知財高判平成31・3・20（平成30年（行ケ）第10034号）〔液晶表示デバイス事件〕·········· 453
知財高判平成31・4・12（平成30年（行ケ）第10117号）〔脂質含有組成物事件〕·········394, 434
知財高判令和元・6・7判時2430号34頁
　　〔二酸化炭素含有粘性組成物事件〕················· 6, 287, 301, 302, 303, 304
知財高判令和元・6・26（平成31年(ネ)第10001号ほか）〔美容器事件〕················ 235
知財高判令和元・8・8（平成30年（行ケ）第10106号）〔油冷式スクリュ圧縮機事件〕······· 390
最三小判令和元・8・27裁判集民事262号51頁〔アレルギー性眼疾患眼科用処方物事件〕······ 429
大阪地判令和元・9・10（平成28年(ワ)第12296号）〔カードケース事件〕················ 307
知財高判令和元・9・18（平成31年(ネ)第10032号）〔ちりめんの製造法事件〕·············· 471
知財高判令和元・10・2（平成30年（行ケ）第10108号）
　　〔重金属類を含む廃棄物の処理装置事件〕·······························399, 426
知財高判令和元・10・3（平成30年(ネ)第10043号）〔第Ⅸ因子抗体事件〕················ 221
知財高判令和元・10・30（平成31年(行ケ)第10014号）〔モノクローナル抗体事件〕········· 221
東京地判令和元・10・30（平成28年(ワ)第10759号）······························· 307
知財高判令和元・12・4（平成30年（行ケ）第10175号）〔アクセスポート事件〕·········· 416
大阪地判令和元・12・16（平成29年(ワ)第7532号）〔光照射装置事件〕················ 307
知財高判令和元・12・19（平成31年（行ケ）第10053号）〔二重瞼形成用テープ事件〕········ 377
知財高判令和2・1・21（平成31年（行ケ）第10042号）〔マッサージ機事件〕······393, 402, 445
知財高判令和2・1・21（令和元年(ネ)第10036号）〔梁補強金具事件〕················ 303
知財高判令和2・1・28（平成31年（行ケ）第10064号）〔椅子型マッサージ機事件〕····416, 445
知財高判令和2・2・25（平成31年（行ケ）第10010号）〔CRISPR-Cas事件〕···········418, 419
知財高判令和2・2・28判時2464号61頁〔美容器事件〕················6, 287, 290, 296
知財高判令和2・3・17（令和元年（行ケ）第10123号）
　　〔低エネルギー粒子放出装置事件〕··· 446
東京地判令和2・3・19（平成29年(ワ)第32839号）〔美容器シャインミニ事件〕··········· 296
知財高判令和2・6・11（令和元年（行ケ）第10077号）
　　〔平底幅広浚渫用グラブバケット事件〕·································423, 464
知財高判令和2・6・18（令和元年(ネ)第10067号）〔基礎パッキン用スペーサ事件〕········ 302
知財高判令和2・7・2判時2477号81頁〔ボロン酸化合物製剤事件〕················ 432
東京地判令和2・7・22（平成29年(ワ)第40337号）〔情報記憶装置事件〕················ 284

東京地判令和2・7・22（平成31年(ワ)第1409号） ……………………………… 274
知財高判令和2・8・20（令和2年(ネ)第10016号）〔結ばない靴紐事件〕……………… 475
知財高判令和2・8・27（令和元年（行ケ）第10139号）
　　〔メタルマスク及びその製造方法事件〕…………………………………………… 427
知財高判令和2・11・10（令和2年（行ケ）第10005号）
　　〔ガラス板合紙用木材パルプ事件〕………………………………………………… 419
知財高判令和3・2・9（令和2年(ネ)第10051号）〔ウイルス及び治療法事件〕………… 274
知財高判令和3・6・24（令和2年（行ケ）第10115号）〔美容器事件〕………………… 427

■執筆者略歴（令和3年9月現在）

髙部　眞規子（たかべ・まきこ）

島根県出雲市生まれ
昭和50年 3 月　島根県立出雲高等学校卒業
昭和50年 4 月　東京大学文科一類入学
昭和54年 3 月　東京大学法学部卒業
昭和54年 4 月　司法修習生（第33期）
昭和56年 4 月　判事補（富山地家裁、東京地裁、千葉地家裁松戸支部、高松地家裁）
平成 3 年 4 月　高松地方・家庭裁判所判事
平成 6 年 4 月　東京地方裁判所判事（民事第29部）
平成10年 4 月　最高裁判所裁判所調査官
平成15年 4 月　東京地方裁判所部総括判事（民事第47部、第32部）
平成21年 4 月　知的財産高等裁判所判事（第 4 部）
平成25年 4 月　横浜地方・家庭裁判所川崎支部長
平成26年 5 月　福井地方・家庭裁判所長
平成27年 6 月　知的財産高等裁判所部総括判事（第 4 部）
平成30年 5 月　知的財産高等裁判所長
令和 2 年10月　高松高等裁判所長官
令和 3 年 9 月　定年退官
令和 3 年10月　弁護士登録予定

平成15年～19年　産業構造審議会臨時委員（商標制度小委員会）
平成21年～24年　工業所有権審議会臨時委員（弁理士試験委員）
平成22年～25年　産業構造審議会臨時委員（特許制度小委員会）

著　書　　『実務詳説　商標関係訴訟』（金融財政事情研究会、平成27年）
　　　　　『実務詳説　著作権訴訟［第 2 版］』（金融財政事情研究会、令和元年）
　　　　　『実務詳説　不正競争訴訟』（金融財政事情研究会、令和 2 年）
編　著　　裁判実務シリーズ 2 『特許訴訟の実務［第 2 版］』（商事法務、平成29年）
　　　　　裁判実務シリーズ 8 『著作権・商標・不競法関係訴訟の実務［第 2 版］』
　　　　　（商事法務、平成30年）
　　　　　最新裁判実務大系10、11『知的財産権訴訟Ⅰ・Ⅱ』（青林書院、平成30年）
共編書　　『知的財産訴訟実務大系Ⅰ～Ⅲ』（青林書院、平成26年）

実務詳説　特許関係訴訟〔第4版〕	
2011年 1 月15日	初　版第 1 刷発行
2012年11月27日	第 2 版第 1 刷発行
2016年 8 月31日	第 3 版第 1 刷発行
2022年 1 月28日	第 4 版第 1 刷発行

　　　　　　　　　　　　　著　者　髙　部　眞規子
　　　　　　　　　　　　　発行者　加　藤　一　浩
　　　　　　　　　　　　　印刷所　株式会社太平印刷社

〒160-8520　東京都新宿区南元町19
発　行　所　一般社団法人 金融財政事情研究会
企画・制作・販売　株式会社きんざい
　　編集部　TEL 03（3355）1758　FAX 03（3355）3763
　　販売受付　TEL 03（3358）2891　FAX 03（3358）0037
　　　　　　URL https://www.kinzai.jp/

・本書の内容の一部あるいは全部を無断で複写・複製・転訳載すること、および磁気または光記録媒体、コンピュータネットワーク上等へ入力することは、法律で認められた場合を除き、著作者および出版社の権利の侵害となります。
・落丁・乱丁本はお取替えいたします。定価はカバーに表示してあります。

ISBN978-4-322-14000-2